Fatima Meer

Nelson Mandela
Zijn leven

UITGEVERIJ DE GEUS

Voor *chief* Albert Luthuli,
dr. Monty Naicker en Bram Fischer

Oorspronkelijke titel *Higher than Hope*, verschenen bij
Skotaville Publishers, Johannesburg 1988
© oorspronkelijke tekst Fatima Meer, 1988
© eerste Nederlandse uitgave Uitgeverij M & P bv,
Weert 1990
Uit het Engels vertaald door Willem Oorthuizen,
Peter Elbersen en Ron de Heer
© geactualiseerde versie Fatima Meer, 1995
Vertaling geactualiseerde versie Laura van Campenhout
© pocketuitgave Uitgeverij De Geus, Breda 1995
Omslagontwerp Stefan Hengst
Omslagfoto Nelson Mandela door Karsh of Ottawa Camera
Press, London en ABC Press

ISBN 90 5226 252 7
NUGI 301, 642

Verspreiding in België uitgeverij EPO,
Lange Pastoorstraat 25-27, 2600 Berchem.

Geuzenpocket

37

Fatima Meer is professor in de sociologie aan de Universiteit van Durban. Vanaf de jaren zestig speelde zij een actieve rol in de Zuidafrikaanse oppositie en kreeg daardoor verschillende malen een *banning order* opgelegd. Ook werd zij gearresteerd en gevangengezet vanwege haar politieke activiteiten. Fatima Meer is voormalig voorzitster van de Black Women's Federation en een vriendin van de familie Mandela.

Inhoud

Voorwoord

Ik weet niet meer van hoeveel vrienden het aanbod is gekomen om de ware familiebiografie te schrijven. Tot op heden zijn er over de trieste historie van ons land talrijke geschriften verschenen, deels van volstrekt vreemden die van de familie heel weinig weten. Ik heb die informatie voor zover ik kon aan Mandela doorgegeven, aangezien mijn bezoeken aan hem in de gevangenis plotseling konden worden afgebroken alleen al bij het noemen van een naam die niet tot de familie behoorde.

Een aantal jaren speelde Mandela met het idee zijn biografie door een vriend van de familie te laten schrijven.

Niemand was voor een dergelijk verhaal beter geschikt dan Fatima Meer, want zij en haar echtgenoot, Ismail Meer, kenden Mandela sinds het begin van de jaren vijftig. Mandela verzocht Fatima niet alleen deze taak op zich te nemen, hij schreef haar zelf en vroeg mij druk op haar uit te oefenen, wat ik ook deed.

Fatima Meer was in staat naar Mandela's geboorteplaats te reizen. Zo kreeg zij de kans Mandela's familie te interviewen. Professor Meer heeft naar beste vermogen getracht uit de schamele gegevens over Mandela's kinderjaren een samenhangend beeld op te bouwen.

Vanzelfsprekend kan zo'n biografie niet compleet zijn, aangezien over bepaalde belangrijke aspecten van Mandela's leven niet vrijuit kan worden gesproken zonder velen van ons volk aan pesterijen en vervolging van staatswege bloot te stellen. Het zijn de verslagen van Mandela's ondergrondse jaren, die periode vol dramatische historische momenten waarin het African National Congress zich opwierp als leider van het ondergrondse verzet.

Het beeld dat professor Meer oproept is dat van een gewoon mens met navoelbare emoties en verlangens, niet een stokoude mythe die vaak ergerlijke vragen ontlokt als 'Waarom wordt deze man verheerlijkt door kinderen die nog niet geboren waren toen Mandela gevangen werd gezet?' 'Denkt u echt dat de jeugd van dit land iemand die zij niet kennen als leider wil, als hij wordt vrijgelaten?'

De biografie, geschreven door een sociologe, analyseert de factoren die een man, een veelbelovende jonge jurist, ertoe brachten alles op te geven voor de Zaak. Het is een analyse die voor ieder van deze gekerkerde mannen kan gelden. Het helpt ons ook te begrijpen waarom de jonge twintigjarige Solomon Mahlangu trots en zingend de galg tegemoet gaat, en waarom Steve Biko gestorven is. Het verklaart hoe de toewijding van deze mannen en vrouwen de onbarmhartige toets van de tijd heeft doorstaan.

Fatima Meer is niet louter een waarneemster van de historie, maar heeft zich persoonlijk ingezet voor deze Zaak. Haar onafhankelijke denkwijze is op sommige momenten heel doelbewust misverstaan door degenen die andere ideologieën aanhangen dan de onze. Wij blijven verenigd in onze strijd voor gerechtigheid, persoonlijke vrijheid en fundamentele mensenrechten.

Nomzamo Winnie Mandela
18 juli 1988

Inleiding

In een van de brieven die Nelson begin jaren zeventig aan mij schreef verklaarde hij dat een autobiografie slechts een excuus was voor een egotrip. Ik schreef terug dat ik het daarmee oneens was. Sommige autobiografieën, zei ik, behoren tot het wezenlijke erfgoed van een volk. En wat vond hij dan eigenlijk van biografieën?

Een paar maanden later was ik op een massabijeenkomst in de Bolton Hall in Durban, die naar ik meen georganiseerd was door de Black Consciousness-groep, want ik heb een duidelijke herinnering aan Steve Biko op het podium. Ik kreeg een boodschap toegefluisterd, van Mandela werd mij gezegd, die via een pas vrijgelaten gevangene was doorgekomen. Hij wilde dat ik zijn biografie zou schrijven.

Het vooruitzicht overdonderde mij, al voelde ik mij gevleid door Nelsons vertrouwen. Waar en hoe kon je zelfs maar beginnen, zolang de hoofdpersoon onbereikbaar bleef? Enkele maanden later bracht ik mijn eerste en enige bezoek aan Robbeneiland. Nelson zei dat ik met de vrouw van *chief* Jongintoba moest praten; zij was als een moeder voor hem. Zijn eigen moeder was toen al overleden.

Ik kreeg niet de kans voor een bezoek aan Transkei. Maar het ontbrak mij ook aan zelfvertrouwen voor een opdracht van zo groot belang.

In het begin van 1976 kreeg ik een reisverbod opgelegd en mocht ik mijn buurt in Sydenham niet verlaten. Datzelfde jaar behoorden Winnie en ik tot tien vrouwen die in het Fort in Johannesburg opgesloten zaten. Tegen het einde van onze straftijd van vijf maanden konden wij af en toe met elkaar praten. Wij besteedden onze tijd aan het opzetten van Winnies biografie/autobiografie, maar na onze vrijlating werd dat werk onderbroken. Wij keerden terug naar de verbodsbepalingen van onze *banning order*, ieder in onze eigen stad.

In 1984, toen mijn verbanning was afgelopen, bezocht ik Evelyn en Maki Mandela in Transkei en zij namen mij mee naar Mqekezweni, waar Nelson zijn kinderjaren had doorgebracht. In een brief aan Nelson beschreef ik dat bezoek. Hij antwoordde:

Mijn beste Fatimaben,

Jouw brief van negen kantjes arriveerde toen ik bezig was met ons antwoord op het aanbod tot vrijlating van de president en hoe belangrijk en urgent de kwestie ook was, onwillekeurig legde ik dat werk opzij tot de volgende avond. Eerlijk gezegd kon ik de concentratie niet meer opbrengen. Mijn geest sprong onmiddellijk vele, vele jaren terug naar een periode in mijn leven, waaraan de gedachte alleen mij letterlijk reduceert tot één bonk sentiment.

Zoals je weet zijn er twee Transkeis. Het ene is een politieke entiteit, die opkwam in het midden van de jaren vijftig en die bittere polemieken uitlokte die ertoe leidden dat vrienden, verwanten, idolen en hun bewonderaars veranderden in onverzoenlijke tegenstanders of zelfs vijanden. Dit is het *Bantustan* waar jij onlangs op bezoek was en waarvan je de leider hebt ontmoet.

Familieleden uit Transkei komen mij vaak opzoeken. De *paramount chief* Bambilanga, *chief*

Vulindlela Mtirara en anderen brengen daar vandaan altijd goed nieuws mee. Dit jaar alleen al had ik niet minder dan vier speciale visites, zonder tijdsbeperking, van waarnemend *chief* Ngangomhlaba Matanzima van West-Thembuland; mijn zuster, Mrs Notancu Mabel Tumakhwe; *chief* Zwelidumile Joyi. Maar de gesprekken gingen voornamelijk over het hypergevoelige en gecompliceerde vraagstuk van de terugkeer en erkenning van de verbannen *paramount chief,* Sabata Dalindyebo, en ik had heel weinig tijd voor andere zaken.

Je begrijpt dus wel dat ik gevaarlijk blij was met jouw brief, die boordevol stond met informatie over de familie. Ook nu, terwijl ik schrijf, is de vervoering nog net zo overweldigend als op de dag dat ik hem ontving. In mijn wildste dromen heb ik nooit kunnen denken dat jij ooit in Mqekezweni zou komen, echt zou praten met leden van de familie en de hut zou zien waarin ik sliep. Die brief was ronduit te verleidelijk om eraf te kunnen blijven. Ik hoop echt dat jij er nogmaals heen kunt gaan met een camera en dan ook de familiegraven in Qunu kunt bezoeken. Alhoewel er geen enkel gebouw meer over is van mijn moeders kraal, woont mijn zuster Notatsumbana, uit het Grote Huis, daar nog steeds en ik zou het leuk vinden als jij haar ook kon ontmoeten. Maar Maki en Leabie zullen erbij moeten zijn om voor jou te vertalen.

Aangaande de gevoelige onderwerpen die de brief aanroert moet ik erop wijzen dat dit antwoord door diverse handen zal gaan voor het jou bereikt, en het zou dus onverstandig zijn die uitvoerig en vrijuit te bespreken. Het is zeker mogelijk dat wij op een dag gewoon met elkaar kunnen praten en dan kan ik uitweiden. Op dit moment kan ik slechts zeggen dat Evelyn een sympathiek en charmant iemand is en dat ik haar ben blijven respecteren, ook toen het huwelijk stukliep. Het zou heel oneerlijk zijn haar de schuld te geven van de breuk.

Mijn jongste zuster, Leabie Makhutshwana Poliso, geeft twee mensen de schuld dat het huwelijk mislukt is. Wederom kan ik nu niet meer zeggen dan dat het voor mij, in mijn huidige positie, nogal indiscreet zou zijn om uitspraken te doen over de opwindende avontuurtjes van dertig jaar geleden. Maar de hoffelijkheid gebiedt mij de beschuldiging niet geheel van de hand te wijzen. Ik laat het aan jou over mij details te ontlokken als je op bezoek komt.

Jij sprak over de lange man (Kaiser Matanzima) aan wie je in het 'paleis' bent voorgesteld. Je kunt het je misschien moeilijk indenken, maar ooit was die man mijn idool. Ik heb hem in kennis gebracht met zijn geweldige vrouw, Nobandla Agrineth, de dochter van *chief* Sangeni, en samen met George Matanzima en Sonto Mgudlwa (een nazaat van Jumba) was ik getuige bij hun huwelijk. In onze clan (Madiba) was hij de eerste die een universitaire opleiding kreeg. Hij zorgde heel goed voor mij in Fort Hare, stuurde een bemoedigende boodschap aan de vooravond van de uitspraak in het Rivonia-proces en heeft zich de afgelopen tweeëntwintig jaar in mijn afwezigheid om de familie bekommerd. Hoewel ik de vrijlating naar een *Bantustan* nimmer zal aanvaarden, moet ik erkennen dat hij al deze jaren onophoudelijk voor mijn vrijlating heeft gestreden. Wij staan eIkaar nog steeds zeer na, maar toen hij overliep naar de Nats is er iets in mij geknapt. Zoals ik al zei: de politiek heeft families, held en aanbidder uiteengedreven.

(25 februari 1985)

Mijn hoop terug te keren naar Transkei is nooit in vervulling gegaan. Vorig jaar vroeg de uitgeverij Skotaville mij de tekst te schrijven voor een fotoboek over Mandela dat zij wilde uitbrengen. Geneigd als ik ben tot breedsprakigheid was dit manuscript het resultaat.

Ik beschouw dit boek als een aanvulling op het pionierswerk dat Mary Benson over Mandela heeft verricht. Het geeft hoogstens mijn visie op Mandela weer. Een definitieve levensbeschrijving van Mandela is niet mogelijk zonder hem persoonlijk te interviewen. Ik hoop dat zo'n biografie, gebaseerd op uitvoerige gesprekken met hem, ooit geschreven zal worden of, nog beter, dat Nelson ons een autobiografie zal geven.

Zolang er niet meer kennis over deze grote landgenoot beschikbaar is, moeten wij het doen met hetgeen uit andere bronnen kan worden vergaard.

Ik heb geprobeerd Mandela voor zover mogelijk door Mandela's ogen te interpreteren. Dat ik daarbij soms te vergaande veronderstellingen en vergissingen heb gemaakt is niet uitgesloten. Hiervoor bied ik Nelson mijn verontschuldiging aan, in de vurige hoop dat hij de kans zal krijgen zulke fouten recht te zetten.

Ik heb geput uit de boeken van Thomas Karis en Gwendolen Carter (Hoover Institute Press, 1972-7), die een onmisbare bron zijn geworden voor de geschiedenis van het ANC, en uit het voortreffelijke boek van Tom Lodge, *Black Politics in South Africa since* 1945 (Longman, 1983). Met hun gedegen arbeid hebben zij de Zuidafrikanen een grote dienst bewezen.

Ik wil mijn dank betuigen aan het Institute for Black Research voor hun steun, aan Ramesh Harcharan voor het uittypen, aan dr. Diliza Mji, Strini Moodley en George Sithole voor hun interviews en aan Phyllis Jordan en Kathy (Ahmed Kathadra) voor hun hulp bij het persklaar maken van het manuscript. Mijn dochter Shehnaz verrichtte liefdewerk met het napluizen van krantenarchieven. Ik dank haar voor die liefde.

Bovenal ben ik dank verschuldigd aan de familie Mandela voor hun medewerking, aan Evelyn en Maki die mij het land van de Mandela's toonden en mij vertelden over het leven van de familie, aan Makgatho, Leabie en Ntombizodwa dat zij hun herinneringen aan dierbare familieleden met mij wilden delen, en aan Nomzamo Winnie voor de tijd en welwillendheid die zij mij gunde – de urenlange gesprekken in de gevangenis, in Brandfort en Soweto over de fascinerende levens van haar en van Nelson, haar aanvullingen en correcties op het manuscript. En tot slot mijn dank aan Winnie, Maki, Zeni en Zindzi voor het schenken van hun brieven, want alleen die brieven geven ons voor dit moment toegang tot het hart en de geest van deze befaamde Zuidafrikaan.

Ten slotte zijn we Nelson Mandela erkentelijk voor het feit dat hij ons toestemming verleende zijn brieven te publiceren. Maar bovenal ben ik hem dank verschuldigd voor zijn nauwgezette correctie van de eerste proef en voor de interviews die hij mij toestond. Dit heeft de tweede versie van het manuscript in belangrijke mate verrijkt.

Naschrift

Nelson Mandela was al opgenomen in het ziekenhuis toen de Zuidafrikaanse editie van *Higher than hope* werd uitgebracht. In september bracht ik een exemplaar naar het Tygerberg Hospital in Kaapstad, waarheen hij later was overgebracht, en gaf het voor hem af bij de hoofdzuster. Veiligheidshalve liet ik ook een exemplaar achter in de Pollsmoor-gevangenis. Nelson kreeg het boek pas in december te zien. Op 10 januari 1989 schreef hij een brief aan mijn man Ismail, waarin hij over de biografie het volgende zei: 'Een biografie schrijven terwijl de persoon over wie het gaat onbereikbaar is kan bijzonder lastig zijn. In sommige hoofdstukken van *Higher than hope is* dit ontbreken van contact duidelijk merkbaar. Maar ik vind dat Fatima uitstekend werk heeft verricht, waarvoor de familie haar altijd dankbaar zal blijven.'

In mei 1989 kregen mijn man Ismail en ik, op verzoek van Nelson, permissie om hem in de Victor Verster te bezoeken. Ismail zag hem voor het eerst terug na achtentwintig jaar, ik na zeventien jaar.

De Victor Verster-gevangenis is een uitgestrekt laagbouwcomplex te midden van wijngaarden in de prachtige Franshoek Vallei, omsloten door de ketens van Groot en Klein Drakensberge en Simonsberg Mountains. Aan de hoofdpoort werden wij ontvangen door onderofficier Gregory, die de laatste tweeëntwintig jaar met Nelson heeft doorgebracht en hem gevolgd is van Robbeneiland naar Pollsmoor en vandaar naar de Victor Verster. Hij was in burger en later zagen wij dat alle bewakers die Nelson verzorgden burgerkleding droegen.

Hij reed ons naar de gevangenis van Mandela: wij reden langs honderd of meer dienstwoningen, langs het bescheiden receptiegebouw, draaiden een laan met hoge coniferen in tussen velden met weelderige sinaasappelbomen en stopten voor een gesloten hek. Witte koeien met zwarte vlekken graasden in een aangrenzend weiland en witte eenden kwamen waggelend naderbij. Er hing een sfeer van volkomen vredigheid, die zelfs niet verstoord werd door de gewapende wachter op de toren en de wachtposten die bij het kleine lage dienstgebouwtje rondhingen. Het hek ging open, wij stapten uit de auto en werden overgedragen aan een bewaker, achter ons ging het hek weer dicht. Enkele meters lopen naar een betonnen muur, nog een poort die openging en weer een andere bewaker die ons meevoerde door de achtertuin van een comfortabel ogende bungalow, langs een lijn met wasgoed, naar de voorkant van het huis. Wij gingen een kamer binnen die uitkeek op een zwembad en die wij voor de woonkamer hielden; later ontdekten we dat het de televisiekamer was.

Het geluid van montere voetstappen en toen ineens omhelsden en omklemden wij Nelson Mandela.

Hoe ik verwacht had hem aan te treffen kan ik mij niet meer precies herinneren. Zijn brieven gaven geen reden tot ongerustheid, maar zeventien jaar eerder, toen ik hem op Robbeneiland had mogen bezoeken, was ik geschrokken van het uitgeteerde, grauwe gelaat dat de gevangenisdirectie mij door een glaswand liet zien. Mandela is nu een jeugdige man van eenenzeventig, groot, levenslustig en zonder een spoor van vet op zijn slanke gestalte. Zijn haar is grijs gevlekt, zijn gezicht nog steeds rimpelloos; hij glimlacht makkelijk en vaak, waarbij zijn ooghoeken samentrekken; zijn lach is spontaan en komt diep uit zijn keel. Nelson was fors en gespierd. Hij is nog altijd even knap als ik hem enkele uren voor zijn arrestatie in 1962 had gevonden; het verschil is dat hij toen een forse indruk maakte in zijn kakiuniform, op en top een militair die net terug was van zijn training in Noord-Afrika, en nu was hij onberispelijk in een driedelig grijs kostuum, het toonbeeld van de staatsman, gereed om zijn land te leiden.

Hij bracht ons naar de ruime woonkamer en nadat wij even hadden gepraat gaf hij ons een rondleiding door zijn smaakvol gemeubileerde 'gevangenis', waarin elk detail de hand van een bekwame binnenhuisarchitect verried.

Ik bleef mij afvragen wat het allemaal te betekenen had en terwijl wij praatten en zagen met hoeveel respect de bewakers hem bejegenden, begon ik te beseffen dat het niet alleen Zuid-Afrika's rechtelozen waren die in hem hun hoop weerspiegeld zagen: ook de regering hoopte via hem een oplossing voor haar problemen te vinden.

Ik had de hoop verloren voor Zuid-Afrika, mijn beeld van de situatie was aanzienlijk versomberd door de gebeurtenissen in Natal, waar het staatsgeweld op gruwelijke wijze verworden was tot geweld van zwart tegen zwart. Nelsons optimisme vervulde mij met nieuwe hoop. Hij had een perspectief, zo leek het mij, waaraan het ons daarbuiten had ontbroken. Radicale verandering was mogelijk, zonder verder bloedvergieten. Mijn uiteindelijke indruk was dat Nelson de situatie heel goed onder controle had en dat het er niet om ging wanneer hij zou worden vrijgelaten, maar wanneer de nationalisten bereid waren tot onderhandelen, want die twee punten hingen samen.

De dag verliep heel prettig en wij kwamen overeen dat ik twee weken later zou terugkomen om de correcties en aanvullingen op de tweede editie van zijn biografie te bespreken.

Mijn tweede bezoek viel drie dagen na het fameuze onderhoud van Mandela met president Botha. Nelson had het boek grondig doorgenomen en overhandigde mij een keurig getypt pak van 39 foliovellen met verbeteringen en aanvullingen, die door het kantoor van de gevangenis waren uitgetypt.

Wij besloten dat ik de correcties thuis zou bekijken en dat wij deze dag zouden besteden aan andere aspecten van zijn leven en eventuele nadere details van reeds behandelde thema's.

Wij werkten zonder onderbreking, afgezien van een lunchpauze. Daarna volgden nog twee bezoeken, zodat ik hem in totaal ongeveer achttien uur heb geïnterviewd. Wij werkten aan de tafel in de eetkamer en bij warm weer op de veranda, hij met zijn zonnehoed van golfkarton op die Jeff Masemola voor hem had gemaakt. Bij mijn derde bezoek gaf de gevangenisdirectie mij te verstaan dat ik mijn werk die dag moest afronden en geen toestemming zou krijgen voor verdere bezoeken om aan het boek te werken.

Deze biografie schiet derhalve, ondanks de goedkeuring van Nelson Mandela, te kort in die zin dat zij op zeer beperkt contact met hem is gebaseerd. Ik moest voor elk interview vijftienhonderd kilometer reizen en mijn bezoeken duurden van negen uur 's morgens tot rond halfvier in de middag; de poort sloot om vier uur, als de staf naar huis ging.

Nelson was eerlijk en open, zijn geheugen is opmerkelijk. Hij herinnerde zich data van gebeurtenissen die zich bijna dertig jaar geleden hadden afgespeeld en de mensen die erbij betrokken waren. Ik schreef het nieuwe materiaal uit zodra ik thuis was en stuurde het per fax naar hem toe zodat hij het bij mijn volgende bezoek gelezen had en in mijn notities correcties en wijzigingen had kunnen aanbrengen. Hij kreeg de faxen niet meteen in handen en bij mijn laatste bezoek had hij ze pas die ochtend gekregen, zodat wij het samen doornamen. Dit betekende dat wij geen tijd over hadden om nieuwe onderwerpen aan te snijden.

Gedurende die drie dagen leerde ik Nelson Mandela veel beter kennen dan in onze vroegere contacten ooit mogelijk was geweest.

Hij maakte op mij de indruk een heel goed mens te zijn, een zeer achtenswaardig en bescheiden man, uiterst tolerant en met een opmerkelijk vermogen om het standpunt van anderen te onderkennen en te appreciëren, zonder van zijn eigen morele positie af te wijken. Zuid-Afrika beschikt over geen betere dan hij om het uit het huidige moeras van menselijk en politiek falen te helpen. Wij kunnen slechts hopen en bidden dat hij de kans zal krijgen ons land te geleiden naar de volwaardigheid die wij allen verdienen.

Fatima Meer
oktober 1989

Roots

Op zoek naar het kind Mandela

Qunu

De hemel is wijd in Qunu en vaak ziet men daartegen de silhouetten van kleine jongens die het vee voortdrijven in door hun vaders afgedankte, laag op de schouders en knieën hangende jassen.

De hemel is in zestig jaar niet veranderd, net zo min als de jongens, en een van hen was Rolihlahla Nelson Mandela, A-a-a Dalibhunga!

Het zou beter zijn als Nelson zelf ons over zijn leven in Qunu vertelde, maar hij zit sinds zesentwintig jaar gevangen en dus is het aan degenen die hem gekend hebben of over hem gehoord hebben om herinneringen en verhalen van zijn kinderjaren te vertellen. Zijn zuster Nomabandla, die in de familiekring Leabie wordt genoemd, is een van hen. Zij zegt:

'Onze vader was Hendry Mphakanyiswa Gadla. Onze betovergrootvader was koning Ngubengcuka, die meer dan honderd jaar geleden stierf. Hij regeerde over alle Thembu's in de tijd dat het land hen toebehoorde en zij vrij waren. Ik heb geen herinnering aan mijn vader. Wat ik van hem weet is wat mijn moeder over hem verteld heeft.

De grootmoeder van onze vader was van de ixhiba van koning Ngubengcuka, daarom erfden haar kinderen geen rijkdommen of belangrijke posities. Die gingen naar de kinderen van de *indlunkulu*. Mijn vader was *chief*, maar werd later afgezet wegens insubordinatie. Hij reed op een paard en had genoeg vee om vier vrouwen te huwen. Onze moeder Nosekeni Fanny, was van het Rechter Huis en zijn derde vrouw.

Wij woonden bij mijn moeder in haar drie *ronda-vels*. Dat wil zeggen ikzelf, mijn twee oudere zusters en Buti – zo noemden wij Nelson. Mijn moeder had ze zelf gebouwd, met hulp van de mannen van onze familie die het dak erop maakten. De ene hut gebruikten wij om te koken, een om te slapen en een voor het opslaan van ons graan en ander voedsel.

Er waren geen meubels in ons 'huis', ik bedoel geen Europese meubels. Wij sliepen op matten, zonder kussen, met het hoofd op een elleboog. Het 'fornuis' van mijn moeder bestond uit een gat in de grond, waarover zij een rooster legde. Als het eten stond te koken was er meestal veel rook, want een schoorsteen was er niet in onze 'keuken'. De rook trok weg door het raam.

In de regel had een getrouwde vrouw in onze streek haar eigen kraal en akker, en mijn moeder had die ook. Zij plantte en zij oogstte en zij plukte de *mealie* van de maïs. Wij meisjes hielpen haar. Wij maalden de *mealies* tussen twee stenen; wij maalden ze als ze vers waren en stoomden ze tot brood en wij maalden ze als ze droog waren en bewaarden het meel in potten. Er was een tijd, heeft mijn moeder verteld, dat wij geen *mealie*-meel hoefden te kopen, maar zolang als ik mij kan herinneren kochten wij altijd *mealie*-meel omdat ons eigen land nooit genoeg mealies opbracht. Maar wij kochten nooit melk en wij kochten nooit zure melk; wij hadden koeien en geiten en daarmee konden wij ons goed voorzien. Mijn vader was geen christen. Mijn moeder Nosekeni, die in onze kerk Fanny werd genoemd, was een overtuigd christen. Zij maakte zich veel zorgen om Buti's toekomst, omdat het ambt van chief zou overgaan op zijn broer van de *indlunkulu*. Mijn vader besloot dat Buti maar een goede opleiding moest hebben, dan kon hij een goede baan krijgen. Maar de school in Qunu ging niet verder dan de eerste beginselen en daarom sprak mijn vader met zijn neef *chief* Jongintaba, de waarnemend opperste chief van de Thembu's, en Jongintaba nam de zorg op zich voor Buti's opvoeding zoals hij ook behoorde te doen volgens de traditie, als hoofd van de Madiba-clan. Mijn vader stierf toen Buti tien jaar was en ik net begon te praten. Ik herinner mij niets van mijn vader. Wat ik van hem weet is wat mijn moeder mij verteld heeft. Toen vader stierf, werd Buti weggehaald op last van *chief* Jongintaba en daarna woonde Buti bij hem in Mqekezweni.

Ik was nog heel jong toen. In de tijd toen ik opgroeide was Buti zelden in Qunu. Toen er geen man in ons huis was om te helpen met de geiten en de koeien, stuurde mijn tante, de zuster van mijn moeder, haar zoon Sitsheketshe die bij ons bleef wonen.

Onze kraal in Qunu was heel druk en ik had mijn oudere zusters als raadgeefsters, en zusters van mijn eigen leeftijd om mee te spelen. In mijn moeders gezin waren wij met zijn vieren – drie zusters en Buti – maar mijn vader had in totaal twaalf kinderen. Van de kinderen en kleinkinderen van mijn moeder woont er nu niemand meer in Qunu, maar het ouderlijk huis staat er nog en de graven van mijn voorouders zijn daar. Onze zuster Notatsumbana, van de *indlunkulu*, heeft tot haar dood voor het huis en de graven gezorgd.'

Mqekezweni

De weg naar Mqekezweni is een aftakking van de asfaltweg tussen Umtata en Engcobo. Bij droog weer is het verharde grond en stof; op regenachtige dagen is het zompige modder. In beide seizoenen is hij meer geschikt voor last- en trekdieren dan voor gemotoriseerde voertuigen.

Het golvende land wordt doorsneden door skelet-achtige ravijnen, uitgevreten door zon en regen. Her en der staan de strohutten met gekalkte muren, wit en groen.

De weg stijgt en daalt van heuveltop naar heuvel-top en van hemel naar hemel, waar het blauw raakt aan het bruin en wolken omlaagrollen en terugkaat-sen op het land. Af en toe verschijnt als verrassing in de leegte van het landschap een bosje acacia's of een kleine maïsakker, of een kudde roerloze schapen of een enkele ruiter te paard of een verdwaalde koe, die midden op de weg stil blijft staan ondanks het schel-le getoeter van een niet minder zeldzame auto.

De weg splitst zich en de ene tak leidt door een roes-tig ijzeren hek naar de Grote Plaats die vroeger de zetel was van Dalindyebo. Voor hem regeerde Ngan-gelizwe in dat gebied en voor Ngangelizwe regeerde Mtirara en voor Mtirara Ngubengcuka, van wie Nel-son Mandela afstamt uit het Linker Huis.

Boven de weg ligt de school waar de jonge Mande-la zijn basisopleiding voltooide, een grof gebouwd rechthoekig blok met een golfplaten dak dat veelvul-dig is opgelapt. Op korte afstand staat de gepleisterde kerk, van hetzelfde type maar iets groter en verfraaid met kleine 'gotische' ramen, waar hij bad en tot chris-ten werd opgevoed.

Aan de weg staat het gerechtsgebouw, even sober maar van rode baksteen. Aan de overkant bevindt zich de koninklijke eetzaal, een complex van drie onder-ling verbonden hutten met strodaken, waar Jonginta-ba de *chiefs* en hoofdmannen ontving en de knaap Rolihlahla bij de bediening hielp, terwijl hij zwijgend en vol ontzag naar hun wijze woorden luisterde.

Onze auto trekt de aandacht van de groep mensen die gekomen is om met de *chief* te spreken en van de juist uit school komende kinderen, die stilhouden onder een oude boom en ons aanstaren.

Mqekezweni was ooit een 'drukke hoofdstad', het hart van het Themburijk en de ontmoetingsplaats voor *chiefs* en hoofdmannen uit de omliggende districten; tegenwoordig is het een dode uithoek, alleen van belang voor de plaatselijke bewoners die hun kinderen naar de school sturen, op zondag en door de week naar de oude kerk komen om te bidden of de *chief* willen raadplegen over eigendomskwesties, belastingen of geschillen over vee en akkergrenzen.

Chief Zonwabele onderbreekt zijn bezigheden in het bakstenen gebouw; zijn mannen komen ons vragen wat wij komen doen; hij stuurt een escorte die ons zal begeleiden naar Ntombizodwa, dochter van Rhanuga, een neef van Dalindyebo. Wij rijden naar het hoofdhuis, op enkele meters afstand, een bescheiden huisje met drie of vier slaapkamers en worden via de achterdeur naar een zitkamer gebracht die aan de voorkant een kleine veranda heeft en aan de achterkant uitkijkt op de binnenplaats waar kippen in het zand scharrelen.

Wij zitten in de bewerkte en met gobelinstof beklede imbuiastoelen, portretten van Dalindyebo, de *indlunkulu* en Jongintaba in zware lijsten kijken op ons neer vanaf de muren die behangen zijn met een motief van herfstbladeren, en een piepjonge Nelson Mandela werpt ons een ietwat verlegen blik toe vanuit een goedkoop lijstje. De enige andere foto in de kamer toont een groep vrouwen in kerkuniformen.

Ntombizodwa, fors uitgedijd na zeventig jaar goed eten en weinig beweging, heet ons welkom. Zij is de laatste die over is uit de tijd van Jongintaba. Een jonge vrouw brengt versnaperingen: koekjes, keurig gerangschikt op een zilveren standaard, twee grote flessen

Sprite en glazen. Zij zet alles op de Victoriaanse eettafel die omgeven is met bijpassende stoelen en waarnaast een fraaie chiffonière pronkt, terwijl wij ons aan de gastvrouw voorstellen. Nadat zij gegeten en gedronken heeft, voldoet Ntombizodwa – die door de jongere generaties als MaDlomo wordt aangesproken – aan ons verzoek en vertelt wat zij zich herinnert van de tijd die Nelson in Mqekezweni doorbracht.

'Ik herinner mij duidelijk de dag toen hij kwam. Hij had een kakibroek en een kakihemd aan. Hij was verlegen en ook ontheemd, denk ik. In het begin zei hij niet veel. Hij had een tinnen koffer meegebracht en wij kinderen waren nieuwsgierig naar wat daarin zat. Nkosikasi No-England, de vrouw van Jongintaba, nam hem onder haar vleugels. Ik denk dat zij evenveel van hem hield als van haar eigen zoon Justice, en Nelson beantwoordde die liefde en ging haar mettertijd als een echte moeder beschouwen. Hij en zijn koffer kwamen in die rondavel daar,' zij wijst op een witgekalkte hut met strodak die een paar meter naast het hoofdhuis staat, 'en hij deelde die rondavel met Justice en het was alsof zij tweeën broers waren. Later kregen zij gezelschap van Nxeko (Bambilanga), de broer van de opperste *chief* Sabata Dalindyebo. De rondavel was heel eenvoudig ingericht, niet meer dan drie bedden, een tafel en een olielamp.

Zelfs nu is er nog geen elektriciteit in Mqekezweni. In die tijd leek Nelson heel veel jonger dan ik en voelde ik mij heel veel ouder, maar eigenlijk was hij maar vier jaar jonger dan ik. Hij zag mij als een oudere zuster en zo behandelde hij mij ook. Hij was heel beleefd, weet ik nog, en heel respectvol tegen alle ouderen. Hij was toegewijd en ijverig, zowel bij zijn schoolwerk als bij de taken die hem in de Grote Plaats werden toegewezen.

Wij gingen samen naar school. Ik heb nooit gehoord dat hij lastig was voor de meesters of voor een van de meisjes in de klas. Hij ging keurig naar school en naar de kerk en was net als wij allemaal dol op de zondagsschool. Onze school was erg goed en de onderwijzers waren voortreffelijk. Wij hadden drie onderwijzers, Zama Njozela, Arthur Gcikwe en Mabel Mtirara. Er zaten twee klassen in een lokaal en daardoor zaten Nelson en ik in hetzelfde lokaal, ook al zat ik in een hogere klas. Wij kregen les in Engels, Xhosa, geschiedenis en aardrijkskunde. Wij begonnen met de *Chambers English Reader* en schreven op leitjes.

De jongens gingen in kakiuniform naar school; als zij terugkwamen trokken ze een ouder uniform aan en daarna gingen zij, dacht ik toen, spelen en stoeien in de velden, maar dat hoorde allemaal bij het vee hoeden. Zij gingen ook op vogels jagen met katapults. Dan plukten en roosterden ze die vogeltjes en hadden een echt feestmaal. 's Avonds molken zij de koeien en brachten de emmers melk naar *Makhulu*.

Waar zij het allermeest van hielden waren, denk ik, de wedstrijden in paardrijden als Jongintaba hen dat toestond, wat niet zo vaak gebeurde. Jongintaba was streng voor de kinderen, zoals ook van hem werd verwacht. Hij hield ons op een afstand, behalve wanneer hij ons instructies moest geven of berispen. Hij was heel eerlijk en rechtvaardig.'

Nelson zelf haalde herinneringen op aan Mqekezweni in een brief aan een vriend uit 1985:

'Ik heb bijzonder aangename herinneringen en dromen over het Transkei van mijn kinderjaren, aanjagen, stokken gooien, maïs pikken van de kolven en mijn eerste stappen op het liefdespad; het is een wereld die niet meer bestaat. Een beroemde Engelse dichter moet zo'n wereld in gedachten hebben gehad toen hij verzuchtte: *"The things which I have seen I now can see no more".'*

Vanuit de gevangenis schreef hij aan een familielid hoeveel hij aan Jongintaba te danken had:

'Onze families zijn veel groter dan die van de blanken en het is altijd een groot genoegen om helemaal geaccepteerd te worden als een geliefd lid van de huishouding door een heel dorp, een district of zelfs meerdere districten die bezet worden door je eigen stam, waar je altijd aan kunt kloppen, volledig kunt ontspannen, rustig kunt slapen en vrijelijk kunt deelnemen aan de bespreking van problemen en waar je zelfs gratis vee en bouwland kunt krijgen.

Zoals je weet was ik amper tien jaar oud toen onze vader stierf, geheel berooid. Moeder kon lezen noch schrijven en was niet van plan mij naar school te sturen. Maar een lid van onze stam leidde mij op, van de lagere school tot aan Fort Hare, zonder dat hij ooit om enige vergoeding vroeg. Volgens ons gebruik was ik zijn kind en zijn verantwoordelijkheid. Ik heb alle lof voor deze instelling, niet alleen omdat ze een deel van mij is, maar ook omdat ze zo zinvol is. Ze draagt zorg voor allen die zijn voortgekomen uit één voorvader en houdt hen als één familie bij elkaar.

Het is een instelling die is ontstaan en gegroeid op het platteland en die alleen in dat gebied werkt. Het feit dat hele horden mensen naar de stad, de mijnen en de boerderijen zijn getrokken, bemoeilijkt dit systeem even goed te functioneren als in vroeger tijden.'

(april 1977)

Ntombizodwa vertelt dat de schoolopleiding in Mqekezweni niet verder ging dan Niveau 5.

'Jongintaba vond dat niet genoeg en daarom bracht hij zijn pupil in zijn Ford V8 naar Qokolweni om hem de hogere basisschool te laten volgen. Toen hij zijn examen voor Niveau 6 had gehaald, was er feest en werd er een schaap geslacht om hem te eren. Jongintaba gaf hem zijn schooluniform en glimmende leren schoenen en Nelson pakte zijn koffer en in de Ford V8 reden zij naar Engcobo, waar hij op Clarkebury werd ingeschreven. In 1938 haalde hij het toelatingsexamen in Healdtown en toen was er een nog groter feest, want hij zou doorgaan naar de universiteit. Jongintaba bracht hem naar een kleermaker en liet een driedelig pak voor hem maken. Wij waren ervan overtuigd dat hij de best geklede student in Fort Hare zou zijn.'

Kaiser Matanzima denkt er ook zo over. Hij zegt: 'Wij tweeën zagen er heel knap uit en alle vrouwen zaten achter ons aan.'

Nelson heeft uit die dandyjaren de scherpste herinnering aan Ntselamanzi, een danszaal waar de bovenlaag van de zwarte gemeenschap kwam stijldansen in zwart pak en stropdas. 'Wij waren urenlang bezig om mooi te leren stijldansen. Ons voorbeeld was Victor Sylvester, de wereldkampioen stijldansen, en onze leermeester was een van ons, Smallie Guwindla. Maar als Fort Harianen zaten wij met een probleem; terwijl wij de foxtrot en de wals leerden, waren de plaatsen waar wij onze talenten konden showen voor ons verboden. Wij lieten ons echter niet weerhouden, slopen stiekem de slaapzaal uit en maakten onze opwachting bij Ntselamanzi. Wij liepen altijd de kans een van onze docenten tegen te komen. Dat risico namen we. Op een avond zag ik een bijzonder mooie jonge vrouw. Ik ging op haar af en vroeg haar ten dans. Zij lag in mijn armen en kon uitmuntend foxtrotten. Ik vroeg haar hoe zij heette. Zij stelde zich voor als Mrs Bokwe. De vrouw van dr. Bokwe! Dr. Bokwe was er samen met professor Matthews. Ik keek naar de overkant van de zaal en zag de twee heren, mijn docenten. Ik verstijfde. Ik putte mij uit in verontschuldigingen en bracht haar terug naar haar gezelschap. Ik trok mij haastig terug voordat een der gezaghebbende ogenparen, van dr. Bokwe of van professor Matthews, zich met kille afkeuring aan de mijne kon hechten, maar ondanks dat ik twee regels had overtreden bracht professor Matthews de kwestie nooit ter sprake. Hij stond bekend als een fidele vent en maakte die reputatie waar.'

'Maar,' vertelt Ntombizodwa, 'er waren moeilijkheden op Fort Hare. Nelson was betrokken bij een staking. Er waren altijd protesten over voedsel, en hij werd naar huis gestuurd. Jongintaba maakte zich ongerust over hem. Hij zei hem dat hij terug moest gaan en zijn excuus moest aanbieden. Maar hij was heel koppig. Hij zei dat hij nooit meer terug zou gaan.'

Ntombizodwa pauzeert en het lijkt of zij aan het eind van haar verhalen over Nelson is gekomen. Maar Nelsons oudste dochter Makaziwe herinnert haar aan het voorval met de koe. Ntombizodwa kijkt haar bestraffend aan en blijft zwijgen, maar Makaziwe negeert de hint en vertelt het verhaal zoals zij het gehoord heeft. Na zijn schorsing uit het College besloten Nelson en Justice samen weg te lopen naar Johannesburg, maar zij hadden geen geld en pikten daarom een van Jongintaba's koeien en verkochten die aan de lokale handelaar, Vigie Bros, en met dat geld vertrokken zij naar de Gouden Stad. Jongintaba miste zijn koe diezelfde avond al. Iemand vertelde dat hij zijn twee favoriete *inkosana's* de koe naar de winkel had zien drijven. Jongintaba ondervroeg de winkelier en stuurde direct ijlboden achter de boosdoeners aan. Zij werden teruggebracht en stevig bestraft, het geld werd geretourneerd en de koe ging weer in de kraal waar zij thuishoorde.

Nelson gaf vanuit de Pollsmoor-gevangenis de gecorrigeerde lezing van het verhaal.

'Ntombizodwa's weigering om over het koe-incident te praten was gezien vanuit de plattelandsmoraal volkomen begrijpelijk. Wie zou de naam van een dierbare oom door het slijk willen halen door hem openlijk een dief te noemen? Maar Maki heeft de kwestie ook afgezwakt. Justice (Zwelivumile) en ik hadden in werkelijkheid twee ossen verkocht en niet een koe, zoals zij zei. Wij gebruikten het geld om zo snel mogelijk naar Johannesburg te komen en na talrijke obstakels te hebben overwonnen kwamen wij uiteindelijk aan in de Gouden Stad. Er werden geen ijlboden uitgestuurd en wij werden niet teruggehaald. Het enige dat Jongintaba gedaan heeft is telegraferen naar de Induna bij de Crown Mines, waarin hij eiste dat zij ons zouden terugsturen. Het resultaat van dat telegram was dat wij de mijn moesten verlaten. Ik geef jou alleen de hoofdlijnen van al deze kwesties: jij moet de aankleding vinden.'

(22 februari 1985)

Na ongeveer een uur praten viel Ntombizodwa een tijdje stil. Toen zei zij: 'Ik heb jullie verteld over Nelsons opleiding en over het College. Maar wij in Mqekezweni kregen nog een ander soort opleiding en ik denk dat die opleiding voor hem heel belangrijk geweest is, net als voor ons allen. Dat waren de lessen die wij kregen door domweg te luisteren wanneer de ouderen spraken. Wij waren altijd muisstil en de ouderen negeerden onze aanwezigheid en deden alsof wij er niet waren.

De *chiefs* en hoofden van alle districten kwamen naar Mqekezweni en wanneer hun zaken afgehandeld waren, namen zij plaats in de eetzaal en praatten met elkaar. Wij kinderen gingen erbij zitten en hoorden daar een historie die niet in onze schoolboeken voorkwam. Zij spraken over Thembu-koningen die roem en glorie hadden vergaard en over Thembu-koningen die compromissen hadden gesloten en land verkochten aan de Engelsen en de bevolking tot de bedelstaf brachten.

De oudste van de *chiefs* die in Mqekezweni op bezoek kwamen was *chief* Zwelibhangile Joyi. Hij was verschrompeld en krom en zo zwart dat hij blauw zag. Hij had vaak hoestbuien; het begon met een explosie en stierf dan langzaam weg als het gehuil van een stoomfluit. Hij kende de historie van de Thembu's beter dan wie ook, omdat hij die voor een groot deel zelf had meegemaakt. Van hem hoorden wij over koning Ngangelizwe. De jaren vielen van zijn lichaam en hij danste als een jonge krijger wanneer hij ons vertelde hoe hij in de *impi* van de koning tegen de Engelsen had gevochten. Ngangelizwe was goed voor zijn volk, zei hij, en gulhartig voor vreemdelingen. Wij luisterden allemaal gefascineerd naar zijn verhalen, maar vooral Nelson. Ik kon zien dat hij erdoor geraakt werd en ik weet zeker dat Tatu Joyi's verhalen hem altijd zijn bijgebleven.

Tatu Joyi zei dat de blanken splitsingen veroorzaakten tussen broeder en broeder en het volk van Ngangelizwe opsplitsten in delen om vervolgens die delen te vernietigen. Zij vertelden de Thembu's dat zij Britse onderdanen waren en dat de koningin in Engeland hun hoogste *chief* was, maar Tatu Joyi zei dat dat een leugen was. Een *chief* is iemand die land brengt onder de voeten van zijn volk. Koningin Victoria beroofde de Thembu's van hun land en verjoeg hen naar andere lokaties en zette vreemde stammen in hun midden, met de bedoeling dat zij elkaar zouden uitmoorden en voor altijd zwak zouden blijven tegenover de blanken.

Wij luisterden naar Tatu Joyi en wij werden kwaad dat de Engelsen ons deze dingen hadden aangedaan en wij schaamden ons dat onze voorouders dat met hen hadden laten gebeuren. Ook toen al zag ik dat Nelsons woede groter was dan die van de anderen.

Daarom heeft hij zijn leven in de gevangenis doorgebracht. Hij heeft deze dingen ook tegen de rechters verteld toen zij hem veroordeelden. Ik kon er niet bij zijn, maar ik las ieder woord dat hij gezegd had en het was waar en in die woorden hoorde ik de stem van Tatu Joyi.'

Nelson sprak daarover in het proces van 1962.

'Vele jaren geleden, toen ik als kleine jongen opgroeide in mijn dorp in Transkei, luisterde ik naar de stamoudsten die verhaalden over de goede tijden van weleer, voor de komst van de blanken. In die tijd leefde ons volk in vrede onder het democratische gezag van hun koningen en trok vrij en onbevreesd door het hele land, zonder beperkingen of obstakels. Toen behoorde het land aan ons. Wij bewoonden het land, de wouden, de rivieren, wij profiteerden van de minerale schatten in de bodem en van alle rijkdommen in dit prachtige land. Wij ontplooiden en praktizeerden ons eigen bestuur, wij beschikten over onze eigen legers en organiseerden zelf onze handel en goederenverkeer. De stamoudsten verhaalden over de oorlogen die onze voorouders hadden gevoerd ter verdediging van het vaderland en over de heldendaden van generaals en krijgslieden in die roemrijke dagen.

De structuur en organisatie van de vroegere Afrikaanse gemeenschappen hebben mij in hoge mate gefascineerd en hebben een sterke invloed gehad op mijn politieke visie. Het land, in die tijd het voornaamste produktiemiddel, behoorde toe aan de gehele stam en er bestond geen enkele vorm van particulier eigendom. Er waren geen klassen, geen rijken of armen, en uitbuiting van de ene mens door de andere was onbekend. Alle mensen waren vrij en gelijk en dit was de grondslag van de regering. De erkenning van dit algemene beginsel werd tot uitdrukking gebracht in het instituut van de raad, afwisselend *imbizo* of *pitso* of *kgotla* genaamd, die over de aangelegenheden van de stam besliste. De raad was zo volmaakt democratisch dat alle leden van de stam aan de besprekingen konden deelnemen. Hoofdman en onderdaan, krijger en medicijnman, allen gaven hun mening en probeerden de beslissingen te beïnvloeden. De raad was zo'n machtig en invloedrijk lichaam dat de stam geen enkele actie van enige betekenis kon ondernemen zonder haar erin te mengen.

Zo'n gemeenschap was in vele opzichten primitief en kwetsbaar en had ongetwijfeld nooit kunnen voldoen aan de eisen van de huidige tijd. Maar zo'n gemeenschap had de kiemen in zich van een evolutionaire democratie, waarin niemand tot slavernij of knechtschap zal kunnen vervallen en waarin geen armoede, gebrek en onveiligheid meer zal zijn. Dit is de inspiratiebron die, tot vandaag toe, mij en mijn medestanders bezielt in onze politieke strijd.'

(Slotpleidooi van Nelson Mandela,
7 november 1962)

Het verleden

Het geslacht van de Thembu's gaat twintig generaties terug tot patriarch Zwide, die regeerde in de vijftiende eeuw; daarvoor verdwijnen de historische gegevens in de mist van de Prehistorie. Een bestuursrapport uit de late negentiende eeuw beweert dat de Tambookies, zoals zij toen werden genoemd, 'in 1688 opgedoken waren als schipbreukelingen, die het land tussen de rivieren Bashe en Umtata bezetten'.

(Department of Native Affairs Blue Book and Magisterial Reports, 1851-1902)

Zij werden omschreven als een volk met afschuwelijke heidense zeden; een lui en minderwaardig slag mensen. Men moest zijn toevlucht nemen tot dergelijke extreme kwalificaties om de exploitatie en vernietiging van een trots volk te rechtvaardigen.

In een brief aan Winnie sprak Nelson over de schoonheid van zijn geboortestreek:

'Het verhaal over onze grootvader Langasiki vond ik bijzonder fascinerend en ik hoop dat jij meer van zulke brokjes historie uit C.K. loskrijgt voor hij doodgaat. Weinig plaatsen hebben zo'n diepe indruk op mij gemaakt als de Mkhomasivallei. Ik zag de riviermonding voor het eerst in 1955, toen ik langs de zuidkust reed van Durban naar Port Shepstone en direct getroffen werd door de magistrale schoonheid van het landschap. In februari 1956 heb ik de vallei twee keer gezien op mijn reis naar Umtata, waarbij ik heen en terug door de vallei kwam tussen Richmond en Ixopo.

Dat gedeelte vond ik nog indrukwekkender dan het deel bij de kust. Het zou mij zeker moeite hebben gekost mijn kalmte te bewaren als ik niet in de Olds-mobile had gereden en steeds mijn voet op de rem moest houden terwijl de weg langs de steile helling omlaag slingerde naar de rivier. Toen ik de brug over-ging, kon ik het niet nalaten te stoppen en uit te stap-pen om de schitterende natuur die mij omgaf te be-kijken. Kun jij raden wanneer en met wie ik het de keer daarna zag? Ik hoop dat je niet jaloers begint te worden. Kom, raad eens, wie was dat? Ja, een vrouw! Ja, jazeker, je hebt volkomen gelijk, het was in juni 1958' (op hun terugreis na het huwelijk) 'met jou! Ik voel mij zeer gevleid nu ik weet dat die prachtige lust-hof ooit het domein was van een man uit wiens len-denen wij zijn voortgekomen. Het is een van de mooiste streken van het land.'

(14 mei 1976)

Tatu Joyi was voor Nelson degene aan wie hij zijn ken-nis van die voorouders dankte. Die oude Thembu-wijze had de basis gelegd voor zijn historische inzich-ten. In Fort Hare en later in Johannesburg bestudeerde Nelson bestuursdocumenten uit de late negentiende eeuw over de stammen in de Oostelijke Kaapprovincie en vond daarin in grote lijnen een bevestiging van Tatu Joyi's uitvoerige herinneringen.

Tatu Joyi had hun verteld dat elke clan in vrede leefde met andere clans voor de komst van de blan-ken. Volgens de legende waren zij allen kinderen van één vader – de Zulu's, de Pondo's, de Thembu's, de Xhosa's – maar toen het aantal clans groeide kwamen de clans onder bescherming te staan van een districts-hoofdman en werd elke hoofdman de stichter van een *isizwe,* die naar hem werd vernoemd. Wanneer een *isizwe* te groot werd voor een enkele hoofdman, voltrok zich een hergroepering onder de zonen van die hoofd-

man. Heel vaak trad zo'n hergroepering op na onenigheid tussen de gezagsdragers en meestal ontstond
de onenigheid tussen zonen van dezelfde vader maar
van verschillende moeders. Tatu Joyi zei dat de kracht
van een *chief* school in zijn vele vrouwen en de vele
kinderen die zij hem baarden, maar dat die kracht ook
een zwakte inhield. Zonen van verschillende moeders
betwistten elkaar de macht. Volgens de wetten van de
Nguni kon het ambt van hoofdman slechts overgaan
op één zoon, namelijk de zoon van het Grote Huis.
De hoofdman koos zijn opvolger, verklaarde Tatu
Joyi, maar de opvolger was altijd omringd door afgunst en als hij niet sterk was, of als hij zijn volk niet
beschermde en geschillen niet op rechtvaardige wijze
beslechtte en daardoor hun respect en toewijding verspeelde, dan kregen zijn broeders de kans zijn gezag te
betwisten en dan kon zijn volk zich scharen achter iemand die hen beter zou beschermen.

Volgens Tatu Joyi was dat de oorzaak dat de Nguni,
die leefden tussen de bergen en de zee in het grote gebied dat zich uitstrekte van de rivier de Kei naar het
noorden langs de oostkust en tot voorbij de Zambezi,
verdeeld waren geraakt in Zulu's, Xhosa's, Pondo's en
Thembu's en die weer in talrijke clans met hun vele
chiefs en hoofdmannen. En zo waren ook de twisten
ontstaan die hen zwak maakten tegenover de *abelungu,* toen die van overzee kwamen met hun vuurwapens waartegen de Afrikaanse speren machteloos
waren.

'Hun aantal was klein, maar hun geslepenheid
groot. Zij zochten naar de zwakke plekken in onze
stammen; zij wroetten in onze historie om te kijken
tussen wie en wie er ruzies waren geweest in het verleden en wie ruzie maakte met wie in het heden, en
daar strooiden zij hun gif en brachten zij hun tover-

kunst in actie. Zij stichtten vijandschap tussen broeder en broeder en terwijl de broers vochten, roofden
zij het land. De kinderen van de Zulu-koning Sen-
zangakhona bevochten elkaar en maakten de weg vrij
voor de Boeren, en de kinderen van Faku en Ngubengcuka verdeelden de Pondo's en de Thembu's in
patriotten en verraders.'

Tatu Joyi zei dat de *abantu* weerloos waren tegen de
geweren van de blanken en tegen hun listen, en evenmin bestand waren tegen hun God; maar bovenal, zo
zei hij, waren zij verslagen door de papieren van de
blanken, die op grond van wetten, hùn wetten,
namen wat zij niet door oorlog konden veroveren.
Dat was hun toverkunst en magie.

Hij vertelde hoe een blanke op een dag bij Ngangelizwe was gekomen en hem om land had gevraagd.
De koning gaf hem land en dat, zei Tatu Joyi, was de
grootste vergissing die Ngangelizwe ooit had begaan.
'Wij Bantu's delen het land met elkaar zoals wij water
en lucht delen, maar de *abelungu* nemen het land in
bezit zoals een man een vrouw neemt. Die blanke
man bracht een stuk papier mee en vroeg Ngangelizwe daar een teken op te zetten. Daarna zei hij dat het
papier hem eigenaar maakte van het land en toen
Ngangelizwe dat bestreed, wendde de blanke zich tot
de blanke rechter. De rechter bekeek het papier en zei
dat Ngangelizwe 4000 morgen land had gegeven aan
de blanke man. De rechter zei ook dat de blanken het
land van de Thembu's nodig hadden om zich tegen de
Thembu's te beschermen!'

In het *Blue Book* las Nelson hoe de handelaren zijn
volk stelselmatig van al hun rijkdom hadden beroofd.
'Het door een groot aantal handelaren in de territoria
gepraktizeerde systeem om hun klanten onbeperkt
krediet te verlenen, leidt heel snel tot verarming van

de inlanders. Velen die enkele jaren geleden rijk waren, zijn tot armoede vervallen... Het kredietsysteem zal binnen zeer korte tijd tot verpaupering van de inlanders leiden.' (1895, bladzijde 53)

In de dagen van koning Ngubengcuka bewoonden de Thembu's al het land tussen de Indwe en de Kei. Zijn zoon, opperste *chief* Mtirara, verkocht in feite zijn heerschappij aan de Britten voor een jaargeld van 400 pond. De Engelsen kregen nog meer greep op Thembuland toen Mtirara's opvolger, Ngangelizwe, hun om steun vroeg tegen de Gcaleka's. Tatu Joyi zei dat de twee stammen onenigheid hadden gekregen over een kleinigheid. Ngangelizwe had de dochter van Sarhili, de opperste *chief* der Gcaleka's, tot vrouw genomen.

'Een man slaat zijn vrouw wanneer zij hem kwaad maakt,' zei Tatu Joyi, 'maar als die vrouw de dochter is van een opperste *chief* riskeert hij daarmee de woede van die opperste chief, en dat overkwam Ngangelizwe. Sarhili viel Thembuland binnen en versloeg Ngangelizwe. Dat was de reden dat de Thembu-koning de Britten te hulp riep, niet beseffend dat hij zo zijn koninkrijk verspeelde. Zij steunden hem tegen Sarhili, maar namen op hun beurt de macht over van zijn rijk, deelden het op in vier districten en stelden in ieder district een bestuurder aan. De koning was alleen nog koning in naam.'

Het drong pas goed tot hem door hoe verschrikkelijk dom hij geweest was toen de Engelsen zich meester maakten van Indwe. Dat leidde tot verzet en de broers van de koning, Siqungathi en Matanzima, en de *chiefs* van de Qwathi- en de Gcina-stam, Stokwe Ndhela en Gecelo, gingen voor in de strijd, maar de Thembu's waren onderling verdeeld en de Engelsen versloegen de 'rebellen' en ontnamen ze hun land, rijp voor de oogst, en gaven het aan 'bevriende' Thembu's. 'Maar,' zei Tatu Joyi, 'zelfs de "loyale" Thembu's mochten zelf niet eten van de oogst; die ging naar de bestuurder. Hun beloning smaakte bitter: zij werden verjaagd naar locaties en weer verdreven wanneer de blanken dat zo uitkwam.

De Thembu's zouden gewonnen hebben en hun land hebben behouden als zij eendrachtig waren gebleven, maar er waren lieden die de macht van Ngangelizwe begeerden en de vijand beloofde hun die macht, en daarom kozen zij de zijde van de vijand.'

'De Xhosa's,' vertelde Tatu Joyi, 'waren een machtig volk toen de blanken de Visrivier overstaken. Er waren vele *chiefs* die allen kinderen waren van de opperste *chief* Phalo, en zijn achterkleinzonen waren Gcaleka uit het Grote Huis en Rarabe uit het Rechter Huis. Toen kwamen de blanken en was er oorlog. Honderd jaar lang vochten de Xhosa's tegen de blanken om hun land en hun gebruiken te behouden. Het geduld van de blanken raakte op en zij besloten de Xhosa's te ondermijnen door een onvoorstelbaar kwaad te begaan. Zij imiteerden de izinyanya, de geesten der voorouders, en verleidden hen zo tot de ondergang.

Sarhili's beroemdste raadsman was Mhlakaza, die alle zieners van de Xhosa in wijsheid overtrof. Sarhili had grote achting voor hem en geloofde zijn woorden. Daarom spanden de blanken een valstrik voor Mhlakaza. Op een dag toen zijn nicht water haalde uit de stroom, hoorde zij stemmen en zag vreemde mannen, en toen zij uit angst wilde wegrennen hielden zij haar tegen en zeiden dat zij haar oom Mhlakaza moest sturen. Dat deed zij. Hij kwam en de list was zo sluw opgezet dat hij hen voor de izinyanya hield en in hun midden zijn broeder herkende, die als ziener nog beroemder was geweest dan hij. Zijn broeder vertelde hem over de Russen, de machtige vijanden van de Engelsen, die zouden komen om de Xhosa's te bevrijden. Als voorbereiding op hun komst moesten zij het vee slachten en de akkers braak laten.'

Tatu Joyi vertelde dat niemand ooit had kunnen verklaren hoe zo'n wijze man als Mhlakaza zich door zo'n schandelijke list kon laten beetnemen.

'Het moet een betovering geweest zijn en hij betoverde op zijn beurt Sarhili, de koning, die het volk opdroeg de instructies van de inzinyanya te volgen. Zo doodden zij hun vee en zaaiden het zaad niet in de akkers en wachtten tot de Russen van overzee zouden komen om hen te bevrijden, maar zij kwamen nooit. Wat kwam was hongersnood en dood en zo werden de Gcaleka's verslagen.'

De Pondo's waren de allerlaatste stam in Zuidelijk Afrika die door de Europeanen onderworpen werd. Pondoland werd door de Engelsen geannexeerd in 1894. Thembuland werd negen jaar eerder geannexeerd, in 1885.

Tatu Joyi vertelde: 'Mqikela was de koning van de Pondo's en de zoon van de vermaarde Faku. Hij was de broer van Ndamase, die aanvoerder werd van de chiefs in oostelijk Pondoland. In de dagen van Faku behoorde al het land tussen de Umzimkhulu en Umtata en tussen de zee en de bergen aan de Pondo's. Toen begon Shaka de *imfecane,* omdat hij iedereen onder zijn macht wilde brengen. Er was paniek in het land en de stammen vluchtten; velen zouden nooit meer naar het land van hun voorouders terugkeren. Faku, wiens volk groter en rijker was dan alle andere stammen, trok zich terug in Umgazi. De *imbongi* van Shaka's broeder Dingane riep trots:

Hij vermorzelde het vee van Sigenu
Hij vermorzelde het vee van Sangwena
Die vluchtte en zonk in de Umzimvubu
O! Grijp ze bij hun hoofd en
Verdrink hen in de wateren
Zien zij niet de wrok van de roofvogel?
Hij raast
Hij is de bliksem op aarde
De leeuw komt terug
De koning der Zulu's komt zegevierend terug.

'Maar,' zei Tatu Joyi, 'dat was meer grootspraak dan waarheid. Faku had behoedzaamheid verkozen boven krijgsroem en wachtte zijn kansen af. Hij keerde terug in 1842, toen de Boeren Dingane hadden verslagen – voornamelijk dank zij het verraad van diens broeder Mpande – en vond toen zelf de Boeren op zijn weg. Zij waren sterker omdat zij geweren hadden. De schrandere Faku wendde zich tot de andere blanken met geweren, de Engelsen, die hem maar al te graag wilden bijstaan. Maar de Pondo's kregen niet meer dan een deel terug van hun oorspronkelijke Pondoland. De man die hen daarbij hielp was Theophilus Shepstone, een zendeling die zich als staatsman ontpopte, en de prijs die hij verlangde was zijn benoeming tot opperste *chief* van de Pondo's. Het werd allemaal beschreven op een stuk papier en Faku en alle overige belangrijke *chiefs* moesten dat papier ondertekenen.'

Toen hij advocaat was ontdekte Nelson een kopie van dat verdrag in een *Government Gazette*. De tekst luidde:

'Wij voor onszelf, onze erfgenamen en opvolgers en voor en uit naam van onze respectieve stammen erkennen en verklaren bij deze dat vanaf en na de executie hiervan Theophilus Shepstone, Esquire, de Opperste en Exclusieve *Chief* en Heerser is en vanaf heden zal zijn van onszelf en de stammen die ons toebehoren, alsmede van het land of het grondgebied met inbegrip van elk deel of perceel daarvan dat thans door ons of een van ons wordt bezet... Tevens erkennen wij... Theophilus Shepstone, Esquire, als zodanige Hoogste *Chief* en Heerser in dezelfde daadwerkelijke zin en in ieder ander opzicht, als wanneer hij... een zodanige Hoogste *Chief* of Heerser was geweest of was geworden door opvolging overeenkomstig onze wetten of gebruiken.'

Het verdrag gaf ook 'aan Theophilus Shepstone, Esquire, de volle en volledige controle over Port St. John (de doorvoerhaven naar de Kaap) met de macht en bevoegdheid tot het nemen en uitvoeren van iedere maatregel en daad, benodigd voor een goed toezicht en beheer van de zaken van genoemde haven, met uitzondering van de fiscale onteigening tot 1 mijl aan weerszijden van de rivier en stroomopwaarts... voorbij de invloed van de getijden.'

Het verdrag werd op 5 juni 1854 door Faku met een kruisje gesigneerd in zijn grote paleis Ezizindeni. Gelijkluidende versies werden op dezelfde wijze ondertekend door de hoofden van zes andere stammen: de Nikwe, Mbulu, Xesibe, Boto, Twana en de Ngutyana. De *chief* van de laatste stam was Madikizela, die gehuwd was met Faku's oudste dochter, Mqwabe. *Chief* Madikizela was de overgrootvader van Winnie Madikizela, de vrouw van Nelson Mandela.

Zolang Faku leefde verlangden de Engelsen niet veel meer dan een aanwezigheid *de jure* in het gebied, zodat Faku tot zijn dood – volgens de overlevering op negentigjarige leeftijd – in feite de oppermacht bleef uitoefenen. Maar zijn zonen Mqikela en Ndamase

kregen met alle problemen te maken die uit het verdrag voortvloeiden en moesten de vernedering van
een afzetting ondergaan.

Faku's oudste zoon Ndamase was zelf al een oude
man toen zijn vader stierf en dat was vermoedelijk de
reden dat Faku zijn jongere zoon Mqikela als opvolger aanwees, die niet ouder was dan Ndamase's eigen
zoon en erfgenaam, Nqwiliso. Ndamase voelde zich
gepasseerd en velen poogden dat gevoel bij hem aan
te wakkeren. Maar Ndamase was een zwakke figuur
en ging een openlijk conflict met Mqikela uit de weg.

In 1845 trok Ndamase de rivier de Umzimvubu
over en stichtte zijn hoofdstad in oostelijk Pondoland,
terwijl zijn oudere broer, Mqikela, aan de overzijde
van de rivier achterbleef. Mqikela was een zeer onafhankelijke *chief* die geen inmenging van de blanken
duldde. Om die reden was hij zowel bij de Engelsen
als de Boeren gehaat.

Nqwiliso was de zoon van Ndamase die hem opvolgde als *chief* van oostelijke Pondoland.

De Engelsen richtten zich op Nqwiliso wanneer zij
dat conflict weer eens wilden aanwakkeren. Zij hadden een hekel aan Mqikela omdat hij, zoals Tatu Joyi
zei, 'weigerde hun hond te zijn'. Hij wilde een echte
chief zijn zoals zijn vader, maar wat hen vooral dwars-
zat was dat hij Port St. John niet wilde afstaan. De
haven van Port St. John leverde veel geld op en al die
inkomsten gingen naar Mqikela. Daarnaast incasseer-
de Mqikela licentietarieven van de talrijke blanke
handelaren die maïs, tabak en ivoor opkochten van de
Pondo's. Als de blanken van iets buikpijn kregen, zei
Tatu Joyi, dan was dat van een rijke zwarte. Mqikela
werd steeds rijker van de handelsrechten en dat geld
gunden zij hem niet. Nelson stuitte bij zijn eigen onderzoek op een uitspraak van de Britse resident, die

Mqikela's argument dat hij vasthield aan de handelsrechten aangezien die indertijd ook aan Faku waren betaald, weerlegde met de arrogante woorden:

'U spreekt over Faku's tijd. Ik wil u erop wijzen dat de situatie thans heel anders ligt dan in de tijd toen Faku leefde. Het bestuur was toen ver van u vandaan. In die dagen waren er veel mensen en veel land tussen het bestuur en de Pondo's. Maar tegenwoordig zit het bestuur vlak bij uw grens. U bent aan alle kanten ingesloten.

U bent als een steen in het midden van de rivier. Het zou nuttig zijn daar eens goed over na te denken en stil te staan bij de prettige gedachte dat u zo'n machtige vriend en nabuur hebt in het Gouvernement.'

Maar prettige gedachten waren er niet voor Mqikela, vertelde Tatu Joyi, want de Britten waren bezig hem zijn land en zijn volk te ontroven. De Xesibe waren hem ontnomen en tegen hem opgezet, omdat er volgens de Britten koper te halen was in hun land. Zij stuurden Britse troepen om hen tegen Mqikela te beschermen. En het vruchtbare Rhode stalen zij simpelweg voor de blanke boeren. Zij beweerden dat zij het land gekocht hadden omdat zij 600 pond hadden betaald aan *chief* Mota. Maar Mota had niet het recht Rhode te verkopen. Mota was een *mthakathi* die zich tot het christendom had bekeerd en een *impimpi* was geworden.

Toen Mqikela weigerde Port St. John aan de Engelsen te verkopen, verklaarden zij eenvoudigweg dat hij helemaal geen zeggenschap had over dat deel van Pondoland. Het zou toebehoren aan zijn neef Nqwiliso en generaal Thesiger (de latere Lord Chelmsford) voer vanaf de Kaap naar de haven, liet de 3500 acres die zij nodig hadden afpalen, betaalde Nqwiliso 1000 pond en annexeerde het als Brits grondgebied. Tatu Joyi zei dat Mqikela voor hen niet acceptabel was omdat hij de kooplieden binnen zijn territorium als zijn onderdanen behandelde. Hij veroordeelde de Engelsman Bell voor de moord op een Pondo tot een boete van vijftig runderen en zei: 'Wij executeren moordenaars niet, zoals de Engelsen doen. Wij laten hen betalen om het goed te maken.' Daarom en omdat hij asiel gaf aan vluchtelingen voor Brits 'onrecht', werd hij ervan beschuldigd Faku's verdrag te hebben gebroken en sommeerden de Engelsen hem om af te treden en Nqwiliso in zijn plaats te benoemen.

Tatu Joyi legde uit dat iemand hoofdman was omdat de voorgaande generaties hem tot hoofdman hadden gemaakt, omdat hij tijdens zijn opvoeding had geleerd wat het betekent hoofdman te zijn en omdat zijn volk hem als hoofdman erkende. Het land was van hem, het volk was van hem, het vee was van hem. Hij hield niet op hoofdman te zijn wanneer de blanken in hun boeken schreven dat hij geen hoofdman meer was. Hij was hoofdman in de hoofden en de harten van zijn volk. Hoe kon een stuk papier daarin verandering brengen?

Mqikela negeerde de Britse eisen en zijn volgelingen grepen hun stokken en assegaaien en dreigden ten strijde te trekken. Zij beschimpten openlijk de magistraten en de Britse residenten en zaaiden paniek in de kleine blanke kolonie. De woede die zij losmaakten was zo hevig dat de twee *chiefs,* Mota en Nqwiliso, de Engelsen in de steek lieten en ijlings terugkeerden naar het Pondo-kamp.

De Britse residenten waarschuwden hen dat het Gouvernement nooit uit vrije wil de wapens opnam, maar dan ook doorging tot alle mensen verjaagd en de huizen van alle hoofdmannen verwoest waren; twee

jaar eerder immers, toen de Gcaleka's het Gouvernement hadden aangevallen, was dat op zo'n manier af-
gestraft dat hun volk nu ontheemd rondzwierf en hun
hoofdmannen als bokken leefden in de wildernis.
Hetzelfde was met Cetywayo gebeurd en zou ook hen
overkomen.

De Britten maakten hun dreigement waar toen zij
Pondoland annexeerden.

'En daarmee,' vertelde Tatu Joyi, 'kwam er een
einde aan de *ubuntu* van de Afrikaanse koningen en
begon de tirannie van de blanken.'

De kleine Nelson, geschoold aan Tatu Joyi's voeten,
brandde van verlangen om die *ubuntu* voor alle Zuidafrikanen te heroveren.

De strijd

Johannesburg

In 1941 was Johannesburg een grote, hoge en verziekte stad. Ze had geprofiteerd van een oorlog in Europa en de goudindustrie had andere industrieën aangetrokken, die de rest van het land bijna letterlijk in haar achterland veranderden. Honderdduizenden migranten stroomden toe uit de Afrikaanse bevolking van de vier provincies, op zoek naar het werk dat de stad volop te bieden had.

Een deel kwam met officiële toestemming en een even groot deel kwam illegaal. Velen vonden werk in de fabrieken maar vele anderen vonden tijdelijk onderdak in gevangenissen. De stad had wel werk te bieden maar geen woningen, zelfs de ruimte voor het opzetten van illegale behuizingen was schaars; wel werden kort na de Eerste Wereldoorlog de eerste 'niet-Europese' *townships* gesticht als voorloper van een stelsel van wetten dat de zwarten volledig isoleerde, voornamelijk door aan te geven waar zij niet mochten wonen of komen.

Sophiatown, Newclare, Matindale en Alexandra waren volgepakt met eindeloze rijen eenkamerwoningen in barakken, waar veertig of meer mensen één toilet en één kraan moesten delen. Het stadsbestuur had zich beperkt tot de aanleg van twee wijken met gemeentewoningen, de Eastern Native Township en de Western Native Township, omheinde terreinen met 2 000 bakstenen huizen van twee of drie kamers, gepland voor maximaal 13 000 personen.

Dat was het Johannesburg waar Nelson in 1941 arriveerde. Voor hem en voor Justice waren er geen problemen met de officiële instanties of bij het vinden van onderdak en werk, althans in het begin. Zij waren naar het epicentrum van Zuid-Afrika's industriële hart gekomen om de situatie daar te leren kennen en aan den lijve te ervaren, en op grond daarvan meer inzicht te krijgen in hun eigen plaats en hun eigen toekomst in het land.

Zij hadden slechts één adres bij zich, dat van de Crown Mines, waar een oude *induna* van Jongintaba als opzichter werkte. Toen zij daar aankwamen, beschouwde de *induna* het als een eer de twee leden van de koninklijke kraal als zijn gasten te mogen ontvangen.

Maar binnen enkele dagen waren Jongintaba's mannen hen op het spoor. Justice, die als zoon verplichtingen had waaraan hij zich toch niet kon onttrekken, keerde naar huis terug, maar Nelson wist zijn voogd ervan te overtuigen dat hij beter in Johannesburg verder kon studeren omdat hij advocaat wilde worden. Jongintaba begreep dat dit inderdaad de mooiste bekroning zou zijn van zijn belofte aan Hendry Gadla. En zo begon Nelson aan zijn verblijf in Johannesburg, met de verzekering van zijn voogd dat hij ook in die grote stad voor hem zou blijven zorgen zolang dat nodig was.

Nelson trok in bij een familie in de *township* Alexandra. In een brief aan zijn jongste dochter Zindzi haalt hij leuke herinneringen op aan die tijd: 'Terwijl ik heen en weer loop in mijn cel of op mijn bed lig, dwalen mijn gedachten vaak in alle richtingen, naar een bepaalde episode of een in het verre verleden gemaakte vergissing. Daartoe behoort ook de twijfel of ik in mijn beste tijden buiten de gevangenis wel genoeg erkentelijkheid heb betoond voor de liefde en goedheid van zovelen die mij vriendschap en zelfs hulp hebben geschonken toen ik arm en zoekende was.

Kort geleden dacht ik terug aan het huis op nr. 46 Seventh Avenue, Alexandra Township, waar ik woonde vanaf mijn aankomst in Johannesburg. In die tijd verdiende ik een maandsalaris van 2 pond (4 rand) en van dat bedrag moest ik de maandhuur van 13 shilling en 4 dime betalen, plus elke dag een busretourtje naar de binnenstad van 8 dime. Het was een zware opgave en ik had vaak grote moeite om het geld voor de huur en de bus op te brengen. Maar mijn hospes en zijn vrouw waren heel aardig; zij gaven mij niet alleen uitstel wanneer ik de huur niet kon betalen, maar gaven mij op zondag ook nog kosteloos een heerlijke lunch.

Ik heb ook bij dominee Mabuto van de Anglicaanse Kerk gewoond op nr. 46 Eighth Avenue in dezelfde *township* en hij en Gogo, zoals wij zijn vrouw noemden, waren ook bijzonder aardig, hoewel zij vrij streng was en van mij eiste dat ik alleen met Xhosameisjes uitging. Ondanks het feit dat mijn politieke ideeën nog ongevormd waren, was ik op Healdtown en Fort Hare in contact gekomen met studenten uit andere groeperingen van ons volk en had ik mij wel al losgemaakt van de traditionele etnische denkbeelden. Ik was vastbesloten haar adviezen op dit terrein naast mij neer te leggen. Maar zij en haar echtgenoot namen de ouderlijke rol tegenover mij op bewonderenswaardige wijze waar.

De heer Schreiner Baduza, afkomstig uit Sterkspruit, woonde als hoofdhuurder met zijn vrouw op nr. 46 in Seventh Avenue. Hij en vooral ook meneer J.P. Mngoma behoorden in die dagen tot mijn beste vrienden, ook al waren zij veel ouder dan ik. Meneer Mngoma bezat huizen en was de vader van tante Virginia, een van Mama's vriendinnen. Later werd ik voorgesteld aan de heer P. Toyana, de schoonvader van de broer van wijlen *chief* Jongintaba Mdingi. Meneer Toyana was kantoorbediende bij de Rand-Leases Mine. Ik ging daar elke zaterdag heen om zijn rantsoenen op te halen – samp, maïsmeel, vlees, pinda's en andere dingen.

Veel later werd mijn financiële positie iets beter, maar toen dacht ik vrijwel nooit meer aan degenen die mij in die moeilijke tijden hadden geholpen; ik ging ook nooit meer naar hen toe, hoogstens een of twee keer. Zowel de Mabuto's als de Baduza's kwamen later in Soweto wonen en de Mabuto's heb ik enkele keren bezocht. Ik kwam meneer Toyana en meneer Baduza bij allerlei gelegenheden tegen, maar het kwam niet één keer bij mij op hen ook eens te inviteren. Eind jaren veertig en begin jaren vijftig was meneer Baduza een zeer vooraanstaande figuur in de civiele kwesties van Soweto en onze contacten bleven beperkt tot dat niveau.'

(1 maart 1981)

In een andere brief beschreef hij een pijnlijk moment tijdens zijn kennismaking met het consumentenwezen van de stad.

'Kort na mijn aankomst in Johannesburg in 1941, kocht ik wat vlees in een winkel naast de kathedraal. Toen ik op mijn kamer in Alexandra kwam, vroeg ik Notosini – toen een jongedame van rond de zes jaar – aan haar oudere zuster door te geven dat zij het voor mij moest koken. Zij barstte uit in een scherpe spottende lach die zij meteen weer onderdrukte. *'Ivuthiwe Buti,'* zei ze. Het was gerookt rundvlees en ik als *mampara* van het platteland had het voor rauw vlees aangezien.'

(2 oktober 1977)

Maar er waren ook schokkende ervaringen in die begintijd in Johannesburg. Hij noemt een voorbeeld:

'In 1941 ging ik op bezoek bij mijn leraar die mij in Niveau 10 had lesgegeven. Hij was een goede en goed gekwalificeerde leraar die zijn studie had afgemaakt en getrouwd was met een even hoog gekwalificeerde verpleegster. Zij woonden in Orlando East. Ik trof het huis gesloten aan en er kwam mij een verschrikkelijke lucht tegemoet van kruiden en medicijnen. Het was duidelijk dat daar een professionele kruidkundige in de weer was. Zijn vrouw kwam naar buiten toen ik juist op de deur wilde kloppen. Zij was bleek van schrik en zei dat haar man ziek geworden was en aan pijn in de gewrichten leed. Zij zei dat het begonnen was toen hij met de rechtenstudie was gestart en beschuldigde mij van tovenarij.

Ik was geheel ontdaan en ging regelrecht naar Anton Lembede om hem het voorval te vertellen. Hij lachte erom.'

In een andere brief schreef hij:

'Nu wij het over Klerksdorp hebben herinner ik mij bepaalde aspecten van de familiehistorie waarover ik nog nooit de kans heb gehad jou te vertellen, over enkele van de oude families. Op een vrijdagavond in de vroege jaren veertig reisde ik per trein van Park Station naar Klerksdorp. De trein had alleen derdeklascoupés en was stampvol en rumoerig. Rond middernacht kwam ik in de stad aan. Ik nam een taxi naar mijn bestemming, klopte op de deur en een ogenblik later was ik in de familie opgenomen. Ik werd verwelkomd door een sportieve, intellectuele, lange, zacht pratende en kalme man die in vele opzichten op Ngutyana leek. De volgende ochtend gingen wij vroeg naar buiten om de stad te bekijken, die alleen van het zuiden van Johannesburg verschilt doordat de open ruimten wilder zijn, met vrij dicht struikgewas en *rookies*. Ik was op slag verliefd op die plek, omdat ze mij herinnerde aan Mveso aan de oever van de Umbhashe waar ik geboren ben. Wij zijn een aantal jaren samen gebleven, totdat de politiek een drastisch einde maakte aan zorgeloze genoegens. Ik weet zeker dat jij, wanneer ik terugkom, graag met mij mee zult gaan naar die oude plek in Klerksdorp en vandaar naar het zuiden van de Gouden Stad, waar het echte begin van de historie ligt.'

(15 mei 1977)

Terwijl Nelson met zoveel warmte terugdenkt aan zijn eerste dagen in Johannesburg, had een jonge aankomende verpleegster die een paar huizen verder aan Eighth Avenue in Alexandra woonde, een heel andere indruk. In haar ogen was Nelson een aardige jongen, kersvers van het platteland en totaal verloren in de vuile en roerige wereld van de uitgestrekte *township*. Zij had medelijden met hem en besloot hem te helpen. Zij sprak erover met haar vriendin, Albertina Totiwe, een medestudente aan het Johannesburg General Hospital, en deze vertelde het weer door aan haar slimme verloofde, Walter Sisulu. Zo iemand de jongeman kon helpen, wist zij, dan was het Walter.

Walter was min of meer opgegroeid in Johannesburg. Zijn moeder was een sterke meelevende vrouw, die zowel in haar geboortestreek als in Orlando veel aanzien genoot. Niemand noemde zijn naam, maar iedereen wist van de blanke voorman die vele jaren geleden als wegenbouwer naar Engcobo, in Transkei, was gekomen, verliefd was geworden op het jonge meisje en haar en hun twee kleine kinderen daarna in de steek had gelaten. MaSisulu keek nooit naar een andere man. Zij wijdde haar verdere leven aan haar kinderen. Zij nam ze mee naar Johannesburg, vond onderdak in de *township* Alexandra en werkte als wasvrouw om hen de middelbare school te laten volgen.

In 1941 was zij een van de weinige gezegenden die een huis in Orlando bezaten en zij deelde dat huis onbeperkt met verwanten, in de ruimste zin van het woord.

Nelson en Walter ontmoetten elkaar in de stad en de twee jonge mannen sloten onmiddellijk vriendschap. Walter nodigde Nelson uit om bij hen in MaSisulu's huis te komen wonen; Nelson ging op de uitnodiging in. Nelson herinnert zich: 'Walter bezorgde mij een aanstelling bij advocaat Lazer Sidelsky, een blanke met een LL.B van Wits, die nagenoeg een oudere broer voor mij werd. Toen ik in 1942 mijn BA haalde, kocht Walter ook nog een pak voor mij.'

Walter nam hem niet alleen op in zijn huis, hij nam hem ook mee in zijn wereld van politiek en humane vraagstukken en geleidde hem mettertijd naar het huwelijk met zijn nichtje, de kleine en knappe Evelyn uit Engcobo.

De maalstroom van de politiek

Nelsons politieke historie begon in Johannesburg en zijn politieke activiteit was daar ook grotendeels op gericht. Voor velen is die metropool het kloppende hart van Zuid-Afrika. Zij leggen hun voelhorens tegen de talrijke draden die hier samenkomen en hebben zo het idee dat zij het gehele land beluisteren. Geheel onwaar is deze impressie zeker niet. Voor Nelson was Johannesburg in die vroegste jaren het middelpunt van zijn universum. De stad overspoelde hem en daagde hem uit, maar die intimidatie was hij snel te boven. Gaandeweg kreeg hij inzicht in haar geweldige complexiteit en begon hij zich meer en meer op de politieke aspecten toe te leggen. Hij reageerde op die politiek vanuit het standpunt van Orlando en het was deze respons die hem uiteindelijk deed uitgroeien en staande hield als leider van het volk.

Nelson bevond zich in het centrum van een nieuwe stedelijke Afrikaanse cultuur, die dwars door de armoede en de naoorlogse repressie van de jaren veertig omhoog was gekomen.

In de straten van Sophiatown, Newclare en Alexandra klonk een uitbundig en onverbloemd protest op tegen degenen die zich superieur achtten. Tegelijk uitdagend en defensief, had dit tevens iets van een ondergrondse beweging – een voortdurende waakzaamheid tegenover de politie en de vrijwel permanente dreiging van arrestatie, ook als men niet voor hen op de vlucht was. Het was een cultuur die gepaard ging met diverse gradaties van dronkenschap en criminaliteit, aangewakkerd door de bioscoop, Amerikaanse films, Amerikaanse gangsters en Amerikaanse jazz. Zij had haar eigen ritme dat in vrolijke tonen op speelgoedfluitjes weerklonk en een roezige stemming opriep, die de jonge knapen in beweging zette en vorm gaf aan de dans in de *shebeens*.

Zij had haar eigen taal, een vrije mengelmoes van de taal der zwarten, 'Afrikaans' en Engels, die hard en stoer en staccato werd uitgesproken. Van oorsprong niet-literair, werd het een aparte literaire stijl in de op zwarten gerichte media en produceerde zo een generatie van woedende, gekwelde *township*-schrijvers, evenals musici. Het was de schoot waaruit Bloke Modisane, Can Temba, Casey Motsisi, Miriam Makeba en Dolly Rathebe voortkwamen.

Sterker dan die cultuur was echter de cultuur van de universitair geschoolde Afrikanen, de dokters en advocaten, leraren en schoolhoofden, gedisciplineerde mensen met een christelijke dan wel marxistische overtuiging, die de Westerse beschaving met zijn liberale en socialistische beloften letterlijk opvatten en vastbesloten waren die op het Afrikaanse continent gestalte te geven. Nelson werd door die cultuur gevormd en zou daar zelf zijn stempel op drukken. Hij kwam in contact met Fort-Harianen als Oliver Tambo, William Nkomo en Lionel Majambozi; hij ontmoette A.P. Mda, Congress Mbata, Jordan Ngubane, David Bopape en Anton Lembede en hij hernieuwde het contact op een ander niveau met Victor Mbobo, die zijn leraar was geweest in Healdtown. Zij wisselden ideeën uit en ontwikkelden een bewustzijn dat geconcretiseerd werd in de ideologie van het Afrikanisme en het Afrikaans nationalisme. Zij voelden zich een met de cultuur van de townships, de kunst- en muziekvormen die daar om erkenning schreeuwden; zij gaven die vormen een intellectuele en structurele basis. Zij coördineerden de culturele en de politieke elementen, waardoor een aantal mensen dubbelfuncties vervulden in de opkomende educatieve, literaire, artistieke en politieke organisaties. Bovendien bevonden zich onder hen ook diverse redacteuren van de belangrijkste Afrikaanse kranten uit die tijd, Jordan Ngubane, M.T. Morane en H.I.E. Dhlomo, zodat zij een groot deel van het lezende en denkende publiek konden bereiken.

Het was slechts een kleine groep, een twintigtal mannen, die zich de formidabele taak stelde om de Afrikaanse reus wakker te schudden en tot zelfverwezenlijking te prikkelen. In *Inkundla Ya Bantu* schreef Anton Lembede: 'Een nieuwe geest van Afrikaans nationalisme ofwel Afrikanisme waart onrustzaaiend

rond in de Afrikaanse gemeenschap. Een jonge virie-
le natie is begonnen aan het proces van geboorte en
groei. De National Movement, doortrokken van en
bezield door deze nationale geest, wordt sterker en
wint aan stootkracht.'

(mei 1946)

Zij waren de dienstknechten van die stootkracht en
volgden haar vaandel door de Youth League van het
African National Congress, die zij in hun manifest
omschreven als 'de denktank en de energiecentrale
van de geest van het Afrikaans nationalisme, de geest
van Afrikaans zelfbestuur', en zij verklaarden 'Als
energiecentrale zal de League een coördinerende factor zijn voor alle jeugdige krachten die meewerken
aan de politieke bewustwording van het volk en mee-
strijden tegen onderdrukking en conservatisme.'

(G. Carter en T. Karis, *From Protest to Challenge*,
Hoover Institute Press, Stanford University 1977;
bladzijde 331)

Terwijl het manifest van de Youth League zich concentreerde op de politieke strijd, maakte het tevens
een speciaal punt van de noodzaak tot steun aan 'de
culturele strijd van het Afrikaanse volk' en aanmoediging van 'Afrikaanse kunstenaars van alle categorieën',
verklarend dat 'Afrikaanse kunstwerken een afspiege-
ling kunnen en moeten zijn, niet alleen van de huidige fase van de nationale bevrijdingsstrijd, maar ook
van de wereld vol schoonheid die buiten het conflict
en de chaos van de strijd bestaat.'

(Idem, blz. 300-336)

Zij besloten dat de oprichting van een eigen vleugel,
het African Youth Congress, de enige manier was om

binnen het ANC macht uit te oefenen en het te trans-
formeren tot een militante Afrikaanse organisatie.

Volgens Nelson stamde het idee van de Youth
League van dr. Lionel Majambozi, die in die tijd medicijnen studeerde. Hij en zijn medestudent dr. William Nkomo – Nelson kende beiden van Fort Hare –
waren lid van de Young Communist League; dr. Nkomo was tevens lid van de Communist Party. Nkomo
werd in 1943 voorzitter van het voorlopige bestuur van
de Youth League en Majambozi werd secretaris.

Nelson zegt:

'Wij hadden veel kritiek op het ANC. Wij vonden
dat het te weinig contact hield met de massa's. Maar
wij namen er geen afstand van. Integendeel, wij wilden met en via de organisatie werken. Wij erkenden
het ANC als de basis van het Afrikaans nationalisme,
maar volgens ons wisten de leiders nauwelijks wat dat
nationalisme inhield.

Wij wisten de ANC-conferentie van 1943 over te
halen tot de stichting van een jongerenvleugel en stelden daarna een constitutie en een manifest op, die wij
ter goedkeuring aan de algemeen voorzitter, dr.
Xuma, voorlegden. Dr. Xuma was in veel opzichten
een bewonderenswaardige figuur, ondanks zijn afstand tot het volk en zijn autoritaire houding. Hij had
het ANC omhooggehaald uit de zieltogende staat van
de jaren dertig. Hij had toen hij voorzitter werd een
kas met 7 shilling en 6 dime aangetroffen, maar dat
weldra verhoogd tot 4000 pond. Wij waren ons ook
bewust van zijn internationale aanzien. Hij had vele
landen bezocht en genoot het respect van traditionele
en moderne leiders, zowel binnen Zuid-Afrika als in
de omliggende staten. Koning Sobuza, Tshekedi
Khama en Hastings Banda logeerden bij hem als zij
naar Johannesburg kwamen en hij ging op informele

voet om met de minister van Inlandse Zaken (Native Affairs) en diverse andere kabinetsleden. Hij straalde macht en zekerheid uit, of die nu reëel waren of niet. Het onderhoud met hem verliep heel hartelijk. In zekere zin was hij gevleid door het respect dat wij jongeren hem betoonden. Hij accepteerde onze constitutie en manifest.'

En zo kwamen de jongemannen in 1944 bijeen in het Bantu Men's Social Centre voor de oprichting van de Youth League. Anton Lembede werd gekozen als de eerste voorzitter en Nelson, David Bopape, A.P. Mda, Walter Sisulu en Oliver Tambo kregen naast anderen een plaats in het Uitvoerend Comité.

In de politieke verklaring van de Youth League was de filosofie van Lembede vervat:

'De blanke beschouwt het universum als een gigantische machine, die tijd en ruimte doorsnelt op weg naar zijn uiteindelijke vernietiging: individuen zijn daarbinnen niet meer dan nietige organismen, met persoonlijke levens die uitlopen op een persoonlijke dood: de macht, succes en roem die men als persoon kan vergaren, zijn de absolute waardenormen, de zaken waarvoor men leeft. Deze levensvisie verdeelt het universum in een oneindige veelheid van afzonderlijke eenheden, die noodgedwongen voortdurend met elkaar in conflict zijn en daardoor zelf het uur van hun uiteindelijke vernietiging bespoedigen.

De Afrikaan beziet het universum van zijn kant als één veelvormig geheel; een organische entiteit die stap voor stap voortschrijdt naar grotere harmonie en eenheid, waarin de afzonderlijke delen louter existeren als onderling afhankelijke aspecten van het geheel en hun leven alleen ten volle realiseren in het leven van de groep, waarvan het algemeen welzijn de absolute waardenorm is.' (Carter en Karis, op. cit., blz. 301)

De sociale dynamiek was niet gebaseerd op het conflict, maar op de humanitaire drang tot harmonie. Het was een analyse die Nelson sterk aansprak, omdat hij zijn rurale wortels erin terugvond.

Op de campus van Witwatersrand ontdekte Nelson een andere wereld, open en multiraciaal, die enerzijds sympathiseerde met zijn Afrikanisme maar het toch verwierp, niet zozeer agressief als wel met een zekere neerbuigendheid. Hij voelde de aantrekkingskracht van het liberalisme en van het marxisme. Hij sloot vriendschap met zijn mede-rechtenstudenten Ismail Meer en J.N. Singh. Hij ontmoette Zainab Asvat en de gebroeders Cachalia in Fordsburg en dr. Dadoo in End Street, en via hen maakte hij kennis met het passief verzet van de Indiërs. Zij voerden actie tegen de nieuwe Land Act, die hen een wettelijke dwang oplegde om overal in het land apart te wonen. Hij was onder de indruk van hun organisatie. Hoewel geen Afrikanen, werden ook zij onderdrukt en zij pleegden actief en strijdbaar, maar geweldloos, verzet tegen die onderdrukking.

Hij genoot van de gastvrijheid ten huize van de Pahads. Amina Pahad kookte bergen rijst en grote schalen curry en als het etenstijd was, wasten allen die aanwezig waren hun handen en schoven aan om te eten, zonder de formaliteiten van een uitnodiging – precies zoals het in Mqekezweni was toegegaan. Hij zag hoe sterk en hoe trots zij vasthielden aan hun cultuur, hoe zij met hun vingers aten zonder zich daarvoor te generen. Af en toe bleef hij slapen in de flat van Ismail Meer en dan discussieerden zij over cultureel zelfbewustzijn en over vermeende inferioriteit, segregatie en racisme en hoe zij die moesten bestrijden.

Hij ontmoette Violaine Junod, Ruth First en Joe Slovo, Harold Wolpe, Rusty Bernstein en Hilda

Watts, Bram en Molly Fischer, Betty Du Toit, de Harmels, de Weinbergs en kwam via hen in de kringen van radicale blanken.

De Fischers, de Bernsteins, de Harmels, de Weinbergs, Ruth First en Joe Slovo waren lid van de Communist Party; Ismail Meer en J.N. Singh behoorden tevens tot het Natal Indian Congress en Moses Kotane, J.B. Marks en Dan Tloome waren lid van het ANC.

Maar terwijl hij hun gezelschap zocht en intellectueel door hen gestimuleerd werd, bewaarde hij politiek gezien zijn distantie. Hij zag niet precies wat hun plaats in de Afrikaanse toekomst zou moeten zijn. Aan de voeten van Joyi had hij geleerd hoe de zwakheden van hun chiefs tot de onderwerping van hun volk hadden geleid. Fort Hare had hem boven het stamverband uitgeheven en hem het concept van een Afrikaanse natie geschonken. Hoe pasten blanken, Indiërs en kleurlingen in dat concept? Was het eigenlijk wel nodig voor hen een plaats in te ruimen? Die gedachten zaten hem dwars. Hij was net als Lembede een afrikanist en had kritiek op dr. Xuma, die flirtte met liberalen, Indiërs en communisten, maar zijn persoonlijke vriendschappen doorkruisten die stellingname; hij maakte kennis met de verschillende werelden en leerde zich in elk daarvan te bewegen, en dat ondermijnde zijn exclusief afrikanistische opvattingen en rijpte hem tot het internationale humanisme dat hem tot heden toe staande houdt.

Zij stapten in de bus, Nelson en zijn drie Indische medestudenten: Ismail Meer, J.N. Singh en Ahmed Bhoola. Terwijl hij wegreed draaide de conducteur zich naar hen toe en zei: 'Hé, jullie mogen geen kaffer meenemen.' Zij schrokken en waren in verwarring, omdat zij niet precies begrepen wie de conducteur bedoelde. 'Die kaffer daar,' verduidelijkte de conducteur op Nelson wijzend. Er volgde een verhitte discussie. De vier erudiete jongelieden confronteerden de oudere, ongeschoolde Afrikaner met zijn racisme. Waar had hij het woord 'kaffer' vandaan, vroegen zij. Wist hij wat dat betekende? En hoe kwam hij aan het idee dat het voor Nelson verboden zou zijn in dezelfde bus te reizen als zijn vrienden? De conducteur kon tegen hun woorden niet op. Hij reageerde door de bus bij de volgende halte te stoppen en een politieman te roepen. Zij spraken in het Afrikaans, wat de vier studenten niet verstonden, en toen wendde de politieman zich tot Ismail Meer en zei: 'Ik arresteer u wegens het meenemen van een kaffer en inbreuk op de ambtsuitoefening van deze conducteur.' De studenten begonnen te protesteren. De politieman snoerde ze de mond. 'Jij,' zei hij tegen Nelson, 'kom jij ook maar mee. We zullen jou nodig hebben.' De vier jongemannen moesten de bus verlaten en werden lopend naar het bureau gebracht. De politiemannen namen Nelson apart en adviseerden hem om een verklaring af te leggen tegen de Indiër die hem illegaal in de bus had 'meegenomen' en brutaal was geweest tegen de conducteur, maar Nelson moest er niets van hebben; dan zouden zij hem ook moeten verbaliseren, zeiden zij. Hij gaf ze te kennen dat zij dat dan maar moesten doen.

Ismail kreeg bevel de volgende dag voor de rechter te verschijnen en dat deed hij, in gezelschap van zijn medestudenten en zijn advocaat, Bram Fischer. De rechter was zeer verheugd Bram te zien. Hij was net terug uit Oranje Vrijstaat waar hij de eer had gehad Brams vader, de rechtbankpresident, te ontmoeten. 'Zijn gezondheid is uitstekend,' zei hij tegen Bram.

Dat alles ontging de vier studenten niet. Met zo'n vriendschappelijke sfeer tussen verdediger en magistraat voor de aanvang moest hun zaak wel voorspoedig verlopen. De conducteur sloeg als getuige een povere figuur en de magistraat was blij dat hij de uitspraak ten gunste van de zoon van de rechtbankpresident kon laten uitvallen.

Bram Fischer was een briljante, buitengewoon integere en zeer bescheiden man en hij was lid van de Communist Party. Nelson had grote bewondering en sympathie voor hem, maar kon zich niet verenigen met zijn visie op het Zuidafrikaanse conflict, dat voor Fischer in wezen een klassen- en geen rassenstrijd was.

Over deze en andere theorieën praatte hij tot diep in de nacht met zijn naaste vrienden, mannen die dezelfde etnische achtergrond, dezelfde grappen en dezelfde angsten hadden. Hoe langer zij discussieerden, des te vaster werd hun overtuiging dat het ANC met zijn toenmalige structuur en programma niet capabel was om het tegen de blanke heersers op te nemen en te zegevieren, dat het zich zelfs bij de mobilisatie van het Afrikaanse volk naar het tweede plan liet dringen en dat de Communist Party met zijn geïmporteerde ideologie en blanke leiders veel meer aanhang won onder de Afrikaanse arbeiders. De communisten organiseerden vakbonden, steunden stakingsacties en zetten cursussen op om de zwarten lezen en schrijven te leren. Het ANC, dat voorop zou moeten gaan, volstond met toekijken en inhaken op de initiatieven die door anderen werden genomen. Het verwaarloosde de Afrikaanse arbeiders, die de communisten juist naar zich toetrokken. De Youth League stelde met name dr. Xuma, de algemeen voorzitter van het ANC, verantwoordelijk voor deze gang van zaken. Zij meenden dat het hem ontbrak aan een diepere etnische verbondenheid en aan gevoel voor de massa's; het waren de communisten en de Indiërs die massale acties op touw zetten en het ANC volgde hen. Het gevolg was dat de Afrikaanse belangen ondergeschikt werden gemaakt aan andere en dat het Afrikaanse volk zich liet inzetten voor programma's die in wezen niets met hen te maken hadden. Zij stelden dat Zuid-Afrika een Afrikaanse staat was en daarom een Afrikaans leiderschap behoorde te hebben. Zij maakten zich vooral zorgen over de infiltratie van CP-leden in het ANC. Zo de Afrikanen iets bezaten, geloofden zij, dan was dat hun broederschap, hun nationale identiteit, en die identiteit moest beschermd worden tegen niet-Afrikaanse indringers.

Zij verweten het ANC de steun en deelname aan de Native Representative Council en de Advisory Boards en riepen op tot een boycot van die raden.

De Youth League was het belangrijkste kader waarbinnen Nelson zijn politieke oriëntatie en strategieën ontwikkelde. Lembede en Mda waren fanatiek, bijna humorloos en op het intellectuele vlak overweldigend sterk. Nelson leerde veel van hen, maar was het niet altijd met hen eens. Wat denktrant betrof stond hij dichter bij A.P. Mda dan bij Anton Lembede. Hij bewonderde Mda's helderheid, de precisie en de logica van zijn redeneringen. Hij vond Lembede wat waziger, met een neiging tot eigenzinnigheid en tot afdwalen naar zijpaden en de hoofdzaak uit het oog verliezen, wanneer hij een toespraak hield. Hij zag in hem eerder een visionair en een dromer dan een politicus. In beiden waardeerde hij hun keuze voor een exclusief Afrikanisme, dat hij in theorie onderschreef maar tegelijk werd hij geraakt door de werelden van de Cachalia's en van de Harmels. Hij kon hun opvattingen niet zien als volstrekt onverenigbaar met zijn eigen ideeën. Binnen de Youth League voelde hij zich het sterkst verwant met Oliver Tambo en Walter Sisulu.

Hij hield van M.B. Yengwa, bescheiden en scherpzinnig, bij wie zijn felle nationalisme vertolkt werd in een diepgaande kennis van de Zulu-historie. Zij konden urenlang genieten van zijn verhalen over dappere Zulu-krijgers, van de details die hij wist over talloze gevechten tegen Engelsen en Boeren, hoe elk regiment aan zijn naam was gekomen, wie de aanvoerders waren en hoe planning van de veldslagen verliep. Na afloop van die krijgsverhalen reciteerde hij uitvoerig uit de gedichten van H.I.E. Dhlomo, die ook voorzitter was van de Natal Youth League. Later, toen Nelson algemeen secretaris van de Youth League was geworden onder A.P. Mda, ontmoette hij Godfrey Pitje, H. Chitepe, C.N.C. Mokhele, Robert Mugabe, William Nkomo en S.M. Guma, die de Fort Hare-afdeling van de jongerenbond oprichtten. Nog later maakte hij kennis met Gatsha Buthelezi en sloot met hem een vriendschap die nog steeds voortduurt. Zij kwamen allen bijeen in de Youth League en groeiden mettertijd op verschillende manieren uit tot leiders van hun volk, als staatshoofd, als revolutionair en in vele andere rollen. In het huis van Walter Sisulu ontspanden zij zich, lachten en plaagden elkaar met hun verliefdheden en amoureuze escapades. Walter stond op het punt te gaan trouwen. Nelsons interesse ging uit naar Walters ingetogen nichtje uit Transkei, Evelyn.

Evelyn

Evelyn Mase was afkomstig uit Engcobo, niet ver van Nelsons geboortestreek. Zij was ongeveer gelijktijdig met hem naar Johannesburg gekomen om haar schoolopleiding te voltooien. Haar vader, een mijnwerker, stierf toen zij nog een baby was en liet haar moeder achter met zes kinderen die zij alleen moest grootbrengen.

Drie van de zes kinderen stierven, wat voor de ontroostbare moeder ongewild ook een lastenverlichting betekende. Zelf totaal ongeletterd, zwoegde zij om de drie die haar waren overgebleven de school te laten doorlopen. De kinderen waren goede leerlingen, vooral Evelyn, maar hun moeder maakte dat niet meer mee. Zij stierf toen Evelyn twaalf was. Een paar maanden voor zij stierf had zij, alsof zij haar dood voorvoelde, de zorg voor Evelyn aan haar broer overgedragen. Hij zorgde voor haar alsof zij zijn eigen dochter was. Toen zij de school in Transkei had afgemaakt, stuurde hij haar naar haar oudere broer in Johannesburg, zodat zij de middelbare school en uiteindelijk een beroepsopleiding zou kunnen volgen. Haar moeder had gehoopt dat zij verpleegster zou worden en Evelyn was vastbesloten haar moeders wens te vervullen.

Evelyn kreeg onderdak bij de Sisulu's, waar haar broer in 1939 was komen wonen. Walters moeder, MaSisulu, was de zuster van de eerste vrouw van hun overleden vader. Die verwantschap gaf hun recht op een plaatsje in het huis van de Sisulu's.

Kort na Evelyns komst trad haar broer in het huwelijk en kreeg hij een woning toegewezen in Orlando East. Zij ging met hem mee, maar bleef regelmatig op bezoek komen bij de Sisulu's, waar zij Nelson ontmoette. Zij herinnert zich:

'Ik denk dat ik van hem hield vanaf de eerste keer dat ik hem zag. De Sisulu's hadden vele vrienden. Het waren zulke hartelijke, vrijgevige mensen en Walter had heel veel vrienden die daar over de vloer kwamen maar Nelson had iets heel bijzonders. Binnen een

paar dagen na onze eerste ontmoeting hadden wij ver-
kering en binnen enkele maanden vroeg hij mij ten
huwelijk. Nelson sprak met mijn broer en die was
dolblij, de Sisulu's waren ook dolblij. Iedereen die wij
kenden zei dat wij een uitstekend paar vormden. Wij
waren stralend op de dag van ons huwelijk, dat plaatsvond in de Native Commissioner's Court in Johannesburg, zoals het toen heette, maar wij hadden geen
geld voor een bruiloftsfeest. Dat was in 1944.

Wij hadden problemen, veel problemen, en het
ergste was het woningprobleem. Er was letterlijk geen
huis, zelfs geen kamer te vinden op redelijke afstand
van mijn werk en Nelsons werk. Mijn zuster en haar
man, de Mgudlwa's, boden ons onderdak aan. Mijn
zwager werkte als kantoorbediende bij de City Deep
Mines. Mijn zuster Kate was thuis en zorgde voor hun
twee kinderen. Zij hadden drie kamers en gaven ons
daar één van. Over bijdragen voor de huur of het eten
werd niet gesproken. Wij waren familie. Wij probeerden alles met hen te delen maar veel viel er niet te
delen; Nelson werkte part-time omdat hij nog studeerde en ik verdiende niet meer dan 18 pond per
maand. En toch waren wij gelukkig met elkaar.

Binnen een jaar was ik in verwachting van ons eerste kind. Wij waren heel opgewonden en Nelsons
blijdschap was voor iedereen zichtbaar toen Thembi
geboren was. Hij had ervoor gezorgd dat ik in het Ber-
trams Nursing Home kon bevallen en hij kwam daar
binnen met een lading nachthemden voor mij en baby-
kleertjes voor onze zoon. Toen ik weer thuiskwam,
stond daar die prachtige wieg die hij had gekocht.

Wij kregen een tweekamerwoning toegewezen in
Orlando East en begin 1947 verhuisden we naar een
piepklein huisje met drie kamers, nr. 8115, in Orlando
West. De huur was 17 shilling en 6 dime per maand.

Het huis was niet alleen voor ons. Het betekende dat wij nu ook familie konden opnemen, zoals mijn zuster voor ons had gedaan. Nelsons zuster Leabie was de eerste die bij ons kwam wonen en zij was ook de eerste van zijn familie die ik leerde kennen. Toen zij kwam had ik zelfs mijn schoonmoeder nog nooit gezien. Nelson had het veel te druk om met mij naar Qunu te gaan. Hij schreef wel geregeld naar zijn moeder en stuurde haar geld. Nelson liet Leabie inschrijven op de middelbare school in Orlando en nam de verantwoordelijkheid voor haar opleiding over, zoals van hem werd verwacht.

In 1948 kregen wij ons tweede kind, een dochter. Wij noemden haar Makaziwe. Hoewel Nelson het erg druk had, vooral met zijn politieke werk dat steeds meer tijd in beslag nam, hielp hij met de zorg voor de kinderen en daar genoot hij ook van. Makaziwe was niet sterk bij haar geboorte en had veel verzorging nodig. Nelson was heel teder voor haar. Met negen maanden werd zij zwaar ziek en een paar dagen later stierf ze. Wij waren er kapot van.

In 1949 schreef de oudste zuster van Nelson dat zijn moeder niet in orde was. Nelson zorgde dat zij naar Johannesburg kwam om specialisten te raadplegen. Zij bleef toen bij ons wonen en schonk ons huis een volheid die daarvoor had ontbroken: het milde gezag en de waardigheid van de oudere generatie. Zij was zwak en ontredderd toen zij arriveerde, maar was heel snel weer op krachten. Ik denk achteraf dat haar ziekte te wijten was aan het feit dat zij haar zoon miste. Wij konden het goed met elkaar vinden en *Makhulu* hielp mij geweldig, zowel in het huishouden als met de kinderen.

Dank zij *Makhulu's* aanwezigheid kreeg ik de kans meer actief betrokken te zijn bij de Nursing Union. Ik was in het vakbondswerk meegesleept door Adelaide, die later met Oliver Tambo trouwde. Adelaide was energiek en heel overtuigend. Zij en Gladys Khala hadden heel duidelijke ideeën over de rechten van verpleegsters en met name over de discriminatoire lonen van zwarte verpleegsters. Ik was het met hen eens en wilde mijn steentje bijdragen. Wij hielden bijeenkomsten in het General Hospital en in Darragh Hall. Nelson was verheugd over mijn inzet en steunde mij ten volle.

Wij vormden een gelukkig, overvol gezin. Nelson was een heel ordelijk mens die hield van vaste patronen. Hij stond altijd heel vroeg op, ging een paar mijl joggen, nam een licht ontbijt en was de rest van de dag vertrokken. Hij vond het leuk om de boodschappen te doen en ik liet dat maar al te graag aan hem over. Hij vond het heerlijk om 's avonds de baby's in bad te stoppen en het kwam ook wel voor dat hij het koken van ons vrouwen overnam.

Wij kregen veel gasten, vooral uit Transkei. Die bleven dan voor langere tijd bij ons logeren. Wij wilden hun het gevoel geven dat zij het huis als het hunne konden beschouwden en daartoe ook het volste recht hadden. Als er te veel mensen waren legden wij de bedden op de grond. Wij hadden nooit het idee dat er geen ruimte was. Op de een of andere manier werd die ruimte altijd gevonden. Kaiser Matanzima was een van onze geregelde gasten. Hij kwam meestal met een paar mannen. Hij behoorde tot de naaste familie en Nelson hield veel van hem en bewonderde hem.'

Nelson studeerde in die tijd aan de Witwatersrand University en Evelyn was in feite de kostwinner van de familie. Voor Nelson waren de politiek en zijn studie onlosmakelijk met elkaar verbonden en voor beide werkte hij hard, maar zijn hart ging toch meer uit naar de politiek dan naar de wetenschap.

Maar het was nooit alleen maar politiek en studeren. Nelson was vol levensdrift. Hij deed aan amateur-boksen; hij ging graag naar de bioscoop en hij hield van de multiculturele avonden in de International Club, waarvan hij secretaris werd. Dominee Sigamoney was toen voorzitter. In de club ontmoette hij blanken in een niet-politieke sfeer en sloot hij ook een aantal vriendschappen.

Tegen het eind van de jaren veertig raakte Nelson steeds sterker geïnvolveerd in de actieve politiek en was hij vaak dagen achtereen van huis voor het organiseren van acties in de *townships* van Transvaal. De leden van de Youth League werden overal spontaan verwelkomd. Nadat de gastvrijheid aanvaard en een slaapplaats geregeld was, stelde hun gastheer hen doorgaans voor aan invloedrijke lokale figuren zodat zij de grondslagen konden leggen voor een nieuwe afdeling van de Youth League.

Zowel in Nelsons privé-wereld als in zijn openbare leven ging het hem goed. Zijn gezin groeide; zij zorgden voor Leabie en de komst van zijn moeder gaf hun allen een gevoel van stabiliteit en zekerheid. Ook zijn studie was bijna voltooid.

Het nieuwe decennium begon voor de Mandela's met de geboorte van hun tweede zoon, Makgatho; voor het ANC met een nieuw programma van militant verzet.

Openlijk verzet

In 1947 werd de Youth League tijdelijk in diepe verslagenheid gedompeld door de ontijdige dood van haar briljante voorzitter, Anton Lembede. Nelson was tijdens de lunchpauze nog op zijn kantoor geweest. Later die middag werd Anton getroffen door een darmafsluiting en onmiddellijk naar het ziekenhuis gebracht. Diezelfde avond hoorde Nelson van Walter dat Lembede gestorven was.

Het leek ondenkbaar dat de Youth League, die zo'n groot deel van hun leven was geworden, verder zou kunnen gaan zonder de sturende invloed van zijn machtige geest. A.P. Mda volgde Lembede als voorzitter op en Nelson werd algemeen secretaris. Voor Nelson betekende het dat de politiek een veel groter deel van zijn tijd opeiste. Tot 1948 was hij op de achtergrond gebleven; hij mengde zich zelden in de zware debatten tijdens conferenties en hield geen toespraken bij grotere bijeenkomsten. In de notulen van de ANC-conferentie van 1949 komt geen bijdrage van hem voor. Evenmin wordt hij als woordvoerder genoemd in de verslagen van de besprekingen die in 1948 tussen het ANC en de All African Convention (AAC) werden gevoerd, waarvoor Oliver Tambo zich speciaal had ingezet. Zijn verkiezing als secretaris van de ANC Youth League schijnt de eerste stap te zijn geweest naar publieke bekendheid.

In 1948 schreef A.P. Mda aan de afdelingsleiders van de Youth League om de nieuwe secretaris te introduceren: 'N.D.R. Mandela Esq., BA, een rechtenstudent', die voortaan hun contactpersoon zou zijn. In dat jaar lanceerde de Youth League haar eerste grootse campagne om zich aan de natie te presenteren. Het was een gigantische opgave, die voor een groot deel op de schouders van de secretaris rustte. Hij kwam in contact met de afdelingen en hun leiders, met ANC-leiders in andere provincies en met bestuurders van andere organisaties waarmee de

League wilde samenwerken, zoals de Communist Party en de Non-European Unity Movement (NEUM). De meesten waren onder de indruk van Mandela. I.B. Tabata, de goeroe van de Non-European Unity Movement en een prominente figuur in de All African Convention, was een van hen en schreef na zijn ontmoeting met de jongeman een lange brief vanuit Kaapstad, gedateerd 16 juni 1948. Daarin vroeg hij of Mandela hem één steekhoudende reden kon noemen waarom hij zich bij het ANC had aangesloten, afgezien van het feit dat zijn vader ook lid was geweest (Nelson wist dat niet en vroeg zich af of Tabata informatiebronnen had die hem onbekend waren). Tabata schreef verder: 'Ik ben mij ervan bewust dat jij, gezien jouw leeftijd, niet getuige kunt zijn geweest van de gebeurtenissen die voorafgingen aan de periode 1936-1948' en presenteerde hem vervolgens een analyse van die gebeurtenissen, die het ANC de schuld gaf voor het gebrek aan eenheid binnen het niet-Europese kamp. Tabata zag de oplossing in de All African Convention. Eenheid, zo concludeerde hij, bleef voor de niet-Europeanen onbereikbaar omdat elke organisatie alle overige onder zich wilde stellen en omdat politieke geschillen ontaardden in persoonlijke ruzies. Hij besloot:

'Nu, Mandela, is het tijd jou wat rust te gunnen en mijzelf trouwens ook. Als je mij vervloekt vanwege zo'n lange brief, bedenk dan wel dat je het aan jezelf te wijten hebt. Ik heb deze laatste bladzijde toegevoegd omdat ik het van het allerhoogste belang acht dat een man, en in het bijzonder een jonge man die de politiek ingaat, de gewoonte aanneemt zijn daden te baseren op principes. Hij moet bereid zijn zo nodig tegen de stroom in te zwemmen. Aldus gewapend, is hij bestand tegen de verleidingen van de zucht naar populariteit en vluchtige successen.'

In december van dat jaar hielden het ANC en de AAC een 'Eenheidsconferentie'. Het was een historische gebeurtenis in die zin dat er 165 afgevaardigden bijeenkwamen (115 van het ANC), maar de besprekingen leverden niets op.

Toen het overleg met de AAC spaak liep, zocht het ANC toenadering tot het Indian Congress. De directe aanleiding vormden de gruwelijke rellen in Durban waarbij Afrikanen, daartoe aangezet door blanken, gewelddadigheden begingen tegen Indiërs. Het leger en de marine grepen in en binnen een week waren er 130 doden gevallen.

De Indiërs waren in die tijd het voornaamste doelwit voor de blanke wraakzucht. Zij hadden kort tevoren een zeer succesvolle campagne van passief verzet gevoerd tegen de apartheid, en het racisme in Zuid-Afrika tot wereldnieuws gemaakt door het in de Verenigde Naties ter sprake te brengen. Zuid-Afrika vond in de debatten India tegenover zich en leed een zware nederlaag. In die gespannen sfeer bood die ene klap die een Afrikaan van zijn Indische werkgever had moeten incasseren voor de blanken een strategische kans om de groeiende opstandigheid van de zwarten tegen hun uiterst armoedige bestaan van henzelf naar de Indiërs af te leiden. Blanken gingen openlijk rond om Afrikanen te provoceren tot acties tegen de 'koelies', die volgens hen de oorzaak van alle problemen waren. De voorzitters van het ANC en het NIC in Natal, A.W.G. Champion en dr. G.M. Naicker, gaven een gezamenlijke verklaring uit waarin zij beide partijen tot kalmte maanden.

Het Working Committee van het ANC bracht een door de algemeen voorzitter ondertekende verklaring uit die het Afrikaanse volk opriep 'zich niet te laten gebruiken door andere volken, die over de ruggen der Afrikanen hun eigen politieke doelen wilden bevorderen door de rassenhaat aan te wakkeren'. De verklaring gaf de schuld aan 'het Uniebeleid van gedifferentieerde en discriminatoire behandeling van verschillende raciale groepen als de fundamentele bron van wrijving en onenigheid tussen de rassen. Het heeft de Afrikaan verlaagd tot speelbal en dienstknecht van allen, wat hij in stilte verfoeit. Het heeft bij hem een opeenstapeling van grieven en een gevoel van onmacht verwekt, die tot uiting komen in onvoorspelbare acties van gewelddadige of andere aard, waarvoor geen enkele groep immuun is'.

(Carter en Karis, op. cit. dl.2, bladzijde 256)

De nationale besturen van de twee congressen formeerden een gezamenlijke raad om de Afro-Indische relaties te verbeteren. Nelson en zijn collega's stonden sceptisch tegenover dit soort acties; in hun ogen waren het loze gebaren die de harde feiten van het racisme moesten verbloemen. Op de Youth League maakte deze toenaderingspoging even weinig indruk als de voorgaande, het Xuma-Dadoo-Naicker Pact van 1947 waarbij tot samenwerking op specifieke punten was besloten. Werkelijke eenheid, zo stelde de Youth League, was alleen mogelijk als het ANC het initiatief zou nemen.

Een aantal leden ging verder; volgens hen zou het pas kunnen wanneer de Indiërs ook het leven van de Afrikanen wilden delen en hun eigen racistische vooroordelen hadden laten varen. Bloke Modisane schreef: 'Zelfs in theorie kon ik de discriminatie van de Indiërs op geen enkele manier goedpraten. Maar de Afrikaanse en de Indische politici hebben hun ver-

bond gesloten terwijl zij de problemen van de onder-
linge groepsrelaties aan het toeval overlaten.'
(Bloke Modisane, *Blame Me on History*, Ad. Donker,
Johannesburg 1986, blz. 141-146)

Niettemin vond ook in de Youth League, het officiële bolwerk van het Afrikanisme, een aanzienlijke verschuiving plaats. Het manifest van 1948 verwierp de
extreme vorm van nationalisme, die 'Afrika voor de
Afrikanen' opeiste en de blanken de zee in wilde
jagen. Het erkende dat 'de verschillende raciale groepen een blijvend gegeven waren', dat de Indiërs 'een
onderdrukte groep' waren en 'niet als veroveraars en
uitbuiters naar Zuid-Afrika waren gekomen'. Sommige bestuursleden begonnen zelfs te twijfelen of zij alleen moesten blijven en hadden een paar maanden
voor de rellen in Durban ontmoetingen gehad met
leden van het Indian Congress in Transvaal om de
verschillen te inventariseren. Het feit dat sommige
Youth League-leden toch al goede sociale contacten
hadden met mensen uit het Indian Congress moedigde zulke stappen aan.

Zij voerden een aantal dagen besprekingen in het
kantoor van J.B. Marks in de Rosenberg Arcade aan
Market Street, Johannesburg. De Youth League had
geëist dat alle gesprekken woordelijk op schrift zouden worden vastgelegd. De ideeën moesten zin voor
zin worden uitgewerkt, zodat de woorden exact op
papier kwamen. 'Uiteindelijk was Walter degene die
het ijs brak,' herinnert Ismail Meer zich. 'Hij zei: "We
hebben genoeg gepraat. Deze mensen zijn oprecht. Er
is geen reden voor wantrouwen. Laten we samenwerken waar dat mogelijk is."' Maar het zou nog twee jaar
duren voor dat echt gebeurde.

Het voornaamste geschilpunt tussen het ANC en

de NEUM in die tijd vormde de participatie van het ANC in op ras gebaseerde pseudo-bestuurslichamen als de Bunga, de Native Representative Council en de Local Advisory Boards. Nelson had, zoals de meesten binnen de Youth League, een instinctieve weerzin tegen zulke vormen van coöperatie maar hij besefte dat zij, afgezien van een machtsovername en radicalisering van het ANC, weinig konden doen. Maar toen zij de macht hadden overgenomen, bleek dat zij de oudere leden toch niet konden dwingen uit de instanties terug te treden; erger nog, sommige Youth League-leden begonnen te redeneren dat lokale raden beter onder ANC-controle konden staan dan in handen van reactionairen te blijven. Voor Nelson telde alleen de staatscontrole. Hij stond kritisch tegenover blanke liberalen en later ook tegenover zijn radicale bondgenoten die zich verkiesbaar stelden voor de 'native' zetels in het parlement, alhoewel hij de verkiezingen op zich niet openlijk veroordeelde omdat het ANC die bleef steunen.

Voor de frontlijnleden van de Youth League was het uiterst beschamend dat het ANC zijn steun bleef geven aan de Native Representative Council en de adviesraden, terwijl de NEUM met zijn sterke aanhang onder kleurlingen in de Kaapprovincie elke vorm van samenwerking met de regering afwees en de Indiërs het gemeentelijk stemrecht niet alleen hadden verworpen maar er ook passief verzet tegen hadden gepleegd. Mandela, Tambo, Mda, Sisulu, Njongwe en Bopape overlegden nachtenlang om een oplossing te vinden. Terwijl zij daarmee bezig waren, maakte de nieuwe nationalistische regering in 1948 verdere discussie overbodig door de NRC en de Bunga af te schaffen.

Smuts of Malan, United Party of Nationalist, beiden waren blanke eerste-ministers met dezelfde racistische en dictatoriale opvattingen. Wat Nelson niet voorzag was dat de nationalisten hun politieke veiligheid zo grondig zouden legaliseren dat binnen enkele jaren vrijwel al het georganiseerde verzet was lamgelegd. Louter voor het dragen van de ANC-kleuren riskeerde men vijf jaar gevangenis, terwijl de doodstraf op zo'n schaal werd toegepast dat Zuid-Afrika wat het aantal gehangenen betrof alle wereldrecords zou breken.

De machtsovername van de nationalisten viel samen met de radicalisering van het ANC. Enkele maanden na de zege van de nationalisten pleegde de Youth League haar machtsgreep binnen het ANC. Di-liza Mji bewaart de volgende herinneringen aan de historische ANC-conferentie van december 1949 in Bloemfontein:

'De bijeenkomst werd gehouden in de Botshabelo Location en wij sliepen bij bewoners die ons onderdak wilden geven. Er bestonden toen geen hotels voor zwarten en al waren ze er geweest, dan hadden wij er toch geen geld voor. Het ANC en de Youth League hielden tegelijkertijd conferenties in het wijkcentrum. De All African Convention hield ook een bijeenkomst, niet ver bij ons vandaan.

Wij hadden ons goed voorbereid. De voorzitter hield zijn toespraak. Het applaus dat volgde was mager en beperkte zich tot de oudere leden die ver in de minderheid waren. Ik diende de motie van wantrouwen in. Eddie Manyosi steunde de motie. Er ging een schokgolf door de zaal. Kritiek op de voorzitter was in de hele geschiedenis van het ANC nog nooit voorgekomen. Achteraf vind ik dat ik te cru ben geweest, maar zo was de stemming onder de jongeren.

Leden van de oude garde probeerden dr. Nxuma in verdediging te nemen, maar zij werden door ons weggestemd.

Nadat wij het congres van zijn voorzitter hadden beroofd, stonden wij voor het dilemma wie hem zou moeten vervangen. Een van ons konden wij niet naar voren schuiven, daarvoor hadden wij niet genoeg prestige. Het toeval wilde dat de voorzitter van de AAC in datzelfde jaar zijn positie verloor, dus gingen wij naar dr. Moroka en boden hem het voorzitterschap van het ANC aan. Hij nam het aanbod aan. Hij was beslist geen ideale kandidaat, maar op dat moment was hij 'onze' voorzitter.

Wij kozen een uitmuntende secretaris in de persoon van Walter Sisulu.

In die dagen was A.P. Mda de vuurvreter onder de jonge leiders. Hij was afrikanist en is nooit een duimbreed van zijn standpunt afgeweken. Wij waren allemaal afrikanist, maar in diverse gradaties. Ik gold als een verwaterd type. Nelson was fanatieker dan ik. Hij stond dichter bij Mda. Tambo kon ik nooit helemaal doorgronden. Hij was de volmaakte diplomaat. Hij en Nelson waren allebei geneigd hun gedachten voor zich te houden. Ik flapte alles eruit, voor iedereen zichtbaar. Walter was van ons allen de meest toegankelijke wanneer het om samenwerking met andere raciale en ideologische groepen ging.'

De conferentie aanvaardde het actieprogramma van de Youth League en gaf het nieuwe bestuur opdracht een nationale staking af te kondigen voor 26 juni, als protest tegen de nationalistische regering. Maar op een bijeenkomst die (tot ontsteltenis van de Youth-Leaguers) voorgezeten werd door hun eigen algemeen voorzitter, dr. Moroka, riepen het Indian Congress en de Communist Party op tot een nationale staking op 1 mei. De Youth League was furieus. De Indiërs en de communisten waren hen niet alleen voor, maar gaven de Afrikaanse massa's ten onrechte het idee dat de oproep van het ANC uitging door dr. Moroka op de voorgrond te plaatsen. Er werd kwaad gemompeld hoe de ANC-voorzitter zich zo had kunnen laten gebruiken.

De Youth League ageerde tegen de 1 mei-oproep, maar ondanks de tegenstand werd de staking een succes, hoewel de dag een tragisch einde kreeg toen de politie het vuur opende, zogenaamd om werkwilligen die naar huis gingen te beschermen. Negentien mensen werden gedood, dertig gewond.

Een gewone partijganger van de Youth League herinnert zich de slachting:

'Wij stonden langs de straat te kijken, zwijgend en timide, naar de spookachtige parade, wij juichten niet en zwaaiden ook niet met vlaggen; wij stonden daar verstard, het was als een statige, langzame en plechtige begrafenisstoet. Er hing een dodelijke dreiging in de lucht en wij konden die gruwelijke dreiging voelen en toch konden wij ons gezicht niet afwenden, het niet onze rug toekeren. Toen plotseling, alsof dat voorgevoel in vervulling ging, werd er een bevel geschreeuwd door de luidspreker. De mensen kregen drie minuten om zich te verspreiden, maar iedereen murmelde en schuifelde tot de drie minuten om waren.

De bereden politie stuurde de paarden de menigte in, galoppeerde op mannen en vrouwen af, viel aan op moeders die een kind op hun rug droegen; gillende vrouwen en kinderen renden om aan het ene paard en de gummistok te ontkomen tegen een ander aan; mannen zakten neer onder de stokslagen, vielen op de grond voor de galopperende paarden. Ik zag een agent te paard op een vrouw afstormen die probeerde te vluchten, hoorde haar angstkreten toen zij onder het paard viel, terwijl de ruiter door de kracht van de klap nauwelijks op zijn paard kon blijven. Hij had haar met zijn stok willen slaan, maar miste.

Toen gebeurde het – ik bedoel de actie die bij talloze rellen zoveel levens heeft gekost. Iemand gooide een steen en die ketste af op de schouder van een bereden politieman, toen kwam er nog een en nog een.

Zij begonnen te vluchten, al kwamen hun lichamen waarschijnlijk niet meer dan een meter vooruit; het was hun hoofd dat op hol sloeg. Zij hielden hun geweer hoog in de lucht en draafden rond in een ordeloze aftocht. Het waren niet alleen geen supermannen, mannen waren het ook niet; en hoewel hun hoofden vluchtten, weigerden hun lichamen te volgen totdat zij daartoe bevel kregen. Wij gooiden stenen naar een machine die op discipline liep. Het was een overwinning voor ons.

Het bevel om te schieten transformeerde hen in een dodelijke kolos, vanaf dat moment was er geen opwinding meer, alleen de dood. De geweren en stenguns braakten dood, spugend naar alles wat bewoog – alles wat zwart was. De politie zocht met onverstoorbare precisie een willekeurig slachtoffer uit. Het schieten, gillen, sterven leek de hele dag door te gaan en rondom Sophiatown weergalmde het bijtende staccato van de vuurwapens; en de stank en de verrotting van de dood breidde zich uit over de *township*, over de smeulende asresten en de smog.'

(Modisane, op. cit., bladzijde 141-160)

Sommigen gaven de communisten en Indiërs de schuld van de doden, maar halverwege dat jaar begon de Youth League de voordelen te beseffen van een breed bevrijdingsfront. Een 'nationale protestdag' werd afgekondigd door het ANC, samen met het

South African Congress, de African People's Organization, de Communist Party en de Council of Non-European Trade Unions in Transvaal. De respons van de bevolking zou als test fungeren voor hun medewerking aan volgende, riskantere acties. Het Indian Congress en de Communist Party verklaarden zich bereid tot samenwerking en een coördinerende raad werd ingesteld, aangevoerd door twee secretarissen uit het Indian Congress en het ANC, Yusuf Cachalia en Walter Sisulu. Nelson werd benoemd tot 'nationale aanvoerder van de vrijwilligers'.

Diliza Mji kreeg de opdracht Natal te organiseren, waarvoor hij zijn studie medicijnen moest onderbreken. Hij herinnert zich: 'Ik logeerde bij dr. Naicker in Durban en werkte vanuit het kantoor van het NIC (Natal Indian Congress). Het NIC gaf de toon aan, vooral J.N. Singh, Debby Singh, M.P. Naicker en Ismail Meer toonden een opvallende inzet. Op het ANC in Natal, gedomineerd door A.W.G. Champion, konden we niet rekenen. Natal gaat altijd zijn eigen weg. Het is altijd *yase* Natal. Het vormde in 1950 een eigen afgescheiden ICU (Industrial and Commercial Workers' Union). Het ANC in Natal bleef zich conservatief opstellen en nu hebben we natuurlijk Inkatha.'

Het team was bezield met een ongewone energie en toewijding, die in die mate nooit eerder waren vertoond. Er heerste een doelbewustheid, een vaste overtuiging dat zij een koers volgden die de rechten voor het volk kon terugwinnen. Zij zouden de nationalisten dwingen de macht met hen te delen.

Van Nelson werd verlangd dat hij overal tegelijk was. Hij reisde zo snel als hij kon, voornamelijk met bussen en treinen, om de afdelingen te coördineren en steun te werven. Maar ondanks zijn overladen programma, waarin hij zichzelf nauwelijks respijt gunde, bleef hij zich voortdurend bewust van Evelyns zwangerschap en toen het zover was, stond hij aan haar zijde om zijn tweede zoon Makgatho op de wereld te begroeten. De respons bij de nationale staking van 26 juni was overweldigend in Durban, Ladysmith en Port Elizabeth, maar vrij schamel op de Rand. In Durban werden meer dan duizend arbeiders ontslagen en de blanke bazen dreigden hen te vervangen door Afrikanen, maar door tijdig ingrijpen van het Natal Indian Congress kon een crisis worden afgewend. De arbeiders zagen in dat het een typische verdeel-en-heers manoeuvre was van de kant van de autoriteiten en een snelle en efficiënte materiële hulpverlening, die voornamelijk aan de gulheid van Indische winkeliers te danken was, herstelde het moreel. Tegelijkertijd bracht het de Indische vakbondsleiders tot het inzicht dat eenheid onder de arbeiders onhaalbaar zou blijven zolang de Afrikanen buiten de bonden werden gehouden: de regering en de politie zouden, als representanten van de werkgevers, voortgaan met het ophitsen van arbeider tegen arbeider, wat zou worden opgevat als een conflict van ras tegen ras.

De massale respons van de Indische bevolking bij deze eerste gezamenlijke actie leidde tot een aanmerkelijke verschuiving in het isolationistische Afrikanisme van de nieuwe ANC-leiders en bracht hen ertoe de campagne van 'Defiance of Unjust Laws' (Verzet tegen Onrechtmatige Wetten) in de trant van het Indische passief verzet in 1946 op te zetten. Nelson was aanvoerder van de vrijwilligers; Moulvi Cachalia, de broer van Yusuf, was zijn luitenant. Dr. Moroka, dr. Dadoo, J.B. Marks, Walter Sisulu en Yusuf Cachalia vormden het plancomité. Het was een samengaan van Indiërs en Afrikanen in etnisch opzicht en, tot op zekere hoogte, van marxisten en nationalisten in ideologisch opzicht, aangezien Dadoo lid was van de CP. Zij werkten samen in een goede teamgeest, die bij de dagelijkse planning niet door etnische of ideologische factoren werd verstoord.

De Defiance Campaign startte met een brief aan de eerste-minister waarin de intrekking van alle onrechtmatige wetten werd geëist. Zoals verwacht reageerde de premier niet op de brief, maar legde zeven leden van de Communist Party een verbod op om deel te nemen aan vrijwel elke organisatie en alle bijeenkomsten. In april werden door het hele land massale protestacties gehouden. In mei kwamen de bestuurders van het ANC en het SAIC (South African Indian Congress) bijeen in Port Elizabeth en deelden op een persconferentie mee dat hun vrijwilligers op 26 juni zouden beginnen met het verzet tegen onrechtmatige wetten.

Afrikanen en Indiërs gingen vergezeld door drommen supporters in ordelijke formaties op weg om doelbewuste overtredingen tegen specifieke rassenwetten te plegen.

In Boksburg negeerden Afrikanen onder leiding van Walter Sisulu en Indiërs, aangevoerd door Nana Sita, de wetten die hen verplichtten voor het betreden van een Afrikaanse *township* een speciaal pasje aan te vragen. Zij werden allemaal gearresteerd en naar de gevangenis afgevoerd. In het centrum van Johannesburg gaven Nelson en Yusuf Cachalia vijftig Afrikaanse vrijwilligers instructies hoe zij zich bij arrestatie moesten gedragen en wachtten daarna tot de spertijd aanbrak, om elf uur 's avonds, terwijl een menigte aanhangers zong en danste om hen aan te moedigen. Toen de klok elf slagen had gegeven gingen zij de straat op en werden onmiddellijk gearresteerd, in politiebusjes gestouwd en weggevoerd. Nelson en Yusuf werden na tussenkomst van collega's op borgtocht vrijgelaten; zij behoorden niet tot de vrijwilligers-groep die voor die nacht was aangewezen, omdat zij ook in Transvaal campagne moesten voeren.

In Natal gaven *chief* Luthuli en dr. Naicker leiding bij de verzetsacties; in de Oostelijke Kaapprovincie waren dr. James Njongwe, Robert Matji, Raymond Mhlaba en Tshume de leiders. De campagne sprak tot de verbeelding van het volk, het aantal ANC-leden schoot omhoog en de vrijwilligers stroomden toe. De autoriteiten schrokken; in juli sloegen zij terug, op de hen eigen macabere wijze. Nelson werd van zijn bed gelicht bij een razzia in de vroege ochtenduren. Zijn huis werd door de politie omsingeld. Het net werd wijd uitgespreid. Twintig andere activisten in Transvaal werden thuis overvallen. Zij werden allen in hechtenis genomen. Het was de eerste keer dat de nationalisten een methode toepasten die in de volgende jaren dood-gewoon zou worden. De activisten werden voor de rechter gevoerd en op borgtocht vrijgelaten. Later zou er geen proces en geen borgtocht meer zijn, maar in 1952 had de regering het despotisme nog niet helemaal onder de knie. Allen werden schuldig bevonden aan de aanklacht en veroordeeld tot voorwaardelijke straffen.

De arrestaties brachten aan het licht hoe zwak dr. Moroka was. Hij distantieerde zich van zijn collega's en schakelde onafhankelijk van hen zijn eigen advo-caten in. Zijn reputatie liep hierdoor zoveel schade op, dat hij bij de volgende verkiezing zijn voorzitter-schap moest afstaan aan Albert Luthuli.

Met Albert Luthuli steeg het prestige van het ANC enorm. Behalve ex-leraar (hij had zeventien jaar voor de klas gestaan), lekeprediker in de Methodistische Kerk en chief van de Makholweni-stam in Groutville was hij een briljant redenaar, een indrukwekkende zanger en ook buitengewoon wijs en erudiet. Radicalen en liberalen bewonderden hem en zowel de afrikanisten als de democraten binnen het ANC eisten hem op als hun man.

Nelsons respect voor Luthuli werd nog groter toen hij door Pretoria voor de keuze was gesteld tussen het ANC en zijn positie als stamhoofd en weigerde een van beide op te geven, ongeacht wat de regering zou uitdenken. Zoals hij verwacht had ontnamen ze hem zijn titel van *chief*, waarop hij aldus reageerde:

'Ik werd in 1935 democratisch gekozen voor deze functie door de bevolking van de Groutville Mission Reserve... Ik ben ontslagen... naar ik aanneem door de gouverneur-generaal als hoogste *chief* van de 'inheemse' bevolking van de Unie van Zuid-Afrika. Voor zover het gaat om de verwerving van burgerrechten en kansen voor een vrije ontplooiing van het Afrikaanse volk – wie zal ontkennen dat ik dertig jaar van mijn leven heb besteed aan vergeefs kloppen, geduldig, gematigd en bescheiden op een gesloten en gebarricadeerde deur?'

Luthuli en Mandela vormden als algemeen voorzitter en algemeen secretaris van het ANC het sterkste leiderskoppel dat het ANC ooit had gekend. Hun toespraken waren adembenemend. In 1951 was Nelson tot voorzitter van de Youth League gekozen en in 1952 nam hij het voorzitterschap van het ANC in Transvaal over van J.B. Marks, die onder een *banning* was geplaatst. Hij werd ook als een van de vier vice-voorzitters van het ANC gekozen. Nelsons macht en populariteit groeiden alom, maar hij bleef vriendelijk, toegankelijk en bescheiden, al kon hij ook vloeken als een bootwerker wanneer de situatie dat vereiste.

In de rumoerige drukte van het organisatorische

werk, dat zijn krachten uitputte maar zijn geest versterkte, kreeg hij nauwelijks tijd om te rusten of na te
denken. Als leider van de vrijwilligers rustte op Nelson een immense taak; hij moest het hele land afrei-
zen, afdelingen coördineren, rekruten en fondsen werven. Hij stelde zich uit vrije wil beschikbaar, liet zijn
praktijk en zijn gezin achter en verwachtte geen andere beloning dan de bevrijding van zijn volk. Het ANC
groeide van enkele duizenden leden tot een geschat
aantal van honderdduizend. Het ANC was voor de lo-
pende kosten afhankelijk van de bijdrage die de leden
betaalden, niet meer dan 2 s. 6 d. per jaar. Met het
innen van de bijdragen was men naar het schijnt niet
al te strikt. Het resultaat was dat de kas bijna permanent leeg was. Gelukkig waren er meestal wel supporters die zalen, stoelen en geluidsinstallaties als 'donatie' aanboden en drukkers die bereid waren lang op
hun centen te wachten. De reiskosten liepen hoog op,
maar die werden door de activisten zelf gedragen. Wie
een auto bezat deelde die met niet-autobezitters. De
organisatoren reisden zelden of nooit per vliegtuig,
hoewel zij enorme afstanden aflegden; voor het grote
publiek waren bus en trein de gangbare vervoermiddelen. De telefoon werd, zeker voor grote afstanden,
spaarzaam gebruikt. De zwaarste kostenpost was het
levensonderhoud van de organisatoren die full-time
bezig waren.

Zij hadden berekend dat de organisatie met een be-
talend ledental van dertigduizend en een inkomen
van 2000 pond per jaar goed moest kunnen functioneren, maar zelfs op die voet was een geregeld inkomen moeilijk te verwezenlijken. De organisatie hield
zich op miraculeuze wijze in stand met het geld dat er
was. Dat het zich staande hield was uiteindelijk te
danken aan het enthousiasme en de trouw van leiders

en volgelingen. Veruit de best georganiseerde sector was die van de Oostelijke Kaapprovincie.

Het ANC had in 1912 en 1913 zijn eigen krant gehad, Abantu-Batho, maar de oplage was klein en ten slotte ging het orgaan geruisloos ter ziele. Tijdens de jaren vijftig rekende het ANC op de linkse kranten, met name op de *Guardian* en toen die verboden werd op de *New Age*. Nelson schreef bijdragen in de radicale maandbladen *Liberation* en *Fighting Talk*. Door de blanke media werd het ANC vrijwel totaal genegeerd.

Naarmate het ANC zich dank zij het succes van de Defiance Campaign sterker begon te voelen, taanden ook de vroegere angsten voor niet-Afrikaanse inmenging. Nelson zag in dat de strijd in hoofdzaak een Afrikaanse aangelegenheid zou blijven aangezien de Afrikanen zowel de meest onderdrukte als de omvangrijkste groep vormden, maar dat niet-Afrikanen een belangrijke rol vervulden omdat een niet racistische democratie alleen tot stand zou kunnen komen vanuit een multiraciale bevrijdingsbeweging. Zijn weerstand tegen 'vreemdelingen' – communisten, blanken, Indiërs en kleurlingen – werd minder en verdween mettertijd volledig. In 1952 trad Mandela, de afrikanist, samen met Sisulu en Tambo naar voren als de grote non-raciale democraat, vooruitstrevender zelfs dan de christelijke democraat Luthuli.

Terwijl Walter en Oliver voor integratie kozen en alle Zuidafrikaanse democraten als gelijken in de bevrijdingsstrijd wilden erkennen, begonnen de afrikanisten zich onder leiding van Mda aaneen te sluiten tot een interne oppositie. Zij formeerden een comité van waakzaamheid en hielden de initiatieven van niet-Afrikanen nauwlettend in het oog. Het feit dat Afrikanen en Indiërs op bijna gelijke voet de leiding van de Defiance Campaign hadden gedeeld terwijl de overgrote meerderheid van de activisten Afrikaans was riep spanningen op; 71 procent van de activisten kwam uit de Kaapprovincie en daar was geen enkele Indiër bij.

A.P. Mda verklaarde bevreesd te zijn dat Indiërs en blanke communisten de Afrikaanse nationalisten zouden verdringen; Jordan Ngubane beschuldigde dr. Dadoo van annexatie van het ANC; Selope Thema verweet de Indiërs dat zij de Afrikanen misbruikten en de communisten dat zij hun het internationalisme opdrongen voordat zij de kans hadden hun nationalisme te consolideren. De autoriteiten stookten het vuur op door in Natal de kruidkundige Bhengu te ondersteunen, die via zijn pas opgerichte Bantu National Congress een racistische aanval op de Indiërs lanceerde.

Wellicht liepen Nelson en zijn medestanders te ver vooruit op hun tijd en wellicht ook op hun volk; zij hadden de kans gehad om aan te leren hoe zij moesten omgaan met het intellectualisme van de blanke radicalen en liberalen en met de andere cultuurvormen van de Indiërs – de meeste Afrikanen, straatarm en ongeletterd, hadden die kansen niet. De hoogste leiders, die tot hetzelfde academische milieu behoorden, konden samen praten, werken, eten en dansen, maar daar hield het interraciale commensalisme op. Er was geen sprake van verbroedering van leerkrachten uit de verschillende rassen, en leraren vormden de grootste groep in de opkomende Afrikaanse bourgeoisie; verbroedering van arbeiders over de rassenbarrière heen kwam evenmin voor, en arbeiders vormden de massa's.

Maar hoe groot de problemen ook waren, de Defiance Campaign bleek ertegen bestand en het 'passief verzet' van het ANC won bewonderaars en vrienden onder de blanke leden van het nieuw opgerichte Congress of Democrats en de Liberal Party. Een van de prominente Liberals was Patrick Duncan, zoon van een voormalige gouverneur-generaal, die zich aansloot bij de rangen der activisten. Op internationaal niveau werd Zuid-Afrika's optreden tegen de zwarte bevolking een brandende kwestie in de Verenigde Naties.

Terwijl de Defiance Campaign voortging, moesten Evelyn, Nosekeni (Nelsons moeder) en Leabie zich verzoenen met een huishouden dat door vrouwen werd gerund. Nelson kwam voor stormachtige, korte perioden naar huis en een groot deel van die tijd besteedde hij aan spelen met de jongens. Hij en Thembi waren dikke kameraden; zij gingen samen joggen en boksen, speelden op de grond en op bed waarbij Nelson met hem stoeide tot hij gilde van het lachen en dan een standje kreeg van *Makhulu* dat hij het kind maagpijn van de opwinding bezorgde.

In 1952 was Nelson langer van huis dan ooit. Thembi ging al naar school en Makgatho was een kleuter. Evelyn had altijd vroedvrouw willen worden, maar huwelijk, zwangerschap en vooral geldgebrek hadden verder studeren onmogelijk gemaakt. De Mandela's besloten dat zij nu de kans moest grijpen om haar ambitie te vervullen. Nelson bracht zelf geld in, zodat zij niet langer afhankelijk waren van Evelyns salaris, maar de voornaamste factor was de aanwezigheid van *Makhulu* aan wie zij met een gerust hart de zorg voor de kinderen konden overlaten. Evelyn vertrok naar Durban en liet zich inschrijven voor de vroedvrouwenopleiding in het King Edward VII Hospital. Zij herinnert zich:

'Ik woonde in het verpleegstershuis. Nelson kwam

telkens wanneer hij voor zijn werk in Durban moest zijn. Hij kwam mij dan halen, meestal samen met Ismail Meer, die toen getrouwd was met Fatima. Zij hadden een tweekamerwoning in de Umgeni Road. Het verschilde nauwelijks van ons huis in Orlando. Wij bleven daar gewoonlijk slapen; de Meers stonden ons hun enige slaapkamer af, zodat wij wat meer comfort en privacy hadden.'

De Defiance Campaign ging op volle sterkte door. Nelson reisde rond, naar Kaapstad, Port Elizabeth, Johannesburg, Transkei. Het harde werken wierp vrucht af; steeds meer vrijwilligers meldden zich voor de verzetsacties. De *bannings* die leiders en activisten werden opgelegd hadden het toenemend verzet van het Afrikaanse volk niet gebroken. De regering werd wanhopig. Omdat zij besefte dat het afzien van geweld de kracht van de campagne en de internationale bijval teweegbracht, probeerde ze die reputatie door middel van geweld te ondermijnen.

De Oostelijke Kaapprovincie, met zijn lange historie van oorlogen tegen Boeren en Afrikanen, werd geselecteerd als het punt waar men de Afrikanen het gemakkelijkst tot geweld kon provoceren. Er zijn geen bewijzen voor dergelijke machinaties van regeringswege, maar de feiten spreken voor zich. De autoriteiten, die in dat gebied alle bijeenkomsten in de openlucht hadden verboden, gaven in oktober ineens speciale toestemming aan het ANC voor het houden van een massale gebedsdienst in East London. Terwijl de dienst bezig was, rukte het leger binnen en veranderde de vreedzame bijeenkomst in enkele seconden in een bloedbad. Acht Afrikanen werden gedood, tientallen vielen gewond neer. De gemoederen waren verhit en een dolzinnige meute trok uit om alle symbolen van de blanke macht op haar weg te verwoesten. Twee blanken werden gedood, inclusief een non van wie het verminkte lichaam werd teruggevonden. Het geweld sloeg over naar Port Elizabeth en Kimberley. Het ANC was geschokt en ontredderd. Voor een organisatie die zich verbonden had tot geweldloosheid was geweld een onhanteerbaar gegeven. De regering benutte de tragedie als excuus voor het uitvaardigen van een dik pakket nieuwe repressieve wetten, die ook het plegen van passief verzet illegaal maakten. Vrijwel alle organisatoren van de campagne kregen een *banning* opgelegd, met inbegrip van Nelson. Het ANC, beroofd van zijn leiders, staakte de campagne.

Voor Nelson was het de eerste *banning order*; hij mocht geen enkele vergadering bijwonen en moest in Johannesburg blijven. Als voorzitter van het ANC in Transvaal kon hij de regionale conferentie van dat jaar niet bijwonen. Het belette hem echter niet zijn voorzittersrede door een ander te laten uitspreken. Hij werkte hard aan die toespraak en greep de kans aan om hun positie te analyseren en een nieuwe strategie aan te geven. Hij concentreerde zich op de campagne en op het toenemende arsenaal van repressieve wetten dat de staat tegen hen inzette.

'Het begon in Port Elizabeth in de vroege ochtenduren van 26 juni met slechts drieëndertig actievoerders, en daarna in Johannesburg diezelfde middag met honderdzes actievoerders en vandaar verbreidde het zich als een bosbrand over het hele land. Fabrieksarbeiders en kantoorbedienden, doktoren, advocaten, onderwijzers, studenten en geestelijken; Afrikanen, kleurlingen, Indiërs en Europeanen, oud en jong – allen gaven gehoor aan de nationale oproep en kwamen in verzet tegen de pasjeswetten en de spertijd en de apartheidsregels van de spoorwegen. Toen het jaar ten einde liep hadden meer dan achtduizend mensen van alle rassen verzet gepleegd.

Tussen vorig jaar juli en augustus van dit jaar zijn zevenenveertig leiders van beide congressen in Johannesburg, Port Elizabeth en Kimberley gearresteerd, berecht en schuldig bevonden wegens het lanceren van de Defiance Campaign en veroordeeld tot voorwaardelijke straffen, variërend van twee maanden tot drie jaar, mits zij zich onthouden van deelname aan het verzet tegen onrechtmatige wetten. In november van het voorgaande jaar was een proclamatie uitgevaardigd die samenkomsten van meer dan tien Afrikanen verbood. Overtreding van deze proclamatie zou worden bestraft met drie jaar of een boete van driehonderd pond. In maart van het jaar daarop vaardigde de regering de zogenaamde Public Safety Act uit, die haar bevoegdheid verleende om de noodtoestand uit te roepen en de voorwaarden te scheppen voor het gebruik van uiterst wrede en meedogenloze methoden om onze beweging uit te schakelen. Bijna gelijktijdig werd de Criminal Laws Amendment Act aangenomen, die zware straffen mogelijk maakte voor veroordeelden wegens verzet tegen de rassenwetten. Deze wet voorzag ook in het toepassen van lijfstraffen voor verzetplegers, inclusief vrouwen. Op grond van deze wet werd de heer Arthur Matlala, die tijdens de Defiance Campaign de plaatselijke leider was van de Centrale Afdeling, schuldig bevonden en veroordeeld tot twaalf maanden dwangarbeid plus acht zweepslagen door de magistraat van Villa Nova.'

Hij vertelde dat 122 activisten, onder wie ook vele vakbondsleiders, verbodsbepalingen hadden ontvangen en op de zwarte lijst waren geplaatst uit hoofde van de Suppression of Communism Act en de Riotous Assemblies Act. Hij legde de conferentie uit dat zulke repressieve maatregelen elke voortzetting van de Defiance Campaign zinloos hadden gemaakt.

'De massa's moesten voorbereid en rijp gemaakt worden voor nieuwe vormen van politieke strijd. Wij moesten weer op sterkte komen en al onze krachten vergaren voor een nieuw en machtiger offensief tegen de vijand. Blindelings doorgaan alsof er niets gebeurd was zou dom en fataal zijn geweest. De vroegere methoden om massale acties op gang te brengen door middel van massabijeenkomsten, persverklaringen en pamfletten die de mensen opriepen in actie te komen, zijn uitermate riskant geworden en daardoor ook minder effectief. De autoriteiten zullen niet gauw toestemming geven voor een bijeenkomst die onder auspiciën van het ANC wordt belegd, weinig kranten zullen een verklaring willen uitbrengen waarin het beleid van de regering openlijk wordt bekritiseerd en geen enkele drukkerij zal bereid zijn pamfletten te drukken met een oproep aan arbeiders om tot industriële acties over te gaan uit angst voor vervolging op grond van de Suppression of Communism Act en vergelijkbare represailles. Deze ontwikkelingen vereisen de ontplooiing van nieuwe politieke strijdvormen, waarmee wij in staat zullen zijn tot het voeren van actie op een hoger niveau dan de Defiance Campaign.

Van nu af aan mag de activiteit van de congresgangers niet beperkt blijven tot toespraken en resoluties. Hun activiteiten moeten expressie krijgen in grootschalig werk onder de massa's, werk dat hen in staat zal stellen zo intens mogelijk contact te maken met de arbeiders. U moet uw vakbonden beschermen en verdedigen. Als u geen openbare bijeenkomsten mag houden, kom dan bijeen in de fabrieken, in de treinen en bussen waarmee u naar huis gaat. U moet ieder huis, iedere hut en krotwoning waarin ons volk leeft maken tot een afdeling van de vakbeweging en nooit capituleren.'

(*No Easy Walk to Freedom,* voorzittersrede tot de
ANC-conferentie Transvaal, september 1953)

Het was Nelson duidelijk dat het ANC in zijn huidige vorm niet kon blijven bestaan, dat voortdurende pesterijen van de kant van de politie een legaal voortbestaan weldra onmogelijk zouden maken en dat de regering hen vroeg of laat een verbod zou opleggen, zoals ook met de Communist Party was gebeurd. Hij wist dat de organisatie vol zat met spionnen en wist ook dat zij te naïef en te goed van vertrouwen waren om zich tegen die spionnen af te schermen. Hij stelde daarom voor het ANC een nieuwe structuur voor, die de participatie aan de basis zou versterken en die zo nodig tevens kon worden omgevormd tot een ondergrondse structuur.

Zijn voorstel ging uit van straatgebonden cellen. Het werd aanvaard en aangeduid als het M-plan (Mandela-plan). Het M-plan werd op lokaal en nationaal niveau besproken. De uitvoering begon in 1953, direct na het verbod op het ANC; in de jaren tachtig adopteerden de jongeren uit eigen beweging een vergelijkbare organisatiestructuur in antwoord op de toenemende repressie door de nationalistische regering.

Terwijl het ANC zich voorbereidde op nieuwe offensieven, verlegden de nationalisten de grenzen van de onderdrukking steeds verder. In 1953 stelden zij een reeks nieuwe wetten in: de Bantu Education Act bedoeld om het intellect van de Afrikanen te ondermijnen en hun ziel te knechten; de Bantu Authorities Act, ontworpen om iedere vierkante meter van zijn leefruimte te controleren; en de uitgifte van pasjes aan

vrouwen, om de Afrikaanse familieverbanden te ontkrachten. Het leek of de onderdrukking van de Afrikaan voltooid was, maar het was slechts een begin –
de racisten hadden nog veel gruwelijkere vondsten in
petto. Nelsons *banning order* maakte hem als publieke figuur monddood. Hij kon geen openlijke politieke activiteiten meer bedrijven en op het clandestiene
vlak waren zijn mogelijkheden begrensd. Het gevolg
was dat hij meer tijd kreeg voor zijn familie en zijn
studie. Hij behaalde zijn toelatingsexamen voor de
balie; normaal gesproken zou hij zijn vrienden hebben uitgenodigd om dat te vieren, maar zijn *banning*
liet dat niet toe.

Hij mocht niet deelnemen aan sociale en zelfs niet
aan particuliere festiviteiten.

In hetzelfde jaar opende hij zijn advocatenkantoor
in Chancellor House en een paar maanden later
vormde hij een compagnonschap met Oliver. Met een
gevoel van opwinding en trots hingen zij hun naam-
bord op, zetten de meubels neer en openden de deur
voor hun eerste cliënt. Hun enorme populariteit en
hun reputatie dat zij zich echt om de armen bekom-
merden verzekerden hen bij voorbaat van een succesvolle praktijk. De Transvaal Law Society ondernam
echter pogingen om Nelson als advocaat te laten roy-
eren. Ze maakte bezwaar tegen zijn veroordeling wegens verzet tegen onrechtmatige wetten. Maar terwijl
de Law Society hem wilde weren, nam de president
van de balie van Johannesburg, Walter Pollak, 'pro
amico' zijn verdediging op zich. Hij zette zijn praktijk
voort, maar niet voor lang; toen zijn *banning order* af-
liep, voegde hij zich weer bij Oliver in het actieve verzet. Hun juridische werk beschouwden zij als een bij-
baan; het verzet en de revolutie waren hun eigenlijke
werk.

Voor Nelson waren zijn ervaringen als advocaat van grote waarde en jaren later haalde hij daaraan herinneringen op in een brief aan zijn dochter Zindzi:

'Ik ben diverse keren in Oost-Transvaal geweest, met name in Carolina waar ik de heer Harry Matyeka en andere cliënten uit die streek moest verdedigen. Ik herinner mij nog goed dat ik daar voor het eerst heenging, in 1954. Het was waarschijnlijk de eerste keer dat zij een Afrikaanse strafpleiter zagen, sinds de oude generatie van dr. P.Ka.I. Seme. Ik werd hartelijk ontvangen en door iedereen zeer voorkomend behandeld, ook door de magistraat en de aanklager. Zij waren nieuwsgierig en stelden allerlei vragen. De rechtszaal was stampvol.

Een keer pleitte ik voor een medicijnman die van tovenarij was beschuldigd. Ook toen trok de zaak veel mensen uit de omliggende dorpen, ditmaal niet zozeer omdat zij mij wilden zien, maar om uit te vinden of het rechtsstelsel van het land op zo'n man kon worden toegepast. Eens te meer ontdekte ik de geweldige invloed die waarzeggers nog altijd uitoefenen op de mensen, zowel blanken als zwarten, in kleine plattelandsgemeenten. In de loop van het proces niesde mijn cliënt hard, waarbij zijn hele lichaam vreselijk begon te trillen. Er brak bijna paniek uit en mensen die dicht bij hem zaten, inclusief de rechtbankbeambten, stonden op het punt weg te vluchten. Gelukkig voor hem werd hij onschuldig bevonden, maar ik ben bang dat sommige mensen overtuigd waren dat die vrijspraak niet te wijten was aan gebrek aan bewijs maar aan de macht van zijn kruiden.'

(8 november 1977)

Er waren ook andere intermezzo's. Hij was heel goed bevriend geraakt met Gordon Bruce, een verzekeringsagent die hem opvolgde als secretaris van de International Club toen hij vanwege zijn drukke politieke bezigheden moest aftreden. De Mandela's en de Bruces waren methodisten en soms gingen zij samen naar de kerk. Zij waren beiden altijd bereid de ander ergens mee te helpen. Op een dag belde Bruce op en vroeg of Nelson zijn vrouw, Ursula, van haar werk wilde afhalen. Hij was door een vergadering verlaat. Ursula was blind. Het was vijf uur, spitsuur in de binnenstad en Nelson moest zijn auto een blok verder parkeren. 'Ik haalde Ursula af; zij legde haar hand op mijn arm en ik geleidde haar naar de auto. Als blikken konden doden was ik die dag dood geweest. Ik had het gevoel dat de tientallen blanken die ons passeerden op ons wilden spugen. Een kafferjongen die een blanke vrouw escorteerde!'

Het was een blijvende vriendschap. Tijdens zijn ondergrondse periode woonde Nelson enige tijd in dezelfde buurt als de Bruces en bracht soms de avond bij hen door. Zij gaven hun zoon Mandela's naam in de ondergrondse, David. David werd later dienstweigeraar en werd in 1988 wegens weigering van legerdienst tot twee jaar gevangenis veroordeeld – bij toeval op 5 augustus, de verjaardag van Nelsons arrestatie.

De repressie door de National Party

Midden jaren vijftig waren de nationalisten sterker dan ooit, hun tirannie leek onverslaanbaar. Zij vaardigden wetten uit zonder enige belemmering, monsterlijke wetten die Afrikanen, Indiërs en kleurlingen van hun huis en hun land beroofden.

Als om nieuwe krachten op te doen voor de volgende ronde, grepen Walter Sisulu en Duma Nokwe hun clandestiene grensoverschrijding aan om steun te werven in het buitenland. Iedere jonge zwarte droomde ervan uit de bekrompenheid van zijn dorp of wijk los te breken, de wijde wereld in te trekken en zelf te ervaren hoe het in die buitenwereld toeging. Weinigen kregen de kans die droom te verwezenlijken. De ANC-leiders van het eerste uur hadden zulke kansen wel gekregen. Uitgesloten van de hogere opleidingen in Zuid-Afrika, hadden zij, geselecteerd en gesteund door hun kerkgenootschappen, een academische studie in Amerika of Engeland mogen volgen. Met de stichting van Fort Hare was een universitaire opleiding in de geesteswetenschappen bereikbaar geworden voor Afrikanen, kleurlingen en Indiërs. Nelsons generatie van de Afrikaanse elite was daardoor grotendeels in eigen land opgeleid. Geen van de Youth Leaguers was overzee geweest. Begin jaren vijftig nodigde het Oostblok leden van het ANC uit om geheel vrij van onkosten, hun jeugdfestivals bij te wonen. Walter Sisulu, Duma Nokwe, Robert Resha, Lindi Ngakane en Alfred Hutchinson vertrokken naar het jeugd- en studentenfestival in 1953 in Boekarest, Roemenië. Tijdens hun fascinerende reis van vijf maanden raakten zij geïmponeerd door de socialistische orde. Zij bezochten ook Engeland, Israël en China. In zijn eigen land was Walter Sisulu nooit belangrijk genoeg geacht om voor de radio te spreken, maar Radio Peking zond zijn boodschap uit in heel China.

In 1955 hadden Moses Kotane en Moulvi Cachalia een ontmoeting met Pandit Jawaharlal Nehru tijdens de Bandung Conference in Indonesië. Hij zorgde dat zij op een Indiaas paspoort konden reizen en beloofde financiële steun voor de strijd tegen racisme. Kotane en Cachalia spraken bij die conferentie ook met president Nasser van Egypte en Tsjoe En-lai van China.

Voor Nelson was een buitenlandse reis niet weggelegd – nog niet. Te veel obstakels weerhielden hem in die tijd. Jaren later, en onder totaal andere omstandigheden, zou ook hij de kans krijgen. De contacten die hij zou maken zouden de loop van de Zuidafrikaanse geschiedenis ingrijpend veranderen en Nelson zelf levenslange gevangenisstraf bezorgen. De ANC-conferentie die eind 1954 in Queenstown bijeenkwam luisterde naar enthousiaste verslagen over de vorderingen in de Sovjetunie en China en in de pas bevrijde landen en naar de betuigingen van steun en solidariteit uit het buitenland. Het ANC stond niet alleen. Een complete wereld van nieuwe staten stond achter hen.

Nelsons eerste *banning* in 1952 onder de Riotous Assemblies Act gold voor zes maanden. Van juni tot september 1953 liet men hem met rust en kon hij weer vrij deelnemen aan de strijd tegen apartheid. Dat respijt kwam op een goed moment, want de regering was juist begonnen met de tenuitvoerlegging van de beruchte Group Areas Act, die bijna alle stedelijke en ontwikkelde gebieden van Zuid-Afrika voor de blanken reserveerde.

De westelijke delen van Johannesburg – Sophiatown, Newclare en Martindale – waren het eerste doelwit van het regeringsoffensief Hoewel overwegend Afrikaans, waren het naar Zuidafrikaanse maatstaven uitzonderlijk gemengde wijken met aanzienlijke percentages Indiërs en kleurlingen. De wet eiste volledige ontruiming van deze stadsdelen.

Het ANC en het TIC (Transvaal Indian Congress) lanceerden een program van massale protestmeetings. Robert Resha was voorzitter van de sectie Sophiatown, toentertijd de sterkste ANC-afdeling van Transvaal. Nelson gooide zijn volle gewicht in de campagne. Bij een van de bijeenkomsten was het Nelsons tegenwoordigheid van geest die de politie voor een aanval van de woedende menigte behoedde. De Odin Cinema was tot de nok gevuld en Nelson, Yusuf Cachalia en Walter bevonden zich op het podium. Yusuf was bezig aan een toespraak toen de politie de bioscoop omsingelde en een contingent binnendrong, naar het podium marcheerde en hem arresteerde. Hier en daar klonk geschreeuw, de woede laaide op. Nelson greep de microfoon en zette een revolutionair lied in. Het publiek begon mee te zingen – het gevaar was geweken en de politie trok zich terug. Nelson vroeg zich af hoelang hijzelf zijn geduld kon bewaren. In 1953 kreeg hij een nieuwe *banning order* de Suppression of Communism Act die hem opsloot binnen het rechtsdistrict Johannesburg, hem het lidmaatschap van het ANC en een lange lijst van andere organisaties ontzegde en het bijwonen van vergaderingen verbood.

De regering voerde haar acties op; huizen werden platgewalst en de Afrikanen werden gedeporteerd naar een dorre vlakte bij Orlando, die de ongerijmde naam Meadowlands droeg. Kleine woonwijken werden afgerasterd; de enige voorzieningen bestonden uit hokken van golfplaten met daarin een emmer; de gezinnen moesten maar zien hoe ze hun verstoorde bestaan in de Western Areas hier weer konden oppakken. De mensen waren radeloos.

De politiebewaking en de vrees dat men hen ook van deze woonplaats zou verjagen ontnamen de bevolking alle lust tot verzet, ondanks pogingen van het ANC om tijdelijk onderdak te verzorgen. Hoelang zou dat onderdak duren, vroegen zij. Het ANC bezat geen land waar zij zich permanent konden vestigen. Meadowlands gaf hen, hoe schamel ook, een stuk grond waarop zij hun krotten konden neerzetten.

De afrikanisten binnen het ANC, die later het PAC

oprichtten, buitten de situatie uit en kwamen met de wonderlijke beschuldiging dat de leiders de huiseigenaars beschermden ten koste van de huurders – zij beweerden dat het ANC tot een boycot van Meadowlands hadden opgeroepen omdat zij niet wilden dat de huisbazen in de Western Areas hun huurders zouden kwijtraken! Het conflict nam onaangename vormen aan. Het werd steeds duidelijker dat de afrikanisten op een harde confrontatie aanstuurden. Waar het hen werkelijk om ging was niet het ANC-protest tegen de deportaties, maar de samenwerking met het Indian Congress. Nelson begreep die gevoelens maar al te goed, aangezien hij er enkele jaren tevoren precies zo over had gedacht. Maar praktijkervaring en politieke realiteitszin hadden hem tot de overtuiging gebracht dat een democratisch front van alle antiracisten de meeste kans bood om het racisme ten val te brengen en dat het exclusieve Afrikanisme een Afrikaans racisme bevorderde, dat even duivels zou kunnen worden als dat van de blanke Afrikaners. Nelson zag hoe macaber de toestand was geworden: afrikanisten en Afrikaners die, hoewel hun doelstellingen diametraal tegenover elkaar stonden, volmaakt eensgezind waren in hun beschuldigingen jegens het ANC. Ook dr. Xuma, die zij een paar jaar daarvoor nog hadden bekritiseerd wegens zijn indiscrete contacten met Indiërs en kleurlingen, draaide nu de rollen om en verweet hen dat zij zich blootstelden aan vreemde invloeden en hun Afrikaanse identiteit prijsgaven. Nelson vroeg zich af of de schade nog herstelbaar was. Maar in de vroege jaren vijftig vormden de afrikanisten nog geen reële bedreiging. Hun aandacht werd bovendien afgeleid door de plotselinge invoering van pasjes voor vrouwen en het onmiddellijke verzet daartegen van de vrouwen zelf.

Het racistische kapitalistische systeem van Zuid-Afrika is mede gebaseerd op een nauwlettende controle van de bewegingsvrijheid van de zwarte arbeidskrachten. Tot 1952 had het verfoeilijke pasjessysteem dat de toelating van zwarte sollicitanten regelde zich beperkt tot de zwarte mannen. Maar in dat jaar besloot de regering, in antwoord op het groeiende aantal zwarte vrouwen die in huishoudelijke functies of in de lichte industrie werkten, dat ook hun bewegingsvrijheid aan pasjes zou worden gebonden. Dit leidde tot spontaan verzet van vrouwen zowel in de steden als op het platteland. Woedende vrouwen trokken in vaak reeds bestaande groepsverbanden – meestal als leden van een lokaal kerkgenootschap, de manyanos, of van de ANC Women's League – naar politiebureaus en pasjeskantoren om te protesteren. In Natal leidde een jonge gekleurde arts, Margaret Mgadi, de aanval. Indische, Afrikaanse en gekleurde vrouwen sloten zich aaneen in de Durban and District Women's League en organiseerden protestmarsen onder leiding van Bertha Mkhize. Lilian Ngoyi, Bertha Mashaba en Frances Baard hadden de leiding in Transvaal en Florence Matomela was de aanvoerster in de Kaapprovincie. In 1954 kwamen honderdvijftig afgevaardigden bijeen in Johannesburg voor de stichting van de Federation of South African Women. De federatie concentreerde haar protestacties op Johannesburg, met als hoogtepunt de mars van twintigduizend vrouwen naar de Union Buildings in 1956.

Nelson hield nauw contact met het vrouwenverzet, voornamelijk via Lilian Ngoyi. Hij bewonderde haar magnetische uitstraling en haar diepe inzicht in de emoties die onder het volk leefden. Zij kwam geregeld naar hem toe om advies. Hij bespeurde een zekere spanning tussen het ANC en de vrouwen: het ANC

vond dat de vrouwen soms afdwaalden van de eigenlijke strijd, terwijl de vrouwen bij het ANC niet altijd
het begrip ontmoetten voor hun strijdpunten dat er
behoorde te zijn.

De nationalistische aanval op het Afrikaanse onderwijs werd rond het midden van de jaren vijftig opgevoerd. Hiertegenover was het ANC even machteloos als tegen de deportaties in de Western Areas.
Nelson wist niet wat erger was: de bulldozers die de
huizen verpletterden of een sinister onderwijspro-
gramma dat hun geestkracht zou ondermijnen.

Dr. Verwoerd gaf onverbloemd de redenen weer die
aan het Bantu Educationprogram ten grondslag lagen:
'Ik wil de geachte leden er slechts op wijzen dat de
inlander, die heden ten dage in een van de bestaande
scholen vanuit zijn lessen de verwachting opdoet dat
hij zijn volwassen leven onder een beleid van gelijk-
berechtiging zal doorbrengen, een enorme vergissing
maakt.'

(Hansard, 17 september 1953)

'Er is voor hem geen plaats in de Europese gemeenschap boven het niveau van bepaalde vormen van
handarbeid... om die reden heeft het voor hem geen
enkel nut een opleiding te ontvangen die zijn opname
in de Europese samenleving als einddoel heeft... Tot
nu toe is hij onderworpen geweest aan een onderwijs-
systeem dat hem vervreemdde van zijn land en hem
misleidde door hem de groene weiden van de Europese samenleving te tonen waarin het hem verboden
is te grazen.'

(Toespraak tot de Senaat, juni 1954)

Het was een ijzingwekkend betoog, dat de Afrikaanse
ethiek tot in zijn diepste wortels raakte. Nelson over-

dacht de positie van het Afrikaanse onderwijs. Het niveau van de overwegend door missiegenootschappen gedreven scholen was al bedroevend laag, maar niet volledig afgesloten van de hoofdstroom. Het nieuwe systeem was erop gericht de percepties van het Afrikaanse kind af te grenzen en zijn toekomstverwachtingen zo laag mogelijk te houden. Nelson had er alles voor over om de Afrikaanse kinderen tegen zo'n toekomst te beschermen.

'Wanneer dit voorstel tot wet wordt, zullen niet de ouders maar zal het Department of Native Affairs beslissen of een Afrikaans kind een hogere of speciale opleiding mag volgen. Dan zal het vrijwel zeker zo worden dat de kinderen van hen die de regering en haar beleid bestrijden, zullen leren hoe zij stenen moeten bikken in de mijnen of aardappelen poten op de boerenbedrijven van Bethal.'

De onderwijzers en leraren waren van hun kant bezig de mensen te wijzen op de gevaren van het Bantu-onderwijs. Zij zagen het als een bedreiging van hun professie. De Teachers Associations van de Kaapprovincie en van Transvaal waren al sterk gepolitiseerd; die van de Kaap was sinds jaren actief in de landelijke gemeenten. Hun campagnes gaven in feite de stoot tot een volksoproer.

Nelsons reactie was dat zij een boycot van de Bantu Education-scholen moesten organiseren en eigen ANC-scholen moesten oprichten. Zijn collega's reageerden op dezelfde manier. In zijn toespraak tot de Transvaalconferentie van 1953 zei hij:

'U moet opkomen voor het recht van Afrikaanse ouders om te beslissen over het soort onderwijs dat hun kinderen zullen ontvangen. Leer de kinderen dat Afrikanen geen jota minder zijn dan Europeanen. Sticht uw eigen buurtscholen, waar onze kinderen onderwijs zullen krijgen van het goede soort. Als het hebben van alternatieve scholen te gevaarlijk of onmogelijk wordt, dan moet u van ieder huis, van ieder krot, van elk gammel bouwsel een onderwijscentrum maken voor onze kinderen. Onderwerp u nimmer aan de onmenselijke en barbaarse theorieën van Verwoerd.'

Het ANC kondigde een boycot af voor alle scholen en voor onbepaalde tijd, ingaande 1 april 1955 (de datum waarop de regering de hervorming wilde doorvoeren), en vroeg om circa duizend vrijwilligers voor het alternatieve onderwijs. Het grootste probleem was de financiering: de onderwijzers moesten leven en er was geen geld om hen te betalen. Blanke radicalen en liberalen en de kerken boden hulp aan. Gezamenlijk stichtten zij, onder voorzitterschap van pater Trevor Huddleston, de African Education Movement (AEM).

Oudere bestuursleden van het ANC lieten waarschuwende geluiden horen, omdat zij meenden dat de organisatie dit probleem niet aankon. De jongeren en de vrouwen dachten er anders over. Bantu Education moest tot elke prijs worden verhinderd. Nelson raakte verontrust door de nieuwe splijting die de organisatie bedreigde. Nelson, Oliver en Walter zagen duidelijk dat dit een kwestie was waarbij de emoties zo hoog opliepen dat alle behoedzaamheid uit het oog werd verloren. Leiderschap hield in: de verontwaardiging van het volk effectief en positief in goede banen leiden. Het opzetten van alternatieve scholen was voor Nelson een cruciaal punt en hij opperde dat zij allemaal maar onderwijzer moesten worden en de scholen zelf moesten runnen, als er geen andere mogelijkheid zou blijken te zijn. Het ANC lanceerde de boycot-campagne; tot laat op de avond trokken de

Youth Leaguers van huis tot huis om steun te werven. Op 1 april begonnen zij met ochtendlijke protestmarsen in de *townships* waarbij zij de kinderen opriepen weg te blijven van de scholen. Bij de scholen postende vrouwen hielden kinderen tegen die 'toevallig' naar binnen liepen en stuurden ze door naar de ANC-scholen.

Tegelijkertijd zette het AEM zijn alternatieve schoolprogramma in werking. De onderwijzers kwamen uit alle rassen en de beweging won meer en meer terrein: het aantal AEM-scholen nam toe, het onderwijsniveau ging omhoog en het Bantu Education-plan leek een fiasco te worden. De regering sloeg terug met een wet die alle niet officieel bij het ministerie geregistreerde scholen illegaal verklaarde. Invallen van de politie en dwangbevelen van de autoriteiten dwongen de AEM-scholen tot sluiting. Zij kwamen terug als 'culturele clubs', maar het was een kansloze strijd. Nelson begreep dat de ouders, gesteld voor de keuze tussen abnormaal onderwijs of geen onderwijs, wel genoodzaakt waren voor het eerste te kiezen – ongeacht de inhoud.

Onderwijskundigen noemden de Bantu Education een scholing tot barbarij en waarschuwden dat het, meer dan enige andere nationalistische wet, de kiemen bevatte van de uiteindelijke ondergang van de apartheid. De Bantu Education produceerde de generatie van Steve Biko en de ideologie van het 'Zwart Bewustzijn'. Het transformeerde de meegaande en apathische zwarte jeugd van de jaren vijftig tot de strijdbare jongeren van de jaren zeventig en tachtig, die niet alleen de *townships* onbestuurbaar maakten maar ook de organisaties-in-ballingschap deden opbloeien door een massale toestroom van vrijheidsstrijders.

Maar die tijd was nog niet aangebroken. In 1954 bereidde Nelson zich voor op het Congress of the People. Hij was getroffen door een tweede *banning order,* ditmaal voor vijf jaar, maar had niettemin een aanzienlijk aandeel in de planning en organisatie van dit congres, waarvan prof. Z.K. Matthews de eigenlijke geestelijke vader was.

Congress of the People

Op de ANC-conferentie van 1953 in de Kaapprovincie introduceerde prof. Matthews een plan voor een nationale conventie van alle Zuidafrikanen, die een vrijheidscharter zou kunnen opstellen dat waarlijk representatief was voor alle rassen. Het voorstel sprak tot de verbeelding van de grote meerderheid binnen het ANC. Tweehonderd organisaties waaronder de National Party en haar officiële oppositie, de Verenigde Party, werden uitgenodigd voor de eerste planningsbijeenkomst in Tongaat in Natal, dicht bij Groutville waar *chief* Luthuli onder een strenge *banning order* leefde. Slechts enkele organisaties reageerden op de uitnodiging. Buiten de Liberal Party, de Labour Party en enkele delegaties van vakbonden behoorden alle deelnemers tot de Congress Alliance: het African en het Indian Congress, het kort tevoren opgerichte Congress of Democrats (COD), de South African Congress of Trade Unions (SACTU) en de South African Coloured Peoples Organization. Later trokken ook de Liberal Party en de Labour Party zich terug, omdat zij zich niet thuisvoelden in dit naar hun mening al te links georiënteerde gezelschap.

Het Congress of the People (COP) zou het eerste en tevens laatste optreden worden van de Congress

Alliance als een legale structuur binnen de staat. Maar de Alliance zou de Zuidafrikaanse historie ingaan als het voornaamste doelwit van de door de regering geïnstigeerde verraadprocessen. Die campagne ging van start met de vervolging van het COP zelf.

Het COP leidde ook tot een breuk binnen het ANC en tot de afsplitsing van het Pan Africanist Congress. De afrikanisten verzetten zich fel tegen de 'dominantie' van niet-Afrikanen en niet-ANC-leden in de organisatieraad van het COP. Slechts twee van de acht raadsleden kwamen uit het ANC. Het COD, dat niet meer dan een honderdtal leden bezat was op gelijke voet vertegenwoordigd met het ANC. Was dit de manier, vroegen zij, waarop het in de toekomst zou gaan? Was het ANC van plan het land over te dragen aan de niet-Afrikanen? Moesten de Afrikanen toestaan dat hun land door anderen werd overgenomen? De Freedom Charter zou sterk de nadruk leggen op deelname in het landsbestuur van alle bevolkingsgroepen.

Niemand kon betwisten dat het COD vrijwel geen achterban had en dat het ANC de grote massa vertegenwoordigde. Maar Nelson achtte dat niet van belang. Vanuit raciaal standpunt bekeken hoefde het COD slechts de kant van de blanken te kiezen om verzekerd te zijn van een grote aanhang. Dat het COD zo klein was kwam nu juist doordat het de muren van het racisme had doorbroken, en daarom dienden zij het te verwelkomen. Nelson, Walter en Oliver bouwden met volle kracht mee aan de basisorganisatie van het congres, woonden lokale vergaderingen bij en verduidelijkten de doelstellingen van het Congress of the People. Het COD kon door zijn geringe aanhang minder aan veldwerk doen en concentreerde zich op het schrijven van stukken: COD-leden stelden de oproep voor het congres op. Nelson vond hem prachtig; het kon hem niet schelen dat blanken de auteurs waren geweest. Maar later realiseerde hij zich dat in een zo door het racisme beheerste samenleving als die van Zuid-Afrika anderen zich daar wel aan stoorden. Het feit dat sommige clausules niet strookten met de algemene opvattingen binnen het ANC verscherpte de kritiek op de dominante rol van de communisten in het COP. De felste protesten kwamen uit de Westelijke Kaapprovincie, waar de afrikanistische vleugel bijzonder sterk was en waar de ANC-leden extra vijandig stonden tegenover het COD vanwege hun deelname aan de gekleurde verkiezingen.

Ondanks al die problemen verliepen de voorbereidingen voor het congres voorspoedig. Duizenden voorstellen werden verzameld op afdelingsvergaderingen, de vrucht van talloze discussies in kleine groepen over de maatschappij die de mensen voor Zuid-Afrika wenselijk achtten. Deze voorstellen werden als basis gebruikt voor het eerste ontwerp van het 'handvest voor de vrijheid'. Nelson bestudeerde het ontwerp en keurde het goed. Het ontwerp werd aanvaard door het werkcomité van het ANC. Helaas legde niemand het voor aan de door een *banning* getroffen algemeen voorzitter en kreeg slechts een enkeling van de mensen buiten Johannesburg het stuk onder ogen. De broeiende weerstanden tegen het geplande congres werden hierdoor aangewakkerd.

Het congres kwam bijeen in Kliptown in de ochtend van 26 juni 1955. Nelson keek van een afstand toe. Met andere verbannen collega's zat hij vermomd in het huis van een vriend, dat uitkeek op het plein. De opkomst was imposant en beantwoordde ten volle aan hun verwachtingen. De mensen waren gekomen, in goud, zwart en groen, overwegend Afrikanen, al bevonden zich onder de 2884 afgevaardigden ook 672 'niet-Afrikanen', van wie bijna de helft Indiërs waren.

Anthony Sampson heeft het schouwspel beschreven:

'Forse Afrikaanse grootmoeders die Congress-rokken, Congress-blouses of Congress-hoofddoeken droegen en met aftandse koffers zeulend ronddoolden; jonge Indische huisvrouwen met glanzende sari's en sjaals geborduurd met de Congress-kleuren; grijze bejaarde Afrikanen met wandelstokken en de Congress-band om hun arm; jonge kantoorbedienden uit Johannesburg met brede hoeden, felgekleurde Amerikaanse stropdassen en nauwsluitende broeken; gesoigneerde Indische advocaten en zakenlieden, die zich zelfverzekerd door de massa bewogen in fraai gesneden pakken; en een zwart kleed van Afrikaanse gezichten, gelaten luisterend naar de urenlange toespraken waarmee elke Congress-bijeenkomst wordt overvoerd.'

(Anthony Sampson, *Treason Cage*, Heinemann 1955, bladzijde 106)

Zoals Nelson het zag, waren precies die mensen gekomen die voor het congres waren opgeroepen. 'De mensen van Zuid-Afrika, zwarten en blanken, Afrikanen en Europeanen, Indiërs en kleurlingen, de boeren uit de reservaten en de Trust Lands, de mijnwerkers die kolen, goud en diamanten uit de grond halen, de arbeiders van plantages en bossen, van fabrieken en winkels, de onderwijzers, studenten en geestelijken, de huisvrouwen en werkende vrouwen, de zakenmensen en intellectuelen – en zij waren allen bijeengekomen om over vrijheid te praten.'

Maar hij zag ook de massale inzet van de politie. De geüniformeerden waren voor iedereen zichtbaar;

de stillen alleen voor insiders, die anderen aanstootten en voor hen waarschuwden. De mensen lachten en jouwden de politie uit, terwijl die doorging met foto's en notities maken.

Maar de congresgangers lachten te vroeg, want de politie was bezig bewijzen te verzamelen voor het massale verraadproces dat binnenkort van start zou gaan; en hoewel het proces uiteindelijk een mislukking werd, zou het hun leiders voor vier lange jaren zo goed als machteloos maken.

Het congres opende met de uitreiking van speciale onderscheidingen. Pater Trevor Huddleston was de eerste die naar het podium werd geroepen. Het plein vulde zich met daverend gelach en daarna met applaus toen de populaire priester zijn dankwoord moest onderbreken voor een geweldig kabaal dat uit het plotseling tot leven gekomen departement van Publieke Werken opsteeg en zei: 'Ik heb de Zuidafrikaanse Spoorwegen nog nooit zo efficiënt meegemaakt als deze middag, en ik weet zeker dat de minister van Transport het bedoelt als een demonstratie ten behoeve van dit congres.'

Chief Luthuli en dr. Dadoo leefden onder een *banning* en konden hun onderscheidingen dus niet in ontvangst nemen. Nelsons ogen werden vochtig toen de breekbare gestalte van dr. Dadoo's oude moeder het podium beklom om de onderscheiding namens haar zoon te aanvaarden.

De eerste dag verliep zonder incidenten. De jonge Kathy (Ahmed Kathrada) werd ondanks zijn *banning* volledig meegesleept door de sfeer van opwinding en hield contact met vrijwilligers die rapporteerden wat er buiten gebeurde. Het eten, meldde hij, was uitstekend en de bediening liep prima. Nelson kon de verleiding niet weerstaan om zich onder het publiek te mengen. Hij had een primitief soort 'vermomming' voorbereid en kon zich onopgemerkt bewegen. Het was een goed gevoel deel te zijn van de massa. Het Freedom Charter werd besproken. Hij stond naast een gebaarde man uit Transkei die aandachtig luisterde. Hij was verbaasd over de concentratie van de mensen terwijl elke clausule werd voorgelezen, vertaald en goedgekeurd met de donderende kreet *Afrika!* De volgende dag ging hij terug naar zijn uitkijkpost. Yusuf Cachalia, doelend op de politie, zei tegen Walter: 'De honden staan daar maar en doen niets.' Alsof hij hen had uitgedaagd kwam de politie plotseling in actie. Zij stormde op de menigte in. Een batterij veiligheidsagenten, geëscorteerd door een gewapend bataljon, klom op het podium; een van hen pakte de microfoon en zei dat er een vermoeden van hoogverraad bestond en dat niemand weg mocht voordat de namen van alle afgevaardigden waren genoteerd. Het was halfvier in de middag. Toen het begon te schemeren liet de politie tafels opstellen en stormlantarens halen en werkte door tot diep in de nacht, terwijl een cordon van gewapende agenten, te paard en te voet, het plein afgegrendeld hield. Iemand begon zacht en treurig te zingen; de droevige tonen werden overgenomen door de hele congregatie. Elke afgevaardigde werd ondervraagd en gefouilleerd door de politie. Alle gevonden documenten werden in beslag genomen en in enveloppen verzegeld. Alle literatuur die op de conferentietafels was achtergelaten of in kramen te koop lag werd geconfisqueerd, evenals het in kassa's en kistjes aangetroffen geld. De blanke afgevaardigden werden een voor een gefotografeerd.

Nelsons eerste reactie was dat hij moest blijven, voor het geval men zijn hulp nodig had. Maar zij besloten toch naar Johannesburg te gaan en een spoedvergadering te beleggen om de situatie te bespreken. Al met al, meenden zij, was het Congress of the People een groot succes geworden en had de politieactie dat succes hoogstens versterkt. Het logenstrafte de uitspraken van de regering dat zij zich niet druk maakte om het congres en de invloed ervan niet vreesde.

De National Action Council kreeg tot taak de Freedom Charter onder het volk te verbreiden. In alle belangrijke centra werden bijeenkomsten georganiseerd. De opkomst was bemoedigend. De meeting in Durban op het immense voetbalveld van Curries Fountain was een zee van hoofden.

Maar tegelijk met de bijval nam ook de weerstand toe. Het meest verontrustend waren de negatieve reacties van de oudere garde, in het bijzonder van de algemeen voorzitter, *chief* Luthuli. Hij had het ontwerp niet te zien gekregen, mede doordat hij op dat moment zwaar ziek was. Erger was dat zelfs prof. Matthews, de initiatiefnemer van het plan, de eerste versie van het handvest niet had gelezen.

Het nationale bestuur kwam op 30 juli bijeen in het huis van *chief* Luthuli om te proberen de geschillen rond de Charter op te lossen. De bestuurders kwamen overeen dat de National Conference de Freedom Charter eerst zou moeten bekrachtigen, voordat het ANC openlijke steun aan het handvest kon betuigen.

De vergadering ging wel akkoord met de '1 miljoen handtekeningen'-campagne ter ondersteuning van het handvest, stelde bepaalde wijzigingen voor, stond toe dat de provinciale besturen het handvest zouden propageren onder hun leden en keurde als laatste punt goed dat de National Action Council vervangen zou worden door een permanent raadgevend comité.

Maar de nationale conferentie in Bloemfontein, bijgewoond door 307 afgevaardigden uit 81 afdelingen, weigerde de Freedom Charter te aanvaarden. Dr. A.B. Xuma had een zeer vijandige brief over het handvest aan de conferentie gestuurd en toen dr. Letele, de waarnemend voorzitter, suggereerde alleen bepaalde passages uit de brief voor te lezen, brak er groot tumult uit onder de afrikanisten.

Pas in april 1956 aanvaardde het ANC de Freedom Charter op een speciale conferentie in Orlando, na verhitte discussies tussen de afrikanisten en 'charteristen', waarbij de door Natal ingediende amendementen nauwelijks meer ter sprake kwamen. De afrikanisten nog meer wapens in handen geven was wel het laatste wat Natal wilde.

De afrikanisten verwierpen het handvest omdat het volgens hen door blanken geschreven was en omdat bepaalde clausules een niet-Afrikaanse ondertoon verrieden. Zij beschuldigden het COD van pogingen om een inheemse nationalistische beweging te misbruiken voor de machtspolitiek van het Sovjetblok. Zij beweerden dat het volstrekt in strijd was met het ANC-actieprogram van 1949 en dat het ANC bezig was het initiatief aan andere raciale groepen over te dragen. Gemor was er altijd geweest, maar in 1955 werd het steeds luider. Het tragische was dat vrijwel alle topfiguren onder een *banning* waren geplaatst, zodat de leiders van het tweede plan, die overwegend afrikanistisch gezind waren, de organisatie regeerden. Die leiders zagen hun kans en probeerden de macht over te nemen, met name in de Orlando Youth League. Hun voormannen waren gerenommeerde ANC-leden als Potlako Leballo, Zeph Mothopeng en Peter Raboroko, die later versterking kregen van Josiah Madzunya. Nelson, Oliver en Walter moesten zich teweer stellen tegen hun vijandigheid, die des te harder aankwam omdat het vrienden waren die zich zo vijandig gedroegen. MacDonald Maseko, lid van het nationale bestuur van het ANC en voorzitter van de afdeling Orlando, was al geroyeerd vanwege zijn roekeloze vechtlust en racisme: hij had de top willen zuiveren van vreemde invloeden en de banden met de Indiërs willen verbreken. De afrikanisten hadden kritiek op degenen die de uitnodiging voor de jeugdfestivals in Sovjetlanden hadden aangenomen en verweten het ANC de deelname aan verkiezingen voor de Advisory Board. De beschuldigingen werden gepubliceerd in hun nieuwsbrief, The Africanist.

Nelson besefte dat de aanvallen kwamen in een periode waarin de provinciale leiding zwak was. Hij werd wanhopig van de incompetentie, de slechte boekhouding en vooral van de onhandige manoeuvres van plaatselijke leiders. Hij was bang dat hun tegenstanders die zouden gebruiken om zelf meer macht te verwerven.

De kwestie kwam tot uitbarsting op 31 juli, toen de afrikanisten een gedenkdienst hielden voor Lembede en een 'heldendag' instelden. Onmiskenbaar in tegenspraak met ANC-herdenkingen, die niet racistisch van toon waren, was de Heroes Day afrikanistisch. Veelzeggend was ook dat zij Lembede, de grondlegger van het Afrikanisme die door zijn collega's was verraden, als hun man opeisten.

Het conflict werd scherper; binnen twee jaar zou het uitlopen op een onverzoenlijke breuk en de geboorte van het Pan Africanist Congress.

Breuk met Evelyn

Onrust binnen het ANC was niet het enige probleem waarmee Nelson in deze periode werd geconfronteerd. Ook in zijn gezin nam de onrust toe. Zijn huwelijk, ogenschijnlijk zo stevig gegrondvest en bezegeld met vier geboorten, begon stuk te lopen. Het had de financiële problemen doorstaan, maar tegen de spanningen van het gescheiden leven bleek het uiteindelijk niet opgewassen. Evelyn vond zelf dat zij een hoge prijs had betaald voor haar vroedvrouwdiploma, dat zij door haar lange afwezigheid vervreemd was van haar echtgenoot. Nelson was voor vrouwen bijzonder aantrekkelijk en gaf gemakkelijk aan die verleiding toe. Zijn familie betekende alles voor hem; hij dacht waarschijnlijk dat een kortstondige affaire daaraan geen afbreuk kon doen. En van Evelyn verwachtte hij wellicht dat zij toleranter en minder puriteins zou reageren.

Evelyn zegt dat zij zich in 1952-1953, ondanks de perioden waarin zij elkaar niet zagen, gelukkig had gevoeld in haar liefde voor Nelson en ook volstrekt zeker van zijn liefde voor haar.

'In 1953 was ik opnieuw zwanger. Aan het eind van het jaar haalde ik mijn examen. Ik was dolblij, vooral omdat ik weer met mijn gezin herenigd zou worden. Thuis werd ik warm onthaald met een bescheiden feestje, want Nelson stond onder een *banning order*. De *banning* gaf hem meer tijd voor ons en daar waren wij heimelijk blij mee. Makaziwe werd het jaar daarop geboren.

In het begin wist ik niet precies wat er mis was. Niemand wilde het mij vertellen. Toen kwamen de geruchten op mij af. Nelson zou een affaire hebben met een vrouwelijk lid van het ANC. Ik kende die vrouw en had bewondering en sympathie voor haar. Zij kwam vaak bij ons op bezoek en ik kon goed met haar opschieten. Ik hechtte eerst geen geloof aan de praatjes, maar ten slotte verdroeg ik het niet langer en wendde mij tot Nelson. Wie had ik het anders moeten vragen? Hij was kwaad dat ik zijn trouw in twijfel trok. De vrouw was een van de topfiguren van het ANC en verder was er niets aan de hand, zei hij. Maar het geroddel hield niet op en sommigen probeerden mij te troosten met de bewering dat hij behekst was. Er was ook nog een andere vrouw en die begon bij ons thuis te komen, wandelde onze slaapkamer in en volgde hem naar de badkamer. Ik vroeg haar wat dat allemaal te betekenen had en gaf haar te kennen dat dit mij te ver ging, dat zij als zij over het werk wilde praten maar naar zijn kantoor moest gaan en mijn man niet zo onfatsoenlijk in mijn huis achterna moest lopen. Nelson was razend. Hij verplaatste zijn bed naar de woonkamer. Hij werd steeds koeler en afstandelijker. Ik was wanhopig. Ik ging naar Walter toe. Dat heeft Nelson mij denk ik nooit vergeven. Hij nam het mij kwalijk dat ik onze problemen naar buiten had gebracht. Hij kwam niet meer thuis eten en bracht zijn was naar een nicht. Toen begon hij ook 's nachts weg te blijven.

De verwijdering tussen ons was al gauw algemeen bekend. Ik schaamde mij en leed er enorm onder. Leabie en *Makhulu* hadden het moeilijk. *Makhulu* keerde terug naar Qunu. Ik denk dat zij het niet kon aanzien hoe ons gezin uiteen werd gerukt. Ik ging naar mijn broer, die toen in Orlando East woonde. Hij sprak met Nelson en zei daarna tegen mij: "Als deze man niet meer van jou houdt, als iets of iemand die liefde heeft gedood, kan jij of wie dan ook daar niets meer aan veranderen." Ik realiseerde mij voor het eerst dat ik bezig was mijn man te verliezen, zo ik hem niet al verloren had.

Toch heb ik nog een laatste poging gedaan. Ik ging naar Kaiser Matanzima. Nelson bewonderde hem en had een sterke band met hem. Als Nelson naar iemand zou luisteren, dacht ik, zou hij het zijn. K.D. sprak met Nelson, maar Nelson vertelde hem dat hij niet meer van mij hield.'

Leabie vertelt over die periode:

'Ik kan je niet zeggen hoe wij die tijd zijn doorgekomen – twee mensen die wij respecteerden stonden plotseling als vijanden tegenover elkaar. Wij waren allemaal afhankelijk van hen en toen zij op die manier doorgingen, was het alsof de grond onder onze voeten openbrak en wij geen houvast meer hadden. Het was *ubuthi*, dat was het.'

Evelyn beschrijft de dag waarop het zwijgen tussen hen werd verbroken en de spanning tot uitbarsting kwam.

'Nelson zette voor de kinderen een potje met 20 cent-munten klaar om mee naar school te nemen. Thembi mocht iedere morgen een munt pakken. Ik had altijd geklaagd dat het te veel geld was. Die ochtend nam Thembi twee munten in plaats van een. Ik voer tegen hem uit. Misschien ging ik te ver. In mijn woede en machteloosheid moet ik tegen Nelson tekeer zijn gegaan dat hij hem verwende. Ik was waarschijnlijk ook te hard tegen Thembi. Wat ik op dat moment ook gezegd heb, de maandenlang ingehouden spanningen kwamen naar buiten in een lawine van woorden.

Het was na dit incident dat ik ons huis verliet en bij mijn broer introk. Nelson kwam mij opzoeken in het huis van mijn broer en zei me dat ik het voorval moest vergeten en thuis moest komen. Ik ging terug naar huis. Ik was tot alles bereid om het huwelijk te redden, zelfs als ik mij aan strohalmen moest vastklampen. Maar de ijzige sfeer ontdooide niet. Die kille, onverdraaglijke afstand bleef voortduren. Ik besefte dat ik geen huwelijk meer had. Ik ging weg en nam mijn intrek in het verpleegstershuis. Misschien stelde ik mij voor dat hij tot bezinning zou komen als ik de situatie omdraaide en zelf wegging, in plaats van hij, en zou beseffen dat hij mij nodig had om het gezin bijeen te houden. Als ik dat al dacht, was het een totale misrekening. Nelson is nooit naar mij toegekomen in het verpleegstershuis en liet ook niets van zich horen. Ik had het initiatief genomen voor de scheiding. Een jaar later ging ik bij mijn broer wonen. Misschien dat als ik geduldiger was geweest, als ik had proberen te begrijpen waarom hij zich van mij had afgewend, misschien was het dan anders gelopen en zou ik nu nog zijn vrouw zijn. Hij was de enige man van wie ik ooit heb gehouden. Hij was een sublieme echtgenoot en een sublieme vader.

De kinderen gingen heen en weer, van Orlando East naar Orlando West. Maki was toen pas twee jaar en veel te jong om te begrijpen wat er gaande was. Makgatho was vijf en jong genoeg om zich er niet aan te storen, maar Thembi die toen acht was heeft er heel erg onder geleden.

In zekere zin hield ik mezelf vast aan de illusie dat ons huwelijk bleef bestaan omdat wij samen kinderen hadden. Maar dat veranderde toen een vriendin mij een bericht in de krant liet zien, meer dan een jaar nadat ik was weggegaan. "Jouw man heeft de scheiding aangevraagd," zei ze. Ik was verstard, niet in staat te reageren. Ik had vaag gehoord dat Nelson optrok met een sociaal werkster uit het Baragwanath Hospital. Het was gewoon de zoveelste vrouw, had ik gedacht. Hij zou haar afdanken zoals hij de anderen had afgedankt. Nelsons liefde voor de kinderen zou ons huwelijk in stand houden – ook al was het alleen in naam.

Ik had mij met mijn positie verzoend; nu stond ik voor een scheiding. Ik sprak met een advocaat. Ik verzette mij niet tegen de scheiding. De zaak kwam voor. Wij maakten geen ruzie over de voogdij over de kinderen. De rechtbank wees de kinderen aan mij toe. Aangezien Nelson geen *lobola* had betaald, had hij volgens de Afrikaanse wet geen recht op de kinderen. Dat zat hem vreselijk dwars en hij vroeg mijn broer toestemming alsnog de *lobola* te betalen en mijn broer zei dat hij het zou aannemen, aangezien hij mij slecht had behandeld. Zodoende deed Nelson een van die hoogst ongebruikelijke dingen - *lobola* betalen nadat het huwelijk was ontbonden. In feite betaalde hij *lobola* voor de kinderen.'

Nelsons tweede zoon, Makgatho, herinnert zich een liefdevolle maar ook strenge vader.

'Wij deden allerlei dingen samen, Papa, Thembi en ik. Wij wasten ons in de slaapkamer. Hij bracht het water daarheen, waste eerst ons en daarna zichzelf. 's Avonds nam hij ons mee de stad in en kocht een ijsje voor ons. Wij vonden het heerlijk om naar zijn verhalen te luisteren. Hij vertelde dan over de oude tijden en legde uit hoe de onenigheid tussen de zwarten en de blanken was begonnen. Ik begreep lang niet alles wat hij vertelde, maar Thembi wel. Hij probeerde ons ook uit te leggen waarom hij zo vaak van huis was, waarom hij al die vergaderingen moest bijwonen, wat het was waarvoor zij vochten. Hij nam ons vaak mee naar de Masuphatsela-bijeenkomsten – dat zijn de Young Pioneers van het ANC – in Orlando West.

Hij was heel populair in onze buurt. Als hij het huis verliet en in onze auto stapte, kwamen de kinderen aanrennen en riepen: *"Afrika! Mayibuye!"* Wij voelden ons zo trots. Papa legde ons uit wat die woorden betekenden. Hij vertelde ons dat het niet zomaar woorden waren, dat de mensen als zij *Mayibuy'i Afrika!* riepen daarmee bedoelden dat zij terug wilden hebben wat van hen was.

Papa was heel sportief. Hij deed veel aan zijn conditie en liet ons dan meedoen. Wij gingen altijd samen joggen. Wij schaduwboksten tegen de muur. Ik dacht toen dat Papa iedereen zou verslaan als hij de ring in zou stappen. Hij nam ons mee naar bokswedstrijden in het Bantu Men's Social Centre. Hij nam deel aan de zaalsporten. Hij nam ons elke avond mee, voor zover ik mij herinner, en wij speelden daar ook met jongens van onze eigen leeftijd.

Op zaterdag nam Papa ons mee naar een bioscoop in Fordsburg. Hij bracht ons erheen in zijn auto en kwam ons later weer ophalen. Daar gingen wij altijd met zijn drieën naar toe, Thembi, Maki en ik.

Papa sloeg ons nooit, maar als wij iets verkeerds gedaan hadden kregen wij een les van hem die veel erger was dan een pak slaag. Ik weet nog die keer dat ik naar het zwembad wilde. Het was zaterdagmiddag. Ik vroeg hem geld voor de toegangsprijs. Hij vroeg hoeveel het was. Ik dacht even na en vroeg dubbel zoveel als het kostte. Papa wist dat. Maar Papa zei niets, maar liep mij achterna zonder dat ik het wist. Hij zag dat mijn vriendje buiten stond te wachten. Hij riep mij terug en vroeg waarom ik gelogen had over het geld. Ik schaamde mij zo diep dat ik bijna geen woord kon uitbrengen. Hij bleef doorvragen. Toen zei ik dat ik het geld wilde voor mijn vriendje, dat mijn vriendje geen geld had voor het zwembad. Papa zei dat het goed was om aan mijn vriendje te denken, maar het vreselijk vond dat ik daarom had gelogen. Waarom had ik gelogen? Ik zei dat ik bang was geweest en hij zei dat ik nooit bang mocht zijn voor de waarheid.

Het was heel erg voor ons toen mijn moeder uit

huis wegging. Het was alsof ik geen huis meer had. Ik wist niet waar ik zou moeten wonen. Ik denk dat het voor Thembi nog erger was, maar hij zat toen op kostschool in Matatiele. Wij woonden bij onze oom, omdat mijn moeder daar was. Daarna woonden we bij Papa. Daar was Grootmoeder ook. Zij was altijd blij ons te zien. Maar Papa was er vaak niet. Dus leek het beter om bij onze moeder te wonen. Maar in de weekends woonde ik bij Papa.'

Nelson had terdege beseft wat voor effect de breuk op zijn kinderen had en bracht een van de dromen tijdens zijn gevangenschap in verband met de spanning die hij toen gevoeld had.

'In de nacht van 24 februari droomde ik dat ik op nr. 8115 aankwam en het huis vol jongeren vond die erop losdansten, een mengelmoes van jive en *infiba*. Zij waren allemaal verrast toen ik plotseling binnenstapte. Sommigen begroetten mij hartelijk, terwijl anderen zich verlegen uit de voeten maakten. De slaapkamer bleek even vol te zijn met familieleden en goede vrienden. Jij lag uit te rusten in bed, met Kgatho (Nelsons zoon Makgatho), heel jong nog, die aan de muurkant lag te slapen.

Misschien was die droom een herinnering aan de twee weken in december 1956, toen hij zes was en ik *Makhulu* alleen in huis achterliet. In die tijd woonde hij bij zijn moeder in O.E., maar enkele dagen voor mijn terugkeer kwam hij naar *Makhulu* en sliep een paar nachten in mijn bed. Hij miste mij heel erg en door in het bed te kruipen moet hij het verlangen een beetje hebben verlicht.'

(15 april 1976)

Gearresteerd wegens hoogverraad

Terwijl de druk in Nelsons politieke leven toenam, was zijn persoonlijke leven niet minder zorgwekkend. Zijn moeder was ongelukkig over zijn breuk met Evelyn. Zij wilde dat zij hun moeilijkheden zouden bijleggen en de vroegere harmonie in het gezin zouden herstellen. Nelson wist dat hij daartoe niet in staat was. De breuk was voor beiden een zware belasting – voor Evelyn omdat zij Nelson had verloren, voor Nelson omdat hij zag hoe het de levens van de kinderen verstoorde. Wat hem het diepst raakte was het verdriet van Thembi. Thembi was niet alleen zijn zoon maar ook zijn vriend, en hij vroeg zich af hoe hij het vertrouwen dat er tussen hen geweest was moest herstellen.

Maar hij kreeg weinig tijd om Thembi of de andere kinderen te troosten. Enkele weken voor Kerstmis was er vroeg in de ochtend onverwacht een razzia. Hij lag in bed toen de harde bonzen op de deur klonken. Hij wist dat het de politie was. Hij deed de deur open. Zij deelden hem mee dat hij gearresteerd was, dat hij een paar dingen moest inpakken en met hen meegaan, maar niet voordat zij het huis hadden onderzocht waarbij alles overhoop werd gehaald. *Makhulu* keek toe, inwendig huilend. Nelson stelde haar zo goed hij kon gerust, meer met de tederheid in zijn ogen dan door wat hij zei.

Later ontdekte hij dat hij slechts een van de 156 arrestanten was, die allen hadden meegewerkt aan het Congress of the People.

De staat noemde het 'Operatie T'. De *Golden City Post* publiceerde op 9 december het volgende verslag:

'Alle arrestanten werden met militaire vliegtuigen

naar Johannesburg overgebracht; allen verschenen voor een magistraat in Johannesburg; allen werden in vrijheid gesteld tot de hoorzitting op 19 december en allen brachten tenminste een nacht door in het Fort van Johannesburg.

De politie probeerde geen ruchtbaarheid te geven aan het vertrek van de Dakota's die de gearresteerden uit Kaapstad vervoerden, onder wie L.B. Lee-Warden MP, lid van de Native Representative Council; advocaat Lionel Forman, die men van speciale medicijnen moest voorzien vanwege zijn hartklachten; voormalig MPC Fred Camenson en Sonia Bunting, echtgenote van ex-parlementslid Brian Bunting.

De politie trof Ismail Meer, jurist en *banned* bestuurslid van het Indian Congress, slapend aan in het huis van verwanten. Hij was herstellende van een zware operatie. Vanwege zijn fysieke toestand werd hij onder huisarrest geplaatst, bewaakt door een in zijn slaapkamer geposteerde politieman. De bewakers werden in de loop van de dag driemaal afgelost... zijn twee kinderen, onbewust van wat er gaande was, speelden in dezelfde kamer. De driejarige Shamin Meer bedacht een eigen spel waarbij zij de bewaker voor een tramconducteur aanzag en hem kaartjes aanbood om te knippen.

Mevrouw Naicker arriveerde op het vliegveld terwijl dr. Naicker juist het asfalt overstak, op weg naar het klaarstaande toestel. Hij draaide zich om en zwaaide naar haar en zij beantwoordde het gebaar.

In Port Elizabeth werden zeventien mensen gearresteerd, terwijl circa vijftig veiligheidsagenten hun huizen in Korsten en New Brighton doorzochten. Allen werden overgevlogen naar Johannesburg. De politie deed een inval in de kantoren van de ANC-afdeling en van diverse vakbonden.'

De Fort Gevangenis in Johannesburg was plotseling barstensvol met het puikje van 's lands democraten. De bewakers hadden het er moeilijk mee. Een van de arrestanten herinnert zich:

'Het grote ritueel van iedere avond was het tellen van de gevangenen. De bewakers kwamen nooit op het juiste aantal uit. Op een avond, na eindeloos tellen en overtellen, beweerden ze letterlijk dat er een Afrikaan te veel en een Indiër te weinig was. Hun oog viel op Joe Matthews, die wat langere haren had dan de meeste Afrikanen. "Jij dan maar," zeiden ze, "jij wordt Indiër," en zo werd het probleem opgelost.'

Het vooronderzoek begon in de Drill Hall in Johannesburg, twee weken na de arrestaties. Buiten was een grote menigte demonstranten samengestroomd, die een daverend gejuich aanhief telkens wanneer uit een politiebusje weer een nieuwe lading beschuldigden tevoorschijn kwam. De politie raakte in paniek en opende het vuur op de menigte, die naar alle kanten wegvluchtte. De gevangenen verstarden van angst. Gelukkig vielen er geen doden, al waren er wel tweeëntwintig gewonden.

De hoorzitting begon met de 156 beklaagden in een kooi. Iemand hing een plakkaat op: 'Niet voederen'. De verdediging sprak zijn verontwaardiging uit en de beklaagden werden op borgtocht in vrijheid gesteld.

Nelson was blij dat hij terug was bij zijn kinderen. Hij stelde zijn kleine en overvolle huis open voor beklaagden uit andere streken. In die dagen waren er in Johannesburg geen hotels voor niet-Europeanen en ook al waren die er geweest, dan hadden de meesten die niet kunnen betalen. Het zou trouwens ook ontoelaatbaar zijn geweest gezien de verplichtingen jegens vrienden en verwanten.

Het proces bracht plaatselijke leiders uit alle delen

van het land bijeen. Velen kenden elkaar van naam maar hadden nog nooit met elkaar gesproken. Het leek of de voltallige leiding een onbeperkte conferentie had belegd. Zij praatten en overlegden bij de maaltijden en in de avonduren. Zij werden uitgenodigd door kerkgroepen en door liberalen, die hen voorstelden aan hooggeplaatste afgezanten uit alle delen van de wereld. Zulke ontmoetingen waren een belangrijke leerschool in public relations. Bisschop Reeves en Alan Paton stichtten een Defense Fund en het was van groot belang de potentiële donors duidelijk te maken dat men geen steun vroeg voor onverantwoordelijke extremisten, dat het ging om integere en oprechte personen. Het speelde allemaal in een tijd toen de gevestigde orde van de hele wereld nog niet kopschuw was gemaakt door de schok van het 'terrorisme'.

Terwijl vrijwel de gehele verzetsbeweging in het proces verwikkeld was, werd in 1957 in Kaapstad een nieuwe bevrijdingsorganisatie opgericht: het Ovamboland People's Congress, dat later de South West African People's Organization (SWAPO) zou worden. In 1962 stuurde het zijn eerste rekruten voor een militaire opleiding naar Egypte. In 1966 kregen de ANC-gevangenen op Robbeneiland gezelschap van een groot contigent guerrilla's en partijleiders van SWAPO, onder wie Toivo Ja Toivo. SWAPO was een bondgenoot van het ANC.

Pan Africanist Congress

Binnen een maand na de opening van de hoorzittingen kwam door het hele land een massale boycot op gang tegen de prijsverhoging van buskaartjes. De boycot begon in de *township* Alexandra, sloeg over naar de Reef en verbreidde zich naar Pretoria, de Oostelijke Kaapprovincie en Oranje Vrijstaat. Nelson, verlamd door zijn *banning* en door het verraadproces, voelde zich gefrustreerd en machteloos.

Op dat moment begonnen de consequenties van het proces pas echt tot hem door te dringen. Hij vervloekte de regering, die hen had afgesneden van het volk en de waardevolle activiteiten binnen de gemeenschap tot stilstand had gebracht; erger nog, het proces maakte de weg vrij voor de afrikanisten, die steeds sterker werden. Hij beschouwde hen als kleingeestige en reactionaire lieden en was bang dat de nieuwe, onervaren ANC-leiders die hun taak moesten overnemen niet tegen hen opgewassen zouden blijken.

Naarmate de boycot in omvang groeide, werden overal in de *townships* People's Transport Committees gevormd. Het was een spontane verzetsbeweging en het ANC was verheugd dat hun eigen man, Alfred Nzo, de leiding had van het zeven leden tellende coördinatiecomité van nationalisten, afrikanisten, conservatieven, trotskisten en de onderling verdeelde Madzunyisten. Zestigduizend mensen liepen dagelijks naar hun werk, leuzen schreeuwend die de tijd zouden doorstaan: *Azikwela. – Asinamali.*

Maar Nelson wist dat er grenzen waren aan het incasseringsvermogen van de bevolking en dat het verzet zonder de juiste leiding in machteloosheid en rampspoed zou eindigen. De busboycot betekende allerminst het einde van de strijd. Het was slechts een etappe in het conflict dat zich naar zijn mening nog jarenlang zou voortslepen. De tijd zou leren dat zijn inschatting te optimistisch en de roekeloosheid van zijn tegenstanders onbegrensd was.

Nelson zag twee problemen: de overschatting bij de

bevolking van haar mogelijkheden en de uitbuiting van die misrekening door tegenstanders van het ANC, in het bijzonder de afrikanisten en in mindere mate de afgesplitste factie uit de NEUM, die zich de Movement for Democracy of Content (MDC) noemde. Hij vreesde tevens dat de regering met harde hand wraak zou nemen en de kleinste provocatie zou aangrijpen om een bloedbad onder de demonstranten aan te richten.

Vanuit handel en industrie, die een zware aanslag op hun arbeidspotentieel hadden ondergaan, kwamen de eerste concessies. De bedrijven boden hun personeel aan bij te dragen in de vervoerskosten. Later werd de bijdrage uitgebreid tot alle werknemers die op grote afstand van hun werk woonden. De Drill Hall-groep discussieerde over het aanbod. Moesten de mensen het compromis aanvaarden of de boycot volhouden? Sommigen voerden aan dat de totale som van de geboden bijdragen voor hoogstens twaalf weken toereikend zou zijn. Hoe ging het daarna? Kon men van de mensen verlangen dat zij een strijd van vier maanden zouden opgeven in ruil voor een oplossing voor twaalf weken? De afrikanisten en de MDC ageerden voor een voortzetting van de strijd. De ANC-activisten in het veld waren het daarmee eens. Anderzijds dreigde de regering in te grijpen; voor haar was elke 'overwinning' van het volk een ANC-overwinning. Als tegenactie begon zij een sinistere propagandacampagne tegen het ANC, dat ervan beschuldigd werd de boycot via ondergrondse kanalen te hebben georganiseerd. Die beschuldiging was het excuus voor massale arrestaties op uiterst ongeloofwaardige gronden. Alleen al in de *township* Alexandra werden 14.000 mensen gearresteerd, onder wie 500 eigenaars van taxi's.

Nelson en zijn collega's bespraken de situatie met hun mannen in het veld. Leden van de Liberal Party en bisschop Ambrose Reeves kwamen voor overleg naar hen toe. De bisschop was een onverzettelijke medestander in de strijd tegen apartheid. Zowel *chief* Luthuli als prof. Matthews bewonderde en vertrouwde hem. Oliver was vlak voor zijn arrestatie in 1956 door hem als priesterkandidaat geaccepteerd. In laatste instantie kwam het erop aan hoelang het verzet nog kon standhouden en hoe snel de regering in actie zou komen wanneer het compromis werd afgeslagen.

De afrikanisten en de MDC richtten onbesuisde oproepen tot het volk om voedsel te hamsteren en voorbereidingen te treffen voor een langdurige 'thuisblijf'-actie. Het ANC stelde zich terughoudend op omdat de leiders, vastgeketend door het proces en zonder direct contact met de bevolking, te weinig zicht hadden op de situatie.

Nelson weigerde de zaak te laten ontaarden in een conflict tussen de politieke krachten of de uitslag te laten afhangen van een onderlinge wedstrijd in revolutionaire hartstocht. Zijn grootste angst was dat men aan de opoffering van de bevolking voorbij zou lopen en het volk uiteindelijk met lege handen zou staan. Hij voelde er niets voor het nu op te geven en met een compromis genoegen te nemen, maar kon ook moeilijk met een militantere oplossing komen zolang hij de stemming onder de mensen niet zelf had kunnen peilen. Het ANC kwam tot het besluit de boycot af te gelasten en het compromis te aanvaarden.

Dat was precies de beslissing waarop de afrikanisten zaten te wachten. Zij beschuldigden het ANC dat het bereid was de volksopstand te verkopen voor het schamele bedrag van 25 000 pond. Het ANC verloor aanhangers in Alexandra en nog meer in Evaton. De boycot verliep in Evaton nog succesvoller dan in Alexandra en ging daar ook langer door, voornamelijk dank zij de sterke onderhandelingspositie van het Transport Committee, dat bestond uit jonge ANC-mannen en twee lokale leden van het Transvaal Indian Congress – een van die twee, Solly Nathee, behoorde tot de beklaagden van het verraadproces. Dat comité was bereid een eigen vervoersbedrijf op te zetten. Het wist de busmaatschappij aanzienlijke concessies af te dwingen en zou ongetwijfeld veel hebben bereikt, als de aanval van de Basotho's niet was gekomen.

De Basotho's, in meerderheid migranten, waren niet in het comité vertegenwoordigd en daarvan maakte de busmaatschappij gebruik. Zij zocht vooral toenadering tot de criminele kern van de *white blanketed* Basotho's, die onder de bijnaam 'Russen' een beruchte reputatie hadden verworven. Zij waren de voorlopers van de reactionaire *witdoeke* van de jaren tachtig, van wie de veiligheidspolitie zich bediende om het verzet in de rug aan te vallen. In 1956 huurde de busmaatschappij hen in om boycotters en postende stakers te bedreigen. Desondanks sleepten de reizigers uit Evaton forse verbeteringen in de wacht; maar hun steun ging naar de afrikanisten omdat die actief waren in het veld.

Het proces dat de ANC-leiders in gijzeling hield, de magere rol van het ANC in de busboycot en de gebrekkige organisatie op afdelings- en regionaal niveau kostten het ANC in deze periode veel van haar populariteit. Nelson maakte zich zorgen over het incompetente en eigenmachtige optreden van sommige bestuurders, de rammelende boekhouding en onverantwoordelijkheid van anderen. Het gaf de afrikanisten een excuus om het bestaande leiderschap van binnenuit aan te vallen en de organisatie vervolgens een afrikanistische koers op te leggen. Leballo en Madzunya wonnen steeds meer aanhang in de *townships*. Het ANC riep op tot een nationale thuisblijf-actie als protest tegen de blanke verkiezingen van 1958. Leballo en Madzunya voerden ondanks hun ANC-lidmaatschap openlijk campagne tegen de oproep, omdat de blanke verkiezingen in hun ogen niet relevant waren.

Beide mannen waren uitzonderlijk goed in het bespelen van de massa. Leballo had in de Tweede Wereldoorlog dienst gedaan als ingezetene van Basotholand. Een collega beschreef hem als 'bot, impulsief en een krachtige redenaar met een meeslepende stijl die de rauwe emoties van het publiek losmaakte'. Hij kon de jeugd tot fanatisme opzwepen. Madzunya, aards en onbehouwen als de grond waaraan hij verknocht was, had een messiaanse spreektrant en oefende een sterke aantrekkingskracht uit op de migranten van het platteland die alleen de dorpspolitiek kenden en zich vreemd en misplaatst voelden in de grote stad.

De spanning bereikte een hoogtepunt op de ANC-conferentie van 1958 in Transvaal. Diverse afdelingen hadden bij het nationale bestuur al petities ingediend over de vermeende corruptie in het Transvaalse bestuur. Tijdens de conferentie traden Madzunya en Leballo als woordvoerders op voor de oppositie tegen het bestuur. De conferentie ontaardde in een stormvloed van wederzijdse beschuldigingen.

Oliver, die op het podium zat, peilde de stemming in de zaal en adviseerde de voorzitter om de petities in te willigen, maar zijn advies werd genegeerd. De voorzitter wilde de confrontatie niet ontlopen. Leballo eiste het aftreden van het bestuur en kreeg algemene bijval. De voorzitter moest zijn nederlaag erkennen; hij sloot de vergadering en zette het volkslied in. De meeste mensen bleven zitten, een duidelijk gebaar van afwijzing tegenover de voorzitter. Die avond bestormden woedende afrikanisten het kantoor van het ANC en gingen ervandoor met de ANC-auto.

Het nationale bestuur onderkende de ernst van de situatie en nam de zaken in eigen hand; het haalde het Transvaal-bestuur over om af te treden, beloofde de opposanten nieuwe verkiezingen en riep de opgeschorte conferentie weer bijeen. Tegelijkertijd werden als bewijs van kracht Leballo en Madzunya als leden geroyeerd vanwege hun voortgaande oppositie tegen de officiële oproep voor de thuisblijffactie. Leballo vormde een Anti-Charterist Council en droeg Madzunya voor als haar kandidaat voor het voorzitterschap.

De beweging dreigde uit elkaar te vallen en het bezweren van die dreiging, het reorganiseren en versterken van de afdelingen, was een taak die vooral op de schouders van Nelson, Walter en Oliver rustte. Het proces eiste hen overdag op; daarna brachten zij enkele uren door in het advocatenkantoor dat in hun levensonderhoud voorzag en waren daarna tot diep in de nacht bezig met vergaderen, discussiëren, adviseren, plannen en hopen, bijna tegen beter weten in, dat de situatie zou verbeteren.

De thuisblijffactie van 26 juni 1958 was een grote mislukking; bij de hervatting van de provinciale conferentie in Orlando trok de oppositie opnieuw alle aandacht. Madzunya maakte een indrukwekkende entree met zijn in dekens gehulde volgelingen, Leballo liet zijn stem donderen en Tambo, die als voorzitter optrad, bleef kalm. *Chief* Luthuli opende de conferentie, waardig als altijd. Hij maakte een rake toespeling op de nieuwe en gevaarlijke tendens binnen het ANC om racisme te propageren onder het mom van nationalisme.

Er ontstond enig rumoer en voetgestamp achter in de zaal, maar de ordebewakers hadden dat snel onder controle. Het tumult barstte los toen het credentiecomité de goede trouw in twijfel trok van een aantal 'afgevaardigden' die de afrikanisten hadden meegebracht. Gejoel en verontwaardiging achtervolgden deze afgevaardigden tot hun huizen en buurten en de volgende dag keerden zij met zware versterkingen terug. Op bepaalde ogenblikken zag het ernaar uit dat de twee facties elkaar te lijf zouden gaan. Maar plotseling besloten de afrikanisten het gevecht te staken aangezien het ANC hen toch niets meer te bieden had. Zij zouden vertrekken en hun eigen weg gaan. De conferentie ontving een verklaring waarin zij afstand deden van hun lidmaatschap en meedeelden dat zij een eigen organisatie zouden oprichten.

'Dit is een politieke strijd die gericht is tegen de onderdrukkers. Wij zijn geen paramilitaire kliek, bezig met het uitmoorden van mede-Afrikanen... In 1955 werd de Charter van Kliptown aangenomen, die naar onze mening volstrekt in strijd is met het program van 1949, aangezien het stelt dat het land niet langer toebehoort aan het Afrikaanse volk maar bij opbod wordt verkwanseld aan allen die in dit land wonen... Wij zijn op een punt gekomen waar onze wegen uiteengaan en wij geven hierbij te kennen dat wij alle banden verbreken met het ANC in de gedaante die het thans in Transvaal heeft aangenomen.

Wij zullen van nu af aan zelfstandig naar buiten treden als de hoeders van het ANC-beleid, zoals dat in 1912 werd geformuleerd en tot de tijd van de Congress Alliance is nagevolgd.'

Twee maanden later kwamen de afrikanisten bijeen in dezelfde zaal in Orlando voor de oprichting van het Pan Africanist Congress. Als voorzitter kozen zij een universitaire docent en een sublieme intellectueel, Robert Sobukwe. Nelson kende hem goed. Hij was een sterk lid van de Youth League en een belangrijke ANC-man geweest. Hij vond het jammer hem als tegenstander te moeten zien.

Sobukwe behoorde tot de oprichters van de Fort Hare-afdeling van de ANC Youth League. Nelson herinnerde zich zijn briljante toespraak uit naam van de studenten bij de plechtige diplomauitreiking in 1949. Tijdens de Defiance of Unjust Laws-campagne hadden zij als broeders gevochten, gevangenisstraf geriskeerd en hun broodwinning opgeofferd voor de goede zaak. Nu stonden zij tegenover elkaar en werden ook zij meegesleept in de scheldpartijen waarmee beide partijen elkaar bestookten. Nog geen jaar later zou ieder van hen, onafhankelijk van en in competitie met de ander, het principe van geweldloosheid verlaten, maar de oogst aan bloedvergieten, *banning* en ballingschap zou hen beiden even hard treffen.

Nelson had Sobukwe verdedigd in de rechtbank van Standerton, toen het ministerie van Onderwijs hem wilde ontslaan vanwege zijn deelname aan de campagne in de jaren vijftig tot 26 juni 1958. Hij was ook als verdediger opgetreden voor een andere PAC-leider, Zeph Mothopeng. Zij hadden hem vertrouwd maar 'Robbie', zoals Sobukwe genoemd werd, ontliep Nelson nadat hij hem gevraagd had om een exemplaar van zijn voorzittersrede en van de beleidsverklaring van het PAC. 'Nel,' zei hij, 'mijn papieren liggen op de universiteit,' of 'Zodra ik een moment tijd heb zal ik het naar je toesturen, Nel'. 'Robbie was altijd heel voorzichtig,' herinnert Nelson zich, 'liet zich nooit in de kaart kijken, maar was ook heel eerlijk.' Uiteindelijk kreeg Nelson de papieren van Leballo. 'Leballo,' zegt Nelson, 'was totaal anders dan Sobukwe, heel extrovert en nauwelijks in staat iets voor zich te houden. Toen ik hem vertelde dat ik hun stukken wilde lezen en er maar niet in slaagde die te pakken te krijgen, zei hij: 'Die zullen wij jou nooit laten zien. Wij weten wat jij ermee zult doen' (wat hij daar dan ook mee bedoelde) en nodigde mij vervolgens uit mee naar zijn huis te gaan, waar hij mij de stukken gaf!'

Het PAC had alleen aanhangers in twee centra, Johannesburg en de Westelijke Kaapprovincie, maar zij betraden het politieke toneel met een nieuw en krachtig elan. Zij sloten een bondgenootschap met anti-SACTU vakbonden en richtten daarmee de Federation of Free African Trade Unions (FOFATUSA) op, die geleid werd door Jacob Nyaose en Lucy Mvubelo.

Het ANC verloor aanhang in de Kaap omdat het blanke kandidaten bleef steunen die zich als vertegenwoordigers van de zwarten verkiesbaar stelden voor een parlementszetel. De NEUM, die in die streken een aanzienlijke politieke factor was, had opgeroepen tot een boycot en 'collaboratie' als een misdaad afgeschilderd. Het ANC steunde de COD-kandidaat voor de inlandse zetel. ANCers die voor de boycot waren, vertrokken en sloten zich aan bij het PAC.

De gekleurde verkiezingen werden een fiasco; de meeste kleurlingen volgden de boycot, terwijl degenen die wel deelnamen zich afkeerden van de COD-kandidaten en hun steun aan de Verenigde Party gaven.

Het werd al met al een jaar waarin de blanken een hecht front vormden achter de nationalisten, die hun meerderheid vergrootten, en waarin de zwarten uiteenvielen. Niet alleen in het ANC voltrok zich een splitsing: ook de All African Convention, die dat jaar een conferentie hield, brak op ideologische gronden met haar jongere garde, de Sons of Young Africa

(SOYA) en de Cape New Era Fellowship. Deze groeperingen werden veroordeeld wegens hun al te marxistische gezindheid, die de klassenstrijd in plaats van het racisme tot kernpunt wilden maken van het Zuidafrikaanse conflict.

Te midden van al deze politieke troebelen overkwam Nelson in zijn persoonlijke leven een aangename verrassing. Hij ontmoette Winnie Madikizela. Haar vrolijkheid en schoonheid overrompelden hem. Adelaide Tsukudu, de verloofde van Oliver, bracht hen met elkaar in contact. Nelson maakte Winnie op zijn eigen wijze het hof, binnen de beperkingen van zijn *banning order* en tussen zijn dagelijkse gang naar het verraadproces en de talrijke vergaderingen daarbuiten door. Zij woonde een van de zittingen in Drill Hall bij. Hij stelde haar voor aan zijn vrienden. Hij stuurde haar naar Durban om met de Meers kennis te maken en naar zijn tante in Orlando. Het was alsof hij haar aan hen allen wilde laten zien door zijn ogen, alsof hij hen wilde laten delen in de goedheid en schoonheid die hij in haar had ontdekt. Zij bezocht hem in zijn kantoor; af en toe maakten zij samen een rit door de omstreken van de stad. Weldra droeg zij zijn foto (Nelson als bokser, haar favoriete Nelson) permanent bij zich. Zij was onmiskenbaar verliefd. Toen zijn scheiding werd uitgesproken, vroeg hij haar niet ten huwelijk. Hij vertelde haar dat zij gingen trouwen en stelde haar voor aan zijn kinderen.

Makgatho herinnert zich de scheiding van zijn ouders en de kennismaking met Winnie.

'Ik was toen acht jaar en ging op school in Orlando West, waar ons huis was, maar woonde bij mijn moeder in Orlando East. Thembi was op kostschool. Waar Maki was weet ik niet meer. Mijn moeder las in de krant dat mijn vader de scheiding had aangevraagd. Mij maakte het niet veel uit. Voor mijn gevoel was dat al veel eerder gebeurd. Mijn ouders woonden apart; wij gingen van de een naar de ander, van Orlando East naar Orlando West en dan weer van West naar East. In de ruzies koos ik partij voor mijn vader. Ik kan niet precies zeggen welke kant Thembi koos, maar misschien toch eerder die van mijn moeder. Ik herinner mij een keer toen zij thuis een geweldige ruzie hadden. Ik weet niet waarover het ging, maar ik koos de kant van mijn vader.

In 1958 was Thembi thuis met schoolvakantie. Wij gingen vaak mee naar Papa's kantoor en reden dan met hem naar Orlando. Op een dag stopten we ergens om Winnie op te pikken. Zij was heel vriendelijk. Ik dacht, wat een knappe dame. Zij praatte en haar ogen straalden. Ik vond haar aardig. Daarna kwamen wij haar vaak tegen, meestal in Papa's kantoor. Ik zocht daar niets achter. Toen vertelde Papa ons op een dag dat Winnie onze nieuwe moeder zou worden. Dat leek mij raar. Ik praatte er later over met Thembi. Ik zei tegen hem: "Papa gaat bij Winnie wonen en Winnie wordt onze nieuwe moeder." Thembi schrok ervan, maar hij zei niets.

Toen ging ik bij Papa logeren in ons huis in Orlando West en daar hoorde ik mijn tantes en mijn grootmoeder over Papa's bruiloft praten. Zij waren er allemaal opgewonden over en maakten grootse plannen.

Ik bleef Papa opzoeken na zijn huwelijk en bracht vaak het weekend bij hem door. Ik had geen bezwaar tegen Winnie. Ik beschouwde haar als mijn moeder, zoals mijn vader wilde, en dat vond mijn moeder niet leuk. Zij wilde niet dat ik erheen ging, maar ik ging toch.'

Evelyn vertelt:

'Ik hoorde van Thembi dat Nelson zou gaan trouwen met de sociaal werkster uit Baragwanath: zij heette Winnie Madikizela. Ik bedacht hoe ironisch het was dat geen van de vrouwen over wie wij zoveel ruzie hadden gemaakt ons huwelijk had verbroken, maar dat een nieuweling er nu definitief een eind aan maakte. Ach, Winnie was niet verantwoordelijk voor de breuk, maar omdat hij met haar wilde trouwen had hij de scheiding nodig.

Mijn broer ging in die tijd terug naar Engcobo en ik nam zijn huis in Orlando over. De kinderen bleven op bezoek gaan zolang hun vader en grootmoeder daar waren, maar toen zij beiden vertrokken – vader naar de gevangenis en grootmoeder omdat zij terugging naar Qunu – kwamen zij daar nauwelijks meer, tenzij er een speciale reden voor was.

Nelson betaalde voor het levensonderhoud van de kinderen zolang hij daartoe in staat was, maar na zijn arrestatie en gevangenneming droeg ik de verantwoordelijkheid. Een tijdlang werden de schoolgelden nog betaald. Winnie kocht kleren voor hen. Maar Winnie had ook kinderen voor wie zij moest zorgen.'

Ondanks de problemen waarop het huwelijk stukliep schreef Nelson, terugkijkend op die periode en via de gecensureerde brieven: 'Evelyn is aardig en charmant en ik ben haar blijven respecteren, ook toen het huwelijk om ons heen afbrokkelde. Het zou heel onterecht zijn haar de schuld te geven van de instorting.'

(25 februari 1985)

Winnie

Bizana

Gejuicht werd er niet toen Nomathamsanqa voor de vierde maal aan haar weeën begon en wederom van een dochter beviel. Zij had heel hard gebeden om een zoon, aangezien zij moest optornen tegen *Makhulu* (haar eigenlijke naam was Seyina, maar er leefde niemand meer die het recht had haar zo te noemen) die haar de schuld gaf van al die dochters en haar eraan herinnerde dat haar voorvader Mazingi meisjes verspilde moeite had gevonden en ze bij de geboorte had laten doden.

Makhulu's gejoel schalde over de *inkundla* en was tot in de vallei te horen toen Nomathamsanqa's eerste kind en *indlalifa* geboren was, maar de twee volgende keren had zij haar hoofd vol afschuw afgewend en gezegd: 'Jij verdoet onze tijd!' Maar daarna gaf *Makhulu* ook haar kleindochters de liefde en soms de strengheid die zij nodig hadden.

Drie maanden na de geboorte kwam de familie bijeen voor de doop in het kleine kerkgebouw van golfplaten in Dutyiwa, een *kraal* in het district Bizana in Transkei, waarbij het kind de naam Nomzamo Zanyiwe Winifred Madikizela kreeg. Haar ouders noemden haar simpelweg *Ntombi* en vanaf haar schooltijd Winnie.

Makhulu's wensen gingen alsnog in vervulling toen Nomathamsanqa twee zoons baarde, Lungile en Msutu, maar later kwamen er ook weer meisjes – Nobantu en Nonyaniso.

Winnie is een Ngutyana, een van de sterkere clans van de Pondo's. Haar overgrootvader Madikizela was een hoofdman die in het tweede kwart van de negentiende eeuw plunderend door het district Umkomaas in Natal trok. Zijn onverschrokkenheid verschafte hem naast land en vee de krijgers op wie hij zijn reputatie bouwde. Maar ook hij was niet opgewassen tegen de machtige *imfecane* van Shaka, de grote Zulukoning, en vertrok met zijn volgelingen en zijn vee zuidwaarts naar Pondoland waar hij het domein van Faku bedreigde. De wijze Faku besloot dat hij; Madikizela beter naast zich dan tegen zich kon hebben en schonk hem zijn zuster als vrouw. Sindsdien stonden de Madikizela's tevens bekend als de neven van Faku.

Toen de Engelsen in 1848 een verdrag sloten met de Pondo's, was Madikizela van de AmanGutyana een van de vier *chiefs* met wie zij naast koning Faku afzonderlijke overeenkomsten tekenden.

De AmanGutyana vestigden zich uiteindelijk in de buurt van Izingolweni, tussen Port Edward en Bizana. Winnies grootvader, *chief* Mazingi, had negenentwintig vrouwen die in zijn talrijke residenties tussen Mbongweni en Dutyiwa de scepter voerden. Zijn welvaart vergaarde hij in de landbouw en in de handel. Hij bezat uitgestrekte landerijen, die hem een goede maisoogst opleverden en waarop grote kudden runderen en schapen graasden.

Zoals vele *chiefs* was hij geïntrigeerd door de zendelingen. Hij gaf de methodisten toestemming om een post te vestigen in zijn Grote Plaats, Komkhulu, en was zo onder de indruk van hun prestaties dat hij zijn god verruilde voor de hunne. Er werd een school gebouwd, een onderwijzer ingehuurd en de nieuwe generatie der Madikizela's verliet de velden voor het klaslokaal om, moeizaam met de pen in de hand, de vaardigheden aan te leren die hen even knap zouden maken als de blanken. *Chief* Mazingi was vastbesloten zijn kinderen te laten opklimmen uit het ongeletterde bestaan, dat zijn volk kwetsbaar maakte voor veroveraars en profiteurs. Zijn hoofdvrouw Seyina, imposant van gestalte en ruim van hart en met een lach die weergalmde over de velden, had de zakelijke leiding en was de moeder van zes zonen, van wie Kokani, de vader van Winnie, de oudste was.

Kokani en twee andere zonen van Seyina werden onderwijzer, een bracht het tot landbouwkundige en een werd haar assistent in het zakendoen. De jongste, Xolane, vertrok om in de mijnen te werken waar hij vrijwel onmiddellijk t.b.c. opliep en stierf.

Seyina verzette zich tegen het christendom zolang zij kon. Toen zij uiteindelijk capituleerde, verruilde zij haar *isidwebe* voor een simpele jurk van bedrukte katoen. Maar in haar hart bleef zij Nguni en hoewel zij naar de kerk ging, volvoerde zij als voorheen de Nguni-rituelen om het geluk van haar huis te verzekeren. Deze rituelen maakten diepe indruk op haar zes zonen en drie dochters en werden een bouwsteen van hun innerlijke rust.

Seyina leefde voor een groot deel in het verleden, wat indruiste tegen het christelijke geweten van haar schoondochter Nomathamsanqa aangezien zij dat verleden zag als een tijd van heidense en zondige praktijken die haar eigen familie al twee generaties eerder had afgezworen. Er bestond een spanning tussen de twee vrouwen vanwege die verschillende wereldvisies en omdat zij dongen naar de gunsten van dezelfde man, Kokani. Winnie was zich altijd bewust van die spanning.

'Mijn moeder was in *Makhulu's* ogen een moderne vrouw, een onderwijzeres. Zij droeg niet dezelfde kleding als de vrouwen van het dorp. Zij en tante Jane waren anders. Zij droegen bijvoorbeeld nooit *doeks*.

Zij droegen gehaakte hoedjes en zelden jurken van bedrukte katoen. *Makhulu* verweet mijn moeder dat zij haar zoon, mijn vader, belemmerde om *chief* te worden en een echte man door het nemen van meerdere vrouwen. Toen hij haar had verteld met wie hij wilde trouwen verklaarde zij dat hij gek was, dat hij een "Europese" zou trouwen en geen Muntu, een man in plaats van een vrouw. "Kies jezelf een vrouw," had zij hem geadviseerd, "geen collega uit het onderwijs." Maar nadat zij haar mening had uitgesproken hield ze tegenover haar zoon verder haar mond en richtte haar verwijten op zijn echtgenote, die hem met *takathi* had veroverd.'

In Seyina's ogen leed haar zoon aan een kwaal waarvan zij hem alleen kon genezen door haar eigen invloed te vergroten. Daarom werd haar ongerustheid nog groter toen hij met de schooljuffrouw een eigen huishouding opzette.

Toen Winnie amper vijf jaar oud was nam haar moeder Nomathamsanqa haar mee naar een geheim plekje in de velden, waar zij altijd heen ging om met God te praten over haar gezin en hun welzijn in deze wereld en in de wereld hierna. Winnie had de indruk dat er iets mis was met het christelijk geloof van *Makhulu* en dat zij daardoor niet in de hemel van haar moeder zou komen. Zij begreep ook dat haar moeder zich daarom niet bekommerde, want in haar oprechte gebeden om nog betere christenen van hen te maken kwam *Makhulu* nooit voor. Wat Kokani betrof scheen haar moeder ook bang te zijn dat zij hem niet in haar hemel zou tegenkomen, want zij vroeg God steeds opnieuw om van Kokani een goede christen te maken en hem van de kwade invloed van *Makhulu* te bevrijden. Het leek Winnie dat God op dat punt slecht naar haar moeder luisterde.

Makhulu daarentegen praatte in de veekraal met de geest van grootvader en ook dat hoorden de kinderen. Zij vroeg hem altijd haar zonen kracht te geven en zich niet al te veel op te winden over hun Europese manieren; soms beklaagde zij zich bij hem over een van haar zoons of vroeg hem om raad hoe zij haar schoondochters het beste kon aanpakken.

Het viel Winnie op dat haar moeder veel vaker bekritiseerd werd dan de andere vrouwen. Dit vervulde haar met schaamte tegenover de neefjes en nichtjes die meeluisterden, maar de kinderen spraken nooit met elkaar over wat zij hadden afgeluisterd. Zij wisten dat de verwijten aan het adres van Winnies moeder de volgende dag voor hun eigen moeder bestemd konden zijn.

Kokani was dan wel christen en een actief lid van de kerk, maar hij waagde het niet de cultus van zijn voorouders te negeren zolang zijn moeder nog in de buurt was. Bij bepaalde gelegenheden werden de voorouders aangeroepen in de veekraal en kregen zij het vetste en meest geliefde dier van de kudde als offergave aangeboden. Winnies oudste broer, Makhulwa, had de leiding bij het ritueel buiten de kraal. *Makhulu* nam het van hem over en zong: 'Wij zijn hier bijeen in uw naam. Wij hopen dat u het bloed dat wij vergieten als eerbewijs wilt aannemen en alle gramschap wilt vergeten die wij misschien hebben opgeroepen. Sta ons bij in alle dingen. Bescherm ons. Breng ons voorspoed en vrede.' Dan werd het offerdier de kraal binnengeleid en door de jonge mannen geslacht en nadat het vlees gebraden was kreeg ieder zijn deel, heel nauwkeurig in volgorde van ouderdom: eerst de mannen, dan de vrouwen en als laatsten de kinderen.

Winnie herinnert zich: 'Dat waren fijne momenten voor ons, want iedereen was vrolijk en wij kinderen zaten daar op onze matten te knagen aan de botten, naast de mannen die bier dronken en hun verhalen vertelden – wij luisterden mee, al was dat denk ik niet de bedoeling, maar niemand stoorde zich daaraan.'

Winnie groeide op in twee huizen, dat van haar moeder en dat van haar grootmoeder, even verschillend als de vrouwen die er de baas waren. Nomathamsanqa's huis telde zeven rondavels, dat van haar grootmoeder niet minder dan twintig. Nomathamsanqa's huishouden bestond uit haar man en haar kinderen, dat van Seyina was tot barstens toe vol met ooms en tantes en tientallen kinderen. In Seyina's huis hing altijd een feestelijke sfeer met veel kokkerellen, eten en drinken, terwijl *Makhulu* haar goede gaven uitdeelde met een allure die niemand liet vergeten dat zij de meesteres was geweest van een grote en rijke *umuzi*.

Winnie herinnert zich haar grootmoeders huis als een kraal van talrijke rondavels, omringd door wat in haar ogen een 'immens grote tuin' was 'met bomen en erven voor de vele kippen en hun kuikens'. De veekraal lag op een halve kilometer afstand van haar vaders velden.

Nomathamsanqa kwam heel zelden bij *Makhulu*, maar *Makhulu* liep bij haar binnen wanneer zij maar wilde. Het was tenslotte het huis van haar zoon en zij vulde het als een machtige godin voor wie Nomathamsanqa in het stof behoorde te kruipen. Winnie vertelt:

'Wanneer zij kwam, weergalmde ons huis van het dondergeweld van de stem die uit haar omvangrijke boezem opsteeg. Mijn vaders adorerende houding tegenover haar vervulde ons kinderen met het diepste ontzag en als moeder en zoon zich terugtrokken in de zitkamer, werden wij weggestuurd en tot stilte gemaand, terwijl de *indaba* daarbinnen een uur of langer doorging. Het leek of *Makhulu* voor discussies over belangrijke zaken de voorkeur gaf aan moeders zitkamer.'

In het huis van Nomathamsanqa heerste een perfecte orde waarin elk ding zijn exacte plaats had. Zij was altijd aan het opruimen en rechtzetten, schoonmaken en poetsen, alsof dat het belangrijkste was in het leven. Winnie zegt:

'Wij meisjes begonnen om beurten bij zonsopgang met onze huishoudelijke taken. Wij werden met gemopper uit ons bed gehaald om de stokjes en papiertjes op te rapen die op het erf lagen, om de grond met water te besprenkelen zodat het stof niet naar binnen kon waaien en de glimmend gepoetste Victoriaanse meubels vuilmaken. Mijn moeder was zo streng dat zij wanneer ze ons uitstuurde om hout of water te halen vlak voor het vuur spuugde en ons waarschuwde terug te zijn voor het spuug was opgedroogd. Wij waagden het niet te treuzelen en legden de twee kilometer in recordtijd af, want wij wisten dat wij anders geen avondeten of een pak slaag zouden krijgen.

Bij *Makhulu* thuis leek het huiswerk op een spel, dat zich voltrok in een ritme dat tegelijk traag en opwindend was. *Makhulu* leerde ons grasmatten weven en potten maken van klei. De uren gleden voorbij met gepraat, plagerijen en eindeloze verhalen. Zij leerde ons bier brouwen, dat voortdurend gekeurd en geproefd werd, en als ze genoeg van ons had, stuurde ze ons het erf op waar wij tussen de pikkende kippen en kuikens patronen tekenden in het zand en een soort hinkelspel speelden.

Makhulu leerde mij allerlei dingen waarvan mijn moeder juist probeerde te voorkomen dat ik ze ooit zou leren. Zij bracht mij de zeden van onze voorouders bij, zij kleedde mij in de huiden en kralen die zij-zelf als jong meisje had gedragen en leerde mij de lie-deren en de dansen. Ik leerde koeien melken, paard-rijden en hoe ik *mealie*-pap moest koken, en *mealie* met vlees, *mealie* met groente en *umphokoqo* volgens *Makhulu's* eigen recept.

Op de dag dat er een dier geslacht werd en vlees werd klaargemaakt leunde *Makhulu* altijd met een grote pot in haar schoot tegen de deurpost en sneed voor ieder van ons een portie af met haar mes terwijl wij een voor een met ons bord en lepel naar haar toe kwamen. Altijd kregen de volwassenen eerst en de kinderen het laatst, want, zei *Makhulu,* wij hadden ons hele leven voor ons en zouden doorgaan met eten als de volwassenen doodgingen.

Makhulu was de eerste die mij attendeerde op het feit dat er mensen waren met een andere huidkleur, dat er blanken bestonden. Zij noemde hen *aba Nye-phi* en zij zei dat ze dieven waren. Ze gaven niets als je niet betaalde: "Kijk naar de blanke dokter," vertelde zij ons, "als je naar hem toegaat omdat je ziek bent, interesseert het hem niet of jij beter wordt. Hij is geïnteresseerd in het geld dat jij meebrengt. Maar *iny-anga ya komkhulu* is bezorgd om jou. Hij behandelt jou. En hij vraagt daar geen geld voor. Die *aba Nyephi* zijn niks groter dan wij, maar hun honger naar land en vee en andere dingen waarvan wij zelfs geen idee hebben, is groot als die van reuzen. Zij hebben ons land opgeslokt en ons vee, en zij zitten nog steeds te azen op meer. De dag komt dat wij straatarm zullen zijn." Een slecht mens en een blanke waren in haar hoofd precies hetzelfde, en als een kind suiker of brood had gepikt was haar vermaning: "Jij moet je niet als een *aba Nyephi* gedragen."

Makhulu moest niets hebben van de dingen die de

aba Nyephi maakten en in hun winkels verkochten. Zij zei dat ze gemaakt werden om de zwarten tot kopen te verleiden – op die manier stalen ze al hun geld. Zij waarschuwde dat ze al het land van de zwarten op dezelfde manier zouden inpikken. Er waren geen meubels in haar rondavel, alleen keurig gelijk gemaakte en brandschone koeiemest (als vloer) en grasmatten en lage krukjes van rijshout. Maar ook zij had twee concessies gedaan aan de industrie van de blanken: een deken die zij 's winters als omslagdoek gebruikte en de katoenen lap die zij om haar middel wond.

Onze familie ging heel regelmatig naar de kerk en de zondag was voorbehouden aan de eredienst, het afleggen van bezoeken en het helpen van buren die in nood zaten. Wij gingen met het hele gezin, in onze schoonste en beste kleren. Ik probeerde de kerk leuk te vinden, net als mijn zusters, maar het kon mij niet boeien. Het was elke zondag hetzelfde, opstaan en dezelfde psalmen zingen, gaan zitten en naar dezelfde preek luisteren. Na afloop van het rustige deel kwam altijd weer hetzelfde rumoerige deel waarin de priester ten strijde trok tegen de zonde en alle zondaars opriep tot bezinning en berouw. Dan brak er zo'n koor los van geween en gejammer, slaan op de borst, schreeuwen en gillen dat de kinderen er bang van werden, maar het gros van de tijd verveelde ik me. Na de kerk gingen wij kinderen naar de zondagsschool van Mtokelikozi, die prijzen uitreikte aan de beste leerlingen. Kerstmis was een bijzonder feest; daar zorgde mijn vader voor. Iedereen kreeg nieuwe kleren, de kinderen kregen speelgoed, geschenken werden uitgewisseld en er werd een os geslacht.'

Winnies grootmoeder van moeders zijde, Granny, was een heel ander type dan *Makhulu*. Bij haar ging

Winnie een tijdje logeren. Zij was een overtuigde christen en nam deel aan de activiteiten van de Methodistische Kerk. Zij kookte Europees eten en naaide Europese jurken, de mooiste die Winnie ooit had gezien, waarin zij zeer stijlvol gekleed ging – na urenlange verzorging die geen dag werd overgeslagen. Eerst kwam het baden en wanneer Winnie bij haar was, had zij de taak om daarvoor water uit de rivier te halen. Daarna werd het lichaam krachtig drooggewreven en vervolgens ingesmeerd met een minerale crème, die Granny zelf maakte door een mengsel van kaarsvet en paraffine te verhitten. Dan kamde zij haar haren tot die stijf uitstonden rondom haar hoofd, waarna Winnie ze mocht vlechten tot een reeks kleine vlechtjes. Het uitkleden 's avonds was net zo'n ritueel als het aankleden 's morgens. Granny ontdeed zich behoedzaam van de kledingstukken en spreidde ze uit onder het matras, zodat de kreukels eruit werden geperst en alles weer perfect in orde was voor de kleedceremonie van de volgende dag. Dezelfde perfectie streefde Granny na bij het schoonhouden van haar huis.

Beide grootmoeders leefden voort in de vrouw die Winnie zelf zou worden. Aan *Makhulu* ontleende zij een onverbiddelijk gezag, aan Granny haar hang naar modieuze kleding en naar een dwangmatige properheid. Onder alle vrouwen in de familie was tante Phyllis, de zuster van haar moeder, degene die Winnie het meest bewonderde. Zij was hoog ontwikkeld, had een universitaire graad van Fort Hare en zat net als Winnies vader in het onderwijs. Zij was ook de eerste bestuurster van de YWCA. In haar kindertijd zag Winnie haar tante Phyllis zelden want zij woonde in Transvaal op de East Rand, maar toen Winnie in Johannesburg ging studeren zagen zij elkaar heel vaak.

Nomathamsanqa vond Winnie de lastigste en eigenzinnigste van haar dochters. Hoewel haar moeder nooit iets in die richting liet blijken, voelde Winnie als kind al dat haar moeder eigenlijk een zoon had gewild, maar door te proberen zich als jongen te gedragen maakte zij de situatie nog erger: 'Waarom kun jij niet gewoon een meisje zijn als de andere meisjes? Waarom altijd rondrennen met de jongens? Waarom altijd vallen en schrammen en builen oplopen? En waarom neem je Nonalithi ook nog mee?' klaagde Nomathamsanqa steeds en dan kreeg Nonalithi een uitbrander omdat zij zich door haar zusje liet overhalen.

Winnie had ook het gevoel dat zij het lelijke eendje van de familie was. Zij herinnert zich een zondag toen zij met haar moeder en haar zuster bij dominee Gabela op bezoek ging.

'Mijn moeder en zuster hadden een heel lichte huid. Mijn moeders ogen waren bijna blauw en zij had vrij lang haar. De vrouw van de dominee was verrukt van mijn zuster: "Wat een prachtig kind. Als zij opgroeit wordt ze vast beeldschoon." En toen keerde zij zich naar mij: "En hoe heet uw zoontje?" Sinds die dag haatte ik de vrouw van de dominee.

Als ik eruitzag als een jongen, dan wilde ik mij ook gedragen als een jongen. Dus speelde ik met de jongens, de zoons van de landarbeiders, en zij leerden mij met stokken te vechten en strikken te zetten voor kleine dieren. Ik kroop met hen de veekraal in en braadde met hen boven een kampvuur de vogeltjes die zij vingen en at ze op, net als de mannen.'

Zij hoefde geen moeite te doen om zich in de jongensgroep in te dringen. Zij was groot en sterk en was de meesten van hen de baas in een stokkengevecht. De kinderen klommen in een boom om onverwacht de 'vijand' te bespringen, waarna een woest gevecht volgde.

Geen wonder dat Winnie door zulke gedragingen de reputatie van een lastpost verwierf. Wanneer de zusjes ruzie hadden, wat maar al te vaak voorkwam, maakte haar moeder daar meestal een eind aan door Winnie een paar fikse klappen te verkopen en wanneer een van de kinderen bij Nomathamsanqa kwam klagen, stond bij voorbaat vast wie de aanstichter was en strafte zij Winnie.

Winnie kon het niet en waagde het ook niet haar moeder te verwijten dat zij minder van haar hield dan van haar zusters, maar zij ervoer het als een onrecht. Vaak kwam zij in opstand, niet wetend dat de pijn om dat onrecht haar opstandig maakte. Haar vader greep dan in om haar te troosten en daarvoor was zij hem dankbaar.

Zulke momenten van 'barmhartigheid' brachten haar nader tot haar vader, ondanks de grote afstand die hij tegenover zijn kinderen bewaarde en de streng formele omgangsvormen die zij in acht moesten nemen. De kinderen moesten opstaan als hij een kamer binnenkwam en mochten pas gaan zitten nadat hij zijn plaats had ingenomen. Hij raakte hen nooit aan, noch om hen aan te halen noch uit kwaadheid. Zulke lichamelijke contacten werden aan hun moeder overgelaten.

Winnie hield veel van haar oom Lamginya, die haar als zijn favoriete nichtje behandelde. Hij was buschauffeur en nam de kinderen soms mee voor een ritje in zijn bus, waarvan zij genoten. Hij ging speels en hartelijk met hen om en knuffelde en kuste hen, wat haar ouders nooit deden. Toen Winnie zes jaar werd kwam zij in de kleuterklas op de school van haar vader, samen met een honderdtal andere kinderen. Zij bleef daar drie jaar en toen haar vader overgeplaatst werd naar Mbongweni, ging zij met hem mee. Het huis, het land en een groot aantal kippen werden verkocht en het gezin betrok een nieuw huis in Mbongweni, niet ver van de *komkhulu* van de Madikizela-clan. Hun levensstandaard werd aanzienlijk verlaagd. Het huis telde slechts drie rondavels in plaats van zes. De veekraal was veel kleiner en de landarbeiders verdwenen. Kokani ploegde zelf zijn land en de kinderen hielpen hem. Winnie herinnert zich: 'Een groot deel van het werk kwam op mij neer, omdat ik groot en sterk was en in een lagere klas zat, waardoor ik minder huiswerk had dan de anderen. Ik mende de ossen en vader bediende de ploeg. Schoffelen deden wij samen. Het was zwaar werk maar ik klaagde nooit, omdat deze speciale band met mijn vader mij geweldig imponeerde. Wij spraken nauwelijks, maar zijn milde aanwezigheid gaf mij kracht. Het was alsof God aan mijn zijde liep. Wij stonden op zodra het licht werd om de *mealies* te desinfecteren; wij onderbraken ons werk om te ontbijten en daarna liepen wij samen naar school.

Wij hielden bijenkorven in het bos – het bos was niet van ons, maar iedereen accepteerde dat het onze bijenkorven waren. Als de tijd rijp was, stak mijn vader een vuur aan onder de korven om de bijen te verjagen; dan verzamelde hij de honingraten en gaf ze aan mijn moeder, die de honing eruit kookte en in potten deed. Wij hielden ook kippen en verkochten de eieren. Nonalithi en ik kregen de zorg voor de broedmachine. Om beurten zaten wij op wacht om de temperatuur in de gaten te houden. Als die te hoog opliep gingen wij vader halen, die de zaak weer in orde bracht.

Ik was tien jaar toen mijn moeder eindelijk de zoon

kreeg op wie zij aldoor gehoopt had. Hij was haar laatste kind en kostte haar het leven. Het leek alsof zij alleen geleefd had om deze langverwachte zoon te baren. Zij werd ernstig ziek. Zij lag op het ijzeren bed van mijn vader en mijn tante kwam helpen om haar te verzorgen. Wij vonden het onprettig dat onze tante dat deed en daarom gingen Nonalithi en ik om beurten naar school, zodat een van ons tweeën voortdurend bij haar was.'

In die tijd begon Nomathamsanqa toenadering te zoeken tot Winnie. Zij riep haar vaak en vroeg haar dan met de baby naast haar te komen zitten. Haar ogen, diep in hun kassen en wazig van de koorts en het braken, leken haar van heel ver weg aan te kijken en bleven dan rusten op de baby in Winnies armen. Soms strekte zij een krachteloze hand uit om de baby te strelen, maar meestal bleek de inspanning te groot en viel de hand naast haar op het bed.

Wanneer zij met Winnie praatte sprak zij altijd over goedheid, over hoe zij haar leven zuiver en goed moest maken. Winnie luisterde aandachtig en nam ieder woord als een kostbare schat in zich op. Zij begreep niet alles, maar dat was niet belangrijk. In die dagen werd tussen moeder en dochter en de baby, die soms sliep, een hechte band gesmeed.

Nomathamsanqa's ziekte woog zwaar op Kokani, die moedeloos door het huis doolde. Hij zat urenlang bij Nomathamsanqa, waarna hij zich opsloot met stapels nakijkwerk en tot diep in de nacht bleef werken. Hij zei weinig tegen de kinderen en probeerde hen te ontlopen, uit vrees dat zij de pijn op zijn gezicht zouden lezen en zich zouden verwonderen over zijn zwakheid.

Toen het einde naderde, verzamelden de ouderen zich rond Nomathamsanqa's bed.

'Nonalithi en ik wisten niet wat we moesten doen; we trokken ons terug in een van de rondavels en wachtten angstig af. Toen, tegen zonsopgang, sneed er een gruwelijke gil door de stilte en onze oudere zuster Nikiwe viel snikkend en op haar borsten slaand de rondavel binnen en toen wisten wij dat het ergste wat wij vreesden gebeurd was. Wij sloegen onze armen om elkaar en huilden en het was of ons verdriet nooit meer zou eindigen.

Ons huis stroomde vol met familieleden en zij bleven een maand lang, zodat wij geen ruimte hadden voor ons eigen verdriet. Zwarte stof kwam tevoorschijn en daarvan werden zwarte jurken gemaakt op de oude naaimachine van mijn moeder. Onze hoofden werden geschoren en wij kregen zwarte jurken aan en de buitenmuren van ons huis werden met zwart oker beschilderd en mijn moeders lichaam werd in een zwarte kist gelegd.

Na de begrafenis veranderde ons leven voorgoed. Nonalithi vertrok naar onze tante Mpiyonke in Mzize, Nikiwe en mijn oudste broer gingen terug naar hun kostschool. Ik bleef thuis achter, met de baby en mijn vader. Zijn zuster kwam bij ons wonen, maar de zorg voor de baby werd aan mij overgelaten. Toen mijn moeder stierf was hij nog steeds bij haar aan de borst, en hij huilde aldoor omdat hij haar miste. Vaak moest ik de hele nacht met hem opzitten.

Maar de tragedie had voor mij ook gelukkige gevolgen. Het bracht mijn vader en mij heel dicht bij elkaar. Ik waste zijn kleren bij de rivier en wij liepen samen naar school. Mijn vader bracht de *Farmer's Weekly* voor mij mee, want ik hielp hem op het land. "Lees maar," zei hij, "dan begrijp je het beter. Kijk wat ze zeggen over die wormen in de *mealies*. Ik zal het bestrijdingsmiddel kopen." Mijn vader was toen lid van

de Bunga en ik miste hem vreselijk als hij voor vergaderingen naar Umtata ging.

De *makoti's* uit de buurt kwamen in hun lange be-
drukt-katoenen jurken en met de zwarte *doeks* laag op
hun voorhoofd om te kijken of het goed ging met
Mamomncinci, zoals ze mij noemden, en om hun
hulp aan te bieden, die ik altijd beleefd afsloeg.

In die tijd was er een juffrouw Jane Zithutha op onze
school gekomen. Zij was opvallend aardig voor mij –
riep mij bij zich en gaf mij snoepjes. *Makhulu* ondervroeg mij uitgebreid over die snoepjes en knikte veelzeggend. Juffrouw Zithutha woonde op ongeveer een
kilometer afstand van ons; zij had een kamer gehuurd
bij een oom van mijn vader. Soms gaf zij mij een brief
mee voor mijn vader en zei dat ik die op de tafel in
zijn slaapkamer moest leggen. Dan vroeg mijn vader
of ik bij haar wilde gaan slapen. Hij zei dat zij bang
was alleen en gezelschap nodig had. *Makhulu* gaf dan
weer veelzeggende blikken en knikjes.'

Later werd juffrouw Zithutha veeleisend en jaloers
in haar relatie met de weduwnaar Kokani. Zij beging
de fatale fout om tegen *Makhulu* te klagen over haar
zoon. Deze luisterde onbewogen en zei toen: 'Ik hoor
het. Vertel me nu, wat at je bij het ontbijt?' Totaal in
verwarring somde juffrouw Zithutha op wat zij gegeten had. 'En bij de lunch? En bij het avondmaal?' En
telkens getuigde juffrouw Zithutha van het feit dat zij
ruim en goed te eten had. Daarna zei *Makhulu*: 'Jij
bent goed gevoed, je bent goed gekleed, je hebt een
goed huis. Wat wil jij van mijn zoon?'

De natuur nam *Makhulu's* taak over.

'Op een dag werd de hemel donker en er stak een
stormwind op en er was donder en bliksem. *Makhulu*
vroeg mij het vee van de weide te halen. "Vlug," waar-

schuwde zij, "de storm komt snel dichterbij." Ik was nog druk bezig met het vee toen er een angstwekkend lawaai en een gruwelijke gil kwam uit de hut van juffrouw Zithutha, gevolgd door een klap die mijlenver te horen was. Een bliksemflits velde de boom voor haar huis en de boom, de hut en juffrouw Zithutha werden verzwolgen door een laaiend vuur. Vader liep te rennen en te schreeuwen, ik huilde. Juffrouw Zithutha was dood.

Korte tijd later werd mijn tante ziek. Wij verzorgden haar zo goed als we konden, maar binnen een paar dagen was zij ook dood. Toen werd Nikiwe ziek. Zij was in die tijd op kostschool. Ik had de lagere school voltooid en wachtte tot ik zelf naar kostschool zou gaan, want in onze streek was geen vervolgopleiding mogelijk. Nikiwe werd naar huis gestuurd en het leek of zij bezeten was door vreemde geesten. Zij jammerde de hele nacht en hield ons wakker; zij sprak in een onverstaanbare taal; haar lichaam verkrampte en schokte en af en toe moest zij worden vastgebonden om zichzelf niet te verwonden.

Mijn vader bracht Flathela mee naar huis. Hij was *inyanga* en stond erom bekend dat hij heksen kon zien, met hen kon praten en hen kon weglokken van de vreemde plaatsen in de lichamen van mensen, waar zij bezit van hen namen en hun leven verwoestten. Flathela beschouwde het als een zaak die het hele gezin raakte. Hij plaatste *mthi* rondom de rondavels en verbrandde allerlei vreemde voorwerpen in de kamer van Nikiwe. Toen werden wij kaalgeschoren en moesten in een halve cirkel gaan zitten; en onze wangen werden gekerfd en de wonden ingewreven met zwarte *muti*. Daarna ging Flathela naar Nikiwe toe en, met zijn handpalm tegen haar voorhoofd drukkend, sprak hij tot de heksen binnenin haar in een taal die wij niet verstonden. Hij smeekte en maakte zich kwaad. Hij sloeg haar en zij riep vreemde klanken en ze zeiden dat het de heksen binnenin haar waren. Toen zakte zij in elkaar en lag stil, en toen zij wakker werd was alles over. Flathela had de heksen uitgebannen – althans, zo dachten wij toen.

Plotseling kwam mijn broer thuis. Hij had zijn universitaire studie afgerond, zijn onderwijsakte gehaald en had een aanstelling gekregen op een school in ons district. Hij bracht die vrouw mee, of liever gezegd wij namen aan dat wat hij bij zich had, zo compleet in een deken gewikkeld dat wij geen stukje te zien kregen, een vrouw was. Hij kwam 's morgens om een uur of zeven. Hij stond buiten, met die gestalte gewikkeld in een gestreepte *ibhayi*. Hij stuurde mij naar zijn kamer en vroeg me ervoor te zorgen dat alles schoon en het bed opgemaakt was. Ik stelde geen vragen. Ik controleerde alles volgens zijn instructies. Niemand had zijn kamer betreden sinds hij een week eerder vertrokken was. Dat waagden wij niet. Het was er schoon en netjes. Toen vroeg hij mij voor zijn vaders deur te gaan staan en terwijl ik dat deed, smokkelde hij de vrouw in de deken zijn kamer binnen. Toen vroeg hij mij om eten klaar te maken en waswater te brengen. Toen sloot hij de vrouw op in zijn kamer en ging weg. Niemand sprak de rest van de dag over de gesloten kamer of over de vrouw die erin zat. 's Avonds kwam mijn broer terug met mijn oom en zij gingen de kamer van mijn vader in en deden de deur dicht en praatten heel lang.

De volgende dag bracht mijn broer de vrouw in de deken naar een andere hut, terwijl iedereen deed alsof er niets gebeurde. Ik ving een glimp op van een mooie, licht getinte hand. Toen kwamen er vele vrouwen die haar hut binnengingen, maar wij kregen haar nog steeds niet te zien, want zij was verborgen achter een gordijn dat de vrouwen hadden gespannen. Dat duurde een week lang en in die week kwamen haar verwanten om met onze familieoudsten te praten.

Aan het eind van de week kwam mijn oom met de mannen terug van *chief* Lumayi, want de vrouw in de deken was zijn dochter en haar huwelijk met mijn broer was al geregistreerd.

Wij slachtten een os, en mijn tante, Dadobawo, verdween achter het gordijn met de nieuwe lange groene jurk die zij had gemaakt en mijn broers *makoti* kwam voor het eerst uit haar schuilplaats tevoorschijn – met de *ixakatho* rond haar schouder, haar hoofd omwonden met een elegante *ukuhlo*. Zij had een heel lichte huid en was bijzonder mooi.

Ik weet nog altijd niet waarom het op die manier gebeurde. Waarom er geen bruiloft was zoals mijn moeder het zou hebben gewild, met een sluier en de plechtige mars naar de kansel en gezang en gebed.

Misschien kwam het door de wijze waarop zij het huis was binnengebracht, zonder mijn vader erin te kennen, of misschien alleen doordat hij zo veeleisend was, maar hij bleef zijn schoondochter als een vreemde behandelen en zij bleef niet lang bij ons. Zij en mijn broer vertrokken om zelf een gezin te stichten.

Mijn vader hertrouwde pas in 1955. Hij trouwde met Hilda Nokikela, een hoofdonderwijzeres. Zoals iedereen verwachtte, was *Makhulu* fel tegen het huwelijk. Zij kwam niet naar voren om de bruid te verwelkomen. Zij bleef op haar plaats zitten en liet de bruid bij zich brengen. "Die ouwe tang," zei ze, die gekomen was om het geld van haar zoon te stelen en de rijkdom van haar kleinkinderen te verbrassen. De bruid kwam, gehuld in een sluier, en een dier werd *Makhulu* voorgeleid om ter ere van de presentatie te worden geslacht. Maar *Makhulu* maakte een eind aan de ceremonie. "Wij zijn allemaal vol. Niemand heeft honger. Stelp het bloeden. We zullen slachten als we honger krijgen. Dit is geen slachting waard."

Mijn jongste broertje was toen al naar kostschool. Wij konden goed opschieten met onze stiefmoeder. Zij was een tactvolle en wijze vrouw.

In 1946 voltooide ik de zesjarige lagere school. Het was de gelukkigste dag die ik tot dan toe had beleefd. Mijn vader slachtte een schaap en liet blijken dat hij trots op mij was. Na alle kritiek van mijn moeder werd ik door mijn vader geëerd op een manier die hij geen van zijn andere dochters had betoond. Ik bereidde mij voor op het vertrek naar de kostschool van Emfundisweni bij Flagstaff, op ongeveer honderdvijftig kilometer afstand. Twee ijzeren koffers werden volgestouwd, een met mijn kleren en de andere met voedsel. *Makhulu* verklaarde dat al dat voedsel verspilling was van mijn vaders geld. Mijn vader kocht mijn eerste overjas voor mij. Tot dan toe had ik tegen de kou simpelweg een deken omgeslagen. Ik reisde per bus, samen met andere kinderen die naar dezelfde school gingen.

Ik bleef drie jaar op Emfundisweni en haalde daar mijn juniorencertificaat. Het laatste jaar nam ik een 'boy' omdat iedereen een 'boy' had. Dat beperkte zich tot briefjes schrijven en naar elkaar kijken in de kerk – alles op grote afstand. Ik wist toen nog niet dat mijn huwelijk eveneens op een lange-afstandrelatie zou uitlopen.

Na Emfundisweni kwam Shawbury High, die door methodisten werd geleid. Daar bereidde ik mij voor op het toelatingsexamen voor de universiteit. Dat was een veelbewogen jaar. Ik werd toen politiek bewust gemaakt. Onze leraren, afkomstig van Fort Hare, waren lid van de Non-European Unity Movement en ik werd door hen beïnvloed. Maar in het blad *Zonk* las ik ook over het ANC.

Wij waren op weg naar Tsomo, een schoolexcursie. Onze bus stopte in Flagstaff om te tanken en wij stapten uit om onze benen te strekken. Een van mijn vriendinnen maakte mij attent op een dwerg, die naar mij bleef kijken. Hij kwam naderbij en zei: "Weet jij dat je een heel mooi meisje bent?" Mijn vriendin fluisterde: "Khotso!" Khotso was in ons district een legendarische figuur vanwege zijn immense rijkdom en zijn talrijke vrouwen. Hij stopte mij een biljet van tien shilling in de hand en zei: "Dat is de eerste aanbetaling op jouw *lobola*. Jij wordt mijn vrouw als je volgroeid bent." Ik schaamde mij diep, maar mijn vriendinnen lachten en hielpen mij het geld uit te geven.

Tijdens mijn laatste jaar op Shawbury gingen mijn prestaties achteruit. Ik was altijd een goede leerlinge geweest, nooit lager dan vijfde van de klas, maar dat jaar stond op mijn rapport een dertiende plaats aangegeven en kreeg ik, voor de eerste keer, een standje van mijn vader. "Wat is er aan de hand?" vroeg hij. "Wat is er gaande in jouw hoofd?" Hij had plannen voor mij maar als ik zo doorging kon hij die beter laten varen, zei hij. Ik schaamde mij, maar ik kon hem niet vertellen wat de oorzaak was. Hoe had ik zo'n kwestie ooit met hem kunnen bepraten? Het eigenlijke probleem was dat ik te vlug rijp was geworden, ik zag er veel ouder uit dan ik was. Ik was nog een meisje, maar mijn lichaam was uitgegroeid tot dat van een vrouw, zozeer dat ik vaak als lerares werd aangesproken wanneer wij buiten korfbal speelden. Het ergste was dat de onderdirecteur mij avances maakte. Ik was een van de prefecten en moest altijd de sleutels voor de boekenkasten bij hem halen en als ik kwam, stopte hij opgerolde briefjes in mijn hand. De eerste keer voelde ik mij zo vernederd dat ik begon te huilen en toen er nog meer volgden zocht ik steun bij Ezra Malizo Ndamase, die ook prefect was en doorging voor mijn vriendje. Dat werd zo bekokstoofd door de meisjes op school, zij koppelden jouw naam aan een jongen en veel verder ging het niet. Ezra Ndamase zou liever dood zijn gegaan dan mij op die manier te benaderen, maar wij werkten soms samen voor bepaalde vakken en hadden als prefect ook taken die wij samen deden. Ik vertelde het aan Ezra, eigenlijk vooral omdat hij er een of twee keer bij was toen er een briefje in mijn vingers werd geduwd en omdat ik dacht dat hij het gezien had en mij voor een slecht meisje zou houden.

Ik huilde en ik zei: "Hoe kan Mijnheer toch zo iets doen? Hoe is het mogelijk? Hoe moet ik van hem leren als hij zoiets doet? Dat gaat toch niet?" Ezra wist niet wat hij zeggen moest of hoe hij mij moest troosten. Het was allemaal te veel voor hem. Hij wist er totaal geen raad mee en zei of deed niets en toen wenste ik dat ik het nooit aan hem had verteld.

De onderdirecteur gaf ons les in drie vakken en na die briefjes kon ik van hem niets meer leren en dat kon ik mijn vader of onze huisleidster, mevrouw Mtshali, niet uitleggen. Dat was zo'n strenge vrouw, precies mijn grootmoeder. Zij inspecteerde de meisjes regelmatig. Als prefect moest ik haar helpen hen helemaal uit te kleden en als er met een van hen iets mis was, moest dat meisje naakt op de grond gaan liggen en sloeg zij eroplos met een zweep. Het was een grote schande als je dat overkwam. Als ik mevrouw Mtshali over de briefjes had verteld zou zij hebben gezegd dat ik de onderdirecteur tot de zonde had verleid en zou zij mij als stichtelijke les voor de anderen naakt op de vloer hebben geslagen, en dat terwijl ik prefect was! Wat een vernedering zou dat geweest zijn! Dus hield ik mijn mond en had spijt dat ik het zo onbezonnen aan Ezra had verteld, de laatste die voor zulke confidenties in aanmerking kwam.'

Johannesburg

Winnie haalde haar eindexamen in 1952 en haar vader, die hoge verwachtingen van haar had, wilde haar naar Fort Hare sturen. Maar een neef die daar studeerde raadde het hem af: 'Er zijn daar te weinig meisjes en de jongens zitten allemaal achter hen aan. Het is geen geschikte plek voor een meisje van onze familie.' Daarna nam de heer Madikizela genoegen met de Jan Hofmeyr School for Social Work voor zijn dochter, slachtte een van zijn beste dieren voor haar en vertrouwde haar toe aan de beheerder van zijn boerderij, die voor zaken naar een dorp bij Johannesburg ging.

Zij werd grondig geïnstrueerd over de vele gevaren van de grote stad. Zij moest oppassen voor vreemden; Johannesburg was vol *tsotsi's* die jonge meisjes ontvoerden. Haar grootmoeder, *Makhulu*, had gejammerd: 'Waarom gaat dat kind eigenlijk, heeft ze nog geen school genoeg gehad? Waarom blijft ze niet thuis?' Maar Winnie was nooit voorbestemd geweest om in haar grootmoeders wereld te blijven.

De man en het meisje reisden per bus van Bizana naar Kokstad en namen daar de trein naar Pietermaritzburg, waar zij zouden overstappen op de trein naar Johannesburg. Die laatste bleek echter pas de volgende dag te vertrekken en dus brachten zij de nacht door in een lege wagon, waaruit zij uit angst ontdekt te worden voor zonsopgang verdwenen. De volgende nacht werd doorgebracht in de trein, op de harde derdeklasbanken, en toen Winnie 's morgens wakker werd naderden ze Johannesburg. De oude man vertelde haar dat hij eerder moest uitstappen en dat zij de volgende drie stations alleen zou zijn. Hij herhaalde de angstwekkende vermaningen van haar ouders en zei dat zij moest wachten op mevrouw Hough, die haar zou komen afhalen, en onder geen beding de weg moest vragen aan vreemden.

Winnie stapte uit de trein op het Park Station op een januarimorgen in 1953, met een ijzeren koffer op haar hoofd en een mand met voedsel in haar hand. Mevrouw Hough had geen moeite het dorpsmeisje in zwarte veterschoenen en blazer te herkennen, installeerde het meisje en de bagage in haar auto en reed naar het Helping Hand Hostel.

Winnie haalt herinneringen op aan haar tijd in het tehuis en als studente voor maatschappelijk werk.

'De andere meisjes waren modebewust; zij gebruikten crème en poeder en lekker ruikende zeep. Zij gingen naar bed in een nachtjapon en liepen 's ochtends rond in peignoirs. Ik sliep in mijn petticoat en trok zodra ik opstond mijn jurk aan. Zij kleedden zich onbeschaamd uit in elkaars bijzijn en vonden het heel normaal om naakt onder de douche te staan, waar anderen hen zagen. Ik durfde mij niet naakt te vertonen. Niemand zag mij baden en ik deed zo geheimzinnig over mijn lichaam dat er verhalen rondgingen dat ik iets mankeerde. Als mijn kamergenote, Sarah Ludwick, niet had ingegrepen en mij wegwijs had gemaakt, zou ik het misschien niet gered hebben op de Jan Hofmeyr School. Zij was ouder en uiteraard al volledig thuis in Johannesburg. Zij liet mij kennismaken met beha's, maandverband en cosmetica, ondergoed en pyjama's, schoenen met hoge hakken en modieuze kleren.

Geld was natuurlijk het grote probleem. Ten dele loste mijn familie dat voor mij op. Mijn vader had van mijn grootvader een acaciaplantage geërfd. Blanke handelaars kwamen de schors kopen en mijn zusje Nonalithi beheerde dat bedrijf en stuurde mij elke maand vijf pond. Zij stuurde mij ook mijn eerste mooie jurken. Ik schreef haar hoe erg mijn kleding uit de toon viel en stuurde wat prentjes uit kranteadvertenties mee om haar een idee te geven van de mode van die dagen. Zij kocht stoffen in de plaatselijke winkel en liet mijn nichtje Nomazotsho Malimba, de dochter van een tante van moeders zijde die naaister was, kleren voor mij maken. Ik was enorm trots op de jurken die zij mij stuurden, temeer daar mijn kamergenote ze goedkeurde. Maar met het geld kwam ik niet uit. Gelukkig behaalde ik de Martha Washington-studiebeurs. Ik verdiende ook wat geld met babysitten bij de familie Philipps, wassen voor een aantal leerkrachten en met ramen lappen op school.

Binnen enkele maanden kwam ik uit mijn schulp en was niet meer te onderscheiden van de andere studentes. Ik blonk uit in sporten, vooral korfbal, kogelstoten, speerwerpen en softball. Ik had allerlei bijnamen. Ze noemden mij *Steady but sure, Commando round* vanwege mijn ronde gezicht, *Pied Piper* vanwege mijn lange neus, de *Amazon Queen* en *Lady Tarzan* omdat ik conflicten simpelweg oploste met lichamelijk geweld, zoals ik ook in mijn kinderjaren gewend was geweest wanneer ik mij moest verdedigen tegen oudere jongens die tegen de oogsttijd onze *mealie*-velden binnendrongen.

Ik werd lid van de Gamma Sigma Club en daar ontmoette ik studenten van de Witwatersrand, St Peter's

Seminary en van het Wilberforce Training College. In de zaal stond een oude piano en de studenten die konden spelen ramden er flink op. Ik leerde dansen en zong in het koor en ik ging naar NEUM-bijeenkomsten in een achterafzaaltje in Doornfontein. Mijn beste vriendin daar was de mooie Pumla Finca, die later haar doctoraal sociologie haalde en nu in de VS woont.

Hoe drastisch ik in Johannesburg veranderd was werd mij duidelijk toen onze directeur in de Jan Hofmeyr School, dr. Philipps, mij op een dag uitnodigde voor een diner met een aantal Amerikaanse hoogleraren. Zij wilden graag een typisch meisje van het landelijke stamleven ontmoeten en aan die definitie voldeed ik zeker. Maar zodra zij mij zagen kon je de teleurstelling van hun gezichten aflezen. Zij hadden gehoopt op 'een echte inlandse', zoals zij het noemden, om een leuke foto te maken.

De school gaf ons een hoop praktische ervaring. Mijn eerste stage bracht ik door in een tehuis voor misdadige meisjes van het Leger des Heils in Mthutuzeni. Op het land bestonden geen misdadige meisjes. Sommigen van ons waren wat wilder dan anderen, maar niemand had problemen met ouders of zou het ooit gewaagd hebben haar eigen weg te gaan. Wij gruwden al bij het idee dat wij iets zouden doen wat onze ouders niet goedkeurden. In het begin zag ik geen verschil tussen de meisjes in het tehuis en die bij ons in Bizana, maar al gauw werden de verschillen maar al te duidelijk. Zij kwamen uit gebroken gezinnen; sommigen wisten niet eens wie hun ouders waren. Er waren meisjes met een identiteitscrisis, anderen waren in de war, depressief of voortdurend met alles in conflict. Mettertijd wist ik een aantal van hen te bereiken, niet via de sociaal-werktheorie maar door middel van de sport.

Mijn tweede stage kreeg ik in Transkei, in het Ncora Rural Centre van het district Tsolo. Daar had ik het prima naar mijn zin. Ik voelde mij thuis in de plattelandsgemeenschap. Ik was toentertijd enthousiast over de resultaten die het centrum boekte in de landbouw en met het opzetten van indali. De mensen brachten hun produkten daarheen en marchandeerden met elkaar.

Daar kwam ik in contact met de Matanzima's. George Matanzima was heel aardig en heel gastvrij. Hij had toen al een florerende advocatenpraktijk en was lid van het ANC. Mensen kwamen met hun problemen naar hem toe en hij hielp het stamvolk waar hij kon, zonder daar ooit geld voor te vragen. Hij had een auto – hij was in mijn kennissenkring de enige – en was altijd bereid die met anderen te delen. Hij was even vrijgevig met zijn geld en je klopte nooit vergeefs bij hem aan voor giften voor een goed doel. De andere advocaat die toen een praktijk had in Transkei was Letlaka, ook een vooraanstaand ANC-lid dat zich later aansloot bij het PAC en in ballingschap ging; toen Transkei onafhankelijk werd haalde Kaiser Matanzima hem terug.

Voor het eerst van mijn leven was ik aanwezig bij stamvergaderingen. Vrouwen waren daarvan uitgesloten, maar als maatschappelijk werkster mocht ik er wel bij zijn. K.D. Matanzima was de *chief* van de Thembu-migranten en de vergaderingen werden gehouden in zijn Grote Plaats, Qamata, in een grote zaal die duizend mensen kon bevatten. De zaal was altijd vol. De *chief*, slank, kaarsrecht en onverstoorbaar (Nelson noemt hem nog altijd 'de Sigaret'), sprak het volk toe. Ik was onder de indruk van zijn welsprekendheid, maar zag ook hoe star en dictatoriaal hij optrad. Hij overlegde niet met zijn mensen; er werd bij deze vergaderingen niet gediscussieerd.

Maar mijn verblijf in Ncora werd abrupt afgebroken. Ik hoorde dat *chief* Qaqauli van plan was mij te *thwala* voor zijn zoon die aan Fort Hare studeerde. De jongen had mij nog nooit gezien, ik hem evenmin, maar de *chief* zag in mij een aardige schoondochter. Ik wist hoe het zou gaan. Zijn stamleden, Thembu's in witte dekens, zouden op hun paarden komen aanrijden en hun kans afwachten om mij te overvallen en weg te voeren. Dan zou ik opgesloten worden, de zoon van de *chief* zou naar huis worden gehaald en het huwelijk zou ons beiden worden opgedrongen. Mijn vader zou voor een voldongen feit worden gesteld en geen andere keuze hebben dan de *lobola* te accepteren.'

Winnie had het zien gebeuren met vrouwen van haar dorp, had de wanhoop gezien in de ogen van die bruiden wanneer zij na hun gevangenschap uit de rieten hut kropen en omstuwd werden door de wachtende, zingende vrouwen die hen insmeerden met geitegal, uitdosten met tot de enkels reikende katoenen jurken en over het voorhoofd getrokken zwarte *doeks,* om hen aan de kraals te presenteren als de nieuwe *makoti's.* Zij herinnerde zich ook de schoonzuster die haar broer had ontvoerd. Winnie wilde de mannen van *chief* Qaqauli en dat oneervolle lot niet riskeren en besloot naar Johannesburg terug te gaan.

Barney Sampson was zwierig en mondain, een en al attenties en opgewektheid. Barney was een levensgenieter die het uitgaansleven door en door kende. Zij gingen weldra samen op stap, naar dansavonden en feestjes, naar de bioscoop en andere sociale evenementen. Barney was kantoorbediende en volgde een part-time studie. Hij bewoonde een huurkamertje op het erf van blanken en scheen zijn geld grotendeels aan kleren te spenderen. Winnie deelde zijn aandacht voor kleding en wanneer zij uitgingen vormden zij een modieus jong stel.

Winnie had zich geen toegewijder of elegantere aanbidder kunnen wensen. Zij voelde zich ontspannen bij hem, zij moest lachen om zijn grappen en zij hadden samen veel plezier. Maar bij haar familie viel hij niet in de smaak. Die wilde weten hoe hij aan de naam 'Sampson' kwam en wat zijn achtergrond was – zaken die voor Winnie totaal geen betekenis hadden. Vrijwel het hele jaar 1957 waren zij onafscheidelijk. Was Nelson niet juist toen in haar leven gekomen, dan zou zij wellicht met Barney getrouwd zijn. Maar de kans was even groot dat zij het – ook zonder Nelson – niet zou hebben gedaan, want Barney was dan wel een zeer charmante en vermakelijke uitgaanspartner maar nauwelijks geïnteresseerd in politiek en voor Winnie was de politiek ook toen al heel belangrijk. Wat haar echt tegenstond in Barney was zijn onderdanige houding wanneer hij met blanke gezagsdragers werd geconfronteerd. Er was dat incident op het station, toen zij kaartjes kochten. Totaal onverwacht kwam er een explosie van gescheld op hen af: 'Jij smerige kaffer, brutale rotjongen, mij dat geld toe te gooien!' Barney kroop in elkaar en stamelde verontschuldigingen. Winnie gruwde ervan. Hij had zich tegen die valse beschuldigingen teweer moeten stellen, vond zij.

Winnies familie kwam over voor de uitreiking van haar diploma. De representant van het ministerie van Onderwijs deelde de onderscheidingen uit. Zij straalde en stak haar hand uit om haar onderscheiding aan te nemen. Hij negeerde het gebaar. Haar stralende lach verdween en zij wist niet waar zij haar hand moest laten. Zij had zich nog nooit zo vernederd gevoeld. Even werd zij afgeleid door de flits van een fotolampje. Zij zag de man achter de camera, die zich later voorstelde als Peter Magubane en die beloofde haar wat foto's te sturen. Maar voor haar was de dag verknald.

Het Baragwanath Hospital stelde voor haar de nieuwe functie in van medisch maatschappelijk werkster. Winnie begon vol enthousiasme aan haar carrière, zonder enig besef hoe kortstondig die zou blijken. Binnen de kortste tijd had zij werk te over – opsporen van verwanten, regelen van begrafenissen, indienen van schadeclaims bij verwondingen die tijdens werktijd waren opgelopen.

In de loop van haar eerste jaar kwam K.D. Matanzima op bezoek in het ziekenhuis en sprak zij met hem over haar werk. Winnie herinnerde hem eraan dat zij elkaar al eerder in Ncora hadden ontmoet. Hij was dat kennelijk volledig vergeten, maar betoonde zich zeer ingenomen met de hernieuwde kennismaking. Hij zei dat hij graag nogmaals met haar wilde praten over mogelijkheden voor Ncora. Winnie voelde zich gevleid en, trouw aan zijn woord, werd zij de volgende dag door een stamgenoot afgehaald om het overleg voort te zetten. Zij werd gebracht naar nr. 8115 in Orlando, het huis dat nog geen jaar later het hare zou worden. De *chief* bleef belangstelling voor haar tonen en vroeg uiteindelijk of zij zijn tweede of derde vrouw wilde worden. Zij bedankte voor het aanbod. Inmiddels had zij Nelson leren kennen. Wachtend op de bus zag Winnie hem voorbijrijden in zijn auto samen met Diliza Mji en diens echtgenote, die toen beiden medicijnen studeerden. Haar huisgenote Adelaide Tsukudu, die optrok met de al even vermaarde Oliver Tambo praatte voortdurend over hem. Op een dag kwam zij hen tegen toen zij gedrieën terugkeerden van een vergadering of een feest. Adelaide stelde haar begeleiders voor aan Winnie, die hevig geïmponeerd was door de bronzen reus met zijn dikke, opzij gescheiden haardos en een glimlach die haar dieper raakte dan zij ooit in haar leven had meegemaakt.

Al gauw zag zij hem heel vaak. Hij nodigde haar uit zijn kantoor te gebruiken wanneer zij een rustig plekje om te studeren nodig had en nam haar mee naar zijn vrienden. Zo Winnie al twijfels had over zijn gevoelens voor haar, dan maakte een avond in het Bantu Men's Social Centre daaraan een eind. Het ANC hield een dansfeest om geld in te zamelen en plotseling flitsten messen en klonken schoten op. Winnie dook onder een tafel; Nelson schoot toe, trok haar eronder uit en bracht haar naar zijn auto. Die bezorgdheid om haar veiligheid maakte haar duidelijk dat hij van haar hield.

De bruiloft

Nelson wist gevoelsmatig en verstandelijk zeker dat Winnie de vrouw was met wie hij wilde trouwen. Hij achtte het van belang haar voor te stellen aan zijn vrienden in Drill Hall, waar de vooronderzoeken voor het verraadproces werden gehouden. Hij vroeg Winnie vlak voor het lunchreces naar de rechtszaal te komen.

De verdediger, Vernon Berrange, was bezig een getuige te ondervragen toen zij binnenkwam. Nelson zag haar dadelijk en kwam naar haar toe zodra de rechtszitting werd opgeheven. Hij geleidde haar naar de open verdachtenruimte, waar een aantal van zijn collega's met elkaar in gesprek was: *chief* Luthuli, prof. Z.K. Matthews, Moses Kotane, dr. Naicker, Walter Sisulu en Ismail Meer. Allen toonden zich aangenaam verrast, maar Kotane nam Nelson terzijde en zei: 'Zo'n imposante en verleidelijke schoonheid past niet bij een revolutionair!' Nelson lachte en draaide zich naar Winnie om te vragen of zij het had verstaan. Zij keek hem aan met een verwachtingsvolle glimlach, maar toen hij de opmerking herhaalde werd zij woedend. 'Jij hebt geen gevoel voor humor,' berispte hij en lachte opnieuw.

Dat weekend kwam hij haar ophalen voor een bezoek aan de Bernsteins die in een blanke voorstad woonden. Voor Winnie waren het allemaal nieuwe en opwindende ervaringen. Zij zat in de woonkamer, beschroomd en intens gelukkig. De mensen waren ontspannen, nipten van hun wijn en knabbelden koekjes. Kleurverschillen leken niet te bestaan in dat gezelschap; het waren gewoon mensen die bijeen waren. Later gingen zij naar de achtertuin om konijnen in een hok te bekijken.

Nelsons scheiding werd uitgesproken in 1957 en in 1958 kondigde hij hun huwelijk aan. Hij vroeg haar niets, maar ging er simpelweg van uit dat zij zouden trouwen. Daarvoor had hij haar al die tijd het hof gemaakt. Winnie deelde het nieuws mee aan Barney, die het moeilijk kon verwerken. Zij was bij Nelson op kantoor toen het ziekenhuis belde. Barney had een overdosis pillen ingenomen. Nelson reed haar direct naar het ziekenhuis. Zij bracht veel tijd met Barney door en hielp hem uit de crisis te komen. Zij arrangeerde voor hem een verblijf in de FOSA (Friends of the Sick Association)-kolonie in Durban, waar haar zuster als verpleegster werkte. Barney kwam over zijn teleurstelling heen en is nu een gelukkig getrouwd man.

Begin 1958 zei Nelson tegen Winnie dat zij naar Bizana moest gaan om haar ouders van hun huwelijksplannen op de hoogte te brengen. Daarna konden zij dan een afspraak regelen voor de mannen van zijn kraal, om het formele aanzoek over te brengen. Op een vrijdagmorgen vertrok Winnie naar Bizana in gezelschap van haar oom, Alfred Mgulwa. Haar vader was verbaasd, maar ook blij haar te zien. Die zaterdagavond had Winnie nog steeds niet de moed verzameld om het onderwerp ter sprake te brengen, en de volgende dag zou zij alweer vertrekken. Haar moeder was bezig thee klaar te maken voor haar vader, die in de huiskamer zat. Winnie haalde een foto van Nelson in zijn bokstenue tevoorschijn. 'Ma,' zei ze, 'deze man wil met mij trouwen. Ik ben gekomen om uw toestemming, want ik wil ook met hem trouwen. Hij heet Nelson Mandela.' Hilda's adem stokte. 'Het is toch niet de Mandela van het ANC, hoop ik. Ik hoop dat het alleen de naam is?' Winnie verklaarde dat het diezelfde man was. Haar moeder riep een kind om de thee binnen te brengen; toen vertelde zij Winnie dat zij krankzinnig was, die man had een beschuldiging van hoogverraad boven zijn hoofd hangen. Hij zou vroeg of laat in de gevangenis belanden. Wat voor leven verwachtte zij met een man die met de politiek getrouwd was? Hoe dacht zij dat zijn eerste huwelijk was mislukt? Maar toen zij zag dat Winnie niet ophield naar de foto's te staren, besefte zij dat haar vermaningen aan dovemansoren gericht waren en ging weg om met Kokani te praten. Na enige tijd kwam zij terug om te zeggen dat hij haar wilde spreken. Haar vader zei dat hij bewondering had voor Nelson en de laatste zou zijn om hem te dwarsbomen, maar de weg die hij gekozen had was zwaar en zij was veel te jong en te onervaren om hem op die weg te volgen. Zij las de diepe droefheid op zijn gelaat toen hij de situatie aanvaardde en zei: 'God zij met je.'

Nelson stuurde de vriend van zijn kinderjaren, zijn neef *chief* Justice Mtirara, en dr. Wonga Mbekeni om de lobola te regelen. Kokani slachtte twee vette dieren en bij een overvloed aan bier en vlees lachten en zongen de Madiba-clan en de Ngutyana-clan en luisterden naar elkaars lofzangen.

In Orlando vierden zij de verloving in het huis van tante Phyllis en oom Mzaidume. Tante Phyllis pakte groots uit en liet de champagne stromen. Winnie straalde in de lichtgroene japon die Nelson voor haar had gekocht. De verlovingsring werd aan haar vinger geschoven, onder applaus en de gebruikelijke spotternijen van de ANC-kameraden, boksers en familieleden. Het feest haalde de society-kolommen van het Johannesburgse blad *World*.

Ten tijde van haar verloving woonde Winnie bij tante Phyllis. Nelson besloot dat zij voorlopig bij zijn tante, Nonqonqoloza Mtirara, moest intrekken om vertrouwd te raken met zijn familie. Het ging hem waarschijnlijk om zijn moeder, die zich nog altijd niet met de feiten had verzoend. Zij maakte zich zorgen over de kinderen, die haar ontnomen waren en nu bij Evelyn woonden. Zij wist hoe moeilijk het voor hen was dat hun ouders niet meer bij elkaar woonden en zij was bang dat de scheiding en het nieuwe huwelijk hun verwarring nog groter zou maken. Uit bescheidenheid, maar vooral om de kinderen te ontzien, had zij zich niet met Nelsons nieuwe affaire willen bemoeien. Maar na haar huwelijk zou Winnie bij haar wonen en zouden ook de kinderen weer bij hen komen, zo hoopte zij althans. Nelson meende dat het verblijf bij zijn tante als een geleidelijke integratie in de familiekring zou fungeren.

Winnie deed wat hij wilde, hoewel niet zonder protesten.

De bruiloft zou plaatsvinden op 14 juni 1958. Het was de eerste bruiloft in Kokani's huis. Er waren wel huwelijken geweest maar nog nooit een bruiloft, omdat Kokani's andere kinderen hun zaken zelf hadden geregeld en hem pas achteraf op de hoogte hadden gesteld. Bij Winnie was dat anders gegaan. Zij had hem om toestemming gevraagd en hij was vastbesloten er een groot feest van te maken. Hij was ook allang geen arme schoolmeester meer, maar een welvarende zakenman. Hij bezat diverse winkels en een hele reeks autobussen en zijn klanten en stamgenoten verwachtten van hem een aandeel in al die welvaart. De bruiloft van zijn dochter bood daarvoor een goede gelegenheid.

Nelson vroeg een tijdelijke vrijstelling aan van zijn *banning order*. Hij mocht voor zes dagen weg uit Johannesburg, op voorwaarde dat hij in Bizana bleef en zich uitsluitend met zijn huwelijk zou bezighouden. Hij bestuurde zelf de trouwauto, waarin ook de drie bruidsmeisjes zaten: zijn zuster Leabie, Georgina Lekgoate en Helen Ngobese (die later huisarts werd).

Kokani had tante Phyllis uitgenodigd voor adviezen omtrent de etiquette – de vrouwen van de YWCA golden als experts op dat terrein. Tante Phyllis had tante Mary meegenomen om toezicht te houden op het koken in grote driepotige ijzeren potten. Duma Nokwe, Scrape Ntshona, Lilian Ngoyi en Ruth Matseoane maakten ook deel uit van het gezelschap. Tot de VIP's die het feest kwamen opluisteren behoorden *chief* Madikizela, dr. James Njongwe en zijn vrouw Connie, drs. Wilson Conco, Margaret Mgadi en Victor Tyamzashe, de advocaten G. Vabaza, Templeton Ntwasa en Toni. Het kostbaarste stuk bagage was de trouwjapon van wit satijn, die met veel liefde vervaardigd was door Ray Harmel, de vrouw van Michael. De Harmels waren zeer goede vrienden en behoorden tot de kleine groep van blanke activisten die zich volledig inzetten voor de strijd om de mensenrechten.

Nelson herinnert zich: 'Het bruiloftsgezelschap vertrok op 12 juni rond middernacht uit Johannesburg en arriveerde de volgende middag in Bizana. Omdat wij pas tegen de avond in het huis van de bruid, in Mbongweni, werden verwacht brachten wij een paar uur door in het huis van dr. Gordon Mabuya, waar hij en zijn vrouw Nontobeko ons verwelkomden.' Maar voor Winnie werd de reis een ramp. Opwinding en nervositeit bezorgden haar een aanval van diarree. Nelson moest onderweg vier keer stoppen zodat zij, diep beschaamd en begeleid door een bezorgde en over het decorum wakende tante Phyllis, de bosjes kon opzoeken.

Uiteindelijk kwamen zij op de afgesproken tijd in Mbongweni aan, waar zij begroet werden door een koor van joelende vrouwen, aangevoerd door Winnies stiefmoeder Hilda. De bruidegom werd onmiddellijk gescheiden van de bruid en met zijn mannelijke begeleiders naar het huis van Simon Madikizela gebracht, waar alles klaarstond voor de *abekhwenyana*.

Winnie werd omstuwd door haar zusters en tantes, die haar in bed stopten. Haar nichtjes plaagden haar, maar *Makhulu* maakte daar een eind aan en verklaarde dat zij vast en zeker behekst was. Nelson stuurde op discrete wijze zijn vriend dokter Mabuya om haar te onderzoeken. Winnies ziekte duurde twee volle dagen en genas pas toen de wijze *Makhulu* de behandeling had overgenomen. Gedurende die twee dagen en tot het moment dat de bruid naar het altaar werd gevoerd, werd Nelson door de Madikizela-vrouwen op een afstand gehouden.

De trouwdag bracht het contrast van de sombere plechtigheid in de kerk tegenover de woeste dansen van *Makhulu*. Voor Winnie begon de dag met een bad in een grote ijzeren badkuip, gevuld met warm water. Tante Phyllis hielp haar met alle voorbereidingen en ten slotte was zij klaar om de bruidsjapon aan te trekken. De familieleden die in de *inkundla* stonden te wachten begonnen uitgelaten te dansen toen zij in de ochtendzon naar buiten kwam. *Makhulu's* schrille kreten klonken boven alles uit.

De kraal van de Madikizela's zag zwart van de paarden van stamgenoten. De paarden werden vastgebonden en de gasten stapten in bussen die hen naar de kerk zouden brengen, twintig kilometer verder in de zendingspost Ludeke. De bruidswagen was bedekt met de ANC-vlag. Kokani was vooruitgegaan en wachtte de bruid op bij de kerkdeur, in zijn nieuwe zwarte pak en met een anjer in zijn knoopsgat. De vader leidde de bruid naar het altaar, alle hoofden draaiden zich naar hen toe. De kleine bruidsjonker struikelde maar herstelde zich snel, terwijl zijn piepkleine gezellin onverstoorbaar doorliep. Het koor zong *Lizalise Idinga Lakho*, een psalm die dominee Tiyo Sogo had gecomponeerd bij de terugkeer naar zijn vaderland na een maandenlang verblijf in Engeland.

De trouwring werd aan Winnies vinger geschoven, dominee Madikiza sprak de echtverbintenis uit en het koor hief een juichende Xhosa-hymne aan. Dominee Gadama, in traditionele huiden gehuld, zong de riten van de *imbongi* en reciteerde de roemrijke afstamming van beide partners.

Daarna reed het gezelschap naar het ouderlijk huis

van de Madikizela's, waar de oudste zoon Mpumelelo nu woonde, en begaf men zich naar de begraafplaats bij de veekraal. Daar gaven allen zich over aan zingen, dansen en uitbundigheid.

Nelson bood hoofddoeken aan voor de oudere Madikizela-vrouwen die een voor een dansend naar hem toe kwamen om hun geschenk te ontvangen en joelend uiting gaven aan hun waardering. Daarna liep het gevolg van de bruid rondjes om de Madikizela-kraal als symbool van de ongeschonden maagdelijkheid van de bruid – de jonge vrouwen voorop en de ouderen erachter. Nelson en zijn gevolg vormden een parallelle ketting. De witharige *Makhulu* sprong in het rond, als in een laatste eerbetoon aan levenskracht en vruchtbaarheid, terwijl zweetstraaltjes langs haar wangen en haar neus stroomden. Winnie barstte in lachen uit, juist op het moment dat de stemming omsloeg en haar verwanten het lied inzetten dat hun droefheid over het afscheid vertolkte: *Baya Khala Abazali*. De bruid behoorde daarop te antwoorden met gejammer en geween. Nikiwe stootte haar aan. De bruid stond onbeschaamd te lachen terwijl zij toch het ouderlijk huis verliet. 'Doe alsof je huilt,' maande Nikiwe. 'Wrijf over je ogen, kijk naar de grond!' Maar Winnie kon niet anders: de aanblik van *Makhulu* met haar hotsende borsten, haar mond hemelwaarts gericht terwijl zij haar 'oeloeloe'-kreten uitstootte, was haar te machtig. Nelson begon ook te lachen en Winnie gierde het uit. Haar schoonzuster merkte bits op: 'Hoe zou zij kunnen huilen? Zij heeft een prins gevonden.' Nelson had Winnie ingehaald en voerde haar nu mee naar zijn mensen. Tante Phyllis lichtte de bruidssluier op; grote lachende ogen keken in die van de bruidegom. 'Kijk omlaag, kijk omlaag!' fluisterde Nikiwe dringend. 'Een bruid mag haar schoonfamilie zo niet aankijken!' Maar Winnies blijdschap was te groot om verlegenheid voor te wenden.

In alle opwinding slaagden de Madikizela-mannen erin ongemerkt het gezelschap van de bruidegom binnen te dringen voor een traditionele vrouwenroof, waarvan Duma Nokwe het slachtoffer werd. Zij eisten een losgeld voor haar. Kokani betaalde een geit, maar de os die Duma hen schuldig was werd nooit betaald.

De bruiloftsgasten verzamelden zich voor de maaltijd, die nabij de veekraal in grote driepotige potten werd geserveerd: *umnggusho* en de verschillende salades die de vrouwen onder supervisie van tante Phyllis hadden bereid.

Tegen het eind van de middag reisde het hele gezelschap weer naar Bizana, waar het stadhuis voor het eerst in de geschiedenis door een Afrikaan was afgehuurd. Scrape Ntshona kroop achter de piano om de bruiloftsmars te laten galmen. De bruid en bruidegom deden wat van hen verwacht werd en schreden plechtig naar binnen. Het was tijd voor de toespraken en die van Kokani ging de ernst van het moment geenszins uit de weg: bewondering voor Nelson vanwege zijn inzet voor het land, liefde voor zijn dochter, sombere voorgevoelens omtrent de toekomst – 'dit huwelijk zal geen pad van rozen zijn, het wordt van alle kanten bedreigd en alleen de sterkste liefde zal het kunnen behouden' – en advies aan zijn dochter – 'wees als jouw man, word als zijn volk en word één met hen. Al zijn het tovenaars, word één met hen.' Nozipho Mbekeni, verpleegster en een zuster van Wonga, antwoordde uit naam van de bruidegom met een even indrukwekkende toespraak.

De taart, dertien etages hoog, werd opgesneden in zoveel stukken als er gasten waren; de veertiende laag werd intact gelaten en zorgvuldig ingepakt, zodat de bruid die kon meenemen naar het ouderlijk huis van de bruidegom in Thembuland. Nelson kreeg nooit de kans Winnie daarheen te brengen en de veertiende laag zit nog altijd in de verpakking, in afwachting van Nelsons vrijlating waarna deze laatste bruiloftsrite kan worden volvoerd.

Na vijf dagen feesten namen bruid en bruidegom afscheid, om Nelson de kans te geven aan zijn *banning* te voldoen en op tijd in Johannesburg terug te zijn. Kokani leidde zijn dochter en zijn schoonzoon naar de hut waar hij hun geschenken had klaargezet: grasmatten, aardewerk potten, kleine dieren en vogels, allemaal springlevend en goed doorvoed. Nelson wilde de geschenken niet aannemen, want ze waren eigenlijk als dankbetuiging voor de Madikizela's bedoeld. Maar als gebaar accepteerde hij twee kippen. Daar kreeg hij spijt van, want toen zij onderweg stopten om te lunchen renden de kippen het open veld in. De bruid en bruidegom joegen achter de dieren aan, tot zij tegen elkaar botsten en lachend op de grond vielen. Zij gunden de vogels hun dubieuze vrijheid en vervolgden hun weg huiswaarts.

De zon was nog niet onder toen zij Orlando binnenreden en volgens de traditie was dat een ongunstige tijd om hun nieuwe huwelijksleven te beginnen. Daarom reden zij naar het huis van Lilian Ngoyi en wachtten daar tot de schemering inviel. Toen reden zij naar nr. 8115, waar zij verwelkomd werden door Nelsons moeder en een groot aantal verwanten en vrienden en het feest weer opnieuw begon.

Enkele weken later arriveerden de mannen van de Madiba-clan, die Winnie officieel opnamen in de stam en haar de naam Nobandla gaven.

Het leven van de Mandela's

De nieuwe bruid nam haar intrek in het gezin Mandela. Er was genoeg dat haar niet zinde, maar het door een tussenwand afgescheiden deel van de voorkamer dat Nelson als werkkamer had ingericht liet zij ongemoeid. Daar hing de warmte van zijn aanwezigheid – een boekenplank, een glazen kastje, drie rieten stoelen, een bed tegen de muur en als blikvanger een portret van Lenin met profeetachtige baard, sprekend tot een enorme mensenmassa.

Iedereen was vroeg wakker. Nelson stond om 4 uur op en begon de dag met een rondje hardlopen. Hij hield van de lege straten en het schemerige licht, kort voor de huisdeuren opengingen en de mensen naar buiten stroomden om in de rij te wachten op de bus die hen naar hun werk zou brengen. Zijn ontbijt bestond uit sinaasappelsap en toast, soms aangevuld met een rauw ei en een beetje pap.

Makhulu bleef thuis bij de kleinkinderen en bij de kinderen die uit Transkei waren gekomen. Nelson, Winnie en Leabie vertrokken om de bus te nemen – Winnie naar het ziekenhuis, Leabie naar het Orlando Children's Home en Nelson naar het gerechtsgebouw in Pretoria.

Nelsons dagen werden in beslag genomen door de rechtszaak en daarom besteedde hij de avonden aan zijn advocatenpraktijk en het ANC-werk. Het gevolg was dat hij meestal pas na twaalven thuiskwam, terwijl hij ook in de weekends grotendeels van huis was.

Nelson gaf gemakkelijk geld uit. Hij had permissie om drank in huis te hebben (in die tijd moesten alle niet-Europeanen daarvoor een speciale vergunning aanvragen) en hoewel hij zelf niet dronk, zorgde hij altijd dat zijn gasten niets te kort kwamen. Hij kocht allerlei exotische etenswaren; hij vond het leuk om met voedsel te experimenteren.

Het jaar 1958 was een van de magerste jaren die de Mandela's te wachten stonden. Het proces sleepte zich voort. Het dagelijkse patroon veranderde nooit: wachten op de bussen die de vrouwen naar hun werk en Nelson naar het proces in Pretoria brachten; de lange, saaie gerechtsprocedures. Het was nu al drie jaar bezig. De kantoorhuur was te hoog en de advocatenpraktijk liep sterk terug, er kwam nauwelijks geld binnen en de kosten van het groeiende gezin bleven stijgen.

Evelyn maakte zich zorgen over de opleiding van haar zoons; het niveau van de scholen in Johannesburg was laag. Zij sprak erover met K.D. Matanzima toen hij weer eens op bezoek kwam en hij stelde haar voor de jongens naar Transkei te sturen, waar hij een oogje op hen kon houden. Evelyn vroeg K. D. de zaak met Nelson te bespreken. Nelson vond het direct een prima idee. De landelijke omgeving en de discipline op de missie-kostschool zouden de jongens goed doen. Hij nam zijn zonen mee de stad in om hen fraai aan te kleden en vertrouwde hen toe aan Matanzima. Maar toen hij later hoorde dat zijn jongste zoon, Makgatho, ziek was, reed hij ondanks zijn *banning* naar Transkei om hem op te halen. Nelson hield zich tot op zekere hoogte aan de bepalingen, maar was niet bereid zich volledig te onderwerpen. Zulke lange tochten waren wel vermoeiend: hij moest 's nachts rijden om op tijd in de rechtbank te verschijnen en het wekelijkse register te tekenen op het politiestation, wat ook tot de verplichtingen van zijn *banning order* behoorde.

Het mammoetproces was in zijn vierde fase aangeland. In januari 1958 waren de aanklachten tegen 61 van de beklaagden vernietigd. De beschuldigingen tegen 31 personen bleven gehandhaafd en tot die groep behoorden Nelson, Walter, Lilian Ngoyi en Helen Joseph. In deze periode groeide er een sterke band tussen Nelson en Helen. Hij wist dat hij op haar kon bouwen; tijdens zijn gevangenschap zou zij voor zijn familieleden een belangrijke steun worden.

In juli 1958 ontdekte Winnie dat zij zwanger was. In oktober barstten de vrouwen van Johannesburg uit in woedende protestacties tegen de pasjes. Zij vormden een delegatie die naar het kantoor van de Native Commissioner zou gaan. Winnie, die lid was van de Orlando-afdeling van de ANC Women's League, werd ook in de delegatie gekozen. Zij begonnen aan hun mars naar het commissariaat. Binnen enkele uren waren zij door politie omsingeld, in overvalwagens gestouwd, afgevoerd naar Marshall Square en opgesloten in politiecellen. De arrestatie had hun enthousiasme hoogstens aangewakkerd en de verbroedering versterkt. Zij zongen en waren blij dat zij samen konden blijven. Later die dag werden zij overgebracht naar het Fort, waar zij een massa van honderden mededemonstranten aantroffen die de grote hal en het balkon voor de cellen op de eerste verdieping vulden. Hun aankomst werd begroet met gejoel en kreten als *Amandla!* De bewakers zetten hen op een rij en gaven hun bevel zich spiernaakt uit te kleden, waarna zij moesten hurken met hun benen gespreid voor een vaginale inspectie op binnengesmokkelde voorwerpen. Dan kregen zij bevel zich aan te kleden en naar de cellen te verdwijnen.

Nelson ging zodra hij van de arrestatie had gehoord er naar toe en kreeg toestemming om Winnie te spreken. Er was nauwelijks tijd voor het uitwisselen van vertrouwelijkheden. Hij zei haar dat er rechtsbijstand voor de vrouwen geregeld zou worden en dat hij trots op haar was.

In de gevangenis klampte Winnie zich vast aan Albertina Sisulu, omdat zij angstig was vanwege haar zwangerschap. Albertina was ouder en meer ervaren, en bovendien verpleegster. Winnie legde haar mat naast die van Albertina en putte steun uit haar vakkennis, haar zekerheid en warmte. In de tweede week begon Winnie te bloeden, maar Albertina wist haar gerust te stellen. De bloeding stopte.

Naarmate het aantal gearresteerde vrouwen toenam werd de toestand in de gevangenis ondraaglijker. Er was de vreselijke stank van de toiletemmers. 's Morgens waren zij verplicht in die stank hun ontbijt te eten en de rij voor de douches leek eindeloos. Aan het eind van de derde week had men tweeduizend gevangenen opeengepakt, die 's nachts te weinig ruimte hadden om hun slaapmat uit te spreiden.

Een deel van de gevangenen werd toen 's avonds onder zware politiebewaking via de achterpoort naar een keldercel gebracht in de mannenafdeling. Elke ochtend werden ze voor 6 uur weggehaald en naar de vrouwenafdeling gemarcheerd.

De vrouwen werden uiteindelijk voor het gerecht gebracht, berecht en schuldig bevonden, waarna zij de keuze kregen tussen gevangenisstraf of een geldboete. Het ANC betaalde de boetes en de gevangenen werden vrijgelaten.

Het ziekenhuis liet Winnie weten dat zij ontslagen was. Hun inkomen werd nog krapper, maar vrienden sprongen bij en haar vader stuurde een bijzonder welkom geldbedrag.

Op 4 februari 1959, kort na middernacht, kwam Nelson thuis van een vergadering en trof Winnie alleen aan, krimpend van de pijn. Zijn moeder was te-ruggegaan naar Transkei en Leabie woonde als aanko-mend verpleegster bij haar ziekenhuis. Hij haalde tante Phyllis en samen brachten zij de aanstaande moeder in de vroege ochtenduren naar het zieken-huis. Daar kregen zij te horen dat het nog geruime tijd zou duren voor de baby kwam en dat zij beter naar huis konden gaan.

Nelson vertrok naar Pretoria voor het proces. Hij kwam die avond samen met Duma Nokwe naar het ziekenhuis om zijn jongste dochter te begroeten. Hij hield het gele wurmpje met een grote dos zwart haar in zijn armen en verklaarde dat zij een echte Mande-la, een prinses was. *Chief* Mdingi noemde haar Zena-ni ('Wat heb je gebracht') en de Madikizela's gaven haar de namen Nomadabi ('Veldslagen') en Nosizwe ('Van de natie').

Twee dagen later bracht Nelson een prachtige baby-uitzet mee voor Zenani, een week later verscheen hij met een grote zak vol mooie nachtjaponnen voor Winnie.

Makhulu kwam terug uit Transkei om Winnie met de baby te helpen en toen Winnie thuiskwam werd zij verwelkomd door twee matriarchen, Nelsons moeder en de moeder van Walter Sisulu. Zij ontfermden zich samen over de *mdlezana* en de baby. Tot Winnies af-grijzen lieten zij een *inyanga* komen om de baby een versterkend kruidenbad te geven. Dat ging niet door, stelde Winnie. Al die dagen hadden zij hun uiterste best gedaan de baby tegen infectie te beschermen. En nu wilden zij haar onderdompelen in ziektekiemen. Haar schoonmoeder voerde aan dat al haar kleinkin-deren het traditionele kruidenbad hadden ondergaan en dat zij stuk voor stuk kerngezond waren. Zij wees op Maki en Makgatho die over het kindje gebogen

stonden. Maar de *mdlezana* bleef niet alleen onvermurwbaar omtrent het baden van de baby, zij weigerde ook de kruidenthee te drinken die zij speciaal voor
haar hadden bereid. In plaats daarvan consumeerde
zij precies de dingen die volgens hen radicaal verkeerd
waren – koffie en eieren – en die haar melk zouden
doen opdrogen. Jaren later, toen de baby zelf vrouw
en moeder was geworden, stuurde zij haar vader een
foto van haar dochtertje, Zaziwe, en hij schreef terug:
'Zazi's foto deed me meteen aan jou denken, vlak
nadat je moeder terugkwam van de Baragwanath
kraamkliniek in 1959. Je was vast in slaap zelfs toen ze
je in bad deed, je afdroogde, je insmeerde met olijfolie, je huid wit maakte met Johnson's babypoeder en
je buikje vulde met haaieolie. Het zijn de familiefoto's, de brieven en de familiebezoeken die me telkens doen terugdenken aan de gelukkige tijden, toen
we nog bij elkaar waren. Dat maakt het leven zoet en
vervult mijn hart met hoop en verwachting. Heel erg
bedankt, lieve schat.'

Nelson wilde Winnie leren autorijden, maar zag
weldra in dat het geen goed idee was. Zij maakten
voortdurend ruzie. Winnie maakte steeds dezelfde
fout en bleef volgens hem zijn aanwijzingen negeren.
Een man die een vrouw rijles geeft, zeker als het een
echtpaar betreft, is in de straten van Orlando zo'n ongewoon verschijnsel dat het veel bekijks trekt; als de
echtgenoot de beroemde Mandela blijkt te zijn, wordt
de nieuwsgierigheid nog groter. De lessen werden begeleid door luide kreten van *Amandla!,* maar wanneer
de motor uitviel en iedereen kon zien dat het vermaarde echtpaar ruzie had, trokken de jeugdige omstanders zich respectvol terug. Nelson stormde de
auto uit, het portier hard achter zich dichtslaand. Hij
liep naar huis, trok zijn bovenkleren uit en koelde zijn

woede op de boksbal. Zo trof Winnie hem aan als zij een uur later thuiskwam. Zij ontliepen elkaar een tijdlang. Hij nam een douche en ging op bed liggen. Zij kwam zijn rug masseren en de ruzie was voorbij. Hij ging de auto ophalen en zij reden naar hun vrienden, Ismail Matlhaku en zijn vrouw Martha, die een stijlvolle *shebeen* runden. Zij gaven zich over aan de sensuele behaaglijkheid van dikke tapijten en fluwelen gordijnen en maakten van de 'tragedie' van die middag een komedie terwijl zij lachten om de rijles.

Winnie had zichzelf gezworen dat zij nimmer haar individualiteit zou prijsgeven als zij getrouwd was. Maar Madiba, zoals zij hem noemde, was overweldigend.

'In de korte tijd die ik met hem doorbracht ontdekte ik heel snel dat zijn onweerstaanbare persoonlijkheid mij moeiteloos van mijn identiteit kon beroven – je smolt ongemerkt weg tot een aanhangsel van hem, naamloos en onpersoonlijk en louter behorend bij Mandela – Mandela's vrouw, Mandela's kind, Mandela's nicht. Baden in zijn glorie was de meest voor de hand liggende cocon om je tegen de verblindende publieke belangstelling af te schermen, of je uitgedoofde ego op te peppen. Ik zwoor dat mij dat niet zou gebeuren.'

Winnie kon niet buiten haar werk. Nelson begreep dat en toen er een baan als maatschappelijk werkster vrijkwam bij de Johannesburg Child Welfare, solliciteerde Winnie en werd aangenomen. Zenani was vijf maanden en Winnie liet haar aan de zorgen van *Makhulu* over. Winnies vurigste wens was weer te gaan studeren, maar zij konden de studie niet bekostigen. Zij vroeg een beurs aan en werd ondervraagd door Fred van Wyk en Ellen Hellman van het Institute of Race Relations, die haar aanvraag afwezen. Ellen Hellman zei dat Winnie met haar salaris van 44 rand per maand meer verdiende dan een afgestudeerde en geen beurs nodig had. Hun houding maakte Winnie razend.

Enkele maanden na de geboorte van Zenani was Winnie opnieuw zwanger, maar de zwangerschap verliep problematisch. Winnie kreeg een bloeding. Gelukkig was Nelson thuis en hij bracht haar pijlsnel naar zijn vriend, dokter Mohamed Abdullah, die toentertijd in de gekleurde *township* Albertsville woonde. Winnie kreeg een miskraam voor zij goed en wel binnen was. De Abdullahs omringden haar met meelevende en vakkundige zorg. Zij hielden Winnie die nacht bij zich en waakten bij haar, en toen zij voldoende hersteld was om vervoerd te worden, lieten zij haar opnemen in het ziekenhuis.

Een paar maanden later was Winnie weer zwanger, maar ditmaal voelde zij zich sterker en vol vertrouwen.

Levenslang

Sharpeville

Het jaar 1959 begon onheilspellend met een blank parlement onder aanvoering van de vader van de apartheid, dr. Verwoerd, die de reservaten omzette in *Bantustans* of 'thuislanden' en ze volledig afsneed van de ontwikkelde sectoren van Zuid-Afrika. Tegelijkertijd deed zich een splitsing voor in de oppositie waaruit de Progressive Party ontstond, die toenadering zocht tot het ANC, niet zozeer met het oog op samenwerking dan wel als onderhandelingspartner en sympathisant. De Black Sash Women's Organization voegde een kleine maar effectieve component toe aan het blanke anti-apartheidsfront van kerkelijken, liberalen en socialisten.

De steeds radicaler optredende regering bereidde zich voor op gewelddadige reacties. Patrick Duncan, lid van de Liberal Party, citeerde in *Contact* de volgende woorden van de minister van Defensie tot zijn legerofficieren: 'Jullie moeten niet denken dat wij ons bewapenen tegen een externe vijand. Wij bewapenen ons om de zwarte massa's neer te schieten' (26 december 1959). In dat jaar leverde Engeland tachtig Saracens (pantserwagens) aan het Zuidafrikaanse leger.

In Windhoek opende de politie het vuur op een menigte die zich tegen de gedwongen verhuizing verzette en doodde veertien mensen. Het was de aanloop tot het bloedbad dat enkele maanden later in Sharpeville zou volgen en dat het ANC een nieuwe koers zou doen inslaan en Nelson zijn historische gevangenisstraf zou bezorgen.

Terwijl de staat voortging zich aan de levens van

zwarten te vergrijpen, ging het gerechtshof verder met het verraadproces. De rechters bogen zich over de vraag of het ANC uit was op geweld, zoals de aanklacht stelde. Nelson luisterde naar de getuigenis van *chief* Albert Luthuli. De aanklager probeerde uit alle macht te bewijzen dat het ANC een gewelddadige organisatie was. Hij las een verklaring voor die Robert Resha zou hebben afgegeven: 'Als je een ware vrijwilliger bent en van je geëist wordt dat je geweld gebruikt, dan moetje zonder restricties geweld gebruiken. Je moet moorden, moorden. Dat is alles.'

Aanklager: Is het niet zo, meneer Luthuli, dat Resha deze toespraak hield en deze instructies aan de vrijwilligers gaf, omdat dit juist hetgeen was wat men van de vrijwilligers verwachtte? En dat weet u heel goed?

Luthuli: Dat weet ik niet. Van Resha werd namelijk verwacht dat hij de vrijwilligers zou leiden volgens de beleidslijn van het Congres. Maar wanneer Resha als aanvoerder afwijkt, wijkt hij af als Resha. Dat heeft niets te maken met het beleid van het African National Congress, helemaal niets.

Aanklager: Meneer Luthuli, onderhandelen werd nooit overwogen, dat weet u toch wel?

Luthuli: Met die mogelijkheid is aldoor rekening gehouden. Edelachtbare, zelfs op dit moment zouden wij heel, heel blij zijn als de regering een houding zou aannemen van kom, laten wij met elkaar praten. Wij zouden uitermate gelukkig zijn met een gesprek op zich, ook al zou daarbij uiteindelijk blijken dat wij het niet eens zijn.

Aanklager: Het is volstrekt hypocriet om zo'n uitspraak te doen en dat weet u. Dat is nimmer uw uitgangspunt geweest.'

De ondervraging van Nelson verliep als volgt:

Aanklager: De vraag die ik u wil voorleggen is deze: bent u van mening dat democratie voor uw volk bereikbaar is via geleidelijke hervormingen? Gesteld dat de heersende klasse, ten gevolge van de uitgeoefende druk, volgende maand akkoord zou gaan met kiesrecht voor de Afrikanen onder bepaalde voorwaarden, een test van het opleidingsniveau bijvoorbeeld... en dat zij het jaar daarop, wederom onder druk, een nog grotere concessie zou doen en in 1962 nog een en dat het op die voet over een periode van tien of twintig jaar zou doorgaan; denkt u dat de volksdemocratie langs die weg te verwezenlijken is?

Mandela: Wij eisen algemeen kiesrecht voor volwassenen en wij zijn bereid economische druk uit te oefenen om onze eisen te realiseren en wij zullen verzetscampagnes, thuisblijffacties lanceren, hetzij afzonderlijk of tegelijk. Indien de regering zou zeggen: 'Heren, deze stand van zaken is voor ons niet aanvaardbaar, wetten die genegeerd worden en al die toestanden die de thuisblijffacties veroorzaken. Laten wij praten.' Vanuit mijn visie zou ik zeggen: 'Ja, laten we praten.' En als de regering zou aanvoeren: 'Wij denken dat de Europeanen nog niet rijp zijn voor een regering waarin niet-Europeanen wellicht het overwicht zouden hebben, wij menen dat het beter is jullie zestig zetels te geven, dat de Afrikaanse bevolking zestig Afrikanen kiest om haar in het parlement te vertegenwoordigen; we laten de zaak vijf jaar rusten en na vijf jaar bekijken we het opnieuw.' In mijn ogen zou dat een overwinning zijn, Edelachtbare Heren. Daarmee zouden wij een belangrijke stap hebben gezet op weg naar algemeen volwassenen-kiesrecht voor Afrikanen, en wij zouden dan zeg voor die vijf jaar de burgerlijke ongehoorzaamheid opschorten en geen thuisblijffacties houden en dan zullen wij de tussenliggende periode benutten voor een educatie van de natie, de Europeanen, om te laten zien dat deze veranderingen uitvoerbaar zijn en dat het zal leiden tot een betere raciale verstandhouding, een betere raciale harmonie in het land. Ik zou ervoor pleiten om dat te accepteren, maar uiteraard zou ik de eisen voor de toekenning van algemeen kiesrecht aan alle Afrikanen niet laten vallen. Zo denk ik erover, Edelachtbare Heren. Dan zullen we aan het eind van de vijfjarige periode met elkaar overleggen en als de regering dan zegt: 'Wij willen jullie nog veertig zetels erbij geven', zal ik dat waarschijnlijk als een heel acceptabel voorstel beschouwen. Ik zou dan zeggen, laten wij het aannemen en onze eis van verdere uitbreiding van het kiesrecht handhaven, maar voor de overeengekomen periode geen burgerlijke ongehoorzaamheid propageren; geen thuisblijfacties. Op die manier zouden wij uiteindelijk in staat zijn al onze wensen te verwezenlijken; wij zouden onze volksdemocratie krijgen, Edelachtbare Heren. Dat is mijn persoonlijke opvatting, of het ook de opvatting van het Congres is weet ik niet, maar zo zie ik het.

Daarop vroeg de rechter wat hij zou doen als de regering haar standpunt 'niet zou verzachten'.

Mandela: Ik geloof niet dat het Congres er ooit aan heeft getwijfeld dat de politiek van pressie uiteindelijk zal slagen... het Congres gaat ervan uit dat op den duur, als gevolg van deze pressie in combinatie met de wereldopinie, en ondanks de tactiek van de overheid om Afrikanen met ijzeren hand te regeren, de methoden waarvan wij gebruik maken de realisatie zal brengen van onze aspiraties.

Aanklager: ...Is het niet zo... dat het ANC de mening koesterde en de mening verkondigde, dat de heersende klasse, de regering, in reactie op de pressie van het Congres, niet zou aarzelen als volgende stap geweld en gewapende kracht in te zetten tegen het Congres?

Mandela: Ja, Edelachtbare Heren, dat was inderdaad de visie van het Congres. Wij verwachtten dat er geweld zou worden gebruikt, althans van de kant van de regering, wat onszelf betreft namen wij voorzorgen om geweldgebruik van onze kant te voorkomen.

Nelson benadrukte dat zij gekozen hadden voor de thuisblijfacties, waarbij nooit op de werkplek werd gepost, om provocaties van de politie te vermijden.

Aanklager: Is de bevrijdingsbeweging, voor zover u bekend, voortgegaan zich te manifesteren?

Mandela: Inderdaad. Het Congres is nu machtiger en sterker dan voorheen.

Aanklager: En is naar uw mening de kans op dat geweld waarover u sprak hierdoor verhoogd, groter geworden?

Mandela: O, zeker; wij denken dat de regering niet zal aarzelen honderden Afrikanen uit te moorden, teneinde alle oppositie tegen haar reactionaire beleid te smoren.

Rechter: Ik wil van u weten of de Congress Alliance de mogelijkheid heeft besproken of overwogen dat de blanke suprematie, zonder vertoon van wapengeweld, datgene zou opgeven waarmee zij haar eigen doodvonnis zou hebben getekend.

Mandela: Het Congres hield er rekening mee... dat de blanken de politieke macht uitsluitend aan zichzelf wilden houden...

Rechter: Werd die overweging uitgesproken?

Mandela: Die werd uitgesproken. Uitgesproken werd ook dat wij via dit beleid van druk uitoefenen de blanken zullen dwingen door gebruik te maken van onze aantallen, ons numerieke overwicht, en hen zo kunnen dwingen onze eisen in te willigen, zelfs tegen hun zin. Wij hebben dat overwogen en wij kwamen tot de conclusie dat het mogelijk was.

Rechter: Hoe dacht u gebruik te maken van uw numerieke overwicht om de blanke suprematie te dwingen u te geven wat u wenst?

Mandela: Bijvoorbeeld door thuis te blijven en niet naar het werk te gaan, door onze economische macht in te zetten voor de verwezenlijking van onze eisen tegen de muur van vooroordelen en vijandigheid waarmee wij geconfronteerd werden, dat zij niet eeuwig onverschillig kunnen blijven voor onze eisen omdat wij hun in de buik raken met onze politiek van economische pressie. Het is een goed doordachte en efficiënte methode.

Terwijl de schijnvertoning in het gerechtsgebouw voortging, nam de crisissfeer daarbuiten steeds dreigender proporties aan.

Het jaar 1960 was uniek in de historie van Zuid-Afrika als mijlpaal in de verwijdering tussen zwarten en blanken. Sharpeville toonde op schokkende wijze aan hoe de zwarten onder het blanke schrikbewind te lijden hadden. Voor Nelson was het een symbool van zijn gehele leven. Sharpeville betekende voor hem het einde van zijn persoonlijke, vrije bestaan in het land. Nog steeds maakte hij de dagelijkse reis naar het gerechtsgebouw in Pretoria. Hij had zijn kantoor in Chancellor House opgegeven, hij kon de huur niet meer opbrengen en zette zijn praktijk zo goed als het ging voort vanuit het kantoor van een collega. Hij had een groot gezin en nog vele anderen daarbuiten voor wie hij verantwoordelijk was, maar het bloedbad van

Sharpeville stelde alle andere aspecten van zijn leven in de schaduw.

In de maanden die aan Sharpeville voorafgingen werd de apartheid verder opgevoerd en werden de vooruitzichten voor de verzetsstrijders steeds somberder. Een nieuwe wet, met de cynische titel Extension of University Education Act (1959), bracht een scheiding aan tussen 'blanke' universiteiten, die voor zwarten verboden werden, en nieuw te stichten speciale hogescholen voor de zwarten en andere raciale groepen. Het was een uitbreiding van de Bantu Education Act tot alle hogere opleidingsniveaus. Nelson was diep bezorgd over de schadelijke effecten die latere generaties hiervan zouden ondervinden.

Ook op zijn universiteit, 'Wits', bestond rassendiscriminatie. Zwarten mochten niet zwemmen in het prachtige zwembad tegenover de bibliotheek, mochten niet deelnemen aan sociale en sportieve activiteiten en er waren slechts zeer beperkte, strikt gescheiden huisvestingsmogelijkheden voor Afrikaanse studenten; maar de leeszaal en de bibliotheek waren geïntegreerd en dat was voor Nelson het belangrijkste.

In 1959 gingen steeds meer stemmen op die de economische macht van de zwarten wilden inzetten om veranderingen af te dwingen. De signalen vanuit de lagere partijrangen namen toe. Nelson werd zich er steeds sterker van bewust dat de strategie van het ANC de mensen niet langer aansprak. Het verraadproces was zijn derde jaar ingegaan. Al die tijd had de overheid de sleutelfiguren van het verzet in gijzeling gehouden door hen te dwingen in de rechtszaal naar een selectieve opsomming van hun activiteiten in het verleden te luisteren, en hen daarmee doeltreffend uitgeschakeld voor elke directe actie in het heden. De bevolking nam meer en meer haar toevlucht tot spontane en lokale acties: het krachtigste en omvangrijkste voorbeeld waren de protesten van vrouwen tegen de pasjeswetten. Het leek alsof zij het ANC te schande wilden zetten vanwege zijn gebrek aan strijdbaarheid. De rapporten over woedende vrouwen die politieposten en bureaus van het Inlandse Commissariaat bestormden, stroomden binnen. Alleen in Natal waren tweeduizend vrouwen gearresteerd. Zij hadden enorme verwoestingen aangericht in bierlokalen en in Cato Manor had een inval in een bierlokaal zo'n razernij ontketend dat negen politiemannen werden gedood.

De ANC-afdeling van de Oostelijke Kaapprovincie begon een boycot tegen het bedrijf Rembrandt Tobacco. Nelson vond dat het tijd werd de anti-apartheidsacties te coordineren. Een in 1958 geformeerde Anti-Pass Planning Council had de inzet bepleit van economische machtsmiddelen: acties en stakingen in de industrie. De raad had uitgerekend dat de Afrikaanse bevolking per jaar 400 miljoen pond besteedde. Onttrekking van dat bedrag aan de economie zou de blanken raken op hun gevoeligste plek. Het rapport werd voorgelezen op de Mass National Conference van 30 en 31 mei in Johannesburg en vervolgens riep men op tot een aardappelboycot uit protest tegen de onmenselijke behandeling van Afrikaanse landarbeiders. Het voorstel werd unaniem gesteund. Maar Nelson bleef het gevoel houden dat zij achter de feiten aanliepen, dat de mensen meer verlangden, dat de 'leiders' ofwel een hoger tolerantieniveau hadden voor apartheid of te weinig besef hadden van de werkelijke, ondraaglijke toestanden onder het volk. Hij kwam meer en meer tot de overtuiging dat de bestaande structuur van het ANC niet genoeg ruimte bood voor

participatie, dat zij zich ten onrechte veel meer bezighielden met organiseren dan met raadplegen van de
bevolking. Op straten gebaseerde cellen, meende hij,
zouden de inbreng en daarmee ook de inzet van de
bevolking vergroten. Tegelijkertijd zou zo de basis
worden gelegd voor een ondergronds netwerk met het
oog op een verbod van het ANC. Hij had een voorgevoel dat zo'n verbod niet lang op zich zou laten
wachten.

Anderen vonden juist dat de kern van de organisatie niet sterk genoeg was, dat de macht te veel verdeeld was over provinciale en lokale niveaus. Nelson
zag in dat ook die kritiek een kern van waarheid bevatte. Het ANC was, van alle kanten bekeken, aan een
grondige revisie toe.

De laatste legale conferentie van het ANC opende
met een massale opkomst van achtduizend toehoorders op het sportterrein van Curries Fountain in Durban. De conferentie riep 31 maart 1960 uit tot 'anti-
pasjesdag' en wilde over het hele land delegaties
sturen naar de bureaus van Bantu Commissioners. In
1952 hadden zij zich uitgesproken voor verzet, nu
waren het delegaties! Nelson vond dat zij achteruit liepen. Hoe konden zij weer voorwaarts, welke middelen moesten zij inschakelen? Welke strategie, welke
energiebron hadden zij nog niet benut?

Het PAC, bezield met het jeugdige vuur van zijn
nieuwe start, wierp zich in de strijd met messiaanse
bevlogenheid. Het kondigde aan: 'In 1960 zetten wij
onze eerste stap, in 1963 onze laatste, naar vrijheid en
onafhankelijkheid.' Hoe onrealistisch ook, in een aantal gebieden trok het PAC veel aanhangers, meer zelfs
dan de leiders zelf hadden verwacht. Nelson leek het
nogal onhandig dat zij zichzelf slechts drie jaar gunden om een eind te maken aan de apartheid.

Op de stichtingsconventie had het PAC zich ten doel gesteld binnen een jaar honderdduizend leden te werven. Bij zijn eerste en enige conferentie binnen Zuid-Afrika in april 1959 noemde het PAC een ledental van 24 664, verdeeld over 101 afdelingen. Bijna de helft van die aanhang zat in Transvaal, de rest grotendeels in de Kaapprovincie. Als die cijfers betrouwbaar waren, was dat inderdaad een geweldige prestatie.

Nelson gruwde van de botte racistische uitspraken die veel leden te berde brachten, maar ging er toch vanuit dat zij geen echte racisten waren en dat hun fervente Afrikanisme meer een reactie was op de onduldbare inferioriteit van de Afrikanen in het land; de gevoelens van een afrikanist mocht men zeker niet op een lijn stellen met die van een blanke nationalist. Hij sympathiseerde met de aspiraties van PAC-intellectuelen die droomden van een Afrikaanse toekomst en een Afrikaanse eenheid die het gehele continent zou omvatten, van Kaapstad tot Cairo en van Madagaskar tot Marokko. Maar hoe reëel was dat Pan-Afrikanisme en in hoeverre was het een onbereikbaar ideaal, leuk om van te dromen maar zinloos om in te investeren?

Zijn zwaarst wegende bezwaar tegen het PAC was de ontzegging van rechten aan minderheden onder het mom van hun 'ene natie'. Het manifest van de Africanist Movement verklaarde:

'Het Afrikaanse volk zal het bestaan van andere nationale groepen niet tolereren binnen de grenzen van de ene natie. Voor een gezonde groei en ontplooiing van de Afrikaanse natie is het absoluut noodzakelijk dat elk individu zijn eerste en enige loyaliteit betuigt aan de Afrikaanse natie, en niet aan zijn etnische of nationale groepen... Binnen de sociale grenzen van de Afrikaanse natie zal er ruimte zijn voor alle individuen die zich nationaal, intellectueel en spiritueel vereenzelvigen met de Afrikaanse natie.'

(Carter en Karis, op. cit., bladzijde 521)

In Nelsons ogen was dit holle retoriek en een vergaande blindheid voor de Zuidafrikaanse realiteit, die inhield dat zij grootgebracht waren met racisme en zelf besmet waren door de racistische mentaliteit en dat juist dit hen dwong om, op zijn minst als aanloop tot een echte non-raciale democratie, rechten toe te kennen aan minderheidsgroepen.

Bovendien had men te maken met diep geworteld historische banden die men onmogelijk kon negeren; deed niet iedereen zijn eerste ervaring van menselijke saamhorigheid op in de familie, de clan, de stam? Dat waren reële identiteiten, die de broedplaats vormden voor grotere verbanden, voor het Pan-Afrikanisme, en het waren etnische identiteiten. Het ging om een coëxistentie op basis van gelijkheid.

Ras was niet iets dat vanzelf verdween, evenmin als bevrijding vanzelf tot stand zou komen. Het PAC gedroeg zich alsof de wens alleen kon maken dat iets gebeurde. Nelson vond de PAC-campagne slecht doordacht en ook roekeloos. Het stormde erop los terwijl het ANC, met zijn generaties lange ervaring en brede aanhang, heel behoedzaam te werk ging. In plaats van samen te werken met het ANC in de pasjes-campagne, probeerde het de ANC-oproep af te troeven door tien dagen eerder te starten. Het nodigde het ANC uit zich bij hen aan te sluiten, een aanmatigend en irritant gebaar. Maar dat was niet de reden waarom het ANC de invitatie afwees; zij schrokken terug voor de onverantwoordelijke en irreële toon van de campagne.

Nelson had Robert Sobukwe altijd bewonderd, om zijn integriteit, zijn scherpe geest en zijn grote talent als redenaar. Maar zijn nieuwe messiaanse houding, zijn kennelijke geloof dat hij slechts hoefde te roepen 'volg mij' om het volk achter zich aan te krijgen en de pasjes te laten verdwijnen, was verbijsterend.

Maar Sobukwe kreeg aanhangers. In Kaapstad stroomden tweeduizend mensen toe in Langa om van hem de details van de PAC-doelstellingen te horen: om te beginnen afschaffing van de pasjes en een minimumloon niet van 20 pond per maand zoals de ANC-alliantie enkele jaren eerder had geëist, maar van 35 pond. Sobukwe's instructies aan zijn volgelingen werden op alle bijeenkomsten voorgelezen:

'Het Afrikaanse volk heeft zijn gehele toekomst aan ons toevertrouwd en wij hebben aangetoond dat wij hen niet leiden naar de dood, maar naar een rijk leven. De enigen die baat hebben bij geweld zijn de regering en de politie. Op het moment dat geweld uitbreekt, laten wij ons meeslepen en geven wij toe aan opgekropte emoties en voelen wij ons door het gooien van stenen naar een bar of het in brand steken van een gebouw kleine revolutionairen, vechters in een revolutionaire oorlog. Maar een paar dagen later, als wij onze doden hebben begraven en ontroerende grafredes hebben afgestoken en de emoties weer gekalmeerd zijn, zal de politie enkele mensen oppakken en de rest zal terugkeren naar de pasjes en vergeten is dan ons oorspronkelijke doel. En in de tussentijd zullen wij ons vervreemd hebben van de massa's, die zullen denken dat wij hen als kanonnevlees hebben gebruikt, voor geen ander doel dan grote koppen in de kranten... Wij zetten thans onze eerste stap in de mars naar Afrikaanse onafhankelijkheid en naar de Verenigde Staten van Afrika. Wij zijn de aanvoerders van de vitale adem en de dynamische jeugd van ons land. Wij leiden die jeugd, niet naar de dood, maar naar een rijk leven. Laten wij dat duidelijk voor ogen houden.'

En toch zou deze man van de vrede binnen enkele weken diezelfde jeugd leiden naar de dood die hij had willen vermijden, omdat geweld zoals Nelson maar al te goed wist het enige antwoord was van de regering op de geweldloosheid van Sobukwe. In de toekomst zou die regering, om het staatsgeweld te rechtvaardigen, in de gerechtshoven beweren dat geweldloosheid in feite gelijkstond met geweld.

Nelson verbaasde zich over Sobukwe's Ghandiaanse toon in het blad *Contact* van 16 april 1960:

'Wij zullen niet vechten of pogen te vechten, schimpen of pogen te schimpen, provoceren of pogen te provoceren wanneer de politie haar rechtmatige taken uitoefent. Wij zullen geen stenen gooien naar de politie of enige actie ondernemen die de politie dwarsboomt... niemand zal morgen geld, messen of andere gevaarlijke wapens bij zich dragen.

Wij hebben het continent aan onze zijde. Wij hebben de geschiedenis aan onze zijde. Wij zullen winnen!'

Tot het volk zei hij:

'Ik persoonlijk, Mangaliso Sobukwe, of een van de PAC-leiders uit mijn naam zal de beëindiging van de strijd afkondigen nadat onze eisen volledig zijn ingewilligd.

Mede-Afrikanen, het uur voor dienen, offeren en lijden is aangebroken. Laten wij in eendracht op mars gaan naar de Verenigde Staten van Afrika.'

Nelson verwonderde zich over Sobukwe's idee dat hij om geweld af te wenden niet meer zou hoeven doen dan zelf geweldloos te blijven. Hij vond het ook ironisch dat deze met nadruk Afrikaans genoemde actie alle kentekenen vertoonde van een Indiase passief-verzetcampagne, tot en met het vooraf meedelen aan de autoriteiten van hun intenties.

Sobukwe schreef een brief naar de commissaris van politie waarin hij aankondigde dat de campagne zou beginnen op 21 maart, dat hij het Afrikaanse volk had opgedragen zich niet tot geweld te laten provoceren, en de commissaris verzocht zijn manschappen dienovereenkomstig te instrueren. Daarna begon hij aan de eenzame, 6 km lange mars van zijn huis in Mafolo naar het politiebureau in Orlando. Het leek op een geval van de profeet die thuis niet geëerd wordt, maar onderweg kreeg hij gezelschap van 150 volgelingen, inclusief Leballo. Zij arriveerden bij het politiebureau en vertelden de dienstdoende agent dat zij geen pasjes bij zich hadden en de politie hen maar moest arresteren, hetgeen gebeurde. Er waren geen demonstraties in Natal of in de Oostelijke Kaapprovincie, maar in Vereeniging, circa 60 km buiten Johannesburg, en in Kaapstad was de situatie explosief.

In de regio van Vereeniging was het verzet blijven smeulen sinds de busboycot. De *townships,* verwaarloosd door het ANC en successievelijk door de NEUM en door het PAC overgenomen, waren door toedoen van het overheidsbeleid tot een mensonterende verpaupering en misère vervallen. De bewoners reageerden onmiddellijk op de simpele oproep om hun pasjes thuis te laten en zich aan de politie over te geven. Wat hadden zij te verliezen? En misschien, heel misschien, zou er een wonder gebeuren. De postende PAC-leden dirigeerden de mensen die bij bushaltes aankwamen door naar de politiebureaus. Om 10 uur 's morgens hadden zich vierduizend demonstranten verzameld in Vanderbijlpark, twintigduizend in Evaton en vijfduizend in Sharpeville.

In Kaapstad hadden de Afrikanen veel meer dan elders te lijden van de immigratiecontrole. In naam de meest tolerante stad, werd hier het hardst opgetreden tegen de oorspronkelijke Afrikaanse bewoners. De kolonisten hadden zelf een arbeidsleger van kleurlingen voortgebracht en hadden geen Afrikanen nodig.

Kaapstad, een gewild arbeidsgebied, wilde de Afrikanen zoveel mogelijk weren. Terwijl andere steden althans enige huisvesting voor Afrikanen beschikbaar hadden en een zekere mate van gezinsvorming tolereerden in de afgezonderde *townships,* waren er in Kaapstad nauwelijks woningen voor Afrikaanse gezinnen. Langa, gesticht in 1927, was hoofdzakelijk bevolkt met mannelijke migranten en Nyanga was een illegale krottenwijk die in 1956 was ontstaan. Maar de armoede in landelijke gebieden dreef de werkzoekenden naar de grote stad. De autoriteiten probeerden zoveel mogelijk mensen uit te zetten en deed vervolgens alsof de duizenden die aan hun vangnet ontsnapten er niet waren; hun bestaan werd volledig genegeerd. In 1960 waren de bewoners van beide *townships* door de recente ontwikkelingen zo ten einde raad dat zij rijp waren voor mobilisatie. Er hadden op grote schaal ontruimingen plaatsgevonden van Afrikanen die zich volgens zeggen illegaal in de *townships* hadden gevestigd en voor werkzoekende migranten waren allerlei nieuwe beperkingen afgekondigd.

Het PAC, aangevoerd door twee studenten, Philip Kgosana en Nana Mahomo, had eind 1958 zo'n duizend leden gerekruteerd en een aantal afdelingen opgericht. Het had tevens een goede relatie opgebouwd met de lokale Liberal Party, in het bijzonder met Patrick Duncan en de rest van de groep rond het tijdschrift *Contact.* Beide groepen waren felle tegenstanders van het communisme en dus ook van het ANC, op grond van diens bondgenootschap met het COD.

Op de ochtend van 21 maart gaven bijna tweeduizend mensen gehoor aan de oproep van het PAC. Zij marcheerden naar het politiebureau van Philippi en riepen dat zij geen pasjes hadden. 'Arresteer ons!' eisten ze. De politie noteerde hun namen en zei dat zij voor de rechter moesten komen.

In Vereeniging liet de staat blijken dat men bang begon te worden. Politieversterkingen bleven aanrukken, helikopters hingen boven de demonstranten en in Sharpeville ging de staat zich te buiten aan een van de wreedste daden uit haar historie. De politie opende het vuur op de vreedzame betogers en liet binnen enkele minuten 69 doden, de meesten in de rug geschoten, en 180 gewonden achter. In Kaapstad waren in de loop van de dag steeds meer mensen samengestroomd. Tegen de avond was in Langa een menigte van tienduizend bijeen. Een massaal politiekordon ging de menigte met knuppels te lijf. Er vielen twee doden. Uitzinnige groepen bewapenden zich met stokken of andere voorwerpen, vernielden staatseigendommen en koelden hun woede op elke niet-Afrikaan die zij tegenkwamen.

Nelson was totaal van streek toen de berichten binnenkwamen. Wat kon hij doen? Wat kon het ANC doen? Het was alsof al die negenenzestig doden zijn persoonlijke vrienden, zijn bloedverwanten waren. Het waren zijn mensen, zijn vlees en bloed, zijn Zuidafrikaanse medeburgers, vermoord door een immorele regering. Na het bloedbad van Sharpeville voelde hij zich krachteloos, ziek. Dit was niet het moment om tegen het PAC te zeggen 'Ik heb jullie gewaarschuwd'. Er moest iets gebeuren.

De wereld reageerde met verbijstering en afgrijzen op het bloedbad. In Zuid-Afrika zelf liep de situatie uit de hand; paniek brak uit toen de beursnoteringen kelderden en de winsten in gevaar kwamen. Blanke burgers schaften ijlings vuurwapens aan, trainingscentra voor wapengebruik schoten als paddestoelen uit de grond. Vanuit handel en industrie werd uit zelfbehoud aangedrongen op hervormingen, maar de regering Verwoerd, de taaiste die de nationalisten ooit zouden voortbrengen, hield vol dat zij de storm kon doorstaan.

Chief Luthuli kondigde aan dat 28 maart een dag van rouw zou zijn. De mensen zouden thuisblijven en hun pasjes verbranden.

Vanuit zijn cel ondersteunde Sobukwe de oproep, zij het in enigszins dubbelzinnige termen: 'Wij zijn niet tegen de stakingsoproep van Luthuli. Wij gaan verder. Wij willen dat de mensen nooit meer naar hun werk gaan!'

In Kaapstad begon het daar al op te lijken. Afrikaanse arbeiders waren op 22 maart, na de beschieting in Sharpeville, begonnen met een *stayaway*. Op 28 maart gaf het hele land gehoor aan *chief* Luthuli's oproep en lagen overal de bedrijven stil; in Langa en Nyanga was het de zesde dag van de stakingsactie. Het PAC had de controle over de twee *townships* op zich genomen en organiseerde grootscheepse hulp. De mensen werden overstelpt met materiële steun, voornamelijk voedsel, door talrijke organisaties uit alle politieke geledingen: Brian Bunting van de *New Age* nam eraan deel, maar de belangrijkste spil was Patrick Duncans *Contact*-groep. De vrijwel complete lamlegging van handel en industrie gaf het PAC een zeker gewicht als onderhandelaar; de pasjesregeling werd tijdelijk opgeheven, voedselaanvoer naar de *townships* werd stilzwijgend toegestaan en de mensen konden ongestoord hun doden begraven.

Op de avond van 28 maart werden Duma en de

chief door Nelson opgehaald en in Orlando, ten overstaan van honderden toeschouwers, verbrandden zij hun pasjes. Gelijktijdig werden overal in de *township* vreugdevuren ontstoken waarin duizenden pasjes verdwenen. De jongeren trokken door de straten, zingend *Thina silulutsha,* en vernielden de telegraafpalen met hun radio-ontvangers, die als symbool van de regeringspropaganda werden gezien.

Op 30 maart riep de regering een nationale noodtoestand uit, waarna massale arrestaties volgden. Voor zonsopgang klonk er gebonk op de huisdeur van de Mandela's, een herhaling van de inval die aan het verraadproces voorafging. Gewapende agenten omsingelden het huis, verschaften zich met geweld toegang en drongen de bewoners tegen de muren terwijl zij de ruimte in bezit namen. Zij doorzochten de woning, inspecteerden de boeken die op boekenplanken stonden en namen al wat zij 'gevaarlijk' achtten in beslag. Toen zij voldaan waren, kreeg Nelson te horen dat hij zijn spullen kon pakken en met hen mee moest gaan. Winnie keek toe met een mengsel van angst en woede. Het was haar eerste kennismaking met de politie-invallen, die in haar latere leven een chronisch element zouden vormen.

Nelson werd naar de politiepost van Newlands gereden, waar hij samen met onder andere Walter, Duma en Robert Resha werd opgesloten. Andere arrestanten bevonden zich in het Fort. Na ongeveer twee weken werden zij allemaal naar de gevangenis in Pretoria overgebracht.

Zij probeerden de gebeurtenissen buiten de gevangenismuren zo goed mogelijk te volgen. Zij hoorden dat meer dan 1500 mensen gevangen waren gezet; dat er bijna een revolutie was uitgebroken in Kaapstad. Na gespannen wachten kwamen er nieuwe berichten door: de mensen waren aan een mars begonnen naar de parlementsgebouwen. Ondanks al zijn twijfels omtrent het PAC, bedacht Nelson, waren de resultaten verbluffend. Zou de profetie van Sobukwe alsnog in vervulling gaan?

Toen hoorden ze dat Philip Kgosana de mars leidde. Wie is Philip Kgosana, vroegen zij elkaar. Maar voor de naam van de nieuwe leider goed tot hen kon doordringen, vernamen ze dat de regering de actie had bedwongen. Kgosana's kortstondige schittering in Zuid-Afrika's historie was onmiddellijk weer uitgedoofd.

Zij vervloekten hun machteloosheid. Wie had de jonge aanvoerder verraden? Later hoorden ze de details. De jongeman had de leiding genomen van de grootste volksoptocht die Kaapstad ooit had meegemaakt of in de komende decennia zou meemaken. De betogers waren op weg naar de parlementsgebouwen, maar werden door blanke liberalen overgehaald om hun route te verleggen naar het hoofdbureau van politie op Caledon Square. Daar liep de 23-jarige Kgosana, die in zijn korte broek meer van een schooljongen dan van een universiteitsstudent had, in de valstrik die door het hoofd van politie, kolonel I.B.S. Terblanche, was opgezet. 'Het werd mij kwalijk genomen dat ik geen geweld had gebruikt. Ik lag eruit, zelfs bij mijn collega's... Maar als ik het wel had gedaan dan was het een bloedbad geworden,' zei brigadier Terblanche 27 jaar later, kort voor zijn dood.

'Ze wurmden zich binnen in je geest en je hart en lieten je vallen als een baksteen.' Dat was, volgens sommigen, wat Patrick Duncan met Kgosana had gedaan. De jonge leider die de mensen zelf hadden gekozen en die zij vertrouwden, verkocht hun macht in ruil voor de belofte van een blanke politieman, omdat die leider vertrouwen had gesteld in een liberaal. Kgosana sprak tot de mensenmassa, die gehoor gaf aan de stem waarin zij zichzelf herkende. Hij zei hun dat zij naar huis moesten gaan. Hij zou met de minister van Justitie praten en concessies afdwingen. De mensen keerden zich om en op het moment dat zij uiteengingen verdween hun macht, en die van de jonge Kgosana. Hij werd gearresteerd en naar de gevangenis afgevoerd.

Jaren later zou Terblanche zeggen dat hij de verrader was geweest van Kgosana, die geen kans kreeg voor een onderhoud met de minister omdat hij onmiddellijk was gearresteerd.

(A.T. Kgosana, *Lest We Forget*, Skotaville
Publishers, 1988)

Al Nelsons bedenkingen tegen het PAC waren bevestigd, maar voldoening gaf het niet. Het deprimeerde hem evenzeer als zijn kameraden. Hadden zij samengewerkt, dan was het misschien anders afgelopen en waren zij wellicht iets dichter gekomen bij de dag van de bevrijding. Een unieke kans was verloren gegaan. Maar het stond ook vast dat Verwoerd en de zijnen niet zouden zijn teruggeschrokken voor een tweede bloedbad, hoe kort ook na Sharpeville.

De arrestanten verdeden hun tijd in de gevangenis, maar hun geestkracht verslapte niet. Zij mochten bezoekers ontvangen. Winnie kwam en bracht kleren mee en ingeblikt voedsel, want ander voedsel was niet toegestaan. Zij was weer zwanger en ditmaal op een stralende manier.

Op 8 april kregen het ANC en het PAC een *banning* opgelegd.

Eigenlijk kan men stellen dat geen enkel bewind ooit in staat is een persoon, een volk of een organisatie uit te bannen. Het slachtoffer van een *banning* kan in laatste instantie alleen zichzelf tot slachtoffer maken. Noch het ANC noch het PAC en evenmin trouwens de CP zijn in Zuid-Afrika aan de *banning* te gronde gegaan. Dat is het grote dilemma van de National Party waarvoor zij tot op de dag van vandaag geen oplossing hebben gevonden. Dertig jaar na hun eerste poging om deze organisaties te smoren zijn ze alledrie nog in leven en is het ANC sterker dan ooit.

Het ANC en het PAC herrezen binnen een jaar in nieuwe gedaanten, even lastig en alom voelbaar als voorheen. Nu ze ondergronds werkten durfden ze meer risico's te nemen dan in de formele en legale 'bovengrondse' tijden, de tijden waarin ze de ijdele hoop hadden gekoesterd iets via onderhandelingen te kunnen bereiken. Maar in het ondergrondse verzet waren onderhandelingen of toenaderingspogingen definitief van de baan. Officieel bestonden zij niet meer en vanaf dat moment konden zij hun bestaan op eigen kracht en op hun eigen voorwaarden tot gelding brengen.

Enkele dagen voor de *banning* werd afgekondigd verklaarde het ANC:

'Wij erkennen de geldigheid niet van deze wet; en wij zullen ons er niet aan onderwerpen. Het African National Congress zal voortgaan onder zijn eigen naam met het leiden en organiseren van ons volk, totdat de vrijheid veroverd is en de gesel van raciale discriminatie verbannen is uit ons land.

Een Noodcomité van het African National Congress is geformeerd en dit zal in functie blijven totdat onze gekozen leiders weer vrij zijn en onze organisatie haar wettelijke status terugkrijgt.'

De basis voor buitenlandse organisaties was al voor de noodtoestand gelegd. Het PAC had op 20 maart, aan de vooravond van Sharpeville, Nana Mahomo en Peter Molotsi naar het buitenland gestuurd om onder de Afrikaanse leiders steun te winnen voor hun campagne.

Vooruitlopend op het dreigende verbod was Tambo op 20 maart illegaal de grens overgegaan, een week later volgde Dadoo. Frene Ginwala, geholpen door de Indiase regering, organiseerde hun vlucht naar Engeland.

Met het oog op hun gelijktijdige *banning* en op advies van Kwame Nkrumah en kolonel G. Nasser, sloten de representanten van het ANC en het PAC zich in juni 1960 aaneen tot het 'United Front'.

De noodtoestand werd in augustus 1960 opgeheven en Nelson kwam vrij. Samen met Duma kreeg hij een lift naar Johannesburg, waar zij de bus namen naar Orlando. Nelson zag Winnies vertrouwde gestalte op het grasveld. Zij kon haar ogen niet geloven en rende op blote voeten in zijn armen.

In december 1960 ging Nelson zijn zoons opzoeken in Qamata. Nog steeds onder een *banning order* en onder de beschuldiging van hoogverraad, reed hij vermomd en met hoge snelheid, want om te voorkomen dat de politie zijn afwezigheid opmerkte moest hij binnen een dag en een nacht terug zijn. Hij trof Makgatho ziek aan, onder de zorgen van Nobandla, de eerste vrouw van Matanzima. Hij was haar dankbaar, maar vond toch dat zijn zoon betere medische voorzieningen nodig had dan in Transkei voorhanden waren. Hij wikkelde het koortsige kind in een deken en vertrok direct weer naar Johannesburg.

Bij Winnie waren tijdens zijn korte afwezigheid de weeën begonnen, weken voor haar tijd, en zij werd snel naar het ziekenhuis overgebracht. Zindzi's geboorte verliep normaal, maar Winnie daarintegen kreeg hoge koorts en moest in een zuurstoftent.

Bij zijn aankomst in de vroege ochtenduren met een ziek kind kreeg Nelson te horen dat hij een dochter had, dat zijn vrouw ziek was en dat er een politie-inval in zijn huis gaande was.

Zijn eerste opgave was Makgatho. Hij bracht de jongen naar dokter Abdullah, liet Leabie bij hem achter en snelde toen naar het ziekenhuis. Toen hij aankwam was Winnie zwak, maar herstellend. De tent was al weggehaald, maar nu liep bij de baby de koorts op.

Ten slotte kwam er een einde aan Nelsons wanhopige gedraaf: Evelyn nam de zorg voor haar zoon op zich en in het ziekenhuis waren zijn vrouw en zijn jongste dochtertje in goede handen.

Hij ging terug naar de beklaagdenbank in het verraadproces. Dit proces liep ook ten einde. Op 29 maart 1961, vijf jaar nadat het begonnen was verklaarde de rechtbank hen onschuldig aan de aanklacht en werd Nelson bevrijd van een loden last, die hem niet alleen zijn praktijk had gekost maar ook zijn werk voor de vrijheidsstrijd ernstig in gevaar had gebracht. De aanklagers hadden tienduizend belastende documenten gepresenteerd, die uiteindelijk gereduceerd werden tot vierduizend, en 150 getuigen à charge voorgeleid. De rechters oordeelden: 'Op grond van de aan dit hof voorgelegde bewijzen is het dit hof niet mogelijk tot de conclusie te komen dat het ANC een beleid had verworven of aangenomen, gericht op omverwerping van de staat door middel van geweld, *i.e.* in de zin dat de massa's erop voorbereid dan wel geconditioneerd dienden te worden om directe gewelddadige acties tegen de staat te ondernemen.' Buiten het gerechtshof braken demonstraties los van uitgelaten vreugde. Richard Maphonya, tegenwoordig een van de succesvolste zakenlieden van Soweto, gaf een groot feest voor Nelson en zijn vrienden, zoals hij ook had gedaan toen in augustus van het voorgaande jaar de noodtoestand werd opgeheven. Zo Winnie al enige hoop had gekoesterd op een normaal gezinsleven met een werkende echtgenoot, dan werd die binnen enkele weken de bodem ingeslagen toen Nelson zich opmaakte voor de laatste fase van zijn leven buiten de gevangenismuren.

Onderlinge strijd tussen de stammen

Terwijl het proces zich routinematig voortsleepte, verkeerde het land in een chaotische onrust die zich uitbreidde naar de reservaten. De migranten, toch al aangestoken en opgezweept door het verzet in de steden ontdekten bij thuiskomst dat hun land onteigend was en hun gezinnen verjaagd waren en bijeengedreven in armzalige gehuchten op het platteland.

Nelson had al een aantal jaren opgemerkt dat de klachten uit landelijke gebieden toenamen, klachten over mislukte oogsten en steeds dunner wordende melk. 'Het goede leven van vroeger is voorbij,' had zijn moeder gezegd. 'Wij hebben van het land niets meer te verwachten en de *amasi* smaakt niet zoals vroeger.'

Maar Nelson wist dat het meer was dan een hang naar de goede oude tijden. Hij bestudeerde rapporten en belastingopbrengsten en zag tot zijn schrik hoe drastisch de hoeveelheid land en vee was teruggelopen ten opzichte van de bevolkingscijfers, hoe de mensen waren beroofd van grasland en bouwland, terwijl nieuwe verordeningen het steeds moeilijker maakten om in de stedelijke gebieden een broodwinning te zoeken. In hoeverre, vroeg hij zich af, verschilden de reservaten van de gaskamers van de nazi's? De mensen werden doelbewust in een situatie gedwongen waar zij van honger omkwamen.

In plaats van de reservaten, die van voor hun tijd dateerden, hadden de nationalisten de instelling van Bantu Authorities en thuislanden aangegrepen om de bevolking van alle bestaansbronnen van het land af te snijden. De voorgaande regering was milder geweest in haar restricties op de trek van de reservaten naar de steden; vrouwen hadden nog geen pasjesplicht; duizenden gezinnen mochten als pachtboeren op de immense blanke landbouwbedrijven wonen; en arbeiders in de steden werden veel minder getreiterd bij het optrekken van hun illegale krotwoningen. De nationalisten werkten gestaag verder aan het omvormen van de traditionele *chiefs,* eertijds de leiders en behoeders van het volk, tot slippendragers van de onderdrukkers. De controle op de trek naar de steden werd verscherpt en uitgebreid tot vrouwen; Afrikaanse pachtboeren werden verdreven van de blanke landgoederen en gedirigeerd naar de overvolle reservaten, nadat zij eerst gedwongen waren al hun vee te verkopen. Hun woede richtte zich op die *chiefs* die het nieuwe en nog verderfelijker bestuurssysteem van de Bantu Authorities hadden geaccepteerd, en tegen hen kwamen zij in opstand. De mensen wisten dat het een eerste stap was voor de omzetting van de reservaten in thuislanden, die hen op legale wijze van hun land zou beroven. Het geweld in de Kaapprovincie had Nelson duidelijk gemaakt dat het Afrikaanse volk zo wanhopig was dat het niet zou wachten op een politieke mobilisatie, maar blindelings en irrationeel van zich af zou slaan en alles wat het als deel van de oppressie zag, zou aanvallen. Dat was de razernij die in 1959 was losgebarsten in Zeerust en Sekhukhuniland en in zijn eigen Transkei.

Een jaar later was Nelson zover dat hij de geweldloosheid als weg naar verandering opgaf; na zijn arrestatie verklaarde hij:

'Het viel niet te ontkennen dat onze tactiek om via geweldloosheid een niet-racistische staat te bereiken helemaal niets had bereikt, en dat onze volgelingen hun vertrouwen in dat beleid begonnen te verliezen en met verontrustende terroristische ideeën rondliepen. In de steden waren kleine groeperingen opgekomen die systematische plannen ontwierpen voor gewelddadige vormen van politieke strijd in de landelijke gebieden. Het nam meer en meer de vorm aan niet van een strijd tegen de regering, hoewel dat wel de aanzet had gegeven, maar van een burgeroorlog tegen hun eigen mensen, gevoerd op een manier die onmogelijk iets anders kon opleveren dan verlies van levens en afslachting... Juist omdat de bodem van Zuid-Afrika al zozeer doordrenkt was van het bloed van onschuldige Afrikanen, achtten wij het onze plicht ons op langere termijn voor te bereiden op het gebruik van geweld om ons tegen geweld te kunnen verweren.'

Nelson, zelf diep geworteld in het plattelandsleven, besefte terdege dat het ANC de landelijke gebieden had verwaarloosd. Voor hem kon Johannesburg nooit zijn thuis zijn, ook al had hij er intussen de helft van zijn leven gewoond. Als het erop aankwam telden de jaren in Transkei veel zwaarder. Het ANC had de traditionele structuren gesteund en voornamelijk via de *chiefs* geopereerd. Die structuren bestonden echter alleen nog in naam, want alle *chiefs* en hoofdmannen waren regeringsambtenaren geworden en de plattelandsraden stonden onder voogdij van de *chiefs*. Terwijl de NEUM in Transkei actievoerde en de bevolking opriep niet mee te doen, had het ANC de verkiezingen voor de lokale raden gesteund. Nelson was een van degenen die het ANC voorhielden dat het geen steun kon geven aan een *chief* die de regering hielp bij de creatie van *Bantustans*. Naar aanleiding daarvan had het ANC een nieuwe beleidsverklaring gepubliceerd in het *Report to the National Executive* van 1958:

'Over het geheel genomen hebben de Afrikaanse *chiefs* vanaf de oprichting goed samengewerkt met het ANC. Die traditie voort te zetten is de laatste jaren steeds moeilijker geworden, en toch staan velen van hen achter het volk.

Sommigen van hen zijn echter loyale agenten van de overheid geworden. Zij bewijzen de regering betere diensten dan de politie. Het is deze groep die steeds wanhopiger pogingen doet de regeringsplannen door te voeren en wreed en hard optreedt tegen de bevolking.'

Sterk of zwak, effectief of niet, met het ANC wenste de regering geen risico's te nemen. In 1958 werd de organisatie onwettig verklaard in bepaalde delen van de reservaten in Transvaal en de Kaapprovincie.

De bedreiging van de Bantu Authorities Act splitste de landelijke gemeenschappen op in voor- en tegenstanders. De bitterheid van een volk zonder bestaansmogelijkheden kende geen schokbrekers. Het geweld kwam met een schrikwekkende kracht; de represailles van de staat waren nog erger.

Stamhoofden riepen hun volgelingen bijeen en bespraken de situatie. De woede van de ene kraal voedde die van de andere en groeide zo aan tot stormkracht, tot de kracht van een volk. Onder de Pondo's was het de storm der *intaba,* de mannen die kwamen vanuit de 'bergen'. Onder de Thembu ontstond een vergelijkbare volksopstand tegen de Bantu Authorities Act.

De woede richtte zich vooral tegen *paramount chief* Botha Sigcau van East Pondoland en tegen Kaiser Matanzima. Maar de ongerustheid sloeg toe bij alle Pondo- en Thembu-*chiefs* en zij organiseerden hun eigen huurtroepen om hun leiders te beveiligen en iedereen aan te vallen die als een politieke bedreiging werd gezien. De migranten uit de steden weigerden zo'n tirannie van hun eigen mensen te accepteren en namen wraak door de hutten van chiefs en hun aanhangers in brand te steken en de bewoners te molesteren. In Sekhukhuniland werden diverse voorstanders van de Bantu Authorities gedood. De staat beschermde haar stromannen en zette honderden mensen gevangen; twintig werden later tot levenslang veroordeeld en vele anderen kregen straffen van rond de tien jaar. Voor Nelson was het bijzonder pijnlijk dat zijn familielid, Kaiser Matanzima, door de bevolking als de grote boosdoener werd gezien. De aanvallen en tegenaanvallen verscheurden zijn geliefde land.

Nelson werd wanhopig toen hij vernam dat Matanzima vanuit zijn hoofdkwartier in Qamata een *impi* had uitgestuurd naar Rhwantsana, waar zij onder protectie van de politie een honderdtal hutten hadden platgebrand. Hij hoorde over de omsingeling en beschieting door politietroepen van een bijeenkomst van vierhonderd stamleden in Flagstaff, die een actie tegen Botha Sigcau wilden plannen; acht mannen sneuvelden door schoten in de rug, velen werden gewond. De overlevenden waren de wildernis in gevlucht en vervolgens teruggekeerd om de gehele streek onder hun controle te brengen. Het was de macht van de intaba, niet die van Sigcau, die zegevierde. De 'bevrijders' waarschuwden de *chiefs* niet met de regering samen te werken. Wie die waarschuwing negeerde, ontving de gruwelijke boodschap: 'De ruiters komen!' en werd het slachtoffer van een plotselinge overval. Het bestuursapparaat stortte ineen. De gezagsdragers wisten geen raad met de problemen en de *chiefs* zochten hun heil in vluchtelingenkampen in Bizana en Umzimkulu.

In Langa in de Kaapprovincie gingen Nelsons stamgenoten, Thembu's die als migranten werkten en die lid waren van de Poqo (de als militant bekendstaande vleugel van het PAC), naar de *inyanga* die sneden maakte in hun huid en de wonden insmeerde met magische kruiden. Aldus gesterkt, vertrokken zij per trein naar hun geboortestreek om Kaiser Matanzima te doden. Maar de politie, gewaarschuwd door spionnen, blokkeerde alle uitgangen van het station. Toen de trein stopte, bestormde de politie de Poqomannen die zich zo goed als zij konden verdedigden en toen vluchtten naar de bergen. Politietroepen zetten de achtervolging in en ten slotte werden zij overmeesterd. Zij werden berecht; lange straffen en doodvonnissen volgden.

In Winnies ouderlijk huis was sinds haar vertrek veel gebeurd en was de hartelijke sfeer van het bruiloftsfeest nog slechts een herinnering. Haar vader had de zijde gekozen van Matanzima en had zitting in diens raad, wat hem tot tegenstander maakte van alles waar zij en Nelson voor vochten. Haar broers hadden zich aangesloten bij de *intaba* tegen haar vader en hoewel hun respect voor hem als vader intact bleef, koesterden zij een sluimerende en onuitgesproken wrok.

Winnie voelde zich verscheurd door de rechtmatigheid van de volkswoede en haar vaders reactionaire opstelling. Zij was kapot toen zij hoorde dat haar geliefde *Makhulu* een van de onschuldige slachtoffers van de *intaba* was geworden. De *intaba* hadden Kokani gevraagd zijn autobussen af te staan, maar hij had geweigerd. Daarna hadden zij ze simpelweg gestolen en de chauffeurs in gijzeling genomen. In de nacht, terwijl Kokani in zijn werkkamer zat en *Makhulu* in de deuropening van de keuken lag, zoals zij meestal deed na een zware maaltijd, verscheen een vloedgolf van *intaba*-mannen. Kokani sprong door een raam en ging plat op de grond liggen. Diverse aanvallers stapten zelfs over hem heen zonder hem op te merken. Hij slaagde erin naar de tuin te kruipen en te ontsnappen. Hilda, Winnies stiefmoeder, en de andere huisgenoten wisten ook te ontkomen maar *Makhulu*, die zo snel niet overeind kon komen, kreeg een *intshula* in haar lichaam en raakte verlamd vanaf haar middel. Kokani's grote huis werd in brand gestoken. *Makhulu* weigerde zich in het ziekenhuis te laten opnemen, haar geest was gebroken en kort daarna stierf zij.

In 1960 kwamen stamgenoten uit Transkei naar nr. 8115 in Orlando West om Nelson, het ANC en de regering te informeren over de terreur die zij van *chief* Mantanzima en Botha Sigcau te dulden hadden. Eerst verscheen er een groep gedeporteerde Thembu's: *chief* Bangilizwe Joyi, Jackson Nkosiyane, Twalimfene Joyi en McGregor Mgolombane, en na hen volgde een Pondo-delegatie. De mannen vulden de kleine voorkamer en schikten zich tot iedereen een zitplaats had gevonden. Winnie begon snel eten klaar te maken en vroeg zich bezorgd af voor hoevelen zij een slaapplaats moest regelen en hoelang zij zouden blijven.

De stamleden waren kwaad op hun *chiefs* en noemden hen zelfzuchtig en inhalig. Zij twijfelden aan

Botha Sigcau's aanspraken op de titel van *paramount chief* van de Pondo's en zij vreesden dat Matanzima weldra heel Transkei zou beheersen en de legitieme *paramount chief* van de Thembu's, Sabata Dalindyebo, zou afzetten.

Nelson was de oom van zowel Matanzima als Sabata. Terwijl hij en Matanzima ongeveer dezelfde leeftijd hadden en beiden rechten hadden gestudeerd, had de veel jongere Sabata heel weinig scholing gehad, maar in tegenstelling tot Matanzima was hij een fel tegenstander van de Bantu Authorities. Het was een omkering van hun historische rollen. Tegen het eind van de negentiende eeuw had Sabata's overgrootvader, *paramount chief* Ngangelizwe, gecollaboreerd met de Engelsen terwijl zijn broer Matanzima een volksheld werd toen hij de wapens tegen hen opnam. Maar zijn kleinzoon, K.D. Matanzima, collaboreerde nu met de regering en onttroonde uiteindelijk zijn meerdere, Sabata. Als leden van de Madiba-clan behoorden zij te allen tijde een gesloten front te vormen, maar de clan was van hoog tot laag verscheurd.

De stamleden vertelden Nelson van arrestaties en dodelijke slachtoffers. Ze hadden een belangrijke overwinning behaald met hun boycot van consumptieartikelen en daarbij steun gekregen van lokale winkeliers, die hun goodwill bij de klanten niet wilden verspelen. Het was nieuws dat niet in de kranten kwam, waar geen journalist zich om bekommerde. Het was alsof de ongeletterde streken geen gedrukte reportages waard werden geacht. De uitroep van de stamleden 'Ze moorden ons uit!' was geen overdrijving. Hoe kon men de situatie anders omschrijven?

Winnies smart over de aanslag op haar familie en haar innerlijke tweestrijd werden die dag tot een climax gebracht. De discussie was een zaak onder mannen. De vrouwen van het gezin Mandela hoorden de stemmen, elkaar overschreeuwend in woede en verontwaardiging. Winnie herinnert zich:

'Nelson haalde andere ANC-leiders erbij. Het beraadslagen ging die nacht onafgebroken door. Ik moest in de keuken blijven, voor eten en drinken zorgen. Ik kreeg zonder meer opdracht voor tien mensen een avondmaal klaar te maken. Ik wist niet, en kreeg ook niet te horen waarover het beraad ging. Bij zulke besloten vergaderingen durfde ik de piepkleine voorkamer van ons huis niet binnen te gaan. Zij bedienden zichzelf en zo ging het ditmaal ook.

Ik was in de keuken toen de deur werd opengegooid en een jongen uit mijn dorp, die als buschauffeur voor mijn vader had gewerkt en die nu in het buitenland zit, mij vrolijk begroette met een stapel borden. Hij ging op zijn gemak zitten en begon met een lucifer zijn tanden schoon te maken. Na een korte uitwisseling van beleefdheden zei hij: "Jouw vader is een geluksvogel, maar wij krijgen hem wel. Het is ons alleen een raadsel hoe hij door zo'n klein raampje kon ontsnappen. Zo'n zware kerel. Hij mag zijn gelukkig gesternte wel dankbaar zijn. De volgende keer zal zijn geluk hem niet helpen."

Ik was verstard, verlamd van schrik. Ik bevond mij in een kruisvuur en mocht niets van mijn gevoelens laten blijken. Ik was ontzettend kwaad. Op dat moment haatte ik hem, maar ik was machteloos. Ik kon niets zeggen, maar toen hij doorging mij in mijn eigen keuken te sarren met wat hij mijn familie had aangedaan zei ik: "Maar het is mijn vader over wie jij spreekt. Zie je niet dat het voor mij ondraaglijk is?" Hij lachte alleen maar.

Toen mijn werk voor de vergadering gedaan was, trok ik mij terug op mijn slaapkamer en huilde vreselijk. Mijn afschuwelijke positie drong nu pas echt tot mij door. Ik aanbad mijn vader en naast mij waren mijn echtgenoot en mijn vrienden bezig een aanslag op hem te beramen. Ik kon het niet opbrengen er met Madiba over te praten of hem te vertellen wat ik voor mijn vader voelde. Ik stond aan de kant van de Pondo's; op het politieke vlak wees ik mijn vader af, maar dat kon niets afdoen en deed niets af aan de levenslange band van liefde en wederzijds respect. Het ergste moest nog komen, toen het gerucht rondging dat ik, zijn dochter, zijn vijanden had ontvangen en in mijn eigen huis zijn moord had beraamd.'

Later, toen zij even alleen waren, vertelde Winnie haar man over het incident met de jongen uit haar dorp. Nelson verzekerde haar dat zij niet de enige was die voor zulke innerlijke conflicten werd geplaatst. De regering had zich op uiterst geraffineerde wijze in de Afrikaanse gemeenschap ingedrongen en velen worstelden net als zij met hun verdeelde loyaliteit.

De stamleden keerden naar huis terug met groot ontzag voor Moses Kotane en zijn vrienden. Toen zij op een dag langs de Market Street in Johannesburg liepen, kwamen zij een bekende politieke figuur tegen, John Motshabi. Hij stelde zich voor als een van de kameraden van Kotane en gaf hen 1000 rand voor de vrijheidsstrijd.

De Zwarte Pimpernel

Alle banden met Groot-Brittannië te verbreken, volledig los te zijn van het Britse Imperium en van wat daarvan over was in de vorm van de Unie van Zuid-Afrika, dat was de droom van iedere Zuidafrikaan. De nationalisten hadden zichzelf een republiek beloofd;

in 1960 maakten zij zich op die belofte waar te maken. In vrij wel iedere andere situatie zou de bevrijding van een koloniaal verleden onafhankelijkheid en ontsnapping aan buitenlandse overheersing in het vooruitzicht hebben gesteld: in Zuid-Afrika betekende het dat de overgebleven, uiterst reactionaire gemeenschap van blanke kolonisten alle liberale remmen vanuit Europa van zich afschudde, hoe los deze ook waren, en de inheemse bevolking en alle overige niet-blanke bevolkingsgroepen onbeperkt begon te overheersen.

Terwijl blanke Zuidafrikanen naar de stembus gingen om zich uit te spreken voor een racistische republiek, gingen de meeste zwarte Zuidafrikanen door met hun dagelijkse beslommeringen en waren niet geïnteresseerd. De mondigsten onder hen bevestigden hun eis van volwaardige burgerrechten. Alhoewel het ANC en het PAC verboden waren namen hun leiders het initiatief. *Chief* Luthuli trof voorbereidingen voor een nationale conventie van alle Zuidafrikanen, die de wens van het volk zou vastleggen. Een conferentie van zesendertig Afrikaanse leiders werd belegd om de weg te effenen. De problemen waarop zij stuitten waren gezien de zeer uiteenlopende politieke achtergronden onvermijdelijk. Het PAC wilde dat de conventie beperkt bleef tot Afrikanen en wilde zelfs niet praten voordat de twee blanke vertegenwoordigers van de Liberal Party de eerste vergadering hadden verlaten. De conferentie besloot niettemin een Nationale Conventie bijeen te roepen van alle Zuidafrikanen, ongeacht van welk ras, en stelde een dertien leden tellend Continuation Committee in onder voorzitterschap van Jordan Ngubane, lid van de Liberal Party, maar het comité liep vast in onderlinge verdeeldheid. De vertegenwoordigers van het PAC konden hun bezwaren tegen een multiraciale conferentie niet opzij zetten en zowel de PAC-leden als de liberalen namen aanstoot aan de zeer sterke vertegenwoordiging van het ANC. Aan de verdeeldheid kwam tijdelijk een einde in maart 1961, toen de regering het voltallige comité het bevorderen van de doelstellingen van het ANC ten laste legde. Geen van de comitéleden verweerde zich tegen het bevorderen van de doelstellingen van het ANC, aangezien niemand de rechtsgeldigheid van zo'n beschuldiging accepteerde. Alle dertien leden werden schuldig bevonden op 12 oktober, maar allen werden in april 1962 in hoger beroep vrijgesproken.

Na het proces laaide de verdeeldheid binnen het comité nog sterker op, totdat het PAC, de Liberal Party en de IDAMF (Interdenominational African Ministers Federation) de dominerende rol van het ANC niet langer wilden dulden en zich terugtrokken. Desondanks was de Conventie, die in mei 1961 bijeengeroepen werd, een daverend succes en tevens een bewijs voor de populariteit van het ANC en de kracht van de organisatie, ondanks het feit dat zij verboden was. Het tijdschrift *Drum* schreef: 'Alles wees op een fiasco, en toch werd het een triomf, een indicatie van een nieuwe geest van vastberadenheid onder het Afrikaanse volk.

Vierhonderd afgevaardigden vanuit de hele Unie kwamen naar Maritzburg en velen van hen sliepen buiten in het veld omdat er geen andere plaats was om te overnachten.

Zij kwamen met de trein, met de auto, te voet, op de fiets. Zij brachten pakketten met voedsel mee die ze uitdeelden alsof het een familie-picknick was. Zou de National Party dit voor elkaar gekregen hebben, gegeven de *banning orders,* een schaarste aan vervoermiddelen en een uiterst krap budget?'

De organisatoren waren goed voorbereid op de politie en toen zij op de plaats van samenkomst afluisterapparatuur ontdekten, vertrokken zij onmiddellijk en liepen verscheidene kilometers in de stromende regen naar de Indiase *township*, waar een andere zaal werd gevonden.

De *Drum* van mei 1961 berichtte:

'Zij spraken, luisterden, discussieerden en legden hun gevoelens en ideeën ten slotte vast in resoluties. Zij eisten een "niet-raciale" democratische grondwet in Zuid-Afrika. Zij eisten de convocatie van een nationale conventie, bestaande uit gekozen vertegenwoordigers van alle volwassen mannen en vrouwen op basis van gelijkheid, ongeacht ras, huidkleur of gezindte, en bijeen te roepen door de regering uiterlijk op 31 mei 1961.'

Het hoogtepunt van de bijeenkomst was het optreden van Mandela. Hij werd begroet met een donderend applaus. Vanwege zijn *banning orders* was het negen jaar geleden dat het publiek hem had horen spreken. Hij verscheen daar als een heroïsche figuur en zijn vertrouwde basstem vulde de zaal. De afgevaardigden luisterden gespannen naar ieder woord dat hij sprak. Een man die naast de verslaggever van *Drum* zat merkte op: 'Het lijkt wel de State of the Union door de Amerikaanse president.'

'Mr Mandela (zo vervolgde het verslag in *Drum)* bracht hulde... aan het ANC... dat bijna vijftig jaar lang "het zwaard en schild van het Afrikaanse volk" was geweest. Nu het verboden was, zei hij, had het twee mogelijkheden: ofwel discriminatie en vernedering accepteren of opkomen voor hun rechten. Zij konden onderling verdeeld blijven tegenover de arrogantie van de regering, of eendrachtig standhouden om te bewijzen dat de discriminerende wetgeving van dit bewind niet werkte.'

Nelson ging weer zitten onder een oorverdovend applaus en na hem kwam Lilian Ngoyi, die niet minder indrukwekkend was. *Drum* verklaarde: 'Zij hield een meesterlijk pleidooi voor eenheid. Zij hield de afgevaardigden voor dat de politieke tegenstanders na elke politieoverval in dezelfde cellen terechtkwamen en met dezelfde aanklachten werden geconfronteerd. Dit, zo zei zij, liet zien hoe nutteloos het was ruzie te maken wanneer men tegenover een gemeenschappelijke vijand staat.'

Zij eiste de vrijlating van Sobukwe, hetgeen, zoals de verslaggever van *Drum* terecht opmerkte, moedig van haar was gezien de vernietigende strijd tussen het ANC en het PAC.

De conferentie besloot:

'Wij verklaren dat geen enkele grondwet of regeringsvorm waartoe besloten is zonder participatie van het Afrikaanse volk, dat een absolute meerderheid van de bevolking vormt, morele geldigheid kan genieten of steun kan verdienen binnen Zuid-Afrika of daarbuiten.

Wij eisen dat de regering van de Unie uiterlijk 31 mei 1961 een Nationale Conventie bijeenroept, bestaande uit gekozen vertegenwoordigers van alle volwassen mannen en vrouwen op basis van gelijkheid, ongeacht ras, huidkleur, gezindte of andere restricties.'

De conferentie koos een National Action Council en gaf dit opdracht massademonstraties te organiseren, te beginnen met een nationale staking als de regering zou weigeren de conventie bijeen te roepen. Nelson werd tot voorzitter van de raad benoemd. De conferentie besloot ook dat de identiteit van ieder lid van de raad geheim zou blijven, met uitzondering van Mandela. Nelson aanvaardde de verantwoordelijkheid zonder aarzeling. Hij had een punt bereikt in zijn leven waarop hij bereid was tot ieder offer om een einde te maken aan de apartheid. Het organiseren van een staking waarbij Afrikanen betrokken zouden zijn was bij de wet verboden. Hij wist dat hij de hem toevertrouwde taak niet kon volbrengen zonder bijna onmiddellijk een arrestatie te riskeren. Sterker nog, om enige kans van slagen te hebben zou hij moeten 'onderduiken'. Dit betekende dat hij zijn gezin moest verlaten, dat hij een leven van ontberingen tegemoet ging en, wat het ergste was, vroeg of laat een langdurige gevangenschap kon verwachten.

Niets van dit alles ontmoedigde hem. En het kwam ook niet in hem op eerst naar zijn gezin te gaan om de consequenties van zijn nieuwe taak met hen te bespreken. Hij verwachtte van zijn gezin dat zij volledig achter hem zouden staan en dat is ook precies wat zij deden, ondanks de enorme offers die zij zich moesten getroosten.

Nelson ontwierp een strategie waarbij hij de regering voortdurend kon dwarszitten, maar zelf achter de schermen en onbereikbaar bleef. Het zwarte publiek genoot van de avonturier die Mandela had gecreëerd. Wat Nelson zelf betreft betekende het angst, eenzaamheid en bijna iedere nacht een ander bed, als er een bed gevonden werd. Er waren momenten dat hij zich afvroeg waarom hij deze weg gekozen had, en het antwoord was steeds hetzelfde. Hij had de weg niet gekozen, de weg had hem gekozen. Hij was meegesleept door gebeurtenissen waarop hij geen greep had. Wat had hij anders kunnen doen nadat het ANC verboden was, en vooral na Sharpeville? Wat had hij nog voor alternatief? Alleen als de zwarten erin slaagden de economie te ontwrichten, alleen dan zouden zij kunnen terugwinnen wat van hen was.

De Zwarte Pimpernel was overal. Hij dook op in gehuchten en dorpen overal in het land, in huizen van goede vrienden en ANC-activisten van wie hij zeker wist dat zij de door de conferentie bevolen acties tegen de blanke republiek zouden steunen. Zijn primitieve vermomming bleek effectief en bracht zelfs degenen die hem kenden in verwarring. Hij herinnert zich een voorval:

'Op weg naar Durban stopte ik rond de middag in Boom Street in Pietermaritzburg. Chota was weg naar een van zijn klinieken. Choti dacht dat ik een patiënt was en vroeg me later op de dag terug te komen, maar ik zei dat ik wilde wachten en bracht een paar uur zittend op de veranda door. Mijn werkmanskleding, sandalen en ongekamde haar leverden me een perfecte vermomming op en ik genoot van de anonimiteit. Zij ontdekte pas wie ik was toen Chota terugkwam. Ware het niet dat zij was opgevoed in de traditie van geweldloosheid, dan zou zij me voor wat ik deed zeker de nek hebben omgedraaid.

Die nacht hebben wij nauwelijks een oog dichtgedaan en eindeloos zitten praten met wijlen Omar, met Moses Mabida, Ismail Gangat en Chota.'

Na zijn arrestatie vertelde Nelson voor het gerecht:

'Begin april 1961 dook ik onder om de algemene staking in mei te organiseren. Mijn werk bracht met zich mee dat ik het hele land afreisde en nu eens in Afrikaanse *townships* verbleef, dan weer in dorpen op het land en dan weer in steden.

Tijdens de tweede helft van dat jaar kwam ik regelmatig aan huis bij de heer Arthur Goldreich, waar ik mijn gezin privé ontmoette.

In oktober 1961 liet de heer Goldreich mij weten dat hij buiten de stad ging wonen en bood mij daar een schuilplaats aan. Enkele dagen daarna regelde hij

dat de heer Michael Harmel, ook een van de samen-
zweerders in deze zaak, mij zou meenemen naar Rivonia. Voor iemand die zoals ik het leven van een out-
law leidde was Rivonia uiteraard een ideale plaats. Tot
die tijd was ik gedwongen overdag binnenshuis te
blijven en kon ik mij alleen onder de dekmantel van
de duisternis naar buiten wagen.

Maar in Lilliesleaf kon ik op een andere manier
leven en veel efficiënter werken.

Om vanzelfsprekende redenen moest ik mijzelf ver-
mommen en nam ik de gefingeerde naam David aan.
In december kwamen de heer Arthur Goldreich en
zijn gezin er ook wonen. Ik bleef daar, tot ik op 11 januari 1962 naar het buitenland vertrok. Zoals ik al
heb aangegeven, kwam ik in juli 1962 terug en werd
op 5 augustus in Natal gearresteerd.'

Maar herhaaldelijk ontkwam hij op het nippertje
aan de politie, mede door de onzorgvuldige communi-
catie binnen een 'ondergrondse' die nog volkomen
nieuw was en maar uit één lid bestond. Op een gegeven dag arriveerde Nelson vroeg in de ochtend bij het
huis van Fatima en Ismail Meer. Na even gerust te
hebben stond hij zich in de badkamer te scheren toen
de telefoon ging. 'Is Nelson aangekomen?' vroeg een
goede vriend en bestuurslid van het NIC. Fatima
schrok hevig: 'Wie is Nelson?' vroeg ze. 'Hier is niemand die zo heet.' 'We hebben hem een paar uur geleden bij u afgezet,' drong de vriend aan. 'Er is hier
niemand aangekomen,' hield Fatima vol en legde de
hoorn neer. Zij meldde het telefoongesprek aan Nelson, die zachtjes vloekte. 'Heeft hij dan nooit gehoord
van telefoons die afgeluisterd worden?' en hij vroeg
zich af of hij naar een andere schuilplaats moest verhuizen. Maar hij was moe, hij wilde uitrusten en besloot het risico te nemen. Hij bleef een aantal dagen

bij de Meers en nam de tijd om Winnies zuster te bezoeken die als verpleegster in het FOSA-ziekenhuis werkte, een paar kilometer buiten de stad, en hij ontmoette Alan Paton en Leo Kuper, beiden van de Liberal Party. Intussen deden de regering en de politie hun uiterste best om hem in diskrediet te brengen. Ze beschuldigden het National Action Committee van het beramen van geweld op grote schaal. Nelson telefoneerde naar de pers vanuit een openbare telefooncel en weerlegde de beschuldiging. De *Sunday Express* van 21 mei 1961 rapporteerde:

'Mr Rolihlahla Nelson Mandela, de leidende man achter de geplande meidemonstraties, zei mij gisteravond dat hij niet verwachtte dat hij voor 31 mei opgepakt zou worden, ook al was de politie van het hele land naar hem op zoek. Hij belde op vanuit een openbare telefooncel en vertelde mij: "Tot dusver zijn wij de politie steeds een stap voor geweest. Ik heb zoveel werk dat ik niet eens aan gearresteerd worden denk. Wij ontkennen met klem alle berichten dat er geweld zal worden gepleegd of dat de thuisblijfactie van drie dagen zal worden verlengd. Kleine organisaties die niets met de demonstraties te maken hebben, pleiten ervoor de staking te verlengen, maar wij hebben geen connectie met hen."'

De regering negeerde de oproep om met alle partijen te confereren en dwong de National Action Council de thuisblijfactie van drie dagen uit te roepen, van 29 tot 31 mei.

Toen nam het PAC de taak van de regering over en begon zelf tegen de Council te ageren. Het verwierp de oproep en gaf een pamflet uit, waarin het de op handen zijnde demonstraties onverantwoordelijk noemde, en beweerde dat de Action Council in feite het ANC was, en zo de leden van de Council blootstelde aan arrestatie. Dit laatste was een onvergeeflijke daad. Nelson had gehoopt dat het ANC en het PAC hun onderlinge meningsverschillen zouden overbruggen en weer zouden samenwerken.

Oliver Tambo en Nano Mahomo werkten al samen in het buitenland. Waarom lukte dat niet in eigen land? Samenwerking was voor het ANC van levensbelang en toch bleek dat, zelfs in hun ergste crisis, onhaalbaar. Hoe riskant ook, voor Nelson was er geen weg terug. Hij trok verder, om de ontmoedigden te bezoeken en te inspireren. Zij vertelden over zijn komst en hun verhalen werden deel van de rijke folklore van zijn volk. Op strategische momenten zocht hij een telefooncel op, vulde het apparaat met *tickeys* en sprak met de kranten.

De laatste drie dagen van mei vond de beslissende krachtmeting plaats tussen het ANC en de racistische regering. Rolihlahla Nelson Mandela en dr. Hendrik Verwoerd waren onmiskenbaar de sleutelfiguren: beiden hadden zich ingegraven en waren vastbesloten geen duimbreed te wijken. De regering had ieder denkbaar machtsmiddel tot haar beschikking; het verboden ANC en Mandela hadden niets anders dan zichzelf, hun integriteit, hun geloof, en de steun van hun volk.

Het werd maandag 29 mei. De blanke media rapporteerden dat de thuisblijfactie een fiasco was en dat de deelname gering was, variërend van 2 tot 20 procent. *Drum* verklaarde wel dat de regering deze ronde gewonnen had, maar meldde een aanzienlijke respons op Mandela's stakingsoproep in het hele land. Het gaf een schatting van 50 procent wegblijvers op de eerste dag in Durban en op de Reef (de *Rand Daily Mail* noemde 25 procent) en 20 procent in Port Elizabeth en Kaapstad. Indiase winkels in Durban en op de

Reef bleven gesloten. Na geweld en beschietingen liep het stakerspercentage in Port Elizabeth de volgende dag op tot 50 procent, maar in ieder ander deel van het land liep de staking ten einde toen de blanken naar het stembureau gingen.

Hoe groot de respons op de stakingsoproep ook was (Nelson zelf schatte deze tussen de 50 en 75 procent), de festiviteiten voor de stichting van de republiek der Afrikaners op 31 mei werden duidelijk door alle zwarten geboycot. Er waren nauwelijks mensen om de bekers en medailles in ontvangst te nemen. De *Drum* van juli 1961 meldde:

'In Kaapstad hebben naar schatting slechts een op de tien gekleurde kinderen de republikeinse medaille geaccepteerd en schoolhoofden vertelden dat zij naar verwachting ongeveer honderdduizend medailles zouden terugsturen naar het ministerie van Onderwijs in Pretoria. Zij zeiden dat voor zover zij wisten geen enkele gekleurde High School-leerling in de stad de medaille en de vlag in ontvangst had genomen. Afrikaanse scholen kregen hun voorraden niet. Aan sommige scholen werd beloofd dat deze later zouden komen maar er werd van geen enkele aanvraag melding gemaakt. In Transvaal gooiden een paar Indiase kinderen de vlaggen weg maar behielden de stokken waaraan ze vastzaten. De hoofden van de meeste Indiase scholen in Natal waren bezig de overgebleven vlaggen en medailles weer in te pakken en terug te sturen naar Pretoria.'

Nelson maakte vanuit zijn ondergrondse positie de balans op:

'Geconfronteerd met ongekende intimidatie van de kant van de regering en de werkgevers en met aperte leugens van de kant van de pers, kort voor en tijdens de staking, betuigde het vrijheidslievende volk van

Zuid-Afrika massaal zijn volledige steun aan het provocerende besluit van de Conferentie van Maritzburg.

Geen organisatie ter wereld had kunnen volhouden en overleven onder het loodzware en alzijdige geschut dat de regering de laatste maand tegen ons in stelling heeft gebracht... Wanneer een regering een vreedzame demonstratie van ongewapende mensen probeert te onderdrukken door alle staatsreserves, zowel militaire als politionele, te mobiliseren, dan erkent zij impliciet de krachtige, massale steun voor zo'n demonstratie. Wie kan het simpele feit ontkennen dat de Zuidafrikaanse politiek sinds het eind van de vorige maand niet beheerst werd door de viering van de republiek, maar door onze plannen voor een algemene staking?'

Vervolgens kondigde hij de tweede fase van de campagne aan.

'Wij hebben benadrukt dat de staking gevolgd zou worden door andere vormen van collectieve pressie, om de racistische fanaten die ons geliefde land besturen ertoe te dwingen plaats te maken voor een democratische regering van het volk, door het volk en voor het volk. Een grootschalige en nationale campagne van non-coöperatie met de regering zal onmiddellijk van start gaan... Wij zijn van plan regeren onmogelijk te maken. Mensen die geen stem hebben hoeven ook geen belasting meer te betalen aan een regering die hun geen verantwoording schuldig is. Mensen die in armoede en hongersnood leven hoeven ook geen buitensporig hoge huren te betalen aan de regering en lokale autoriteiten. Wij doen het werk in de goudmijnen, de diamantmijnen en de kolenmijnen, op de boerderijen en in de fabrieken, in ruil voor armzalige lonen. Waarom zouden wij voortgaan diegenen te verrijken die de produkten stelen van ons bloed, zweet en tranen, die ons uitbuiten en ons het recht ontzeggen vakbonden te organiseren? Kan men van Afrikanen verwachten dat zij genoegen nemen met Advisory Boards en Bantu Authorities, terwijl over het gehele Afrikaanse continent de eis weerklinkt voor nationale onafhankelijkheid en zelfbestuur? Is het geen schanddaad jegens het Afrikaanse volk dat de regering nu poogt het Bantu Authorities-systeem tot de steden uit te breiden, terwijl de bevolking van landelijke gebieden geweigerd heeft datzelfde systeem te aanvaarden en het met hand en tand heeft bevochten? Non-collaboratie is een dynamisch wapen. Wij moeten weigeren. Wij moeten het gebruiken om de regering ten grave te dragen. Het moet met kracht en onverwijld worden ingezet. Alle middelen waarover het zwarte volk beschikt moeten wij mobiliseren om de nationalistische regering elke coöperatie te onthouden. Diverse vormen van industriële en economische actie zullen aangewend worden om de toch al wankele economie van het land te ondermijnen. Wij zullen een oproep richten tot de internationale instanties om Zuid-Afrika buiten te sluiten en tot alle naties ter wereld om hun economische en diplomatieke banden met het land te verbreken.'

Hij wees erop dat tegen hem een arrestatiebevel was uitgevaardigd en als een duidelijk weerwoord tegen het PAC, dat duizenden pamfletten had uitgedeeld waarin zij leiders van de Congress Alliance van lafheid hadden beschuldigd, zei hij: 'Iedere serieuze politicus zal beseffen dat, onder de huidige omstandigheden in deze maatschappij, mijzelf uitleveren aan de politie en daarmee een gemakkelijk martelaarschap najagen goedkoop en misdadig is. Wij hebben een belangrijk programma te verwezenlijken.'

Het PAC-pamflet had verklaard: 'Wij, het PAC, hebben zoals u weet gebroken met de Congress Alliance omdat de leiders zulke lafaards zijn. Waar zijn onze leiders? Waar is Sobukwe, onze *chief?* – in de gevangenis bij zijn vrienden.'

Nelson beklemtoonde dat hij de moeilijkste weg gekozen had, een weg met meer risico's en ontberingen dan gevangenschap. In een persverklaring van 26 juni 1961 zei hij:

'Ik heb afscheid moeten nemen van mijn geliefde vrouw en kinderen, van mijn moeder en zusters, om verder als vogelvrijverklaarde te leven in mijn eigen land. Ik moest mijn praktijk opgeven, mijn beroep vaarwel zeggen, en in armoede en ellende leven zoals zovelen van mijn volk. Ik zal tegen de regering vechten samen met jullie, zij aan zij, centimeter voor centimeter, mijl voor mijl, totdat de victorie is behaald. Ik zal Zuid-Afrika niet verlaten, en ik zal mij ook niet overgeven. De strijd is mijn leven. Ik zal blijven vechten voor de vrijheid tot mijn laatste dag.'

(Gepubliceerd in *We Accuse: The Trial of Rolihlahla Mandela, ANC (SA),* Londen)

Tegen die tijd was Nelson ervan overtuigd geraakt dat de strijd niet te winnen was via onderhandelen en passief verzet. Onderhandelen zou pas aan de orde komen wanneer het ANC zich in macht zou kunnen meten met de nationalisten. Om die macht ooit te verkrijgen moesten zij bereid zijn geweld te gebruiken. Tijdens het Rivonia-proces in 1964 vertelde hij de rechters: 'Begin juni 1961 kwamen een aantal collega's en ik tot de conclusie dat het, aangezien geweld in dit land onvermijdelijk was, onrealistisch en onjuist zou zijn als de Afrikaanse leiders doorgingen met het prediken van vrede en geweldloosheid, op een moment dat de regering onze vreedzame oproepen met geweld beantwoordde.'

Het ANC was zelf verdeeld over het gebruik van geweld. Sommigen dachten dat het opleiden van rekruten prematuur was. Na lange discussies werd echter besloten de plannen voor militaire training door te zetten, aangezien het vele jaren zou kosten om als basis voor een guerrilla-beweging een kern van goed opgeleide soldaten op te bouwen en omdat zo'n training hoe dan ook zijn waarde zou hebben.

Chief Luthuli raakte nooit verzoend met het geweldsalternatief, maar was er evenmin op uit degenen die daarvoor hadden gekozen te dwarsbomen. Nelson bewonderde Luthuli enorm en beschouwde hem als een van de beste algemeen voorzitters die het ANC had gekend, maar hij zag hem tegelijkertijd ook als een individualist. Hij herinnerde zich diens reactie toen hem gevraagd was Luthuli op de hoogte te stellen van de bestuursbeslissing, na het verbod op het ANC, dat Mandela het land moest verlaten en vanuit het buitenland moest opereren. Luthuli's antwoord was toen geweest dat hij de zaak zou bespreken met Ismail Meer en Alan Paton, waarmee hij aangaf dat hij meer vertrouwen had in zijn vrienden dan in de organisatie waarvan hij voorzitter was.

Ironisch genoeg kreeg *chief* Luthuli, de toenmalige algemeen voorzitter van het ANC, de Nobelprijs voor de Vrede in hetzelfde jaar dat *Umkhonto we Sizwe* zijn eerste bomexplosie claimde. Het land had het schokeffect van de eerste sabotageactie ondergaan op 18 oktober 1961. Een kleine groepering die weldra geschiedenis zou worden en die zich presenteerde als het National Liberation Committee, wat later veranderd werd in African Resistance Movement, was voor de explosie verantwoordelijk en niet Umkhonto. Het NLC was een radicaal groepje van anti-communistische blanken, voortgekomen uit de Liberal Party. De eerste bomaanslagen van Umkhonto volgden op 16 december 1961, in drie centra tegelijkertijd: Port Elizabeth, Johannesburg en Durban. De bommen waren zelfgemaakt, de operaties waren onhandig en deels zelfs klungelig uitgevoerd. Een saboteur werd gedood en een ander verloor een arm. Een maand tevoren hadden eenheden die nauw samenwerkten met het ANC door de hele Witwatersrand, van Springs tot Randfontein, telefoonkabels doorgesneden.

Een derde groep, de Yu Che Chen, geleid door dr. Neville Alexander en geworteld in de NEUM, richtte zich eveneens op sabotage. De gebeurtenissen van 1960 hadden een groot deel van de Zuidafrikanen doen inzien dat hun land geen ruimte bood voor een formele buitenparlementaire oppositie, zelfs niet als discussiegroep. De regering leek van haar kant onbewogen. Nu zij de zwarte oppositie had geëlimineerd, begon zij de reservaten op te delen in thuislanden en zorgde er in versneld tempo voor dat deze landen bestuurd werden door haar zwarte stromannen. De anti-apartheidsgroepen: liberalen, nationalisten, marxisten en trotskisten beraadden zich over de nieuwe situatie en verdeelden zich in voorstanders van een tijdelijke opschorting van alle activiteiten en degenen die aandrongen op ondergrondse militaire actie. De eerste groep achtte de tweede onbezonnen en roekeloos, maar de militaristen zelf meenden dat zij geen andere keuze hadden. Tegen het midden van 1961 waren verspreid over het land vier ondergrondse verzetsgroepen actief. De Poqo van het PAC antwoordde met primitief en bruut geweld, vooral gericht op blanken en collaborateurs.

Nelson achtte het geweld van Poqo laakbaar. Van nature was hij een man van gesprekken en onderhandelingen om tot een compromis te komen, vriendschap te herstellen en vertrouwen te winnen. Hij was in wezen een man van de vrede, maar hij werd noodgedwongen tot oorlog gedreven. Hij zou het oorlogvoeren even goed beheersen als het vredesbedrijf, nu hij eenmaal tot de overtuiging was gekomen dat de oorlog tot vrede zou leiden.

Umkhonto verduidelijkte de stellingname van alle vier de groepen in een verklaring die tegelijkertijd met de eerste bomaanslag op 16 december werd uitgegeven:

'Er komt een tijd in het leven van iedere natie dat er maar twee keuzen overblijven: onderwerpen of vechten. Die tijd is nu gekomen voor Zuid-Afrika. Wij zullen ons niet onderwerpen en wij hebben geen andere keuze dan terug te vechten met alle bereikbare middelen ter verdediging van ons volk, onze toekomst en onze vrijheid.

Wij van Umkhonto hebben altijd geprobeerd de bevrijding te realiseren zonder bloedvergieten en zonder burgertwisten. Wij hopen, zelfs in dit late stadium, dat onze eerste acties ieders ogen zullen openen voor de rampzalige situatie waarop de politiek van de nationalisten afkoerst. Wij hopen dat wij de regering en haar aanhangers tot bezinning kunnen brengen voor het te laat is, zodat zowel de regering als haar beleid veranderd kan worden voordat het tot de wanhopige staat van een burgeroorlog komt.'

Uit wanhoop dus, en als laatste redmiddel, koos Umkhonto voor sabotage als de minst gewelddadige weg die haar overbleef, een geweld louter gericht op eigendommen en niet op personen. Maar sabotage vereiste meer geld dan uit het jaarlijkse ANC-lidmaatschap à twee shilling zestig te putten was. Umkhonto had meer gespecialiseerde kennis nodig. Nelson werd het land uitgezonden om in Afrika en daarbuiten steun te werven.

Later, toen hij terechtstond, vertelde hij de rechtbank:

'Het ANC besloot mij af te vaardigen naar de Pan
African Freedom Movement voor Oost, Centraal- en
Zuidelijk Afrika die begin 1962 gehouden zou worden
in Addis Abeba, en er werd ook besloten dat ik, na afloop van deze conferentie, een rondreis zou maken
langs de Afrikaanse staten met het doel steun te werven voor onze zaak en studiebeurzen te organiseren
voor Afrikaanse jongeren die het universitaire toelatingsexamen hadden afgelegd. Tegelijkertijd besloot
de MK (Umkhonto) dat ik moest onderzoeken of er
faciliteiten beschikbaar waren voor het opleiden van
soldaten, hetgeen de eerste fase was in de voorbereiding op een guerrilla-oorlog.

Met die instructies verliet ik Zuid-Afrika om als afgevaardigde van het ANC naar Addis Abeba te reizen.'

Rondreis door Afrika

Gekleed in een kakiuniform in plaats van in zijn gebruikelijke maatkostuum, passeerde Nelson in januari
1962 clandestien en zonder paspoort de grens van
Bechuanaland (het latere Botswana).

Hij had onder meer de opdracht leiding te geven
aan de ANC-delegatie naar de conferentie van de Pan
African Freedom Movement for East and Central Africa (PAFMECA) in Addis Abeba. Voor zijn vertrek
uit Johannesburg had hij in een huis in Doornfontein
vergeefs op Duma Nokwe en Walter Sisulu gewacht,
die hem de officiële brief zouden brengen waarin men
hem als leider van de ANC-delegatie aanwees. Maar
zowel Duma als Walter werden onderweg gearresteerd, zodat hij zonder de brief vertrok.

Hij voelde zich op zijn gemak en thuis in het vrije Afrika zoals hij dat nog nooit had gevoeld in zijn eigen land. Het was als een thuiskomen, maar dan ver van huis. Afrika, buiten de zuidelijke punt die de zijne was, nam bezit van hem. Hij vloog door het Afrikaanse luchtruim en reed over de hobbelige Afrikaanse wegen; het hete stof verstopte zijn neusgaten en de kokende hitte van de zandwoestijnen droogde zijn huid uit. Hij was geïmponeerd door de uitgestrektheid van het continent, door de verscheidenheid aan levensstijlen en cultusvormen en voelde zich gestimuleerd door de aanzetten tot industrialisatie.

Hij zag vormen van traditionalisme waarbij die in zijn eigen land verbleekten en armoede in veel schrijnender omvang. Hij verbaasde zich over Afrika's religieuze capaciteiten en leerde tot zijn verrassing dat het christendom in Afrika ouder was dan in Europa. Nog verraster was hij door de mate waarin Afrika de islam in haar culturen had geïntegreerd: moskeeën met krullerig stucwerk in Mali en Guinea tegenover de zware koepels en hoge minaretten in Marokko, Tunesië en Egypte.

Hij was vooral getroffen door de energie waarmee het continent, eertijds volledig opgehakt in Europese wingewesten, bezig was zichzelf terug te vinden, zijn eigen geschiedenis te ontdekken en zijn eigen karakter gestalte te geven; hij zag hoe de roep van *Uhuru* werkelijkheid werd in de vorm van inheemse naties. Hoe meer hij zag, hoe hartstochtelijker hij verlangde naar de bevrijding van Zuid-Afrika, niet alleen voor het land zelf maar voor het hele werelddeel.

Lobatse, in Bechuanaland, was zijn eerste halteplaats waar hij de doorreis naar Gaborone uitstelde om Seretse Khama te ontmoeten. Hij kende Seretse van de universiteit als een geestige en charmante man,

die iets van een playboy had maar in de studentende-
batten zeer scherpzinnig was. Seretse had hem eens
verteld dat hij niets meer ambieerde dan een ambte-
lijke functie, maar dat lag nu ver achter hem: hij
stond nu op het punt zijn land naar de onafhankelijkheid te leiden. Umkhonto had zijn medewerking
nodig om de doortocht van rekruten door de smalle
Kazangula-strook en over de Zambezi naar trainings-
kampen in het vrije Afrika te vergemakkelijken.

Maar hij kreeg Khama op die reis niet te zien. De
Zuidafrikaanse politie was heel actief in het gebied; zij
hadden net een ANC-collega, Anderson Ganyile, ontvoerd en Nelson zag zich genoodzaakt verder naar het
noorden te reizen, naar Tanganyika waar Oliver hem
zou opwachten. Maar toen hij in Dar-es-Salaam aankwam, bleek dat Oliver al vertrokken was en Frene
Ginwala opdracht gegeven had hem te ontmoeten.
Nelson kende Frene als een jonge, mooie Parsee die
vanwege haar politieke overtuiging niet meer welkom
was in Zuid-Afrika. Zij was goed bevriend met Julius
Nyerere en gaf zijn krant uit. Frene regelde onderdak
voor Nelson bij een goede vriend, die ook minister
was. Daar voegde Joe Matthews zich bij hem.

Nelson ontdekte dat het land van de Kilimanjaro
en het Nyasameer arm was aan bestaansbronnen,
maar rijk aan geestkracht en ideeën. Julius Nyerere
was afgetreden als premier en bereidde zich voor op
de verkiezingen. Zij hadden een informeel onderhoud
bij hem thuis, een bescheiden bungalow die van een
Engelse bwana was geweest, en hij gaf hun zijn volle
aandacht. Nelson vergeleek hem met de thuisland-lei-
ders in Zuid-Afrika, van wie sommigen meer verdien-
den dan de Britse premier en die rondreden in dure li-
mousines met chauffeur. Hij zag Nyerere arriveren bij
een massabijeenkomst, achter het stuur van een klei-

ne auto, zonder lijfwacht en zonder enige tamtam. Hij werd aangekondigd door de mensen zelf, die elkaar toeriepen: 'Daar is Nyerere!' Nyerere was althans een Afrikaanse leider die begrip had voor de armoede van zijn volk en dit in zijn manier van leven tot uiting bracht.

Zij discussieerden urenlang over de wederopbouw van de Afrikaanse samenleving en zij stelden verheugd vast dat hun beider visies op de Afrikaanse maatschappijvormen met elkaar overeenstemden. Al in 1946 had de Youth League verklaard dat Afrikanen van nature socialistisch waren zoals duidelijk bleek uit hun sociale gebruiken en gewoonten en dat de nationale bevrijding van Zuid-Afrika het tijdperk zou inluiden van het Afrikaanse socialisme. Nyerere duidde dit socialisme aan met *ujama*. 'Klasse,' verzekerde Nyerere, 'is Afrika vreemd, socialisme en democratie zijn ingeboren.' Nelson vond dit terug in de restanten van de traditionele maatschappijvorm die in Zuid-Afrika waren overgebleven. Hij herinnerde zich hoe *chiefs* en stamoudsten een onevenredig aantal uren spendeerden aan het bereiken van consensus over betrekkelijk kleine zaken. Het verklaarde ook zijn eigen blindheid voor klassedistincties binnen zijn volk die volgens Europese academici wel degelijk bestonden.

Zij spraken over de verdeeldheid tussen het ANC en het PAC. Nelson legde uit dat morele en pragmatische overwegingen een multiraciale democratie in Zuid-Afrika vereisten en dat het ontoelaatbaar was om een bepaalde groep of persoon op grond van zijn of haar huidkleur van de vrijheidsstrijd uit te sluiten. Nyerere had hier alle begrip voor, aangezien de Tanganyikaanse samenleving ook multiraciaal was, maar hij benadrukte dat de hegemonie van de Afrikaanse geest in Afrika behouden blijft. Waar zou die geest anders moeten voortleven, zo redeneerde hij en hetzelfde hoorde Nelson ook van andere Afrikaanse leiders die hij later ontmoette. Nyerere drong erop aan dat het ANC en het PAC zich moesten verenigen; eenheid was van het allergrootste belang. Hij adviseerde de ANC-leiding Sobukwe's vrijlating af te wachten om dan hun krachten te bundelen en gezamenlijk de aanval op het blanke regime te hervatten.

Nelson lichtte Nyerere in over het militaire initiatief dat Umkhonto wilde nemen. Alhoewel Nyerere gevoelsmatig tegen geweld was, gaf hij toe dat de Zuidafrikaanse situatie, evenals de Algerijnse, geen andere mogelijkheid openliet. Tanganyika, zei hij, zou Umkhonto op alle mogelijke manieren helpen. Maar, waarschuwde hij, de Tanganyikaanse legermacht werd aangevoerd door Britse officieren. Die officieren zouden niet alleen onwillige leermeesters kunnen zijn, maar de kans was ook groot dat zij de geheimhouding zouden verbreken. Hij raadde Nelson aan de zaak te bespreken met keizer Haile Selassie tijdens de PAF-MECA-Conferentie in Addis Abeba en hij beloofde een speciale afgezant te sturen om de keizer in te lichten, zodat hij de Zuidafrikaanse kwestie de nodige aandacht zou geven.

Terwijl het in Tanganyika in die tijd rustig was, werd het kleine eiland Zanzibar vlak voor de kust, dat later zou opgaan in het nieuwe Tanzania, geteisterd door conflicten. Nog geen jaar tevoren, in 1961, waren er hevige rellen geweest. De achtergronden werden hun uitgelegd door de leider van de Zanzibar National Party, Babu Mohamed, afgestudeerd aan de London School of Economics en een overtuigd marxist.

Nelson en Joe Matthews vlogen naar Lagos, waar een vreugdevol weerzien plaatsvond met Oliver Tambo, Mzwai Piliso en Robert Resha. Zij waren daar voor de conferentie van de Monrovia-groep van Afrikaanse staten. Nelson was incognito, omdat afgesproken was dat zijn aanwezigheid buiten Zuid-Afrika pas bekend zou worden gemaakt op de PAFMECA-Conferentie. Nelson kwam onder de indruk van Haile Selassies vermogen boven politieke verdeeldheid te staan. Waar anderen zichzelf als Casablancanen of als Monrovianen zagen, bleef hij zich onwrikbaar opstellen als Afrikaan.

Het viel Nelson op dat de islam alom aanwezig was in Nigeria. Overal waren moskeeën en moëddzins. Hij kreeg de indruk dat bidden veruit de belangrijkste bezigheid was. Diverse keren per dag onderbrak de natie het werk om zich tot Allah te wenden. Het was heel normaal om groepjes mannen in witte gewaden en met witte hoofdtooien te zien bidden op kleine matjes, op straat en in allerlei hoeken van hotels, hun sandalen keurig naast zich op de grond. Hij vernam dat geen van de Arabische landen meer moslims telde dan Nigeria.

Zij zouden per vliegtuig naar de residentie van de gouverneur-generaal, dr. Azikiwe, buiten Lagos worden gebracht, maar er brak onrust uit in het oosten en bijna alle leden van de regering gingen daar in allerijl heen. Nigeria, in oppervlakte kleiner dan Zuid-Afrika, had tweemaal zoveel inwoners die uiteenvielen in 250 etnische groepen; problemen waren onvermijdelijk, ondanks de band van de islam. De Britten hadden deze problemen aangewakkerd door de traditionele koninkrijken in kleine emiraten op te delen.

De delegaties van het ANC en het PAC kwamen in Addis Abeba aan voor de PAFMECA-Conferentie van 2 tot 10 februari 1962. De hoofdstad legde de rode loper uit en Ethiopische gezagsdragers verwelkomden de delegaties.

Nelson was gecharmeerd van de mensen: haakneu-
zen, grote ogen en een ebbehouten huid. Ethiopië was
van grote betekenis voor Zuid-Afrika. Het was het
enige Afrikaanse land dat weerstand geboden had aan
het kolonialisme, waardoor het de Afrikanen hun geloof in de haalbaarheid van zelfbestuur en onafhankelijkheid had teruggegeven. Het had ook een uitgesproken Afrikaanse beweging van Ethiopische
christenen voortgebracht, die in Zuid-Afrika zeer actief was. Nelson wist veel van de geschiedenis van het
land; hij herinnerde zich het heldhaftige optreden van
Yohannes Menelik, die in de vorige eeuw de Italianen
had overwonnen; het verraad van de Volkenbond die
haar leden in 1936 aan de fascisten had overgeleverd
en de keizer tot ballingschap had gedwongen omdat
hij, zoals prof. Jabavu het indertijd in zijn toespraak
tot de spoedvergadering van het AAC had geformuleerd, maar een 'Zwarte Abessijn' was. De professor
had die schanddaad betiteld als de 'Italiaanse ver-
krachting' die een kras had gemaakt in 'dat Europese
vernislaagje en de blanke barbaar eronder had onthuld...'

De Italianen waren en masse het land binnenge-
stroomd en hadden hun eigen separatistische structuren opgezet. Toen de keizer zich aan het eind van de
oorlog opmaakte om naar zijn land terug te keren,
hadden de Engelsen gepoogd hem tegen te houden
uit vrees dat hij wraak zou nemen op de Italiaanse bezetters. De keizer had de Engelsen getrotseerd en was
onder luid gejuich van zijn volk teruggekeerd om zijn
land te regeren.

Nelson en zijn kameraden ontmoetten deze weer-
barstige en trotse man, keizer Tafari Makonnen, Haile
Selassie, een tenger gebouwde en toch koninklijke figuur, die geloofde dat hij de 225ste afstammeling was

van de Leeuw van Juda, van koning Salomo en de koningin van Sheba.

Haile Selassie hield niet van blanke Zuidafrikanen. Een Zuidafrikaans bataljon had Addis Abeba heroverd nadat het bezet was geweest door de fascisten en, net als de fascisten voor hen, getracht een rassenscheiding door te voeren. Ethiopiërs zagen geen verschil tussen de vreemde bezetters en de vreemde 'bevrijders'. Haile Selassies sympathieën gingen uit naar de Zuidafrikaanse vrijheidsstrijd en hij beloofde van ganser harte hen te steunen.

Nelson was op dreef op de conferentie. Hij voelde zich thuis in de sfeer van hartstochtelijke ideeën en het steekspel van argumenten.

Buiten de conferentiezaal was het lobbyen in volle gang. Buitenlandse ambassadeurs waren zeer geïnteresseerd in het ANC en vooral in Mandela, vanwege de uitgebreide publiciteit rond de laatste gebeurtenissen in Zuid-Afrika. Nelson ontmoette Joe Slovo, die een interview met Tass arrangeerde. De Tass-correspondent wilde dat het ANC de zijde van Rusland zou kiezen in de koude oorlog. Nelson ontweek handig elke associatie van zijn organisatie met een van de supermachten door erop te wijzen dat hij daartoe niet gemachtigd was.

De conferentie kwam bijeen en de publieke tribune was boordevol. Ds. Michael Scott bevond zich onder de toeschouwers. Nelson was op Scott gesteld, ondanks het feit dat hij voor het PAC had gekozen. Hij had de indruk dat Scott het als zijn plicht zag de zwakste, de minderheidsgroep te steunen. Maar zijn beschermelingen van het PAC meden hem, alsof zij zich ervoor schaamden dat hij blank was. Nelson vond dit onverteerbaar en besteedde daarom speciale aandacht aan Scott.

Het Credentials Committee maakte bezwaar tegen de aanwezigheid van een delegatie uit Noord-Afrika, geleid door A. Dialo, de secretaris-generaal van de All African People's Conference. Nelson was geschokt toen hij een lid van de Afro-Shirazi Party uit Zanzibar hoorde zeggen: 'Het probleem is dat er hier een aantal Afrikanen zijn die geen Afrikanen zijn.' Hij zag geen enkele rechtvaardiging voor het uitsluiten van de Noordafrikanen. Het was op zijn minst in tegenspraak met hun poging een eenheid tot stand te brengen van de Atlantische Oceaan tot de Middellandse Zee. Hij hield een pleidooi voor het toelaten van Noord-Afrika: PAFMECA was op dat moment weliswaar gericht op de bevrijding van Centraal en Oost-Afrika, maar stond op het punt het gebied van Zuidelijk Afrika erbij te betrekken; waarom dan het noorden uitsluiten juist nu de Algerijnen daar hun felle oorlog voerden tegen de Fransen.

Bovendien, zo benadrukte hij, was PAFMECA aangesloten bij de All African People's Congress (AAPC) en was het absurd om medeleden van hun overkoepelende orgaan buiten te sluiten.

Nelsons argumenten kregen veel bijval, maar een deel van de afgevaardigden bleef zich verzetten. Een voorstel werd ingediend om de Noordafrikanen wel toe te laten, maar niet het woord te laten voeren. Een afgevaardigde wekte de lachlust van allen op toen hij zei: 'De heer Dialo was tijdens de laatste conferentie ziek en zijn toespraak duurde toen drie uur. Hij is thans niet ziek, zijn toespraak zal drie dagen duren.' Nelson antwoordde dat het onredelijk was hun geen spreekrecht te geven. Oliver, die Nelsons felle pleidooi voor de Noordafrikaanse zaak met enige bezorgdheid gevolgd had, stopte hem een bondig briefje toe: 'Hou op!' Nelson gehoorzaamde. Maar voor de Noordafrikanen was hij de held van de dag en het ANC won een paar stevige vrienden in de personen van dr. Gallal, vice-president van de Verenigde Arabische Nationale Assemblée en kapitein Abdul Aziz van het Afro-Asian Solidarity Committee, die tevens officier in het Algerijnse leger was.

De keizer hield zijn openingstoespraak. Hij sprak zijn bezorgdheid uit over de eenheid binnen het continent en zijn afkeuring over die Europese mogendheden die Afrika nog steeds overheersten. Hij schetste de economische problemen waarmee het continent te kampen had, waarschuwde tegen de gevaren van neokolonialisme en riep op tot actieve steun aan de Zuidafrikaanse bevrijdingsbeweging.

'In het verleden is al zoveel gepraat over sancties en maatregelen die tegen Zuid-Afrika genomen zouden moeten worden, maar er is helaas weinig gedaan om de regering van de Unie te dwingen haar politiek te wijzigen. Daarom is het belangrijk dat allen die het belang van de Afrikanen ter harte gaat nu langs andere lijnen gaan denken dan voorheen, teneinde onze Afrikaanse broeders daadwerkelijk te helpen los te breken van de slavernij waarin zij momenteel verkeren in dat ongelukkige land.'

(PAFMECA, 1962, bladzijde 78)

Daarna volgden toespraken van anderen, staatshoofden, potentiële staatshoofden, vertegenwoordigers van bevrijdingsbewegingen. Het Europees kolonialisme was het voornaamste mikpunt. De drang tot actie was sterk en terwijl de conferentie er een van woorden was werd aangedrongen op het omzetten van die woorden in daden.

K. Mpho, secretaris-generaal van de Bechuanaland People's Party, klaagde aan: 'De Fransen vermoorden onze broeders en zusters in Algerije, de Portugezen in Angola, de Belgen in de Congo, de Boeren in de republiek van Verwoerd en niet te vergeten de Engelsen in Noord- en Zuid-Rhodesië.'

(PAFMECA, 1962, bladzijde 76)

Sjeik Mohamed Farah van Somalië verklaarde: 'Hoewel de republiek van Somalië bevrijd is van koloniale overheersing, kan ik persoonlijk niet voelen dat wij de volledige onafhankelijkheid bereikt hebben zolang niet elk deel van Afrika bevrijd is. Hoe kan ik mij vrij voelen en mijn geweten rust hebben terwijl miljoenen broeders in slavernij leven?'

Nelson was ontsteld over de Portugese onderdrukking in Mozambique, die erger leek dan die van de Afrikaners in Zuid-Afrika. Zij vernamen dat de *msumbiji* niet eens toegang hadden tot de rechtbanken, dat iedere politieman of landbouwfunctionaris de mensen kon straffen en dat er geen beroep tegen dit soort straffen bestond.

Kenneth Kaunda van het in wording zijnde Zambia verklaarde: 'De ideologische kwestie is op dit moment voor ons niet van belang, actueel voor het Afrika van nu is alleen de vrijheid. Wij zullen hen als vriend beschouwen die zich zodanig gedragen en hen als vijand die zich als vijanden gedragen. Wanneer wij vrij zijn, zullen wij beslist nog steeds van zowel het Westen als het Oosten willen leren.'

Peter Molotsi van het PAC sloeg een poëtische toon aan. Het speet hem dat 'met de oorlogswolken aan de horizon, met het krijgslied van de tamtams dat iedere dag, ieder uur aanzwelt... wij niet lang genoeg hier in deze mooie stad kunnen verwijlen om herinneringen op te halen aan de glorie die Afrika ooit bezat'. Hij hoopte dat zij hiervoor de tijd zouden hebben bij een andere gelegenheid, om dan de geheimen van het Afrikaanse verleden bloot te leggen en wegen te vinden die hen zouden terugvoeren naar de Oudheid 'en licht werpen op de Azaniaanse beschaving die gebloeid heeft in de gebieden die nu Tanganyika en Kenia zijn en waarvan de sporen tot ver in het zuiden, tot in Rhodesië, Mozambique en Transvaal te vinden zijn'.

Nelson stond op om zijn toespraak te houden en liet voor het eerst sinds zijn vertrek uit Zuid-Afrika het pseudoniem David Motsamai vallen en kondigde zichzelf aan onder zijn eigen naam. Zuid-Afrika kende vanaf dat moment de verblijfplaats van de Zwarte Pimpernel. Hij zou spreken uit naam van het ANC en de toespraak die hij in Dar-es-Salaam had geschreven was grondig bestudeerd en van correcties en aanvullingen voorzien door Tennyson Makiwane, Oliver Tambo, Joe Matthews, Robert Resha en Mzwai Piliso. Het was in Nelsons ogen uiteindelijk een stuk van hen samen geworden, in de beste traditie van het ANC.

Nelson begon met een dankbetuiging aan PAFMECA voor de uitbreiding van hun werkterrein tot Zuidelijk Afrika, 'het hart en de kern van de imperialistische reactie', en een huldeblijk aan Zijne Keizerlijke Hoogheid, een 'rijke en onuitputtelijke bron van wijsheid' en een 'koploper in de promotie van eenheid, onafhankelijkheid en vooruitgang in Afrika'. Hij bedankte die Afrikaanse landen die de oproep tot sancties tegen Zuid-Afrika hadden gesteund en vermeldde in het bijzonder Ethiopië, Somalië, Soedan, en Tanganyika.

Hij bedankte ook alle Afrikaanse landen die 'asiel en bijstand hadden verleend aan vluchtelingen uit Zuid-Afrika, van welke politieke overtuiging of van welk geloof dan ook'. Hij zei: 'De warmte waarmee Zuidafrikaanse vrijheidsstrijders ontvangen worden door democratische landen over de gehele wereld en de gastvrijheid waarmee wij zo dikwijls worden overladen door regeringen en politieke organisaties, hebben het mogelijk gemaakt voor sommigen van ons volk te ontsnappen aan vervolging door de Zuidafrikaanse regering en vrij te reizen van land naar land, van continent naar continent, om begrip te kweken voor ons standpunt en steun te werven voor onze zaak. Wij zijn werkelijk uiterst dankbaar voor deze spontane bewijzen van solidariteit en steun en wij hopen oprecht dat ieder van ons het vertrouwen waard zal blijken dat de wereld in ons stelt.'

Hij interpreteerde de primaire doelstelling van PAFMECA als de bevrijding van gebieden die nog steeds onder imperialistische heerschappij stonden, en hij benadrukte dat zij in Zuid-Afrika op 'machtige obstakels' zouden stuiten en dat de strijd waarschijnlijk 'lang, gecompliceerd, hard en bitter' zou worden. Hij omschreef Zuid-Afrika als een land, 'van top tot teen verscheurd door een felle rassenstrijd' en somde een paar van de ergste bloedbaden op die door de regering waren aangericht.

'Bijna ieder Afrikaans huisgezin in Zuid-Afrika weet van de afslachting van onze mensen in Bulhoek in het district Queenstown toen detachementen van leger en politie, gewapend met geweren en pistolen, het vuur openden op ongewapende Afrikanen, waarbij 163 mensen werden gedood, 129 gewond en 95 gearresteerd, louter omdat zij het stuk grond waarop zij woonden niet wilden verlaten.

Bijna iedere Afrikaanse familie herinnert zich een soortgelijke slachtpartij van onze Afrikaanse broeders in Zuidwest-Afrika toen de Zuidafrikaanse regering vliegtuigen, zware machinegeweren, handwapens en geweren inzette, waarbij 100 mensen werden gedood en tientallen verminkt, louter omdat de mensen in kwestie geweigerd hadden hondenbelasting te betalen.

Op 1 mei 1950 werden 18 Afrikanen doodgeschoten door de politie in Johannesburg terwijl zij een vreedzame staking hielden voor hoger loon. Brute macht en geweld zijn de wapens die de Zuidafrikaanse regering openlijk aanwendt om de strijdlust van het Afrikaanse volk te knevelen en hun verlangens te ontkrachten.'

Volgens officiële statistieken, zo vertelde hij de conferentie, had politiegeweld tegen politieke demonstranten tussen 1948 en 1960 circa 300 doden en 500 gewonden gekost. Hij noemde het verraadproces van 1956 'ongekend in de geschiedenis van het land, zowel in omvang als in tijdsduur. Het sleepte langer dan vier jaar voort en putte onze middelen vrijwel volledig uit'. Hij wees op het 'moordzuchtige doden' van 70 Afrikanen in Sharpeville in 1960, op de noodtoestand en het zonder vorm van proces opsluiten van bijna 20 000 mensen. Hij vertelde de conferentie dat 2,5 miljoen mensen in Transkei onder de krijgswet vielen. Hij vervolgde:

'De regering weigert categorisch de namen bekend te maken van de mensen die opgesloten zitten of hun aantal. Maar in dit gebied alleen al kwijnen er naar schatting zo'n duizend Afrikanen weg in de gevangenis. Onder hen bevinden zich leraren, advocaten, artsen, kantoorbedienden, arbeiders uit de steden, boeren uit het binnenland en andere vrijheidsstrijders. In ditzelfde gebied zijn gedurende de laatste zes maanden meer dan dertig Afrikanen ter dood veroordeeld door blanke rechters die vijandig tegenover onze doelstellingen staan, op grond van overtredingen voortvloeiend uit politieke demonstraties.'

Hij vertelde de conferentie van het verzet tegen de pasjeswetten, tegen de personele belasting en tegen de van regeringswege benoemde stambestuurders in Zeerust en Sekhukhuneland. 'In plaats van tegemoet te komen aan de gewettigde politieke eisen van de overgrote meerderheid van het volk en hun grieven weg te nemen,' zo zei hij, 'antwoordde de regering door het ANC in al deze districten te verbieden. In april 1960 ging de regering nog verder en stelde zowel het African National Congress als het Pan Africanist Congress volkomen buiten de wet.'

Hij vertelde de conferentie over de 'formidabele strijdmacht' die de staat had gemobiliseerd toen het ANC tot een algemene staking had opgeroepen in mei van het jaar daarvoor. Speciale wetsvoorstellen waren door het parlement gejaagd om politieke tegenstanders te kunnen arresteren en opsluiten; vergaderingen werden verboden, politieke activisten werden geschaduwd en achtervolgd door leden van de veiligheidsdienst, helikopters hingen boven Afrikaanse woonwijken en zoeklichten werden op huizen en tuinen gericht.

Ondanks dit alles, beklemtoonde hij, waren duizenden arbeiders niet naar hun werk gegaan en hadden handel en industrie zware schade geleden.

'De feestelijkheden die door de regering gepland waren om de inauguratie van de republiek te vieren werden niet alleen volledig geboycot door de Afrikanen, maar hadden plaats in een sfeer van spanning en crisis die het gehele land deed lijken op een militair kamp in een staat van onrust en onzekerheid. Dit panische machtsvertoon was een reactie op de kracht van de bevrijdingsbeweging, maar bleek toch niet in staat het oprukkend tij van de volkswoede te keren.'

Hij benadrukte dat, alhoewel internationale druk zeer belangrijk was voor de bevrijding van Zuid-Afrika, het uiteindelijk de inspanningen van het Zuidafrikaanse volk zelf waren die het land zouden bevrijden.

'Het middelpunt en de hoeksteen van de strijd voor vrijheid en democratie in Zuid-Afrika bevindt zich in Zuid-Afrika zelf. Naast de mensen die nodig zijn voor onmisbare activiteiten buiten het land, is er grote vraag naar vrijheidsstrijders voor het werk in eigen land. Wij zijn het aan onszelf en aan alle vrijheidslievende volken in de wereld verplicht om binnen Zuid-Afrika zelf een sterke, solide beweging op te bouwen en in stand te houden, capabel om iedere aanval van de regering te overleven en voldoende strijdbaar om terug te vechten met een vastberadenheid die voortkomt uit de vaste overtuiging dat blanke overheersing en apartheid in de allereerste plaats door onze eigen strijd en offers, binnen Zuid-Afrika zelf, overwonnen kunnen worden.'

Toen kwam hij bij het belangrijkste punt van zijn toespraak, namelijk dat het niet langer mogelijk was bevrijding in Zuid-Afrika te bereiken met geweldloze middelen.

'Gedurende de laatste tien jaar heeft het Afrikaanse volk in Zuid-Afrika op verschillende manieren gevochten voor de vrijheid, via burgerlijke ongehoorzaamheid, stakingen, protestmarsen, boycots en allerlei demonstraties. Bij al deze campagnes hebben wij steeds weer het belang benadrukt van discipline, vreedzaam en geweldloos verzet. Dat deden wij, ten eerste, omdat wij meenden dat er nog steeds mogelijkheden waren voor een vreedzame strijd en we oprecht streefden naar vreedzame veranderingen. Ten tweede wilden wij onze mensen niet blootstellen aan situaties waarin zij een gemakkelijk doelwit konden worden voor de schietgrage Zuidafrikaanse politie. Maar de situatie is nu radicaal veranderd.

Zuid-Afrika is nu een land dat geregeerd wordt met wapens. De regering is bezig de omvang te vergroten van haar leger, vloot, luchtmacht en politie. Bunkers en wegversperringen worden aangelegd in het hele land. Wapenfabrieken worden opgezet in Johannesburg en in andere steden. Officieren van het Zuidafrikaanse leger bezochten Algerije en Angola, uitsluitend om zich te informeren over methoden om volksopstanden te onderdrukken. Alle mogelijkheden voor vreedzaam verzet en agitatie zijn afgesloten. Afrikanen hebben zelfs niet langer de vrijheid om gewoon rustig thuis te blijven als protest tegen de onderdrukkingspolitiek van de regering. Tijdens de staking in mei vorig jaar ging de politie letterlijk van huis tot huis om Afrikanen in elkaar te slaan en ze naar hun werk te jagen.

Dit maakt het begrijpelijk dat velen van onze mensen de weg van vrede en geweldloosheid nu de rug toe keren. Zij vinden dat men moet stellen dat de vrede in ons land verbroken is, wanneer een minderheidsregering zijn gezag over de meerderheid handhaaft met onderdrukking en geweld.

De crisis in Zuid-Afrika begint ernstige vormen aan te nemen. Echter, geen enkel opperbevel kondigt van tevoren aan welke strategie en tactiek het zal gebruiken om een bepaalde situatie het hoofd te bieden. Zeer zeker zijn de dagen van ongehoorzaamheidsacties, van stakingen en massademonstraties niet voorbij en daartoe zullen wij telkens en telkens opnieuw onze toevlucht nemen. Maar een leiderschap dat ervoor terugschrikt haar politieke wapens aan te scherpen wanneer deze niet effectief meer blijken, begaat een misdaad tegenover haar eigen volk.

Wat de feitelijke situatie betreft waarin Zuid-Afrika vandaag de dag verkeert, moet ik vermelden waarom ik onlangs uit Zuid-Afrika ben vertrokken. De afgelopen tien maanden woonde ik in mijn eigen land als een banneling, ver van mijn familie en vrienden. Toen ik gedwongen werd zo'n soort bestaan te leiden, heb ik in het openbaar aangekondigd dat ik het land niet zou verlaten en dat ik het werk ondergronds zou voortzetten. Ik stond daar volledig achter en ik heb die belofte ook waargemaakt. Maar toen mijn organisatie een uitnodiging voor deze conferentie ontving, werd besloten dat ik zou proberen het land uit te komen en de conferentie zou bijwonen om de verschillende Afrikaanse leiders, de leidende zonen van ons continent, het laatste nieuws over de situatie in ons land te kunnen geven.

Gedurende de laatste tien maanden heb ik mijn land tot in alle hoeken doorkruist en gesproken met boeren op het platteland, met arbeiders in de stad, met studenten en intellectuelen. Het werd mij gaandeweg steeds duidelijker dat de situatie explosief was geworden. Het was dan ook geen verrassing toen wij op een ochtend in oktober vorig jaar in de krant lazen over uitgebreide sabotageacties, waarbij telefoondraden waren doorgesneden en hoogspanningsmasten waren opgeblazen. De regering bleef onbewogen en blank Zuid-Afrika probeerde het af te doen als het werk van criminelen. Toen, in de nacht van 16 december van het vorig jaar, trilde het hele land onder de zware aanvallen van Umkhonto we Sizwe. De regeringsgebouwen werden met explosieven opgeblazen in Johannesburg, het industriële centrum van Zuid-Afrika, in Port Elizabeth en in Durban. Het was nu duidelijk dat dit een politieke demonstratie was van respectabele omvang en de pers annonceerde het begin van stelselmatige sabotageacties in het hele land. Toch was het een bescheiden begin, want een regering zo machtig en agressief als die van Zuid-Afrika zal nimmer bereid zijn iets van haar politieke macht op te geven door een enkele nacht van bomexplosies in slechts drie steden. Maar in een land waar vrijheidsstrijders geregeld met hun leven betalen, en op een moment dat de meest uitgebreide militaire voorbereidingen gaande zijn om de strijd van het volk de kop in te drukken, kondigen doelbewuste sabotageacties tegen overheidsinstellingen een nieuwe fase aan in de politieke situatie en vormen zij een bewijs van de onwrikbare vastberadenheid van het volk om koste wat het kost hun vrijheid te verkrijgen. De regering bereidt zich voor op een meedogenloze actie tegen politieke leiders en vrijheidsstrijders, maar het volk zal deze klappen niet willoos incasseren.'

Hij ging zitten onder aanhoudend applaus. Het was een vruchtbare toespraak, want de Afrikanen stelden zich nu minder aarzelend op tegenover geweld als strategie voor verandering. In 1958 was de All African People's Conference in Accra weliswaar gezwicht en had de strijd in Algerije goedgekeurd, maar tegelijkertijd had de conferentie nog eens bevestigd dat geweldloosheid de enige weg was. De reden daarvoor was duidelijk. Behalve in Algerije en in Zuid-Afrika hadden gekolonialiseerde Afrikanen niet te kampen met onverzoenlijke kolonisten. Mandela's 'oproep tot de wapenen' tijdens de PAFMECA-Conferentie in 1962 nam echter iedere aarzeling weg.

(PAFMECA, 1962, bladzijde 39)

Julius Nyerere gaf de gewijzigde stemming weer toen hij verklaarde:

'Onze voorkeur en die van iedere echte Afrikaanse patriot is altijd uitgegaan naar vredelievende strijdmethoden. Maar wanneer de deur van vreedzame vooruitgang dichtgeslagen en vergrendeld is, dan moet de strijd andere vormen aannemen; wij kunnen ons niet gewonnen geven.'

(Kenneth W. Grundy, *Guerrilla Struggle in Africa, A World Order Book*, Grossma Publishers, New York 1971, bladzijde 30-33)

Aan het slot van de conferentie werd PAFMECA omgedoopt tot PAFMESCA, aangezien Zuidelijk Afrika in het doelgebied was opgenomen. Opgetogen over hun succes op de PAFMESCA-Conferentie, vlogen Oliver, Resha, Matthews en Nelson naar Cairo waar dr. Gallal hen zijn diensten aanbood. Afgezien van ontmoetingen met regeringsfunctionarissen en vruchtbare gesprekken over militaire en financiële hulp, werden de paar dagen in Cairo aan bezienswaardigheden besteed. Dr. Gallal nodigde hen bij zich thuis uit en Nelson maakte kennis met nieuwe dingen. Hij vond de scherpe, van gember getrokken thee heel lekker; nam zijn eerste en laatste trekje van een gemeenschappelijke waterpijp bij een theestalletje langs de kant van de weg; staarde naar de sfinx, had ontzag voor de machtige piramiden en gruwde bij de gedachte aan de duizenden slaven die hun zweet en levens hadden geofferd om ze te bouwen. In het Egyptisch Museum werd hij verblind door de schoonheid van een ongezwachtelde en gedeeltelijk gerestaureerde mummie van een jonge vrouw, duizenden jaren oud, met negroïde trekken, prachtig in haar dood. De mysteries van het continent overweldigden hem. Het was in Afrika, zo was aangetoond, dat de mens op twee benen was gaan staan en zich een idee gevormd had van zijn omgeving. Het was in Egypte dat hij deze ideeën voor het eerst had vastgelegd in geschriften en de adembenemende beschaving had gecreëerd die weerspiegeld werd in de praalgraven van de farao's: het gouden masker van de jonge koning Toetanchamon in zijn gouden strijdwagen, de blauwe glassplinters en de tarwezaden die allemaal zorgvuldig meebegraven waren om het sterfelijke bestaan in de eeuwigheid te laten terugkeren. En het was in Egypte dat Mozes de mens van de tirannie door zijn medemens had bevrijd en de inspiratie had geboden voor een vrijheidssage waarmee Nelson zich vereenzelvigde.

De afgevaardigden wandelden langs de oevers van de oeroude Nijl en zagen bijbelse meisjesfiguren in blauwe gewaden met waterkruiken op hun hoofd. Op een avond rustten zij uit op een Egyptische boot, genietend van gekruid voedsel terwijl Arabische muzikanten hun strijkinstrumenten en trommels bespeelden.

Toen zij hun zaken met de Egyptische regering hadden afgehandeld en zich van steun verzekerd hadden, vlogen zij naar de noordkam van Afrika: naar Libië, Tunesië en Marokko. Zij stonden aan de oever van de Middellandse Zee en konden zich amper voorstellen dat zij op een steenworp afstand van Europa waren. Nog niet zo lang geleden hadden zij uitgekeken over de oceanen aan de zuidpunt van het werelddeel, bij Cape Point in Kaapstad, op zoek naar de scheidingslijn tussen de Indische en de Atlantische Oceaan.

President Bourguiba omhelsde Nelson hartelijk en zei dat het goed voelde als noordelijk Afrikaans bloed door zuidelijk omhelsd werd. Zij installeerden zich voor een gesprek en Nelson beschreef de positie van het ANC en de oprichting van Umkhonto. Hij ging uitvoerig in op de uittreding van het PAC uit het ANC en de gevangenschap van Sobukwe. De President boog zich naar voren en zei met nadruk: 'Wat doet u hier? Als Robert Sobukwe uit de gevangenis komt, zal hij uw plaats innemen.' Resha wierp Nelson een blik toe van 'Zei ik het niet?' Hij had steeds volgehouden dat zij het PAC niet moesten noemen wanneer zij hun eigen zaak wilden bepleiten. Maar Oliver en Nelson hadden erop gestaan het uit te leggen. Nelson verzekerde de President dat hij naar Zuid-Afrika zou terugkeren zodra hij zijn opdracht in het onafhankelijke Afrika had voltooid. De President was onder de indruk van hun oprechtheid en vroeg: 'Hoe kunnen wij helpen? Wij zijn bereid dat te doen.' Zij antwoordden hem dat zij vijfduizend pond en trainingsmogelijkheden voor hun mannen nodig hadden. Bourguiba zorgde ervoor dat het geld werd overgemaakt op hun bankrekening en zei dat zij naar dr. Mostefai in Rabat moesten gaan, die hun kon adviseren inzake trainingsfaciliteiten aangezien de Algerijnen daar een opleidingskamp hadden.

Nelson en Robert Resha zeiden hun collega's in Tunesië vaarwel en reisden verder naar Marokko. Zij ontdekten dat Rabat de ontmoetingsplaats was van vrijwel alle guerrillagroepen in Afrika: de Algerijnen, Mozambikanen, Angolezen, Goanen en Kaapverdiërs waren er allemaal. Zij ontmoetten Jacques Verges, hoofd van de Afrikaanse divisie in Algerije, die later de ontvoerde nazi Klaus Barbie zou verdedigen. Als inwoner van Réunion, en als zodanig Frans onderdaan, was Verges in eigen land tot ongewenste inwoner verklaard. Dr. L. Khatib, een marxistische intellectueel, raakte speciaal bevriend met Nelson en Resha en stelde hen voor aan Marcellino de Santos uit

Mozambique en aan Mario Andrade, de secretaris-generaal van de MPLA. Er werden felle discussies gevoerd; zij trachtten steun te werven voor elkaars zaken. De afgevaardigden van het ANC wogen de voors en tegens zorgvuldig af en vermeden het aangaan van verbindingen, zeker als het ging om het steunen van de ene radicale groepering tegen de andere. Dit deed hen ook beseffen waarom de Afrikaanse landen neutraal moesten blijven inzake het ANC en het PAC.

Nelson en Resha lieten zich een week lang onderrichten door dr. Mostefai. Zij leerden over het Algerijnse verzet tegen de Franse onderdrukking en werden daardoor aangemoedigd door te gaan met hun eigen guerrillastrijd. De Algerijnse kwestie leek het meest op de Zuidafrikaanse. Beide stonden tegenover grote gemeenschappen van blanke kolonisten die de heerschappij wilden behouden. Maar omdat Algerije een kolonie van Frankrijk was, was de weg naar onafhankelijkheid voor hen minder gecompliceerd.

Dr. Mostefai vertelde hun hoe de Algerijnen hun aanvallen in 1954 begonnen waren met een klein aantal gewapende mannen, hoe de guerrilla-aanvallen de vrijheidsstrijd nieuw leven hadden ingeblazen, hoe het verzetsleger binnen drie jaar was uitgegroeid tot 120 000 en hoe dit leger tegen een Franse legermacht van 450 000 vocht.

Mostefai onderrichtte hen in de theorie van de guerrillaoorlog, daarbij voornamelijk puttend uit de Algerijnse ervaring, en zij maakten aantekeningen in hun hoofd van de overeenkomsten. Dr. Mostefai benadrukte het belang van de coördinatie van het politieke en het militaire aspect, dat men voortdurend in het oog moest houden dat het einddoel van de oorlog het overnemen van de regeringsmacht was. Bij de Algerijnse FLN (Front de Libération Nationale) gingen die twee goed samen. Mostefai waarschuwde dat de vijand regionale en etnische verschillen zou uitbuiten om de vrijheidsstrijd te verzwakken en dat zij op die tactiek bedacht moesten zijn.

Alles, leerde hij, hing in laatste instantie af van het opzetten van bases als trainingskamp en toevluchtsoord. In Algerije had het bevrijdingsleger zich teruggetrokken in de bergen en steun gekregen van de Berbers. Zij hadden trainingsbases in het bevrijde Marokko opgezet, en zowel Marokko als Tunesië hadden asiel verleend aan Algerijnse burgers die vluchtten toen de onderdrukking van de regering te buitensporig werd. Mostefai raadde hun aan veel te lezen over guerrillaoorlogvoering, de tactieken van andere bevrijdingslegers te bestuderen en die selectief toe te passen op hun eigen situatie, afhankelijk van het terrein, de psychologie van hun volk en van hun vijand.

Guerrillastrijd, benadrukte hij, resulteerde zelden in een militaire overwinning maar het bracht politieke en economische krachten op gang die de vijand onderuit haalden. Het trok internationale steun aan en ruïneerde de onderdrukker. De Algerijnse oorlog had de Fransen zo'n 200 miljoen frank gekost, 24 000 mensenlevens en de vernedering vergeleken te worden met de nazi's en hun martelpraktijken. Hij waarschuwde dat de strijd hard zou zijn en lang zou duren, maar dat zij nooit moesten wanhopen omdat de tijd altijd aan hun kant stond, de vijand zou uitputten en hun de overwinning zou brengen.

Nelson en Resha wilden de koning ontmoeten, Hassan, zoon van Mohamed Ibn Yusuf, die de opstand tegen de Fransen in Marokko had geleid. Men vertelde hun dat, mocht de ontmoeting bedoeld zijn om hun zaak aan de koning voor te leggen, dit al gedaan was en dat de koning opdracht gegeven had hun

5000 pond te geven. Het geld werd hen cash over-
handigd, samen met een rijkelijke gift voor persoonlijke uitgaven. Robert Resha reisde naar Londen met
het geld; Nelson trok wat tijd uit om de oude Ro-
meinse ruïnes in Nabuel te bezoeken, waar hij een levenslange interesse in archeologie aan overhield.
Daarna vertrok hij naar West-Afrika. Hij vloog over
de woestijn, over de uitgestrekte golvende zandvlakten, kaal en droog, zonder enig teken van leven. Later,
toen hij gevangen zat en verteerd werd door heimwee,
toen hij de liefde miste die zijn leven had gevuld, zou
hij zijn toestand omschrijven als kaal en droog als de
zandvlakten van de Sahara.

Mali, omsloten door land en voornamelijk dorre
woestijn, leek te bestaan van de trots op zijn onafhankelijkheid. Nelson werd voorgesteld aan verschillende
mensen die allemaal Keita heetten en ten slotte ook
aan de president, Modibo Keita, en aan de minister
van Defensie, Madiere Keita. Hij herinnerde zich
diens naam uit *Fighting talk* van Ruth First; Madiere
had verschillende essays aan het boek bijgedragen.

Bij zijn onderhoud met de minister van Defensie
begon Nelson het ANC-programma te beschrijven.
Hij had nog geen vijf minuten gepraat of hij kreeg
sterk de indruk dat zijn toehoorder in slaap was gevallen. Nelson schrok en raakte in verlegenheid, maar
ging halsstarrig verder, vastbesloten tot Madiere Keita's geest door te dringen, zo nodig via zijn onderbewustzijn. Toen hij uitgesproken was viel er een lange
stilte en Nelson dacht eerst dat er geen woord tot hem
was doorgedrongen. Maar toen gingen de ogen van de
minister open. 'Uw onderneming is van groot gewicht,' zei hij. 'Uw regering zal weten waar u bent geweest. U moet de grootst mogelijke voorzichtigheid
in acht nemen. Wij zijn ver van u vandaan, maar als

uw mensen naar Dar-es-Salaam komen, zullen wij hen opleiden.' Hij nam Nelson mee naar de president, die hem vertelde dat zij een overeenkomst hadden met Guinea en Ghana en dat zij de zaak op de agenda van de eerstvolgende vergadering zouden zetten en de koppen bij elkaar zouden steken om te zien welke hulp zij het ANC verder konden bieden.

Lamine Keita belastte zich met de zorg voor Nelsons welzijn. Hij was een uitzonderlijke academicus met graden van de universiteiten van Lincoln, Moskou en Cairo. Lamine vertelde Nelson dat de regering al zijn onkosten in Mali zou vergoeden en bracht dat over aan de manager van Nelsons hotel. Maar de secretaresse van de president had kennelijk een rekening te vereffenen met Lamine en besloot dit te doen ten koste van Nelson. Zij maakte Lamines instructies ongedaan en de ongeruste hotelmanager, die dacht dat hij met een oplichter te maken had, dreigde Nelson eruit te gooien. 'Sinds wanneer ben ik hier gekomen op kosten van uw regering en wanneer heb ik gezegd dat ik niet verantwoordelijk ben voor mijn eigen rekeningen?' vroeg Nelson kwaad. En toen nam hij de manager mee naar zijn kamer waar hij hem de bankbiljetten in zijn koffer liet zien. 'Ik heb hier genoeg geld om u een jaar lang te betalen!' De manager bood zijn excuses aan. Lamine Keita was woedend toen hij van het incident hoorde en hij zag het als een zaak van persoonlijke eer dat de regering alles voor Nelson zou betalen. En dat gebeurde ook.

De vlucht naar Guinea had een echt Afrikaans tintje. Nelson was ontspannen, had zijn ogen half gesloten toen een zachte stem vroeg: 'Wat wilt u drinken?' De stewardess was niet mooi maar zeer charmant. 'Thee,' antwoordde hij. Zij glimlachte goedkeurend want ze vlogen over islamitisch grondgebied en moslims hielden niet van alcohol. Het vliegtuig maakte een tussenlanding halverwege Bamako en Conakry; de nieuwe passagiers namen kippen en aardnoten mee. Een vrouw die naast Nelson ging zitten was zo hoogzwanger dat zij haar veiligheidsgordel niet kon dichtmaken. Zij vroeg Nelson haar te helpen. Hij deed dat, niet geheel op zijn gemak door deze onverwachte vertrouwelijkheid met een aanstaande moeder.

Op het vliegveld van Conakry vonden de Guinese douanebeambten Nelsons paspoort verdacht. Oliver had een Ethiopisch paspoort geregeld op naam van David Motsamai. Nelson moest uit de rij komen staan voor nader onderzoek. Ten slotte lieten zij hem gaan, maar zij hielden zijn paspoort achter. Tegen die tijd was er geen vervoer meer naar de stad. Zij gaven hem een lift naar de dichtstbijzijnde garage, waar hem een goedkoop hotel gewezen werd.

's Morgens ging hij te voet naar de vreemdelingenpolitie. Hij had heel duidelijk het gevoel dat hij achtervolgd werd en toen hij zich omdraaide zag hij een groep jonge knapen die hem op de hielen zat. Hij stond stil, nieuwsgierig naar wat zij wilden, maar zij begonnen hem te ondervragen. Zij vroegen naar zijn paspoort en toen hij vertelde dat dat op het vliegveld was, kregen zij achterdocht en zeiden dat hij mee moest gaan naar het politiebureau. Hij zei dat hij op weg was naar de vreemdelingenpolitie. Maar zij drongen erop aan dat hij naar het politiebureau ging. Nelson wist aan hen te ontkomen en bereikte de vreemdelingenpolitie, maar daar stonden de jongens weer voor hem. 'Wie zijn dat?' vroeg hij nadat hij officieel verwelkomd was. 'Vrijwillige reservisten,' was het antwoord.

Guinea was het tegenbeeld van Mali, met een weelderige vegetatie en op het oog welvarende bevolking. Sekou Touré genoot grote populariteit. Hij had samen met zijn partij de economie weer op poten gezet, die de Fransen bijna bankroet hadden achtergelaten. Nelson hoorde hoe de vertrekkende kolonialisten uit pure wrok de schatkist hadden leeggeroofd en kaarten met daarop de belangrijkste publieke werken hadden meegenomen zodat het nieuwe bewind in moeilijkheden raakte.

Een ontmoeting met de president bleek niet mogelijk, omdat deze in beslag genomen werd door de Amerikaanse minister van Buitenlandse Zaken. Maar toen Nelson in Lagos aankwam lag er een bericht waarin men hem vroeg terug te keren om Sekou Touré te ontmoeten, wat hij deed, samen met Oliver. Sekou Touré vertelde hem dat de Democratische Partij van Guinea hun strijd steunde en gaf hun 5000 pond in Guinese valuta, die buiten het land geen waarde had. De Tsjechische ambassade was zo vriendelijk het geld te wisselen.

Nelson vloog van Conakry naar Freetown, de hoofdstad van Sierra Leone. De vlucht duurde een kleine vijftien minuten, maar hij had meer dan een uur nodig om met de bus naar de stad te komen omdat zij per veerboot een kanaal over moesten.

Het parlement bleek in vergadering bijeen en dat leek Nelson de beste plaats voor een eerste bezoek; iedereen zou aanwezig zijn. Hij liep op een kabinetslid toe en stelde zich voor als afgevaardigde van *chief* Luthuli. Luthuli had de Nobelprijs voor de Vrede ontvangen en was een beroemde en geëerde Afrikaan.

'Ik kreeg een zeer prominente plaats in de kamer, recht tegenover de voorzitter, en vroeg mij af waaraan ik zoveel eer te danken had. Dat gold tevens voor de voorzitter, die op mij toeliep om te vragen wie ik was.

Ik fluisterde: "De afgevaardigde van *chief* Luthuli."
Hij boog en zei dat zelfs hun eervolste bezoekers deze
speciale plaats nog niet kregen toegewezen, maar dat
ik een uitzondering was. Ik vroeg mij af waarom.

Er was een theepauze. De minister die mij de ereplaats had gegeven geleidde mij nu naar de president,
Sir Milton Margai, en zei met een diepe buiging: "Sir
Milton, mag ik u onze hooggeëerde gast voorstellen,
chief Albert Luthuli?"

"Ik ben David Motsamai," verbeterde ik hem, maar
hij wuifde mijn verbetering weg. "Nee, nee! Zo is het
goed." En herhaalde: *"Chief* Albert Luthuli!"

Nelson besefte dat het geen zin had te protesteren.
Zij wilden absoluut de Nobelprijswinnaar op bezoek
hebben en hadden besloten hem voor Luthuli te laten
doorgaan. Later accepteerden zij de realiteit, zegden
hun steun toe aan Umkhonto en brachten Nelson
onder in een gastenverblijf van de regering.

Mzwai Piliso, de ANC-vertegenwoordiger in
Cairo, had Nelson gevraagd zijn zuster op te zoeken
die als gevolg van haar scheiding een moeilijke tijd
doormaakte. Lindi Piliso kwam van het platteland en
had medicijnen gestudeerd aan Wentworth in Durban en was daarna getrouwd met een zakenman uit
Sierra Leone. Nelson had haar nog nooit ontmoet.
Hij stelde zich voor als David Motsamai uit Zuid-
Afrika. De naam zei haar niets, maar zij was blij met
het bezoek. Hij ging met haar mee op huisbezoek en
had plezier in haar beheersing van het pidgin-Engels
dat de plaatselijke bewoners spraken. Toen hij wegging vroeg hij of het haar niet bevreemd had dat hij
zich had voorgesteld met een Sothonaam en met haar
gesproken had in Xhosa. Zij beaamde het. Toen vertelde hij haar wie hij was. Zij omhelsde en verwelkomde hem opnieuw en smeekte hem wat langer te

blijven. Maar hij moest verder, naar Liberia dit keer, en dus nam hij afscheid.

Nelsons eerste contact in Liberia was ene Eastman, die later hoofd van de afdeling Buitenlandse Zaken werd. Eastman zocht Nelson op in Ronald Segals *Who's Who of South Africa* en stelde hem voor aan de minister van Buitenlandse Zaken, Grimes, die de president opbelde in Las Palmas (een naburig vakantie-oord). Deze onderbrak zijn vakantie en keerde naar de hoofdstad terug om de geëerde gast te ontmoeten.

Nelson wachtte op de president samen met een paar ambassadeurs in de antichambre van de staatsie-zaal van het paleis. De eerste naam die werd aange-kondigd was die van 'Mr David Motsamai'. Er ont-stond beroering en de dignitarissen keken rond om te zien wie hier voorrang kreeg boven hen.

President Tubman verwelkomde Nelson hartelijk en zei dat hij hem niets hoefde uit te leggen. Hij stond volledig achter de strijd tegen het racistische regime in Zuid-Afrika en was bereid te helpen. Nelson kreeg de gevraagde 5000 pond voor het ANC en er werd naar zijn persoonlijke onkosten geïnformeerd. Hij vertelde de president dat hij in Marokko en Mali vergoedin-gen had gekregen. De president fluisterde iets tegen zijn secretaris, die de zaal verliet en terugkwam met een persoonlijke enveloppe voor Nelson. Er zaten 300 Amerikaanse dollars in.

De Liberianen vonden zijn hotel niet goed genoeg en stelden hem voor te verhuizen naar 'The Duke': 'Dat komt meer overeen met uw status en wij zullen de extra kosten betalen.' Nelson weigerde. Hij dacht aan de armoede van zijn volk en wilde liever in het derderangs hotel blijven dat passender was. Hij werd diezelfde avond uitgenodigd voor een staatsiebanket maar sloeg dat ook af. Hij wist dat het een formele aangelegenheid zou zijn en hij bezat geen rokkostuum en was ook niet bereid er een te dragen op dat moment in zijn leven.

President Tubman stelde een auto met telefoon en chauffeur tot zijn beschikking. Hij werd verzocht de havencommandant, kolonel Ware, te bezoeken. Onderweg maakte hij kennis met het verrassende patriottisme van zijn chauffeur. 'Welke rivier is dit?' vroeg Nelson. 'De rivier de Po,' antwoordde de chauffeur. Daarop reed hij naar de kant van de weg en wees op een eiland. 'Ziet u dat eiland daar? Dat is waar onze voorvaders dit land hebben gesticht. God behoede Liberia! Zij waren als slaven naar Amerika gebracht. Zij keerden terug toen zij weer vrij waren, maar zij waren niet meer gewend aan dit klimaat. Zij vonden het bestaan erg hard; slechts de helft van hen overleefde het en dat zijn onze stamvaders. Dat was in de vorige eeuw.' Nelson was erg ontroerd. Hij liet de chauffeur de brief aan kolonel Ware zien, denkende dat hij dat wel leuk zou vinden. Maar tot zijn ontstelenis griste de chauffeur de brief uit zijn handen en verscheurde hem. 'Zij willen alleen maar opscheppen,' zei hij. 'U bent de gast van het volk van Liberia. Het volk zal u rondleiden. Ik zal u bij kolonel Ware brengen.' En zo nam de chauffeur de rol van 'het volk' op zich en stelde Nelson aan de kolonel voor.

In Accra stuurde Nelson de taxi naar het enige hotel dat hij kende. Het was hem aanbevolen door de Ghanese ambassadeur in Liberia. Hij zag zichzelf meer dan tien keer weerspiegeld in de spiegels langs de wanden in de hal. Hij besloot de volgende dag van hotel te veranderen en belde Peter Raboroko op. Zij hadden samengewerkt in de tijd van de Youth League, maar Peter was nu PAC-vertegenwoordiger in Ghana en assistent-hoofdredacteur van *The Voice,* een uitgave van het Ghanese Bureau voor Afrikaanse Zaken. Peter kwam hem onmiddellijk opzoeken en nodigde hem uit een bezoek te brengen aan het bureau van het PAC.

Het PAC had zich eerder dan het ANC in Ghana gevestigd. Peter was erop uit dit Nelson goed te laten voelen en toen zij de volgende dag een bezoek brachten aan hun bureau gaf hij een demonstratie van hun invloed en succes. Hij gaf ostentatief een stapel enveloppen aan een bediende met de woorden: 'Post deze, maar wees er voorzichtig mee. Ze gaan naar alle leiders in Afrika. Verstuur ze aangetekend en breng de reçu's mee terug.'

Peter was nieuwsgierig te weten wat Nelson in Accra kwam doen en was ervan overtuigd dat er een geheime agenda was. Hij sprak hierover met Mlahleni Njesane, een socioloog die ontslag genomen had bij de universiteit van Natal en zich bij het PAC had aangesloten. Maar Njesane had zijn bedenkingen over het PAC. Bovendien was hij familie van Nelson; hij was een oom van moederszijde van Winnie en zo vertelde hij Nelson, tot diens groot plezier, over het gesprek met Peter.

Nelson vond Nkrumah's droom van de Verenigde Staten van Afrika fascinerend, maar hoe meer hij door Afrika reisde en hoe meer hij van het continent ging begrijpen, hoe meer hij besefte dat het bij een droom zou blijven. Er waren te veel verschillen en de onderontwikkelde staat van het continent maakte onderling contact en eendracht bijna onmogelijk. Er waren politici die vonden dat Noordafrikanen geen echte Afrikanen waren, aangezien zij geen negroïde trekken hadden; en stam- en etnisch bewustzijn stond nationale integratie, laat staan Pan-Afrikanisme, in de weg.

Ghana had een vrij klein aantal inwoners, zeven miljoen, maar de mensen spraken 75 verschillende talen en dialecten en er waren tekenen van spanning tussen de zuidelijken, die relatief verwesterd en meer gealfabetiseerd waren, en de noordelijken die trouw bleven aan de tradities. Maar Kwame Nkrumah was een bindende kracht en enorm populair. Nelson was onder de indruk van de stappen die hij ondernam om de nationale trots nieuw leven in te blazen. Hij bracht het volk weer in contact met hun eigen beschaving van voor de kolonisatie door middel van postzegels, prentbriefkaarten en makkelijk leesbare boeken, en begeleidde het op de weg naar een welvarende, moderne samenleving. Boven aan zijn prioriteitenlijst stond het indammen van de rivier de Volta voor de bouw van de Akosombostuwdam, die Ghana en de omringende landen van irrigatie, industrie en elektriciteit zou voorzien.

Oliver voegde zich in Accra weer bij Nelson en zij vlogen naar Dakar in Senegal. De stad was een kosmopolitische mengeling van Afrikaans en Arabisch, met een vleugje Frans. Nelson bewonderde de elegante dames, rijkelijk geparfumeerd, voorbijglijdend in soepele gebloemde stoffen van zijde en georgette en met hoofdtooien op; en hun begeleiders in hun witte, met goud geborduurde kostuums. Hij bezocht het bedrijvige marktplein dat gedomineerd werd door de grote, Moorse moskee, genoot van de koude sorbets, van de Afro-Arabische vlees- en visgerechten en van de muziek. Maar het meest van alles genoot hij als hij de schepen zag binnenvaren bij het aanbreken van de dag, hun silhouetten tegen de roze lucht, sierlijk en klein, boten zo dun als potloden, met vissers die aan een kant, rechtop, stonden te roeien. De vis viel spartelend en glinsterend op het zand van het strand, nog levend, en de mensen uit de stad stroomden toe om af te dingen en te kopen.

Nelson en Oliver hadden een afspraak met president Senghor en toen zij het presidentiële gebouw bereikten kreeg Oliver een astma-aanval, veroorzaakt door de hitte en de vochtigheid in Dakar. Hij was er zo slecht aan toe dat Nelson hem op zijn rug de trappen op moest dragen. De president schrok van Olivers toestand en liet onmiddellijk zijn lijfarts komen. De medicijnen brachten verlichting en Oliver herstelde voldoende om aan het gesprek deel te nemen. Maar hij moest de volgende paar dagen in bed blijven. Hun goedkope hotel bleek een strop, want er werden geen maaltijden geserveerd en geschikt voedsel laten komen voor Oliver was een probleem. Verder moest Nelson het werk in Ghana alleen voortzetten. Hij merkte dat president Senghor zeer gewaardeerd werd, maar dat zijn hang naar zijn vroegere kolonisators en hun Franse cultuur openlijke kritiek veroorzaakte. Nelson ervoer hier iets van binnen Senghors bureaucratie. De president gaf hem namelijk een assistente, een mooie jonge Française. Zij kwamen op het bureau van de minister van Justitie, Dabussière. Diens secretaresse, een jonge negerin, vroeg aan de assistente wat zij bij haar baas moest. 'Ik ben gestuurd door de president om te tolken voor meneer Motsamai,' antwoordde zij. 'Nou en?' vroeg de zwarte secretaresse. 'Kunnen we dan naar binnen?' drong zij aan. 'Minister Dabussière spreekt vloeiend Engels. U bent hier niet nodig. Ga maar terug!' De zwarte secretaresse was openlijk vijandig. Nelsons Franse begeleidster protesteerde, maar de secretaresse bleef op haar strepen staan en belette de 'ex-koloniste' de toegang tot haar baas.

Nelson en Oliver verlieten het Afrikaanse continent vanuit Dakar en vertrokken naar Londen. Toen de zon opkwam landde het vliegtuig en werd de stad, die Nelson uit de koloniale literatuur kende, zichtbaar. Hij zag de grote metropool liggen door de smog heen, in piepkleine afmetingen, sereen en onschuldig, en hij bedacht hoe bijna driekwart van de wereld vanuit deze stad was veroverd en bezet.

Londen was opwindend: de Theems, Westminster Abbey, de Houses of Parliament, Big Ben; zijn reacties erop waren gemengd. Een groot deel van zijn opvoeding had betrekking op de Britse geschiedenis en de Britse symbolen en daardoor voelde hij een soort verwantschap; maar tegelijkertijd deinsde hij terug voor het imperialisme en kolonialisme waartoe dit volk zich had verlaagd. Hij zag een bevestiging van dat imperialisme en het daarmee samenhangend racisme in het standbeeld van generaal Smuts, dat een ereplaats had gekregen bij Westminster Abbey. Maar wanneer het imperium als zodanig uit het zicht verdween, nam ook Nelsons rancune af en was hij bereid te vergeven en Londen als deel van zijn internationale erfgoed te aanvaarden.

Zij ontmoetten de leiders van de Labour Party en de Liberal Party en zij deden dr. Dadoo verslag van hun reis door Afrika. Zij benadrukten het afrikanistische ethos dat overal oprukte. Zij vertelden dat de Afrikaanse leiders moeite hadden met een ANC dat binnen zijn organisatie zoveel ruimte toekende aan andere raciale groepen, en dat zij het PAC zagen als de beweging die het Afrikaanse nationalisme vertolkte. In hun ogen vertegenwoordigde het ANC een amorfe groep, die men eigenlijk niet als Afrikaans kon betitelen. Om onverdeelde steun te kunnen werven stelden zij een zekere bijstelling van het ANC-imago voor. Yusuf Dadoo verstrakte bij dat voorstel. Zoals Nelson zich herinnert:

'Hij vroeg steeds maar: "En ons beleid dan?" Wij trachtten hem te verzekeren dat wij geen beleidsverandering wensten: wij maakten ons zorgen over het imago dat wij naar buiten brachten. Op dat moment hadden wij het gevoel dat Dadoo het probleem te weinig vanuit ons perspectief bekeek. Maar toen ik bij mijn terugkeer in Zuid-Afrika verslag uitbracht aan *chief* Luthuli over de afrikanistische eisen van de Afrikaanse staten stoof hij op: "Welk recht hebben zij ons de wet voor te schrijven?" Ik zei dat ze dat niet deden, dat ik aan hem als president-generaal overbracht hoe de Afrikaanse leiders het ANC zagen. Anderzijds begreep dr. Naicker dadelijk het dilemma waarvoor wij stonden.'

Later, tijdens het Rivonia-proces, zou Nelson zijn Afrikaanse reis als volgt samenvatten:

'Het succes van mijn reis overtrof al onze verwachtingen. Waar ik ook kwam, ontmoette ik sympathie voor onze zaak en werd er beloofd te helpen. Heel Afrika was unaniem tegen het optreden van blank Zuid-Afrika, en zelfs in Londen werd ik met veel sympathie ontvangen door politieke leiders zoals wijlen de heer Hugh Gaitskell en de heer Grimond. In Afrika werd mij steun toegezegd door mannen als Julius Nyerere, de huidige president van Tanganyika, door de heer Kawawa, toen eerste minister van Tanganyika, door keizer Haile Selassie van Ethiopië, door generaal Aboud, president van Soedan, door Habib Bourguiba, president van Tunesië, door Ben Bella, thans president van Algerije, door Modibo Keita, president van Mali, door Leopold Senghor, president van Senegal, door Sekou Touré, president van Guinea, door president Tubman van Liberia, door Milton Obote, eerste minister van Oeganda, en door Kenneth Kaunda, nu eerste minister van Noord-Rhodesië. Ben Bella nodigde mij uit voor een bezoek aan Oujda, het hoofdkwartier van het Algerijnse Nationale Bevrijdingsleger, een bezoek dat ik beschreef in mijn dagboek dat een van de officiële bewijsstukken is.

Ik was al begonnen studie te maken van oorlogs- en revolutietechnieken en terwijl ik in het buitenland was volgde ik een militaire opleiding. Als het tot een guerrillastrijd zou komen wilde ik weerstand kunnen bieden, samen met mijn volk kunnen vechten en de risico's van de strijd met hen kunnen delen. Aantekeningen van lessen die ik kreeg in Ethiopië en Algerije zitten bij de stukken die als bewijsmateriaal dienst doen. Samenvattingen van boeken over guerrillaoorlogvoering en militaire strategieën zijn ook overlegd. Ik heb al verklaard dat deze stukken in mijn handschrift geschreven zijn, en ik erken dat ik deze studies gemaakt heb om mij toe te rusten voor de rol die ik mogelijk zou moeten vervullen, als de strijd zou uitlopen op een guerrillaoorlog. Ik benaderde dit probleem zoals iedere Afrikaanse nationalist het zou moeten doen. Ik was volledig objectief. Het hof zal zien dat ik allerlei autoriteiten op dit gebied heb geraadpleegd, uit Oost en West, vanaf de klassieke werken van Clausewitz tot zulke uiteenlopende geschriften als die van Mao Tse-Tung en Che Guevara aan de ene kant, en tractaten over de Boerenoorlog aan de andere. Het spreekt vanzelf, Edelachtbare, dat deze aantekeningen slechts samenvattingen zijn van de boeken die ik las en niet mijn persoonlijke gezichtspunten bevatten.

Ik trof ook voorbereidingen om onze rekruten te laten opleiden, maar het was onmogelijk, Edelachtbare, plannen te maken zonder de medewerking van de ANC-afdelingen in Afrika. Vervolgens kreeg ik toestemming van het ANC in Zuid-Afrika voor mijn plannen, in zoverre dat van het oorspronkelijke beginsel dat het ANC niet zou meewerken aan geweld-dadige strijdmethoden zou worden afgeweken, maar alleen buiten Zuid-Afrika. De eerste groep rekruten kwam in Tanganyika aan juist op het moment dat ik daar was op mijn terugreis naar Zuid-Afrika. Ik kwam terug in Zuid-Afrika en berichtte mijn collega's de re-sultaten van mijn reis. Bij mijn terugkomst vond ik weinig veranderingen op het politieke vlak, behalve dat de doodstraf voor sabotage nu geen dreiging meer was maar een feit. De houding van mijn collega's in Umkhonto was vrijwel dezelfde als toen ik vertrok.'

De terugkeer van de Zwarte Pimpernel

Nelson kwam in juli 1962 terug in Zuid-Afrika door evenals de voorgaande keer op een onbewaakt punt de grens over te steken. Joe Modise, nu commandant van Umkhonto, wachtte hem op met een auto en zij reden snel naar Johannesburg. Hij vermeed zorgvul-dig elk contact met Winnie. Hij dook onder in de voorstad Rivonia, waar zijn kameraden een geheime basis hadden opgezet voor de uitvoering van de nieu-we fase in de bevrijdingsstrijd: sabotage. Hij sprak met Moses Kotane, Walter Sisulu, Duma Nokwe, J.B. Marks, Govan Mbeki, Dan Tloome en andere vrien-den. Hij bracht nieuwe kennis en vaardigheden mee en straalde een energie uit die oversloeg op zijn colle-ga's.

In juni 1962 hadden de kranten met grote koppen DE TERUGKEER VAN DE ZWARTE PIMPERNEL ge-meld en de politie in staat van alarm gebracht. In het huis van de Mandela's waren zij vrijwel permanent aanwezig. Tegen een verslaggever van de *Sunday Times* vertelde Winnie op 24 juni 1962:

'De politie komt al bijna drie weken lang iedere avond aan de deur voor controles en zoekacties. Telkens wanneer mijn kinderen en ik willen gaan slapen, zijn de veiligheidsagenten er weer. Ze vragen mij waar mijn echtgenoot is en soms doorzoeken ze het huis. Soms maken ze grappen en andere keren zijn ze agressief en dat maakt de kinderen bang. Er gaan geruchten dat Nelson terug is, maar ik heb niets van hem gezien of gehoord.'

Op woensdag 20 juni arriveerde de politie om 10 uur in de avond en werd nijdig toen Winnie niet thuis bleek te zijn. Haar zuster, die toen bij haar woonde, hield hen tegen en verlangde een bevel tot huiszoeking. Ze duwden haar opzij en haalden het huis overhoop. De buren verzamelden zich buiten, verontwaardigd maar machteloos. Sommige jongeren, niet geplaagd door die machteloosheid en aangelokt door de geparkeerde motorfiets, staken hem in brand. De motor explodeerde op het moment dat Winnie thuiskwam. De politie stormde naar buiten, revolvers in de hand, klaar om te schieten. De toeschouwers verdwenen. Ze keerden zich tot Winnie en ondervroegen haar over de ontploffing. Zij lachte hen uit: 'Moet ik voor jullie het vuile werk doen.' Niemand was bereid de politie inlichtingen te geven en de regering was nog niet gerechtigd tot het soort arbitraire acties tegen burgers die zij in de nabije toekomst zou ondernemen.

Nelson bemerkte dat Lilliesleaf, de grote boerderij in Rivonia die officieel door Arthur en Hazel Goldreich werd bewoond, een geschikte uitvalsbasis was. Toen dat veilig leek, werd een uitvoerig plan beraamd om zijn gezin naar de boerderij te halen zodat zij elkaar konden zien.

Makgatho herinnert zich:

'Wij wisten dat Tata zich schuilhield. Ik kan niet vertellen hoe dat voelde. Het maakte mij bang. Ik had toen niet kunnen zeggen waarom, maar nu weet ik dat ik bang was omdat ik dacht dat wij hem misschien nooit meer zouden terugzien. Ik was opgewonden en blij wanneer ik hem zag. Wij ontmoetten hem op verschillende plaatsen. Mama Winnie bracht ons naar hem toe. Een keer ging ik bij hem logeren op Lillies Farm. Er was een groot huis, dat was het woonhuis, en er waren bijgebouwen. Tata sliep in een van de bijgebouwen. De blanken woonden in het grote huis. Mama Winnie bleef een nacht en ging toen weg. Ik ben een week gebleven, misschien ook wel twee weken. Tata en ik zwommen in het zwembad en wij maakten lange wandelingen. Hij leerde mij schieten met een geweer en kocht een speelgoedpistool voor me. Hij kookte voor mij. Thembi was er niet bij. Ik wist niet waarom hij er niet was. Daar dacht ik toen niet over na. Ik zag Tata vaker omdat ik toen goed met Mama Winnie kon opschieten.

Ik was heel verdrietig toen ik Tata moest verlaten maar hij zei dat ik mij geen zorgen hoefde te maken, dat wij in Swaziland op school zouden gaan en nergens last van zouden hebben.'

In augustus nam Nelson afscheid van Winnie. Haar ogen hadden vol tranen gestaan en dat is het beeld dat hij van haar zou bewaren. De volgende dag vertrok hij naar Durban om te overleggen met *chief* Luthuli, Monty Naicker, M. B. Yengwa en anderen, het werk daar te inspecteren en contacten met vrienden te hernieuwen. Hij was vermomd als chauffeur, droeg een pas op naam van David Motsamai en reed in de Austin van zijn rijke blanke baas, in werkelijkheid de theaterdirecteur Cecil Williams.

Op zondag 5 augustus kwam een aantal van zijn

vrienden, onder wie de Meers, de Singhs, dr. Naicker en M.B. Yengwa, bijeen in de woning van de foto-journalist van de *Post*, G. R. Naidoo. Nelson maakte een imposante en krijgshaftige indruk in zijn kakikos-tuum en met het vertrouwde welkom van zijn dreu-nende lach omhelsde hij een voor een zijn vrienden. Zij dronken en aten en discussieerden over politiek. De opwinding van hun geheime samenkomst riep een uitgelaten stemming op. De politie zocht Nelson en hier, vlak onder hun neus, zaten zij met hem feest te vieren. Zo Nelson zich al opgejaagd voelde was daar niets van te merken.

De 'chauffeur' en zijn 'baas' vertrokken uit Durban in de rust van een milde Natalse zondag, genietend van elkaars gezelschap en van dit ongewoon vredige intermezzo; de 'baas' reed en de 'chauffeur' zat naast hem uit te rusten. Zij hadden ongeveer anderhalf uur gereden en waren ter hoogte van Cedara toen zij wer-den opgeschrikt door een politieauto die hen achter-op kwam. Nelson dacht razendsnel na:

'Ik overwoog de mogelijkheden. Er was een steile helling aan de kant van de weg. Ik zou eruit kunnen springen, de helling op en dan verdwijnen in het landschap. Ik was goed getraind in dat soort manoeu-vres maar een blik in de achteruitkijkspiegel deed mij beseffen dat ik mijn leven zou riskeren. Er waren nog twee politieauto's, direct achter ons. Ik dacht aan mijn wapen en mijn agenda. Met die dingen mocht ik niet gepakt worden. De agenda bevatte ondanks de cryp-tische notatie waardevolle informatie voor de politie en kon mensen die ik de laatste tijd had ontmoet in gevaar brengen. Ik zocht een schuilplaats en koos voor de bekleding. Ik duwde het wapen en de agenda in de spleet tussen de voorstoelen. Ik weet nog steeds niet wat daar uiteindelijk mee gebeurd is. Misschien heeft

Cecil Williams ze gevonden. Misschien zijn ze in de auto gebleven van eigenaar op eigenaar, en ten slotte voor het nageslacht verloren gegaan toen de oude Austin werd afgedankt en ergens als een hoop roest werd achtergelaten.

Wij kregen bevel te stoppen. De politieman kwam onmiddellijk naar de passagierskant waar ik zat en stelde zich voor als brigadier Forster en vroeg mij mijn naam. Ik zei dat ik David Motsamai was. Hij zei dat hij wist dat ik Nelson Mandela was en dat hij een arrestatiebevel voor mij had. Zijn superieur, een majoor, kwam erbij en nam plaats op de achterbank. Wij reden zwijgend, terwijl ik koortsachtig de kansen op ontsnapping naging. De nog steeds aanwezige helling naast de weg was verleidelijk, maar ik kende het terrein niet goed genoeg om het te wagen. De worsteling in mijn hoofd bleef onverminderd doorgaan en hield pas op toen wij bij het politiebureau aankwamen en de kans op ontsnapping voorbij was.

Ik werd ondervraagd. Ik weigerde een verklaring af te leggen en verzocht om een advocaat. Als het zover is, kreeg ik te horen, en werd voor de nacht in een politiecel opgesloten. Ik vroeg mij af hoe ze mij op het spoor waren gekomen en moest erkennen dat het risico, gezien het grote aantal mensen dat ik gezien had, voortdurend aanwezig was geweest. Later hoorde ik dat er verdenking bestond tegen G.R. Naidoo, mijn gastheer van die middag, maar ik was ervan overtuigd dat G.R. zo iets niet zou doen. Later heb ik hem dat in een brief meegedeeld.

Politieofficier Truter kwam de volgende morgen om mij te identificeren. Ik kende Truter. Hij begroette mij joviaal met "Hallo, meneer Mandela," en voegde eraan toe: "Waarom houdt u deze schijnvertoning vol?" Ik antwoordde koel: "Ik heb jullie een naam gegeven en daarmee moeten jullie het doen." Ik werd naar mijn cel teruggebracht.

De derde dag werd Nelson voorgeleid in de rechtbank van Pietermaritzburg en vernam dat hij geen advocaat mocht raadplegen. Hij weigerde ook maar iets toe te geven. De rechtbank gelastte dat hij naar Johannesburg moest worden overgebracht.

Nelson werd naar Johannesburg gereden onder strenge politiebewaking. Hij rekende op ettelijke jaren nietsdoen, afgesneden zijn van Umkhonto in de gevoeligste eerste groeiperiode. Een tijdlang werd hij geplaagd door zelfverwijt dat hij niet voorzichtiger was geweest. Hij was tenslotte de enige in het plan-comité met kennis van zaken op militair terrein, maar rouwen om het verleden was zinloos. Hij converseerde beleefd met de politie, die zich vriendelijk gedroeg. Onderweg stopten ze twee keer, in Ladysmith en in Volkrust, beide keren bij een politiebureau. Hij weigerde het voedsel dat hem werd aangeboden. Toen ze Johannesburg naderden werden de agenten gespannen en veranderde hun houding tegenover hem. Zij werden nors, deden hem handboeien aan en meldden zijn komst via de radio aan hun superieuren. Op Marshall Square werd hij in een cel opgesloten.

Die nacht hoorde hij steeds een bekend gehoest; ineens wist hij wie het was en riep Walters naam. Voor het eerst wisten zij beiden van elkaars arrestatie.

De kranten berichtten met veel tamtam over de vangst van de Zwarte Pimpernel. Winnie was op haar werk toen iemand haar een krant liet zien. Zij las de koppen: POLITIEACTIE MAAKT EINDE AAN TWEE JAAR VLUCHTEN en daaronder NELSON MANDELA GEARRESTEERD. Zij wankelde maar een vriendin greep haar vast en zij herstelde zich. Zij nam de rest van de dag vrij en ging naar huis. 'Wat nu?' vroeg zij

zich af. Zij besefte nog niet dat zij haar man in feite
verloren had, dat haar dochtertjes tot vrouwen zouden opgroeien en zelf kinderen krijgen terwijl Nelson
al die tijd gevangen zat.

Berechting en gevangenschap

Nelson verscheen op 16 augustus voor de vrederechter
in Johannesburg. Zijn zuster Leabie vertelt: 'Het was
een schok om Buti door de politie te zien binnen-
brengen. Wij renden op hem af en werden tegengehouden. Dat deed ons als familie pijn. Wat ons troost
gaf was zijn kracht. Buti wilde niet dat iemand huilde. Mijn moeder was totaal kapot. De familie moest
een zwaar offer brengen. Wij wisten dat onze mensen
slecht werden behandeld, iemand moest daar iets
tegen ondernemen en Buti had dat gedaan.'

Ondanks haar diepe verontrustheid hield Winnie
zich groot en probeerde haar schoonmoeder te troosten. De advocaten Joe Slovo, Harold Wolpe en James
Kantor keken toe.

Nelson vertelt: 'Ik kende de president van die
rechtbank, meneer Van Coller. Hij was een fatsoenlijke vent. Ik had tegenover hem gestaan om cliënten te
verdedigen. Ik merkte dat hij het pijnlijk vond mij nu
als beklaagde te zien en probeerde mijn blik te ont-
wijken.' De zaak werd verdaagd naar een later tijdstip.
Nelson kreeg wel toestemming om in een van de kamers met zijn raadslieden en zijn familie te praten:
'Het was heel emotioneel, maar wij werden geremd
door de zeer strenge bewaking. De politiewacht keek
voortdurend om de hoek van de deur of ik er nog was.
Zami was in tranen, maar dat was gauw over. Zij had
een kamerjas en een zijden pyjama voor mij meege-

bracht. Zo groot was haar politieke onnozelheid toen nog, maar zij kwam er snel achter dat in de gevangenis geen zijden pyjama's worden gedragen.'

Nelson werd overgebracht naar het Fort en als gevangene in voorarrest in de hospitaalafdeling vastgezet. Vele vrienden en verwanten kwamen hem bezoeken. Onder hen waren Michael Harmel, Duma en Tiny Nokwe, Albertina Sisulu, Ruth First, Ann-Mary Wolpe, Gordon Bruce, Adelaide Joseph en Fred van Wyk van het Institute of Race Relations. Dominee Arthur Blaxall kwam hem boeken brengen; enkele maanden later zou ook hij worden gearresteerd en veroordeeld.

Er zaten vijf gevangenen in de hospitaalcel en een van hen was Moosa Dinath, die een lange straf uitzat voor fraude. Nelson had Dinath, die de reputatie had van een briljant zakenman, eerder en onder gelukkiger omstandigheden ontmoet. Hij was de enige Indiër die erin geslaagd was een open vennootschap op te richten en had de verkooprechten verworven voor een populaire Duitse auto. Belangrijker was dat hij lid was geweest van het Indian Congress in Transvaal en die organisatie met gulle giften had gesteund. Door financiële misstappen was hij in de gevangenis beland.

Terwijl Dinath door een crimineel vergrijp met de wet in aanraking was gekomen, onderscheidden diverse leden van zijn familie zich op andere terreinen. Zijn vrouw, Ayesha, was een van de vier gezusters Nagdi die hun tijd ver vooruit waren in feministisch bewustzijn. Jaren later zou zijn schoonzuster, Amina Desai, vijf jaar gevangenisstraf uitzitten wegens vermeende betrokkenheid bij het ANC en enkele maanden van die straf gezelschap krijgen van Winnie.

Nelson vatte sympathie op voor Dinath. Hij was gulhartig en vindingrijk en bewaarde in de gevangenis een opmerkelijke allure. Hij behandelde de commandant als zijn ondergeschikte en had de bewakers volledig onder de duim. Nelson leerde Dinath spieroefeningen en samen renden zij rondjes op de binnenplaats. Nelson at mee van de speciale maaltijden die Dinath liet aanrukken, evenals de drie andere celgenoten. Maar Dinath maakte wel een sociaal onderscheid tussen hemzelf en Nelson en de overigen. Hij vond het bijvoorbeeld niet prettig om met hen aan één tafel te zitten en gaf hun heel discreet de keuze om hun portie direct op te eten terwijl het voedsel vers en heet was. Zij trapten daar onmiddellijk in. Hij bracht het allemaal heel diplomatiek, zei achteloos: 'Wel, ik kan toch ook niet alleen eten. Nelson, als jij wacht dan eten wij later,' dat Nelson niet het hart had hem zijn discriminatie tegen medegevangenen te verwijten. Dat soort educatie kwam later wel, meende hij. Voorlopig waren er urgenter zaken.

Op een avond werd Nelson de volle reikwijdte van Dinaths invloed gewaar. Hij lag al in bed toen de celdeur onverwachts geopend werd en tot zijn verbazing de commandant verscheen in gezelschap van een bekende advocaat uit Pretoria, die later een omstreden rechter zou worden vanwege zijn partijdige vonnissen. De kolonel waarschuwde de dienstdoende bewaker: 'Je vertelt niemand dat ik je opdracht heb gegeven de deur open te maken. Begrepen!' Dinath wandelde met zijn twee 'vrienden' de gevangenis uit en kwam vroeg in de morgen terug. Dat was de eerste van een reeks nachtelijke bezoeken waarvan Nelson in de tijd dat zij een cel deelden getuige was.

De vriendschap tussen de twee gevangenen breidde zich uit tot hun echtgenotes. Maude Katzenellenbogen, de 'tweede vrouw' (zonder boterbriefje) van Moosa Dinath, introduceerde zich bij Winnie met een welkome cheque voor 4 pond en een uitnodiging om bij haar thuis te komen. Winnie vond Maude heel boeiend. Het was waarschijnlijk haar eerste persoonlijke contact met een blanke vrouw buiten de politieke kringen. Aangezien zij ongeveer dezelfde leeftijd hadden en beiden met jonge kinderen belast waren terwijl hun man in de gevangenis zat, kon Winnie moeiteloos met haar meeleven. Maude woonde in een vervallen huis op korte afstand van de gevangenis, fladderde rond als een vlinder en praatte zonder ophouden. Zij was hartelijk en energiek en overlaadde Winnie met boodschappen en kleren, die Winnie maar al te goed kon gebruiken. Zij zei dat het niet nodig was dat Winnie voedsel voor Nelson meenam. Omdat zij zo dicht bij de gevangenis woonde, was het veel handiger als zij eten voor beide mannen maakte. In de loop van de volgende weken ontstond tussen de twee vrouwen een goede vriendschap, die ook voortduurde toen hun echtgenoten niet meer bij elkaar zaten. Maar voor die tijd schijnt Dinath een ontsnappingsplan voor Nelson te hebben beraamd. Waarom hij dat deed, waarom Maude haar vriendschap met Winnie volhield en waarom zij Winnie een baan op hun kantoor gaven na Dinaths onverwachte en voortijdige vrijlating, dat alles blijft een mysterie.

Winnie accepteerde de vriendschap van de Dinaths zonder aan heimelijke motieven te denken. Haar eerste ontmoeting met Moosa voltrok zich echter onder uiterst vreemde omstandigheden. Tijdens een van haar bezoeken aan Nelson in het Fort vroeg de commandant haar naar zijn kamer te komen. Hij gedroeg zich geheimzinnig, schichtig rondkijkend of iemand hen zag. Even verdacht zij hem er zelfs van dat hij oneerbare bedoelingen had. Haar bezorgdheid nam toe toen hij de deur en het raam dichtdeed, en verminderde pas toen hij haar verzocht plaats te nemen. Daarop zei hij dat hij een zeer vertrouwelijke boodschap voor haar had, dat zij in een bijzonder delicate situatie verkeerden en dat zij niet moest schrikken van wat zij te horen zou krijgen. Zij hoefde slechts te weten dat het Nelsons goedkeuring had. Winnie was inmiddels zo hysterisch dat zij elk moment kon gaan gillen. Wat haar weerhield was de binnenkomst van een lange man met een Arabisch uiterlijk, herinnert zij zich. De voor de hand liggende conclusie dat hij een Indiër moest zijn kwam toen niet bij haar op, en zij had evenmin door dat hij een gevangene was. De commandant verliet het vertrek om hen alleen te laten praten. De man stelde zich voor als Moosa Dinath, de man van Maude en de vriend van Nelson. Hij vertelde haar dat ze plannen maakten om Nelson te laten ontsnappen met medewerking van de commandant en dat ze een bedrag van 10 000 rand nodig hadden om het plan te volvoeren. De zaak was urgent, omdat Nelson binnenkort naar Pretoria zou worden overgebracht en de ontsnapping voor die tijd moest plaatsvinden.

Winnie vertrouwde de Dinaths en gaf het verhaal door aan Nelsons vrienden. Zij zouden het geld bij elkaar moeten krijgen als zij wilden dat het doorging. De vrienden hadden minder vertrouwen in de Dinaths en hielden rekening met de mogelijkheid dat het hele plan door de politie was opgezet, die zo de kans zou krijgen Nelson tijdens zijn ontsnappingspoging dood te schieten. Hoe dan ook, tijdens Winnies tweede ontmoeting met Moosa Dinath liet die zelf weten dat het plan was afgelast, omdat hij ernstige twijfels had omtrent de betrouwbaarheid van de commandant. Die wilde van tevoren betaald worden en ze hadden geen enkele garantie dat hij daarna zou doen wat van hem verwacht werd. Dinath zei Winnie dat zij moest weigeren als de commandant om de betaling van het geld te regelen een nieuwe ontmoeting zou voorstellen.

Twintig jaar later onthulde Gordon Winter, een van de succesrijkste spionnen in Zuid-Afrika, een complot van het Bureau of State Security (BOSS) uit 1969 om Nelson te vermoorden. Een groep Engelse sympathisanten van het ANC, aangevoerd door een hogere employé van de British Information Office, Marianne Borman, zou een plan beramen om Nelson van Robbeneiland te halen met hulp van de beroemde Engelse solopilote Sheila Scott, die dan tevens een non-stopvlucht van Londen naar Kaapstad op haar naam zou zetten. Winter zou het vertrouwen winnen van het ANC en zich vervolgens aansluiten bij de Borman-groep om het plan op gang te brengen; BOSS zou het later overnemen. Een hoofdbewaker op het eiland zou in de samenzwering betrokken worden en iets in de koffie stoppen van de twee bewakers voor Nelsons cel. Nelson zou daarna de gevangenis kunnen verlaten in bewakersuniform en met een wapen. Hij zou echter niet weten dat het geladen was met losse patronen. Ze zouden in een motorboot stappen, zogenaamd van illegale kreeftvissers, en Nelson zou zich omkleden in een duikerpak. Op het vasteland zou hij in een wachtende auto overstappen, die hem naar een klein vliegveldje zou brengen. Hij zou doodgeschoten worden wanneer hij het vliegtuig wilde instappen en de losse patronen in zijn wapen zouden dan door echte worden vervangen om hem als een man van geweld af te schilderen.

Ook dit plan werd afgelast omdat Sheila Scott de opdracht afwees, Marianne Borman verdenkingen opvatte tegen Winter en veruit de belangrijkste factor was, dat de Britse inlichtingendienst er lucht van kreeg en het openbaar dreigde te maken vanwege de betrokkenheid van Engelse staatsburgers.

In 1962 echter, terwijl voor Nelson de uren voort-kropen in gevangenschap, werd Winnie uitgenodigd om de conferentie van het Indian Youth Congress in Johannesburg te openen. De eer zou naar Nelson ge-gaan zijn en door Winnie te inviteren wilden de jon-geren hem alsnog eer bewijzen. Maar Winnie, gedra-peerd in een gele zijden sari, maakte het evenement tot een persoonlijke triomf. Zij kreeg een krans van gele anjers om haar hals. De pers was verrukt van haar schoonheid en liet het daarbij, maar de toehoorders werden bij dit eerste openbare optreden van Winnie geïmponeerd door haar onafhankelijke geest en voort-varende karakter. Reagerend op het gerucht dat Nel-son door communisten zou zijn verraden, zei zij: 'Wij zullen onze tijd niet verdoen met het zoeken naar be-wijzen wie Mandela verraden heeft. Dat soort propa-ganda is erop gericht dat wij tegen elkaar blijven vech-ten in plaats van eensgezind de nationalistische onderdrukking te bestrijden.'

De 250 afgevaardigden kozen Nelson tot hun ere-voorzitter. Bedwelmd door de geur van haar bloe-menkrans wandelde Winnie met haar volgelingen en-kele kilometers van de zaal in Fortsburg naar het Fort om Nelson te bezoeken. De bloemenhulde vond hij schitterend. Hij popelde om de inhoud van haar eer-ste openbare redevoering en de reactie van het publiek te vernemen, maar de bewakers waarschuwden haar dat het gesprek alleen over familiezaken mocht gaan en Nelson moest zich tevreden stellen met de toespe-lingen die overkwamen, verpakt in onschuldige fami-liepraatjes.

Terwijl Nelson op zijn berechting wachtte, namen

de publieke protesten tegen zijn gevangenschap toe. Het Free Mandela Committee organiseerde protestbijeenkomsten door het hele land. De regering sloeg terug door Mandela zelfs in de gevangenis een *banning* op te leggen die hem monddood maakte en verbood alle samenkomsten die op hem betrekking hadden. Vervolgens legde men de secretaris van het Free Mandela Committee, Ahmed Kathrada, en zes dagen later ook Helen Joseph huisarrest op. Eind november hadden 25 mensen huisarrest gekregen, terwijl het aantal *banning orders* steeg van 64 in 1961 tot 105 tegen het eind van 1962.

De processen tegen Walter Sisulu en Nelson Mandela zouden op dezelfde datum en met identieke aanklachten van start gaan. Joe Slovo was voorstander van een gezamenlijke berechting, omdat het hun verdediging aanzienlijk zou vergemakkelijken. Maar de staat hield hun processen niet alleen gescheiden, maar verhuisde Nelsons proces bovendien naar Pretoria. Voor het proces begon, werd Nelson naar de gevangenis in Pretoria overgebracht. Dat bracht zijn verdediging in gevaar, aangezien zijn raadsman, Joe, niet buiten het gerechtelijke district Johannesburg mocht komen. Ze gaven Joe permissie om Nelson in Pretoria te bezoeken maar toen Nelson in de rechtszaal, terwijl Joe naast hem zat, aankondigde dat hij zelf zijn verdediging zou voeren werd die permissie ingetrokken.

Nelson werd naar de gevangenis van Pretoria overgebracht in een gesloten bus samen met een veroordeelde gevangene, Nkadimeng, die tot de beruchte Msomibende behoorde. De rit verliep buitengewoon ruw. De vloer van de wagen was glad van de smeervlekken en de enige zitplaats was een oude band. Elke keer als de bus een zwenking maakte, gleden de twee gevangenen uit en botsten tegen elkaar.

'Nkadimeng was misschien volkomen onschuldig, maar ik werd achterdochtig toen ze ons samen in een cel stopten. Dit was tegen de regels. Gevangenen werden nooit met zijn tweeën in een cel geplaatst om homoseksualiteit tegen te gaan en gevangenen die nog berecht moesten worden werden nooit samen opgesloten met veroordeelden.

Ik kreeg argwaan dat hij als informant aan mij was gekoppeld en ondernam stappen om van hem af te komen. Ik zei tegen de bewakers dat ik mijn eigen verdediging voerde en daarom een tafel, een stoel en een goede lamp nodig had. Ze weigerden aanvankelijk, dus dreigde ik een officiële aanvraag in te dienen. Dat was afdoende. Ik werd overgeplaatst naar een eenpersoonscel met de gevraagde faciliteiten. Het belangrijkste was echter dat ik van Nkadimeng verlost was. Beroofd van de assistentie van Joe, wendde ik mij tot Bob Hepple voor hulp bij het voorbereiden van mijn verdediging.'

Als de staat gehoopt had dat de separatie van de twee leiders tot een verdeling en verzwakking van de publieke belangstelling voor de hoorzittingen zou leiden, kwam zij bedrogen uit. Beide gerechtshoven waren tot de nok toe gevuld toen de processen in Johannesburg en Pretoria werden geopend.

Walter Sisulu, die op borgtocht vrij was, kwam met de traditionele puntige strohoed van de Sotho's op zijn hoofd op de schouders van de menigte de rechtszaal binnen. Nelson, die in voorarrest was gehouden, werd door de politie binnengebracht.

Nelsons Madiba-clan vulde de publieke tribune met de kleuren en klanken van zijn geliefde Transkei. Mannen en vrouwen van zijn clan, *chiefs* en stamleden in traditionele kledij, de mannen met lange stokken, hadden lang voor de zitting begon hun plaatsen ingenomen en de *imbongi* uit Witrivier hief de voorouderlijke lofzang aan met een opsomming van Nelsons afstamming, waarbij hij speciale nadruk legde op de Thembu-traditie van verzet tegen overheersers. De menigte drong zich naar de deuren, zingend *Nkosi Sikelela Arfika* en *Tshotsholoza, Mandela*. De autoriteiten waren zeer verbolgen over de vertoning. De mensen werden gewaarschuwd dat zij het verbod op bijeenkomsten over Mandela overtraden. 'Ik geef u vijf minuten om vreedzaam te verspreiden, anders zal ik geweld gebruiken.'

Een kwaad gemurmel steeg op en iemand riep: 'Wij hebben het recht dit proces bij te wonen.' Even leek het of er een oproer zou losbreken, maar de ordebewakers van het ANC kalmeerden de menigte en haalden degenen die niet naar binnen konden over rustig buiten te blijven staan. Nelsons binnenkomst werd begroet met een daverend applaus en de kreet *Amandla!*

Zijn verschijning in een luipaardvacht was spectaculair, maar bedreigend voor de politie. Bij zijn terugkeer in de gevangenis beval kolonel Jacobs hem 'die deken' zoals hij het noemde af te geven. Nelson weigerde en zei de kolonel dat hij geen zeggenschap had over zijn kleding in de rechtszaal, dat alleen het hof wat dat betreft eisen kon stellen. Het hof heeft nooit bezwaar gemaakt en de *kaross* bleef gedurende dat proces rond de koninklijke Thembu-schouders. Maar de gevangenisleiding zorgde ervoor dat de gedetineerden het niet te zien kregen, uit angst dat het de oude krijgslust van de zwarten wakker zou roepen. Telkens wanneer Nelson naar de rechtbank vertrok of van de rechtbank terugkwam, werd er nauwlettend op toegezien dat alle gevangenen in hun cel zaten. Het proces begon met het voorlezen van de aanklacht tegen

Mandela. De openbare aanklager, P.J. Bosch, beschuldigde hem ervan protesten tegen de uitroeping van de republiek te hebben georganiseerd, een openbare toespraak te hebben gehouden op de conferentie in Pietermaritzburg, en van het drukken en verspreiden van pamfletten waarin arbeiders tot staking werden aangezet. Het resultaat, verklaarde hij, was dat tienduizenden mensen van 29 tot 31 mei 1961 weggebleven waren van hun werk. Mandela werd er tevens van beschuldigd het land zonder geldige papieren te hebben verlaten en diverse landen te hebben bezocht, waaronder Ethiopië, waar hij in februari een conferentie in Addis Abeba had bijgewoond.

Mandela voerde zelf de verdediging en hield het kort. Hij riep geen getuigen op. Hij zei: 'Edelachtbare, ik verklaar dat ik onschuldig ben aan enig misdrijf.' De rechter vroeg of hij niet meer te zeggen had. Mandela antwoordde: 'Met alle respect, wanneer ik iets anders te zeggen had zou ik dat gedaan hebben.' De uitspraak werd verdaagd naar 7 november. Walter werd na de eerste hoorzitting op borgtocht vrijgelaten. Voor Nelson werd vrijlating op borgtocht geweigerd.

Tussen de hoorzittingen door kwam Winnie met de Madiba-nichtjes bij Nelson op bezoek. Hij plaagde de meisjes en zei dat zij goed voor Nkosikazi (Winnie) moesten zorgen. 'En pas op voor al die jongemannen daarbuiten.' Zij zeiden: 'Die jongemannen denken dat wij de getrouwde vrouwen zijn en zij ongetrouwd is. Ze bekijken ons niet eens!' Nelson lachte en zei dat hij er geen woord van geloofde, dat zij veel te mooi waren. Winnie mocht de kinderen niet meebrengen en daarom stuurde hij twee speelgoedvliegtuigjes, een voor Zeni en een voor Zindzi.

Twee dagen voor de volgende zitting ontving Nelson het bericht dat Ma Sisulu gestorven was. Het was alsof hij zijn eigen moeder had verloren en hij vond het vreselijk dat hij niet bij Walter kon zijn. Toen hoorde hij dat de politie op de avond na haar dood het huis van de Sisulu's was binnengevallen en Walter van overtreding van zijn huisarrest had beschuldigd omdat er iemand op rouwbezoek werd aangetroffen. Nelson was razend.

Walter bleef ondanks alle pesterijen optimistisch en verzekerde Winnie dat zij lichte straffen zouden krijgen. Nelson was het niet met hem eens; hij rekende op maximumstraffen, zonder enige clementie. Toen zijn vriend Gordon Bruce vertelde dat hij Winnie een beurs kon bezorgen voor de universiteit van Kampala, drong hij erop aan dat zij de kans moest grijpen. Winnie zei dat zij erover zou denken als hij eenmaal zijn straf uitzat. Hoewel het vooruitzicht haar enorm aantrok, rilde zij bij het idee haar man in de gevangenis te moeten achterlaten om haar persoonlijke ambities na te jagen. Zij sloeg het aanbod af; weldra werd duidelijk dat de autoriteiten het ook op haar hadden gemunt en dat zij toch nooit permissie zou krijgen om naar het buitenland te gaan.

Op de dag van de uitspraak was de staat op het ergste voorbereid. De mensenmassa was nog groter dan bij de eerste hoorzitting. De *Star* in Johannesburg meldde: 'Toen alle voor Afrikanen bestemde plaatsen bezet waren, sloot de politie de deuren en veegde de straat voor het gerechtsgebouw schoon. Honderden Afrikanen werden op een blok afstand gehouden en het verkeer werd omgeleid. Er stond een machtig cordon van politiemannen, sommigen voorzien van tassen met traangasbommen, rond het gehele complex...'

De aanklager, mr. Bosch, maakte een Pontius Pilatus-gebaar toen hij Nelson buiten de rechtszaal tegenhield, zich verontschuldigde voor de veroordeling die hij ging vragen en hem vervolgens kuste.

De *Star* beschreef de scène in de rechtszaal:

'... binnen in de rechtszaal waren alle 150 voor 'niet-Europeanen' gereserveerde plaatsen bezet en ook de tribune voor Europeanen was vol. Er ging een spontaan, hoewel getemperd gejuich op toen Nelson met zijn politie-escorte verscheen en zijn plaats in de beklaagdenbank innam. Hij draaide zich om naar het publiek en, zijn arm uitstrekkend in het traditionele gebaar met de gesloten vuist, riep hij driemaal *Amandla!* De menigte stond op en antwoordde *Ngawethu!* De rechter las zijn vonnis voor. Hij noemde Mandela "de leider, aanstichter, spreekbuis en het brein achter de gehele organisatie" en voegde eraan toe "dat de mensen ophitsen tot een misdrijf door hen te dwingen tegen een wet te protesteren gelijkstaat aan het begaan van dat misdrijf". Hij wees er ook op dat het voor bepaalde categorieën Afrikanen een overtreding was om zonder geldige reden van hun werk weg te blijven.'

Het verslag meldde ook dat 'tijdens het veertig minuten durende resumé van de rechter Mandela doelbewust vermeed naar hem te kijken. Hij keek de zaal rond, knikkend en glimlachend naar zijn vrienden. Ook de toeschouwers luisterden nauwelijks. De juridische terminologie was voor hen niet te volgen. Maar tijdens de toespraak van Mandela luisterden zij scherp'.

Nelsons pleidooi duurde zeventig minuten. Hij vertelde over zijn jeugd, hoe zijn verbeelding geprikkeld was door verhalen over heldhaftige krijgers uit de goede oude tijden voor de komst van de blanken, en hoe hij zijn leven had gewijd aan de emancipatie van zijn volk. Hij vertelde over de problemen die hij en

Oliver Tambo hadden ondervonden bij hun beroeps-
uitoefening, hoe zij bevel hadden gekregen hun praktijk van Johannesburg naar een Afrikaanse *township* te
verplaatsen en dat bevel hadden genegeerd. Hij kon
het voor zijn geweten niet verantwoorden, verklaarde
hij, wetten te accepteren die naar zijn mening onrechtvaardig, immoreel en onverdraaglijk waren.

Toen Nelson uitgesproken was, kondigde de rechter een schorsing van tien minuten af om zich op zijn
vonnis te bezinnen. Het feit dat hij maar tien minuten nodig had om Nelsons verklaring van zeventig minuten te overwegen deed vermoeden dat zijn oordeel
al vaststond. De zitting werd hervat en iedereen luisterde in gespannen stilte terwijl de rechter Nelson veroordeelde tot drie jaar gevangenis voor aanstichting
plus twee jaar voor het land verlaten zonder paspoort.
Toen, terwijl de rechter de zaal uitliep, draaide Nelson
zich om naar de tribune en riep *Amandla!* De bekende antwoordkreet klonk op, gevolgd door het lied
Nkosi Sikelela Afrika. Het werd overgenomen door de
enorme menigte buiten het gerechtsgebouw die door
het politiecordon werd tegengehouden. De vrouwen
dansten en joelden en de mensen wandelden langzaam arm in arm over de volle breedte van de weg, tot
zij in kleine groepen uiteenvielen en huiswaarts gingen.

Walter werd tot zes jaar hechtenis veroordeeld,
maar mocht op borgtocht vertrekken. Hij dook onmiddellijk onder. De politie, gewapend met nieuwe
volmachten, nam wraak op zijn vrouw Albertina en
zijn zestienjarige zoon Zwelakhe die onder de 90-
Dagen Clausule werden vastgehouden. Tegen het
eind van dat jaar waren 544 mensen zonder opgaaf
van redenen door de politie in de gevangenis geworpen. Verhalen kwamen naar buiten over gruwelijke

martelpraktijken en kort daarna volgden de sterfgevallen in gevangenschap.

Nelson begon zijn straf uit te zitten in Pretoria. Kolonel Jacobs, die zich gegriefd had gevoeld over Nelsons *kaross,* kon hem nu laten boeten. De voltallige gevangenisstaf werd verzameld om zijn vernedering bij te wonen. 'Mandela, doe al die dingen af,' beval hij, doelend op de vacht en de kralen. 'Voortaan draag je dit.' Hij gaf hem de gevangeniskleding: een kakihemd, een lichtbruine korte broek, een katoenen jasje en open sandalen. Nelson vond het beneden zijn waardigheid. Hij weigerde de kleren te dragen en zei de kolonel dat hij hem als hij wilde voor het gerecht kon brengen. De kolonel antwoordde dat ze hem een lange broek zouden geven, maar dat hij apart van de anderen zou worden gehouden. 'We hadden je bij Sobukwe willen zetten,' zei hij, 'maar nu blijf je alleen.'

Nelson protesteerde opnieuw toen ze hem zijn 'avondeten' brachten, een stijve pap met een theelepeltje suiker. 'Dit is geen voedsel,' zei hij en weigerde het te eten. Een woordenwisseling volgde. Hij dreigde helemaal niet meer te eten als ze hem geen fatsoenlijk voedsel gaven. 'Mandela,' zei de kolonel, 'jij bent brutaal en tegendraads. De gevolgen zijn voor jou. We zullen je voedsel geven dat jouw goedkeuring kan wegdragen, maar je zult er fors voor betalen. De anderen zijn de hele dag buiten in de zon. Jij krijgt een halfuur buiten en de rest van de dag eenzame opsluiting.'

Nelson kwam er weldra achter dat eenzame opsluiting veel moeilijker te verduren was dan slecht eten en vernederende kleren.

'Een uur leek een jaar. Ik werd opgesloten in een kale cel, met letterlijk niets, niets te lezen, niets te schrijven, niets te doen, niemand om tegen te praten. Tijdens het luchten werd ik bewaakt door twee bewakers; de ene was Afrikaan. Ik probeerde met hem te praten. Hij negeerde mij, ongetwijfeld bang voor zijn blanke collega. Ik hield het isolement twee maanden vol en zag toen in dat niets de menselijkheid zo ondermijnde als verstoken te zijn van het gezelschap van je medemensen.'

Dus aanvaardde hij de gevangeniskleding en het voedsel en sloot zich aan bij de naamloze massa van de gevangenisbevolking. Hij dwong zijn lichaam tot de zware dwangarbeid die de gevangenen moesten verrichten, terwijl zijn geest alert bleef op ieder brokje informatie dat uit de buitenwereld doordrong.

In 1962 waren er zeven politieke gevangenen in Zuid-Afrika en Nelson was het enige ANC-lid. De anderen waren PAC-leden en tot hen behoorde Robert Sobukwe. Over het algemeen kon Nelson goed opschieten met de zes PAC-collega's, maar een paar van hen kwamen met 'verhalen' over zijn niet-Afrikaanse bondgenoten dat ze etnisch gemotiveerd waren, dat ze geen respect hadden voor Afrikanen en hen niet in staat achtten het land te besturen. Persoonlijke vrienden van Nelson werden genoemd, waartegen hij fel in opstand kwam. De beschuldigingen waren op niets gebaseerd en Sobukwe riep zijn volgelingen tot de orde en waarschuwde hen dat pure emotionaliteit hen geen stap verder kon brengen. In vele opzichten ontdekte Sobukwe dat hij meer met Nelson gemeen had dan met sommigen van zijn eigen partijgenoten. De gevangenisleiding van haar kant was beducht voor de macht van de twee mannen en nam maatregelen om hen gescheiden te houden, maar door het aflossen van bewakers ging dat van tijd tot tijd mis.

Sobukwe beschouwde zichzelf als een oude rot vergeleken bij Nelson en gaf hem allerlei adviezen hoe hij in de gevangenis kon overleven. Hij maande hem tot geduld en voorzichtigheid. 'Je moet het vijf jaar volhouden. Het heeft geen zin jezelf gehaat te maken. Ze kunnen heel gemeen worden.' Op een dag vroegen zij de dienstdoende bewaker hen naar de kolonel te brengen om over de leefcondities te praten. De kolonel was geïrriteerd en vroeg waarom die gevangenen voor zijn deur stonden. De bewaker verklaarde dat zij daar zelf om gevraagd hadden. 'Breng ze terug,' blafte de kolonel. 'Ze komen wanneer ik ze laat halen.'

Nelson begon te protesteren, maar Sobukwe weerhield hem. 'Nel, Nel, denk toch na. Je zult hier moeten leven.'

Nelson was wellicht ondoordacht, maar de oude Steven Tefu was volslagen roekeloos. Hij ging prat op zijn minachting voor de bewakers en riep voortdurend dat niemand tegenover hen zoveel lef had als hij. Hij maakte er een sport van om zich over alles en iedereen te beklagen. Een keer moest Nelson de beschamende ervaring ondergaan dat een bewaker hem als voorbeeld van goed gedrag aanwees. 'Tefu, waarom klaag jij zoveel? Hier, neem Mandela, die klaagt niet zoals jij.' 'Bah!' was Tefu's reactie, 'Mandela is een kleine jongen. Hij is bang voor jullie.'

Nelson slikte de belediging. Zij waren overgeleverd aan een situatie waarin zij alleen met elkaar konden wedijveren om hun zelfrespect te behouden. Hij had waardering voor Tefu's strijdbaarheid, maar besefte ook dat protesteren om jezelf te bewijzen geen enkel effect had. Het was niet louter een kwestie van de enkeling die voor zichzelf opkwam; de populatie als geheel zou haar rechten als gevangenen moeten opeisen. Die rechten werden dagelijks geschonden; alleen een massale actie van de gevangenen kon daar verandering in brengen. Er waren gevangenen die voor de bewakers in het stof kropen met 'Ja baas, nee baas', die accepteerden dat hun leven afhing van genade en willekeur. Die houding maakte hem misselijk. Hij en zijn kameraden hadden nu juist voor militaire training gekozen om dat soort onderdanigheid uit te bannen. Door zich op dezelfde voet met de staat te meten konden zij hun volk althans iets teruggeven van zijn geschonden waardigheid.

De mate waarin het gevangenisleven in staat was de menselijke geest te degraderen overtrof alles wat hij in de sloppen en in de door hongersnood geplaagde reservaten had gezien. Mannen die hij als gerespecteerde en trotse mensen had gekend zag hij hier vermorzeld worden, in hun ellende bereid tot alles, 'bereid hun eigen kinderen te eten' zoals een collega het uitdrukte. Wanneer gevangenen hun zelfrespect verloren en over etensresten vochten die op het bord van een bewaker achterbleven, hoe konden zij dan respect van die bewakers verwachten?

Sobukwe en Mandela spraken over die problemen. Hoe dwaas Steven Tefu's botsingen met de bewakers ook waren, zij bewonderden hem omdat hij wel zijn zelfrespect had behouden en hun steun gaf in hun voornemen de gevangenen hun waardigheid terug te geven.

De datum 24 mei staat onuitwisbaar in Nelsons geheugen gegrift. Hij kreeg plotseling te horen dat hij werd overgeplaatst en zat binnen een uur in een gesloten bus, op weg naar een onbekende bestemming, met drie andere politieke gevangenen: Steven Tefu, Malete die journalist was geweest van *New Age,* en John Gaitsiwe. Het was een koude nacht en tijdens de reis zaten zij, met enkelkettingen aan elkaar en met handboeien geketend, op de verhoging langs de zijwand van de bus en moesten wanneer dat nodig was van de toiletemmer gebruik maken. De hele nacht en een groot deel van de volgende dag kwamen zij de bus niet uit. Toen de zon opkwam drong er amper licht binnen door de kieren. De stank van de emmer was zo doordringend dat zij hun voedsel nauwelijks naar binnen kregen. Zij praatten, zongen en probeerden te slapen om hun gedachten af te leiden van hun ketens.

Rond de middag bereikten zij hun bestemming. Toen zij buiten stonden bleken zij zich te bevinden in de gevangenis van Roeland Street in Kaapstad. Die avond werden zij getransporteerd naar het kleine havengebied met zijn oude pakhuizen, niet ver van de plek waar Jan van Riebeeck aan land was gegaan en de grondslagen had gelegd voor het blanke schrikbewind dat hen in deze toestand had gebracht. Zij stapten op een boot, daalden de ladder af naar het ruim en voeren naar Robbeneiland, luisterend naar de golven die tegen de scheepswand beukten.

De boot legde aan en de gevangenen gingen als laatsten aan land. Gevangenbewakers stonden hen op te wachten. 'Dit is Pretoria niet. Dit is Robbeneiland,' meldden zij op een toon die hen angst moest aanjagen. Nelson was hierop voorbereid, hij wist dat hun behandeling op het eiland grotendeels zou afhangen van hun reactie op deze eerste confrontatie. Als zij zich nu lieten intimideren, zou er waarschijnlijk geen weg terug meer zijn.

'Hort!' riepen de bewakers, verwachtend dat zij als runderen zouden samenklitten. Nelson en Tefu stapten naar voren en begonnen in een waardig, humaan tempo te lopen. 'Hort! Hort!' schreeuwden de bewakers om hen op te jutten, steeds nijdiger. De gevangenen bleven hetzelfde tempo aanhouden. 'Moeten we jullie doodschieten?' De gevangenen reageerden niet. De bewakers porden hen met hun geweren. 'We schieten jullie dood!' dreigden ze. Het porren en dreigen ging door, maar het tempo van de gevangenen veranderde niet tot zij de gevangenispoort bereikten. Nelsons ogen gingen omhoog naar de wachttoren en hij zag de wachters met hun geweer in de aanslag. Hij zag dat er rondom het gevangeniscomplex wachttorens waren en, op de grond, bewakers met stenguns rondliepen. Het was een ontmoedigend gezicht, ontsnappen leek onmogelijk. Binnen hadden de oppassers zich op hun komst geprepareerd. De vloer was onder water gezet tot het niveau van een ondiepe poel. *Trek uit!* schreeuwde een bewaker en elk kledingstuk werd onmiddellijk uit hun handen gerukt en in het water geworpen. Hun lichamen werden met extreme grondigheid onderzocht en daarna moesten ze naakt in het water blijven staan.

Kapitein Gericke inspecteerde hen vluchtig. 'Waarom is jouw haar zo lang?' vroeg hij aan Malete, 'en deze *boy* ook al,' terwijl hij op Nelson wees. In Pretoria was het hun gelukt aan het kaalscheren te ontkomen. De kapitein gaf hen duidelijk te verstaan dat dat soort slordigheid op Robbeneiland niet werd getolereerd. 'Hoor eens,' begon Nelson en Gericke stormde op hem af, snuivend en dreigend met een zwaaiende vinger. 'Ik moet u waarschuwen,' ging Nelson verder, 'ik zal het tot de hoogste instantie opnemen en tegen de tijd dat ik met u klaar ben zult u zo arm zijn als een kerkrat.' De kapitein was nooit eerder op die manier door een gevangene aangesproken. 'Mandela!' Daarna volgde een stortvloed van scheldwoorden die eindigde met: 'Jij moet vijf jaar uitzitten en durft zo'n toon aan te slaan?' Maar Nelson antwoordde hem koeltjes: 'Doe niet zo belachelijk. Ik zal niets toestaan dat in strijd is met de reglementen.' Gericke was sprakeloos van verbazing en woede.

Toen de bewakers door kregen dat machtsvertoon geen effect had, probeerden ze het met tweedracht. Kolonel Steyn zei hem dat hij een fatsoenlijke kerel was, niet te vergelijken met de rest. Hij draaide zich naar Steven Tefu en schreeuwde: 'Niet zoals jij. Jij bent verrot! Mandela, jij en ik zijn geschoolde mensen. Wij hebben gemeenschappelijke interesses.' Tefu's broodmagere lichaam werd kaarsrecht en vol vuur verklaarde hij: 'Ik ben Steven Tefu en ik ben over de hele wereld bekend. Van mij hebben meer mensen gehoord dan van jouw eerste minister!'

Terwijl zij in Pretoria slechts een kleine minderheid van zeven politieke gevangenen hadden gevormd, troffen zij op Robbeneiland een veel grotere groep aan. Het aantal politiek gestraften groeide steeds verder aan met Poqo-activisten, met opstandelingen uit het binnenland die zich tegen de Bantu-besturen in Sekhukhuniland, Thembuland en Zeerust hadden verzet en met saboteurs uit de steden. De Poqo, voortgekomen uit het PAC, had zich verlaagd tot gruwelijke moorden die Sobukwe evenzeer verafschuwde als Nelson. Sinds 1958 had de regering op het platteland een nieuw controlestelsel opgebouwd; bestuurseenheden en machtsgebieden van de *chiefs* waren opgesplitst, verzet werd onderdrukt door 'lastige' inheemse leiders en hun medewerkers af te zetten en te deporteren, en het ANC was in Transkei verboden. De woede van de stamleden richtte zich op collaborateurs en verraders, die werden opgespoord, in elkaar geslagen en soms ook gedood. Grootscheepse arrestaties waren het gevolg. De nieuwe golven van politieke gevangenen die op het eiland arriveerden verwachtten daar hun leiders te ontmoeten en van hen bescherming en steun te ontvangen. Nelsons verantwoordelijkheidsgevoel werd hierdoor nog zwaarder belast.

Een van de eerste taken die Nelsons eenheid toegewezen kreeg was het fijnhakken van brokken natuursteen. De bewakers bepaalden het quotum voor een redelijke dagtaak: de eerste week was dat een halve emmer, tegen het eind van de week was het een volle emmer. Wie de norm niet haalde werd met extra ontberingen bestraft. Er ontstonden vaak ruzies tussen gevangenen en bewakers of de norm wel of niet gehaald was. De meest onverteerbare bewaker waarmee Nelson in die beginperiode te maken kreeg was Kleynhans, een van de vier broers Kleynhans die op Robbeneiland als opzichters van de werkploegen fungeerden. Op een bijzonder hete dag hadden ze al drie uur achtereen flink doorgewerkt toen de vermoeidheid begon toe te slaan. Sommige gevangenen kreunden en strekten zich uit. 'Doorgaan!' riep Kleynhans en sprak Tefu aan als *'boy'*. Tefu voer in hoog Nederlands tegen hem uit dat hij oud genoeg was om zijn grootvader te kunnen zijn en vertelde hem wat er aan zijn omgangsvormen mankeerde. Kleynhans had waarschijnlijk nooit van zijn leven beschaafd Nederlands gehoord. Het drong langzaam tot hem door dat Tefu ondanks zijn zwarte huid ver boven hem stond in opleiding en beschaving. Het riep verwarde, angstige en vernederende gevoelens bij hem op. De volgende dag probeerde hij zijn gedeukte zelfvertrouwen te herwinnen. Hij beval een van de gevangenen zijn jasje uit te trekken en het als zitplaats voor hem op de grond te spreiden. De gevangene weigerde. Kleynhans kon niets anders doen dan vloeken.

Kleynhans nummer twee probeerde op zijn manier de gevangenen klein te krijgen. Nelson liep langs een werkploeg van rond de driehonderd gevangenen die onder toezicht stonden van Kleynhans-twee toen nummer een langskwam. Hij ging voor een gevangene staan en gelastte die zijn schoenen te poetsen. De gevangene deed met tegenzin wat er gevraagd was, terwijl de anderen ophielden met werken en kwaad toekeken. Kleynhans nummer twee liet zijn oog op Nelson vallen en riep: 'Kijk de andere kant op!' Nelson negeerde hem; zijn zelfrespect was in het geding. Kleynhans werd woedend en liep naar Nelson toe. Ditmaal schreeuwde hij hem in het gezicht: 'Kijk de andere kant op!' Al zou Nelson het gewild hebben, hij kon zich niet afwenden. Het was alsof hij door drie-honderd mannen werd opgeladen. Hij zag hoe de hand van Kleynhans nummer twee omhoogkwam om hem te slaan. Hij bleef strak voor zich kijken, zijn woede in bedwang houdend. Hij wist dat Kleynhans hem wilde provoceren om hem een officiële straf te bezorgen. Kleynhans-een, die besefte dat Nelson zijn broer kon aanklagen zodra hij een klap had gekregen, rende op zijn broer af en hield de opgeheven arm tegen.

Kleynhans-twee gaf mettertijd tekenen van twijfel. Op een dag toen zijn lunch werd gebracht liet hij nog een pakket halen en wierp dat voor Nelsons voeten. Het was een onhandige poging tot verzoening maar Nelson negeerde het, want al was het goed bedoeld, het werd hem toegeworpen alsof hij een hond was.

De eerste maanden was Nelson vrijwel volledig van de buitenwereld afgesloten. Hij mocht geen brieven of bezoek ontvangen. Op 17 december 1962 schreef Winnie vanuit nr. 8115 Orlando West aan Mary Benson in Londen: 'Ik mag hem de eerste vier maanden niet schrijven en evenmin bezoeken. Ik neem aan dat ik in april naar hem toe mag.'

Ook in april kreeg zij hem niet te zien, want in ja-nuari 1963 werd zij onder een *banning order* geplaatst. Nelson hoorde het van iemand die als langgestrafte bepaalde voorrechten had verworven en kranten mocht lezen. Het was een schok voor hem, ook al hield hij zichzelf voortdurend voor dat dit soort represailles onvermijdelijk waren. Hij vertrouwde op Winnie om tijdens zijn afwezigheid alle familiezaken te behartigen. Nu zou zij daarin ernstig belemmerd worden. Hij maakte zich zorgen over haar en over de kinderen en kreeg vreselijke nachtmerries. Hij werd badend in het zweet wakker en de nachtelijke angsten achtervolgden hem dagenlang, hoewel het geen effect had op het verplichte routinewerk. Hij wist dat Winnie zich niet kon inhouden, dat haar impulsieve en koppige karakter haar in aanvaring moest brengen met de politie. De *banning order* was een doelbewuste valstrik om dat uit te lokken. In de loop der jaren zouden die angstige voorgevoelens bewaarheid worden.

Winnies verantwoordelijkheid was groot, omdat zij de zorg voor de kinderen droeg. Zij had zich voorgenomen er het beste van te maken en prees zich gelukkig dat zij een baan en een eigen inkomen had. De montere glimlach bleef op haar gezicht, maar 's nachts dacht zij soms dat zij gek werd van eenzaamheid. Zeni en Zindzi hadden geen weet van de tragische veranderingen in het gezinsleven, maar de oudere kinderen waren zich daar wel van bewust.

Makgatho herinnert zich:

'Toen Tata gearresteerd werd zaten Thembi en ik op school in Manzini in Swaziland. De leraren vertelden het ons en Thembi praatte erover met mij. Ik kan mij niet herinneren wat hij zei, maar ik denk dat hij veel beter begreep wat er gaande was dan ik. Ik begon te beseffen wat het inhield toen Tata ons niet meer kwam afhalen wanneer wij vakantie hadden. Mama Winnie kwam in zijn plaats en zij bracht ons naar school in Swaziland. De eerste keer nadat Tata gevangen was genomen, bracht zij ons in Tata's auto. Wij woonden bij Ma Mashwana, de meid van pater Hooper, in haar huisje van twee kamers dat al overvol was omdat het gezin vijf mensen telde. Later kwam Zwelakhe Sisulu ook bij ons wonen en toen bouwden we een aparte hut.

Wij gingen een keer per jaar naar huis en dan kwam de auto ons afhalen. Wij hadden geen paspoort en daarom konden we niet met de trein of de bus de grens over. Maar toen we van onze vrienden leerden hoe je stiekem de grens over kon, hoefde Mama Winnie geen auto meer te sturen. Wij reisden met de trein of de bus tot vlak bij de grens. En dan gingen we 's nachts te voet de grens over. Er was een Indische man die een taxi had en hij wachtte ons op bij de weg naar Piet Retief en reed ons naar Johannesburg. Maki ging een paar jaar later ook in Swaziland op school. Zij nam een andere route. Mama Winnie had haar op het paspoort van iemand anders kunnen zetten en zij reisde met hen mee.

Maar Tata was uit ons leven verdwenen. Thuiskomen was niet zoals vroeger. Wij misten Tata vreselijk. We hoorden niets van hem. Hij stuurde ons geen brieven in die tijd. Wij wisten niet hoe wij hem moesten schrijven. Hij zat in de gevangenis en het was allemaal heel raar en op een bepaalde manier ook beangstigend. Ik was mijn Tata kwijt en ik besefte niet dat ik hem kwijt was. Het overkwam ons gewoon. Wij waren het hele jaar in Manzini en de Mashwana's werden onze familie. Onze Mama stuurde wel wat voor kleine dingen, maar er was geen geld voor de grote dingen, schoolgeld en kostgeld.'

Winnie begon steeds meer last te krijgen van de politie. Op 7 mei 1963 schreef zij aan Mary Benson vanuit het bureau van de Kinderbescherming in Fox Street, waar zij werkte: 'De situatie lijkt met de dag grimmiger te worden. Ik word verondersteld een bepaald punt van mijn *banning* te hebben overtreden omdat ik samenkomsten zou hebben bijgewoond. De zaak komt op 30 september voor. Ik neem aan dat die mensen wanhopig hun best doen mij veroordeeld te krijgen; ze kunnen zich er zelfs toe verlagen bewijzen te vervalsen.' Winnies inschatting was juist, niet alleen wat haarzelf betrof maar met betrekking tot allen die de staat openlijk durfden uit te dagen.

Nelson kreeg op 13 juli, acht maanden na het begin van zijn gevangenschap, voor het eerst het recht bezoek te ontvangen. Op 12 juli had de politie haar spectaculaire arrestaties verricht in Rivonia. Ook al waren de Mandela's daarvan op de hoogte geweest, dan hadden zij er toch niet over kunnen praten.

Robert Sobukwe, die in mei 1963 zijn straf van drie jaar had uitgezeten, werd opnieuw vastgezet op Robbeneiland. Halverwege dat jaar pochte de staat dat het PAC en de daaraan ontsproten Poqo definitief waren uitgeschakeld. 3246 Vermeende leden van de organisatie waren opgespoord en gevangengezet. Tegen het eind van het jaar hadden veertig mensen een doodvonnis gekregen en waren er meer dan duizend veroordeeld tot gevangenisstraffen variërend van een tot vijfentwintig jaar. Maar de Poqo-cellen herrezen zelfs binnen de gevangenismuren.

Nelson werd zonder opgaaf van redenen van de overigen geïsoleerd. Hij kreeg te horen dat hij ten onrechte naar Robbeneiland was overgeplaatst en terug zou gaan naar Pretoria.

Rivonia

De dramatische Rivonia-arrestaties werden uitvoerig besproken in het augustusnummer van het tijdschrift Drum.

'Donderdagavond, 11 juli 1963. Een bakkersauto en een bestelwagen van een stomerij rijden over de lange oprijlaan van een elegante villa in Rivonia, een dure buitenwijk aan de noordkant van Johannesburg. Uit de wagens komen politiemannen. Ze verspreiden zich en omsingelen het huis en de bijgebouwen. Ze hebben ook twee goed afgerichte politiehonden bij zich. Een agent betreedt een vrij grote kamer in een bijgebouw, waar 16 mensen verschrikt opkijken.

Een van hen, Walter Sisulu, voormalig secretaris-generaal van het ANC, op wie de politie al maandenlang jacht maakt, springt op een raam af. Maar buiten dwingt een grommende politiehond hem terug. Een ander slaagt erin uit te breken, maar wordt door een hond tegen de grond gewerkt. Dan beseffen zij dat dit het einde is.

Handboeien klikken dicht en allen op één na laten het zonder verzet toe. De man die de handboeien weigert is Ahmed (Kathy) Kathrada, de populaire vroegere Indian Congress-man, die ook door de politie werd gezocht sinds hij zich enkele maanden geleden aan zijn huisarrest onttrok. De boeien worden met geweld om zijn polsen geslagen.

En terwijl agenten in burger het woonhuis binnengaan en zich verspreiden over het 88 hectare grote landgoed, worden de arrestanten bijeengedreven en afgevoerd voor 90-dagen hechtenis. Onder hen zijn Govan Mbeki uit Port Elizabeth, Lionel Bernstein die slechts 12 uur wordt vastgehouden, exlid van het Congress of Democrats Dennis Goldberg, en mr. B.A. Hepple, een advocaat uit Johannesburg.

Zij krijgen gezelschap van de bekende Zuidafrikaanse kunstenaar Arthur Goldreich, zijn vrouw Hazel en dr. Hilliard Festenstein. Goldreich was kort na de inval het landgoed binnengereden. Toen hij merkte dat er iets mis was, probeerde hij zijn auto te keren, maar de politie klom op de voorklep en dwong hem onder bedreiging met een revolver te stoppen. Mevrouw Goldreich werd ook gearresteerd toen zij de oprijlaan opreed. Dr. Festenstein, een medicus die zich met wetenschappelijk onderzoek bezighoudt, werd in dezelfde situatie gearresteerd.

Na de inval liet de politie weten dat ze talrijke documenten, een radiozender en ander belastend materiaal hadden buitgemaakt.

En ze verklaarden dat ze hiermee de ruggegraat hadden gebroken van de ANC-ondergrondse en van de "Umkhonto we Sizwe"-beweging.'

Alle personen die in Rivonia waren opgepakt werden vastgehouden op grond van de 90-Dagen Detentiewet. Wolpe en Goldreich konden uit het politiebureau ontsnappen samen met Mosie Moolla en Abdul Haq Jassat. Intussen ging de politie door met de arrestaties. Nelson, die al in Pretoria was gearriveerd, werd nu geconfronteerd met nieuwe beschuldigingen en een nieuw proces. Onder de titel *De Staat versus het Nationale Oppercommando en anderen* alsmede *versus Nelson Mandela en negen anderen,* opende het proces op 9 oktober 1963 in het Paleis van Justitie in Pretoria. Nelson was 'Beklaagde nummer een'. Hij kreeg uiteindelijk toestemming zijn raadslieden te ontvangen: Bram Fischer, Arthur Chaskalson, Joel Joffe, Vernon Berrange en George Bizos.

Een welkome bonus van het nieuwe proces was dat

hij in de rechtszaal familieleden en vrienden terugzag. Maar Winnie was daar niet bij. Zij moest speciale permissie aanvragen vanwege haar *banning* en die was geweigerd. Tot overmaat van ramp deed de politie weer een inval in het huis van de Mandela's en nam een jong familielid in hechtenis die op dat moment bij Winnie woonde. De families van de overige arrestanten werden evenmin met rust gelaten: Albertina Sisulu en Caroline Motsoaledi werden opgesloten onder de 90-Dagenwet.

Het proces begon. Winnie had nog steeds geen toestemming het bij te wonen en richtte een persoonlijk verzoekschrift aan de eerste minister. Hij gaf toe, maar dreigde tevens: 'De toestemming zal worden ingetrokken zodra uw aanwezigheid of optreden in de rechtbank, hetzij door uw wijze van kleden of in enig ander opzicht, leidt tot een incident of incidenten die door u of anderen daar aanwezig zijn veroorzaakt.' Toen het proces op 20 april werd hervat was Winnie in de zaal, bedaard en in Europese kleding. Haar fysieke aanwezigheid gaf Nelson nieuwe krachten. Tijdens de schorsingen was er gelegenheid om haar aan te raken en te horen hoe het de familie verging. Hij vertelde Winnie de uitslag van het juridische examen dat hij had afgelegd.

Winnie schreef op 2 november 1963 aan Mary Benson:

'Ik was opgetogen toen ik hoorde wat Nel bereikt had. In zijn situatie was het een gigantische, haast onmogelijke prestatie. Jammer genoeg kon ik hem niet persoonlijk feliciteren, vanwege het feit dat ik speciale permissie nodig heb om met hem te praten aangezien hij ook een *banning* heeft. Mijn advocaat heeft ervoor gevochten mij een permissie te bezorgen om met Nel over zijn verdediging te praten en ook om naar Pretoria te mogen reizen. Ik heb hem een halfuur gezien onder onmogelijke omstandigheden. Afgezien van de horde agenten die moesten meeluisteren, mocht ik geen woord zeggen tenzij het zijn verdediging betrof. Hij is heel mager geworden; dat heeft hij zelf gedaan op advies van de dokter. De kranten hier hebben zijn uiterlijk sterk overdreven.'

Rivonia: de aanklacht

Het proces van De Staat versus het Nationale Oppercommando en anderen opende op 9 oktober 1963 in het Hooggerechtshof van Zuid-Afrika (Provinciale Divisie Transvaal).

Nelson Mandela, Walter Sisulu, Dennis Goldberg, Govan Mbeki, Ahmed Mohamed Kathrada, Lionel Bernstein en Raymond Mhlaba werden genoemd als leden van het Oppercommando en van Umkhonto we Sizwe. De overige beklaagden waren volgens het proces-verbaal James Kantor, Elias Motsoaledi, Andrew Mlangeni en Bob Alexander Hepple.

De verdediger, Bram Fischer, vroeg om vernietiging van de aanklacht op grond van de vage omschrijving. De verdediging wees erop dat 156 van de 199 vermeende gewelddaden zich hadden afgespeeld in de periode toen een van de beklaagden, de heer Mandela, in de gevangenis zat. De president oordeelde dat de beklaagden recht hadden op meer klaarheid en meer informatie omtrent de zaak waarvoor zij terechtstonden, en verwierp de aanklacht. De staat nam de beklaagden echter opnieuw in hechtenis onder de 90-Dagen Clausule om in die tijd een nieuwe aanklacht voor te bereiden. Bob Hepple werd vrijgesproken en vluchtte met zijn vrouw het land uit.

In de tweede aanklacht werd het proces betiteld als *De Staat versus Mandela en negen anderen*. Zij werden beschuldigd van sabotage en van pogingen tot uitlokking van een gewelddadige revolutie binnen de republiek door middel van een samenzwering van onder *banning* geplaatste personen en organisaties en van steun aan militaire eenheden van andere staten. Als *banned persons* werden onder meer genoemd Michad Harmel, Percy Hodgson, Joe Slovo, Harold Strachan, Harold Wolpe, Moses Kotane, Tennyson Makiwane, John Joseph Marks, Johannes Modise, Philemon Duma Nokwe, James Jose Radebe, Robert Resha en Oliver Tambo. De verboden organisaties waren de Communist Party of South Africa en het African National Congress.

De openbaar aanklager, dr. Percy Yutar, stelde in zijn openingsrede dat:

'... de beklaagden moedwillig en met kwade opzet hebben samengespannen en meegewerkt aan het begaan van gewelddadige en destructieve acties overal in het land, gericht tegen de dienstgebouwen en woonhuizen van staats- en gemeentefunctionarissen alsmede tegen alle openbare communicatielijnen en middelen.

Het vooropgestelde doel hiervan was het verwekken van chaos, wanorde en oproer in de Republiek Zuid-Afrika, hetgeen volgens hun plannen zou worden verergerd door de inzet van duizenden getrainde guerrilla-eenheden die over het hele land in verschillende gebieden zouden worden gedeployeerd, zowel door lokale bewoners als door speciaal geselecteerde mannen die in elk gebied waren geposteerd. Hun gezamenlijke operaties hadden tot doel verwarring, gewelddadige opstand en rebellie te ontketenen, op het juiste tijdstip gevolgd door een gewapende invasie van het land door militaire eenheden van vreemde mogendheden.

Te midden van de aldus ontstane chaos, beroering en wanorde waren de beklaagden van plan een Voorlopige Revolutionaire Regering uit te roepen die het bestuur en de controle over dit land zou overnemen.'

De aanklager stelde voorts:

'In de tweede helft van 1961 had het African National Congress besloten over te gaan tot een beleid van geweld en destructie, een beleid van sabotage teneinde hun politieke ambities en doeleinden te verwezenlijken. Voor dit doel hadden zij de Umkhonto we Sizwe (De speer van de Natie), veelal afgekort tot de MK, opgericht. Deze organisatie werd gerekruteerd uit volgelingen die bereid waren, ongeacht de gevaren, hun leven te geven. De MK werd onder de politieke voogdij geplaatst van het National Liberation Committee en de National Executive van genoemd comité als vertegenwoordiging van alle in dit land verboden organisaties, in het bijzonder het African National Congress en de South African Communist Party, maar wat directe leiding en bestuur betrof plaatste het MK zich onder het zogenaamde Oppercommando.'

'Deze organisaties,' vervolgde de aanklacht, 'doken onder en kochten Lilliesleaf in Rivonia en Travelain in Krugersdorp om vandaaruit hun ondergrondse activiteiten te dirigeren.'

Volgens de aanklacht was Lilliesleaf in augustus 1961 aangekocht voor de somma van 25 000 rand door ene Vivian Ezra (zwager van de communist Michael Harmel), die als zaakwaarnemer optrad voor Navian (Pty), Ltd. waarvan hij en Harold Wolpe, eveneens bekend als communist, de directie vormden. Alle transacties betreffende het landgoed waren voltrokken in het kantoor van James Kantor. Het landgoed was voor 100 rand per maand verhuurd aan Arthur Goldreich, die er zijn intrek nam met zijn vrouw Hazel en hun twee jonge kinderen. De Goldreichs hadden voor het binnen- en buitenwerk 'Bantupersoneel' in huis genomen, die 'naar buiten toe de indruk wekten dat het landgoed benut werd voor legitieme en onschuldige agrarische doeleinden en die tot taak hadden geregeld de landopbrengsten te verkopen aan naburige bewoners en zelfs aan de staf van het plaatselijke politiebureau'.

De bijgebouwen van Lilliesleaf hadden onderdak geboden aan onder meer Nelson Mandela, die van de schuilnaam David gebruik maakte, Walter Sisulu, die als Allah werd aangesproken, en Ahmed Mohamed Kathrada, wiens codenaam Pedro was. Tot de overige bewoners behoorden Govan Mbeki, bekendstaand als communist en ook bekend onder de naam Dlamini, en Raymond Mhlaba. Geregelde bezoekers van het huis in Rivonia waren Dennis Goldberg, die nog een stap verder ging en twee schuilnamen, Williams en Barnard, hanteerde, Lionel Bernstein, bekend als communist, Harold Wolpe, Joe Slovo, bekend als communist, en Michael Harmel, eveneens een bekend communist.

De aanklager beweerde dat Rivonia de brandhaard was geweest van het African National Congress en de Communist Party of South Africa en tevens de zetel van het Nationale Oppercommando. De leiders hadden het zogenaamde M-plan (Mandela-plan) toegepast, dat voorzag in een centrale commandopost in Rivonia en regionale zowel als subregionale comités door het hele land. Het plan maakte gebruik van het cellenstelsel van de Communist Party en besteedde buitengewone zorg aan de geheimhouding op alle niveaus, van de laagste straat- en celleider tot de commandanten in Rivonia.

Het Nationale Oppercommando, zo liet de aanklager weten, had een compleet radiostation ingericht onder de naam Freedom Radio, van waaruit Walter Sisulu boodschappen naar zijn volgelingen en sympathisanten uitstuurde nadat hij door Govan Mbeki was ingeleid. Een geluidsband die in Rivonia was gevonden en een uitgetypte transcriptie van de band werden als bewijsstukken overlegd.

De beklaagden, aldus de aanklager, hadden toezeggingen van militaire en financiële steun gekregen uit diverse Afrikaanse staten en uit een aantal overzeese landen. Als bewijs hiervoor werden twee uitvoerige documenten overlegd in het handschrift van Nelson Mandela.

Dr. Yutar stelde verder dat de MK grote aantallen jonge 'mannelijke Bantu's' uit hun huizen had weggehaald zonder toestemming van de ouders of verwanten. Zij werden de grens over gestuurd onder leiding van trouwe agenten en handlangers van de beklaagden, voor een opleiding in de guerrillaoorlogvoering zoals die in China, Algerije en Cuba werd beoefend. De rekruten, zei hij, kregen valse namen en adressen en werden voorbereid op het afleggen van valse verklaringen wanneer zij onderweg door de Zuidafrikaanse politie werden aangehouden. Hij zei dat er verschillende sluiproutes werden gebruikt en dat de politie in Rivonia kaarten had gevonden waarop sommige van die routes waren aangetekend. Elias Motsoaledi en Andrew Mlangeni werden genoemd als de belangrijkste rekruteringsofficieren. De rekruten werden, zodra zij de grens waren gepasseerd, per vliegtuig naar de trainingscentra getransporteerd voor de somma van 30 000 rand per vliegtuiglading van maximaal twintig rekruten. De eerste halteplaats was Tanganyika en vandaar vlogen zij naar verschillende landen, onder andere Algerije, Egypte en Ethiopië, om een uitgebreide training in sabotage en guerrillatechnieken te doorlopen.

Dr. Yutar vertelde de rechtbank dat er een speciale school bestond voor de basistraining van jonge 'Bantu'-rekruten in Mamre in het district Darling, Kaapprovincie, geleid en bestuurd door Dennis Goldberg die zich door de rekruten als Kameraad Commandant liet aanspreken. Een andere leidersfiguur op die school was Looksmart Solwandle Ngudle, die hij omschreef als aanvoerder van de Umkhonto-divisie in Kaapstad en het brein achter de aanslagen in die stad. Bij zijn arrestatie was hij in bezit van een hoeveelheid explosieven en een vuurwapen. (Looksmart was een van degenen die 'stierf' in gevangenschap.)

De staat produceerde 250 bewijsstukken die in Rivonia in beslag waren genomen, waaronder vele standaardwerken over marxisme, historische boeken over burgeroorlogen en revoluties in Europa, over guerrillaoorlogen, handboeken over het gebruik van explosieven, kaarten, kopieën van kwitanties en andere kasstukken, blauwdrukken en een paspoort op naam van David Motsamai, Nelsons schuilnaam in de ondergrondse.

De aanklacht steunde echter in hoofdzaak op de verklaringen van twee leden van Umkhonto die als getuigen à charge optraden en die om hen te beschermen respectievelijk als X en Z werden aangeduid. Zij gaven hun sabotagedaden onomwonden toe, aangezien hun immuniteit was toegezegd als zij aan de verwachtingen voldeden. Zij verraadden niet alleen hun kameraden, maar om de politie te helpen verdraaiden zij de feiten zodanig dat van de eigen identiteit van het ANC en Umkhonto vrijwel niets overbleef en ze een soort verlengstuk werden van de Communist Party.

Meneer X beschreef zichzelf als saboteur, lid van het ANC (sinds 1957) en lid van de SA Communist Party. In 1962 was hij secretaris geweest van de African Municipal Workers' Union, een onderafdeling van het South African Congress of Trade Unions (SACTU), een functie waarvoor hij een gering salaris kreeg variërend van 6 tot 10 rand per maand. Zijn onvrede, zei hij, was in 1963 ontstaan. Tot dan toe had hij de Communist Party beschouwd als een aanhanger van het ANC en Umkhonto gesteund als instrument van het ANC. Hij had zich aangesloten bij de CP, zei hij, omdat hij ervan uitging dat de partij voor het ANC werkte. Maar in 1963 had hij ontdekt dat het ANC en Umkhonto als werktuigen van de Communist Party fungeerden. Voor het ANC had hij zijn leven in gevaar gebracht en gevangenisstraf geriskeerd en in diens idealen geloofde hij nog altijd. 'Ik wil dit zeggen, dat ik toentertijd dacht dat waar het ANC zich voor inzette goed was en goed is, maar wat mij ontgoochelde was het gedrag van de leiders.' Hij maakte een uitzondering voor Mandela. De andere leiders, beweerde hij, waren geen representanten van het ANC. Het waren communisten. 'Het ANC verkeerde in de veronderstelling dat Umkhonto we Sizwe een organisatie was die hun toebehoorde, terwijl die in werkelijkheid in handen van de communisten was.' Hij zei dat de CP haar leden in 1963 had opgedragen om ANC-afdelingen te infiltreren en het leiderschap te bemachtigen. Daarover, zei hij, werd in de CP-cel gediscussieerd en de leden kregen instructie de afdelingen geleidelijk over te nemen en de macht aan de communisten over te dragen. Hij zei dat hij zijn vertrouwen in Umkhonto verloren had omdat men zich niet bekommerde om de rekruten. De leiders bulkten van het geld en verdwenen naar het buitenland. Volgens hem school het kwalitatieve onderscheid tussen het ANC en de CP in het feit dat de eerste van mening was dat alle rijkdom aan het volk moest toebehoren terwijl de CP die voor de arbeiders opeiste. Hij zei dat hij pas na zijn toetreding tot de partij had gemerkt dat de CP het volk in klassen verdeelde.

Hij werd aan een agressief kruisverhoor onderworpen door Vernon Berrange, maar bleef bij zijn getuigenis. Berrange toonde echter wel aan dat meneer X een fors strafblad had en driemaal veroordeeld was wegens diefstal, waarvoor hij in totaal vierenhalf jaar had vastgezeten.

Meneer Z verklaarde dat hij in 1951 lid was geworden van het ANC en opgeklommen was tot de post van secretaris van de West Bank-afdeling van het ANC. Hij had zijn respect verloren voor leiders als Oliver Tambo, die naar het buitenland waren gevlucht. Toen het ANC verboden was, hadden ze van Govan Mbeki de opdracht gekregen om geheime cellen te formeren die de regering economisch en militair moesten ondermijnen en op hun hoede te zijn voor informanten. Hij had gehoord dat twee informanten waren doodgeschoten. Vrijwilligers die voor de MK werden gerekruteerd stonden bekend als *Amadelakufa* en kregen bevel om plamfletten te distribueren en moorden te plegen. Dat was een opzettelijke falsificatie van het concept van de *Amadelakufa,* waardoor hij vrijwilligers in gevaar bracht.

De staat besloot zijn bewijsvoering na vijf maanden, op 29 februari 1964.

Rivonia: de verdediging

De verdediging hield haar openingsrede op 20 april 1964. Bram Fischer, optredend als eerste raadsman van de verdediging, sprak het hof toe:

'Met welnemen van Uwe Edelachtbare. *Mylord,* uit de kruisverhoren van de getuigen à charge zal het Uwe Edelachtbare inmiddels duidelijk zijn dat sommigen van de beklaagden zich aan bepaalde belangrijke onderdelen van de aanklacht schuldig zullen bekennen. Uwe Edelachtbare zal ook reeds uit de kruisverhoren hebben geconcludeerd dat de aanklacht andere, even belangrijke onderdelen bevat welke ontkend zullen worden en waarvan wij de onjuistheid zullen aantonen.'

Hij verklaarde dat Beklaagden drie, vijf en zes; Goldberg, Bernstein en Mhlaba geen deel uitmaakten van het Oppercommando. Ten tweede wees hij erop dat Umkhonto niet de militaire vleugel was van het ANC. 'Op dit punt zal de verdediging trachten aan te tonen dat de leiders, zowel die van Umkhonto als die van het African National Congress, om gegronde en doordachte redenen die Uwe Edelachtbare zullen worden voorgelegd, ernaar gestreefd hebben deze twee organisaties strikt van elkaar gescheiden te houden. Daarin zijn zij niet altijd geslaagd, om redenen die ook uiteengezet zullen worden, maar wij zullen aanvoeren dat de opzet om de twee organisaties gescheiden te houden altijd voor ogen is gebleven en dat men zijn uiterste best heeft gedaan die opzet te verwezenlijken.'

Ten derde verklaarde hij dat de verdediging met nadruk zou ontkennen dat het ANC een werktuig was van de Communist Party:

'Wij zullen aantonen dat het African National Congress een brede, nationale beweging is die binnen zijn ledental alle klassen van Afrikanen bestrijkt, en dat het als doelstelling heeft gelijke politieke rechten te verwerven voor alle Zuidafrikanen. Voorts zal blijken dat het ANC niet alleen de steun van de Communist Party, maar ook die uit vele andere hoeken verwelkomt. Op dit punt aangeland, zullen wij met bewijzen onderbouwen hoe Umkhonto we Sizwe werd opgericht en dat het werd opgericht met het doel sabotage te bedrijven, maar alleen dan wanneer men van mening was dat er geen andere weg overbleef voor de verwerving van politieke rechten.'

Fischer zei dat de verdediging zou ontkennen dat 'Umkhonto een militair plan genaamd Operatie Mayibuye had geadopteerd en zich voorbereidde op een guerrillaoorlog'.

'Vooral met betrekking tot dit laatste punt zullen wij het hof verzoeken ook oog te hebben voor de motieven, de karakters en de politieke achtergrond van de mannen die het bevel voerden over Umkhonto we Sizwe en zijn operaties. Anders gezegd, oog te hebben voor onder meer de traditie van geweldloosheid in het African National Congress, oog te hebben voor de beweegredenen die deze mannen tot sabotage deden overgaan voor de realisering van hun politieke doelstellingen, en waarom men hen in het licht van deze feiten dient te geloven wanneer zij verklaren waarom niet tot Operatie Mayibuye werd besloten en dat zij daartoe ook niet zouden besluiten zolang er nog enige kans was, hoe gering ook, om hun doelstellingen te verwezenlijken via de combinatie van massale politieke strijd en sabotage.

De verdediging zal beginnen met een verklaring vanuit de beklaagdenbank door Beklaagde nummer een, die persoonlijk betrokken was bij de oprichting van Umkhonto en die het hof kan informeren over de beginfase van die organisatie en over haar historie tot en met augustus, toen hij werd gearresteerd.'

Dr. Yutar was niet erg ingenomen met het idee dat Mandela zo'n toespraak zou houden. Hij wist dat hij van hem een sterk politiek pleidooi kon verwachten. Hij wilde dat beletten, maar hoe? Zijn zwakke verweer was 'dat een verklaring vanuit de beklaagdenbank niet hetzelfde gewicht heeft als een getuigenis onder ede, hoewel ik aanneem dat hij dit zelf wel weet'.

VERKLARING VANUIT DE BEKLAAGDENBANK VAN NELSON MANDELA, BEKLAAGDE NUMMER EEN:

Ik heb gedaan wat ik deed... vanwege mijn ervaringen in Zuid-Afrika en mijn eigen, met trotsgedragen Afrikaanse achtergrond

Edelachtbare, ik ben de eerste beklaagde. Ik bezit een universitair diploma en heb een aantal jaren een praktijk uitgeoefend als advocaat in compagnonschap met de heer Oliver Tambo. Ik ben een gevangene, veroordeeld tot vijf jaar detentie wegens het verlaten van het land zonder papieren en omdat ik eind mei 1961 mensen heb aangezet tot staken.

Ik geef onmiddellijk toe dat ik een van degenen geweest ben die meewerkte aan de oprichting van Umkhonto we Sizwe en dat ik daarin een vooraanstaande rol heb gespeeld tot mijn arrestatie in augustus 1962.

Voor ik verder ga wil ik duidelijk stellen dat de suggestie die de Staat in zijn openingsrede heeft gewekt dat de strijd in Zuid-Afrika onder invloed zou staan van buitenlanders of communisten, volstrekt onjuist is. Ik heb gedaan wat ik deed, als individu en als leider van mijn volk, vanwege mijn ervaringen in Zuid-Afrika en mijn eigen, met trots gedragen Afrikaanse achtergrond en niet op grond van wat enige buitenstaander mij zou hebben ingefluisterd.

In mijn jeugd in Transkei luisterde ik naar de oudsten van mijn stam wanneer zij vertelden over vroeger tijden. Sommige van de verhalen die zij mij vertelden gingen over oorlogen van onze voorouders ter verdediging van het vaderland. De namen van Dingane en Bambata, Hintsa en Makana, Squngatha en Dalasile, Moshoeshoe en Sekukhuni werden geprezen als de trots en glorie van de gehele Afrikaanse natie. Ik hoopte dat het leven mij de kans zou geven om mijn volk te dienen en mijn eigen bescheiden bijdrage te leveren aan de vrijheidsstrijd. Dit is mijn motivatie geweest bij alles wat ik gedaan heb in de context van de beschuldigingen die hier tegen mij worden ingebracht.

Ik heb die plannen (voor sabotage) niet beraamd in een geest van roekeloosheid, en evenmin omdat ik zo dol ben op geweld

Sommige dingen die hier tot nu toe naar voren werden gebracht zijn waar, andere zijn niet waar. Ik ontken evenwel niet dat ik sabotage heb beraamd. Ik heb die plannen niet beraamd in een geest van roekeloosheid, en evenmin omdat ik zo dol ben op geweld. Ik heb ze beraamd op grond van kalme en nuchtere overweging van de politieke situatie die was ontstaan na vele jaren van tirannie, uitbuiting en onderdrukking van mijn volk door de blanken.

Wij meenden dat, als gevolg van het regeringsbeleid, geweld vanuit het Afrikaanse volk onvermijdelijk was geworden

Ik heb al vermeld dat ik een van degenen was die meewerkte aan de oprichting van Umkhonto. Ik, en met mij de anderen die de organisatie opbouwden, deed dat om twee redenen. Ten eerste meenden wij dat, als gevolg van het regeringsbeleid, geweld vanuit het Afrikaanse volk onvermijdelijk was geworden en dat, tenzij een verantwoord leiderschap de gevoelens van ons volk zou kanaliseren en in toom houden, er een terrorisme zou losbreken dat een intense verbittering en vijandschap zou oproepen tussen de verschillende rassen van dit land, die zich zelfs niet voordoet in oorlogstijd.

Ten tweede zagen wij voor het Afrikaanse volk geen andere weg dan sabotage om te slagen in zijn strijd tegen het beginsel van blanke suprematie. Alle legitieme middelen om tegen dit beginsel oppositie te voeren waren door de wetgevers afgesloten en wij bevonden ons in een positie waarin wij of wel een permanente staat van minderwaardigheid moesten accepteren, of de regering moesten aanvallen. Aanvankelijk overtraden wij de wet op een wijze die elk gebruik van geweld vermeed; toen ook die vorm bij de wet werd verboden en toen de regering haar toevlucht nam tot machtsvertoon om de oppositie tegen haar beleid te verpletteren, toen pas besloten wij geweld te beantwoorden met geweld.

Maar de vorm van geweld waarvoor wij kozen was niet het terrorisme. Wij, de oprichters van Umkhonto, waren allen lid van het African National Congress en wij hadden als achtergrond de ANC-traditie van geweldloosheid en onderhandeling als middelen voor het oplossen van politieke geschillen. Wij gingen ervan uit dat Zuid-Afrika toebehoorde aan alle mensen die er woonden en niet aan een enkele groep, hetzij zwart of blank. Wij wilden geen rassenoorlog en probeerden die tot de laatste minuut te voorkomen. Indien het hof daaraan twijfelt, zal blijken dat de gehele geschiedenis van onze organisatie bevestigt wat ik heb gezegd en wat ik hierna zal zeggen, wanneer ik toekom aan de tactieken die Umkhonto besloot te volgen. Daarom wil ik hier iets vertellen over het African National Congress.

Zevenendertig jaar lang... hield het ANC zich stringent aan een strijd binnen de grenzen van de Grondwet

Het African National Congress werd in 1912 opgericht om de rechten van het Afrikaanse volk te verdedigen, die ernstig beknot waren door de South Africa Act en op dat moment extra bedreigd werden door de Native Land Act. Zevenendertig jaar lang, dat wil zeggen tot 1949, hield het zich stringent aan een strijd binnen de grenzen van de Grondwet. Het bracht eisen en resoluties naar voren, het zond delegaties naar de regering vanuit de overtuiging dat Afrikaanse grieven door middel van vreedzaam overleg konden worden opgelost en dat volledige politieke rechten voor de Afrikanen stap voor stap dichterbij konden komen. Maar de blanke regeringen bleven onbewogen en de rechten van Afrikanen werden minder in plaats van meer. Zoals mijn leider, *chief* Luthuli, die in 1952 voorzitter werd van het ANC en later de Nobelprijs voor de Vrede ontving, het gezegd heeft: 'Wie zal ontkennen dat ik dertig jaar van mijn leven tevergeefs ben blijven kloppen, gematigd en bescheiden, op een gesloten en vergrendelde deur? Wat heeft matiging ons opgeleverd? De laatste dertig jaar zijn er meer wetten dan ooit gekomen die onze rechten en onze vooruitgang beperken, zodat wij nu een stadium hebben bereikt waarin wij bijna volledig rechteloos zijn.'

Ook na 1949 bleef het ANC ernaar streven geweld te vermijden. In die tijd echter stapte men wel af van de strikt legale protestmiddelen die in het verleden waren toegepast. Die verandering werd gemarkeerd door een besluit om te protesteren tegen de apartheidswetgeving door middel van vreedzame, maar illegale demonstraties tegen bepaalde wetten. In het kader van dat beleid lanceerde het ANC zijn Verzetscampagne, waarbij ik de leiding kreeg over de vrijwilligers. Die campagne was gebaseerd op de beginselen van het passief verzet. Meer dan 8500 mensen overtraden de apartheidswetten en kwamen in de gevangenis. Maar in de loop van die campagne werd er niet eenmaal geweld gebruikt van de zijde van de betogers. Ik werd met negentien collega's veroordeeld vanwege de rol die wij in de organisatie van de campagne hadden vervuld en die veroordeling was gegrond op de Suppression of Communism Act, alhoewel onze campagne niets met communisme te maken had; maar wij kregen voorwaardelijke straffen, voornamelijk omdat de rechter oordeelde dat wij van begin tot eind de nadruk hadden gelegd op zelfbeheersing en geweldloosheid. Dat was de tijd waarin de vrijwilligerssectie van het ANC werd opgericht en het woord *Amadelakufa* voor het eerst werd gebruikt: dat was ook de tijd waarin van vrijwilligers de belofte gevraagd werd dat zij bepaalde principes in acht zouden nemen. Over de vrijwilligers en hun beloften zijn eerder getuigenissen naar voren gebracht die een volstrekt verkeerd beeld gaven. De vrijwilligers waren en zijn geen soldaten van een zwart leger, die een eed hebben afgelegd om burgeroorlog te voeren tegen de blanken. Zij waren, en zijn nog steeds, de toegewijde medewerkers die bereid waren door het ANC geïnitieerde campagnes te leiden, pamfletten te verspreiden, stakingen te organiseren of anderszins te doen wat voor elke afzonderlijke campagne vereist was. Zij worden vrijwilligers genoemd omdat zij zich vrijwillig blootstellen aan de gevangenisstraffen en lijfstraffen die de wetgeving voor zulke acties heeft ingesteld.

Het ANC is geen communistische organisatie en is dat nooit geweest

Tijdens de Verzetscampagne werden twee nieuwe wetten uitgevaardigd, de Public Safety Act en de Criminal Law Amendment Act. Deze voorzagen in zwaardere straffen voor overtredingen in de vorm van protestacties tegen wetten. Desondanks gingen de protesten door en hield het ANC onverminderd vast aan zijn beleid van geweldloosheid. In 1956 werden 156 leden van de Congress Alliance, waaronder ikzelf, gearresteerd op beschuldiging van hoogverraad en andere vergrijpen onder de Suppression of Communism Act. Het geweldloze beleid van het ANC werd door de aanklager in twijfel getrokken, maar toen het hof vijf jaar later zijn vonnis uitsprak oordeelde het dat het ANC geen gewelddadig beleid voerde. Wij werden op alle punten vrijgesproken, en een van die punten was dat het ANC erop uit was het huidige regime te vervangen door een communistische staat. De regering heeft altijd gepoogd al haar opponenten het etiket van communisten op te drukken. Die verdenking is ook weer gewekt, maar het ANC is, naar ik zal aantonen, geen communistische organisatie en is dat nooit geweest.

In 1960 kwam de beschieting in Sharpeville, die tot gevolg had dat de noodtoestand werd uitgeroepen en het ANC tot onwettige organisatie werd verklaard. Mijn collega's en ik besloten, na zeer zorgvuldig overleg, dat wij dit decreet niet zouden gehoorzamen. Het Afrikaanse volk had geen deel aan het landsbestuur en had de wetten die hen regeerden niet gemaakt. Wij geloofden in de woorden van de Universele Verklaring van de Rechten van de Mens, dat 'de wil van het volk de grondslag zal vormen voor het gezag van de regering', en voor ons stond accepteren van de *banning* gelijk met accepteren dat de Afrikanen voor altijd monddood zouden zijn. Het ANC weigerde zich te ontbinden en koos voor een ondergronds bestaan. Wij zagen het als onze plicht de organisatie in stand te houden die met bijna vijftig jaar onafgebroken zwoegen was opgebouwd. Voor mij staat het vast dat geen enkele zichzelf respecterende blanke organisatie zich zou opheffen, indien zij illegaal werd verklaard door een regering waarin ze geen zeggenschap had.

Het M-plan… was een organisatiemethode… het had helemaal niets te maken met sabotage of Umkhonto we Sizwe

Ik wil mij nu bezighouden, Edelachtbare, met onderdelen van de bewijsvoering die een vertekend beeld geven van de feiten in deze zaak. Omtrent het M-plan is een totaal verkeerde voorstelling gewekt. Het was niets meer dan een organisatiemethode die in 1953 was uitgewerkt en die later met wisselend succes in praktijk werd gebracht. Na april 1960 was er behoefte aan nieuwe structuren, bijvoorbeeld in de vorm van kleinere comités.

Het M-plan werd als bewijsmateriaal geïntroduceerd bij het Verraadproces, maar het had helemaal niets te maken met sabotage of Umkhonto we Sizwe en het is door Umkhonto ook nooit toegepast. De verwarring die met name door bepaalde getuigen uit de Oostelijke Kaapprovincie werd opgeroepen is naar ik meen te wijten aan het gebruik van de term 'Oppercommando'. Deze term werd bedacht in Port Elizabeth ten tijde van de noodtoestand, toen de meeste ANC-leiders in de gevangenis zaten en toen de naam Oppercommando gegeven werd aan een Gevangeniscomité dat was ingesteld om klachten af te handelen. Na de noodtoestand bleef de benaming in zwang en gebruikte men hem voor bepaalde ANC-comités in dat gebied. Zodoende horen wij getuigen praten over het Oppercommando West Bank en het Oppercommando Port Elizabeth. Die zogenaamde 'Oppercommando's' bestonden al voordat Umkhonto werd opgericht, en waren toen op geen enkele wijze betrokken bij sabotage. In feite werd Umkhonto als organisatie, zoals ik later zal uitleggen, zoveel mogelijk gescheiden gehouden van het ANC. Het gebruik van de term 'Oppercommando' riep in ANC-kringen in de Oostelijke Kaapprovincie enige weerstand op. Ik ben er in 1961 heengegaan omdat beweerd werd dat sommige van deze zogenaamde Oppercommando's ongeoorloofde pressie uitoefenden om het nieuwe plan doorgevoerd te krijgen. Ik vond daarvoor geen bewijzen, maar verbood het niettemin en benadrukte ook dat de term 'Oppercommando' niet gebruikt diende te worden voor enig ANC-comité.

De All-In African Conference... ik was de ere-secretaris... verantwoordelijk voor de organisatie van de nationale thuisblijffactie... Aangezien alle stakingen van Afrikanen illegaal zijn... moest ik... onderduiken om arrestatie te vermijden

Edelachtbare, ik wil nu graag uitweiden over de directe oorzaken die leidden tot de oprichting van

Umkhonto. In 1960 hield de regering een referendum dat resulteerde in de stichting van een republiek. De Afrikanen, die bij benadering zeventig procent van de bevolking van Zuid-Afrika uitmaakten, mochten hun stem niet uitbrengen en werden zelfs niet geraadpleegd over de voorgenomen grondwetswijziging. Al onze groeperingen maakten zich zorgen over onze toekomst onder de voorgestelde blanke republiek en besloten werd een All-In African Conference te beleggen om op te roepen tot een nationale conventie en, indien de regering zou nalaten de conventie bijeen te roepen, massademonstraties te organiseren aan de vooravond van de ongewenste republiek.

De conferentie werd bijgewoond door Afrikanen uit verschillende politieke stromingen. Ik was de eresecretaris van de conferentie en nam de verantwoordelijkheid op me voor het organiseren van de nationale thuisblijfactie die later werd afgekondigd en die zou samenvallen met het uitroepen van de republiek. Aangezien alle stakingen van Afrikanen illegaal zijn, moet degene die zo'n staking organiseert zich onttrekken aan arrestatie. Ik werd voor die taak gekozen en derhalve moest ik mijn huis en mijn familie en mijn praktijk in de steek laten en onderduiken om arrestatie te vermijden.

De thuisblijfactie... was opgezet als een vreedzame demonstratie... het antwoord van de regering was de invoering van nieuwe, nog hardere wetten

De thuisblijfactie was, overeenkomstig het beleid van het ANC, opgezet als een vreedzame demonstratie. Aan de organisatoren en de leden werden nauwgezette instructies meegegeven om elk gebruik van geweld te vermijden. Het antwoord van de regering was de invoering van nieuwe, nog hardere wetten, de mobilisatie van haar strijdkrachten en het oprukken van Saracens (pantserwagens) en soldaten in de *townships* als een grootscheeps machtsvertoon dat de bevolking schrik moest aanjagen. Daarmee gaf de regering te kennen dat zij besloten had alleen met wapengeweld te regeren en dat besluit was een mijlpaal op de weg naar de vorming van Umkhonto.

Misschien lijken sommige details niet relevant voor dit proces. Ik meen echter dat niets van dit alles irrelevant is omdat het, naar ik hoop, het hof meer inzicht kan geven in de houding tegenover Umkhonto, die uiteindelijk werd aangenomen door de diverse personen en instanties die bij de National Liberation Movement betrokken waren. Toen ik in 1962 naar de gevangenis ging, was het overheersende idee dat verlies van levens vermeden moest worden. Inmiddels weet ik dat dit in 1963 nog steeds zo was.

Wat stond ons, de leiders van het volk, te doen?

Ik moet nu echter teruggaan, Edelachtbare, naar juni 1961. Wat stond ons, de leiders van ons volk, te doen? Moesten wij capituleren voor het machtsvertoon en de impliciete bedreiging bij toekomstige acties, of moesten wij doorvechten en zo ja, hoe?

Dat wij moesten blijven vechten stond voor ons vast. Elke andere weg zou een eerloze overgave hebben betekend. Ons probleem, Edelachtbare, was niet of wij moesten doorvechten maar hoe wij moesten doorvechten. Wij van het ANC hadden altijd gepleit voor een niet-raciale democratie en wij schrokken terug voor acties die de rassen nog verder uiteen konden drijven dan ze toch al waren. Maar de harde feiten bewezen dat vijftig jaar geweldloosheid de Afrikanen niets anders had opgeleverd dan nog meer en nog wredere strafwetten en minder en minder rechten.

Het hof kan zich dat wellicht moeilijk voorstellen, maar het is een feit dat onder de mensen al lange tijd werd gesproken over geweld, over de dag waarop zij de blanken zouden bevechten en hun land zouden heroveren en toch hadden wij, de leiders van het ANC, hen altijd weten over te halen geweld te vermijden en vreedzame methoden te blijven volgen. Toen enkelen van ons dit in juni 1961 bespraken, moesten wij erkennen dat ons beleid om via geweldloosheid een non-raciale staat te verwezenlijken geen enkel resultaat had opgeleverd en dat onze volgelingen hun vertrouwen in dat beleid begonnen te verliezen, en verontrustende terroristische ideeën begonnen te ontwikkelen.

Een regering die geweld gebruikt om haar macht te handhaven leert de onderdrukten geweld te gebruiken om zich daartegen te verzetten... Bijzonder verontrustend was dat het geweld... meer en meer de vorm aannam, niet van een strijd tegen de regering... maar van een burgeroorlog

Men moet ook niet vergeten, Edelachtbare, dat geweld inmiddels een vast bestanddeel was geworden van de Zuidafrikaanse politiek. Er was geweld in 1957 toen de vrouwen van Zeerust verplicht werden pasjes bij zich te dragen; er was geweld in 1958 bij de installatie van Bantu Authorities en de sanering van de veestapel in Sekhukhuneland; er was geweld in 1959 toen de bevolking van Cato Manor protesteerde tegen pasjescontroles; er was geweld in 1960 toen de regering Bantu-besturen probeerde op te leggen in Pondoland. Negenendertig Afrikanen vonden de dood bij die on-

lusten in Pondoland. In 1961 waren er rellen in Warm-
baths en al die tijd, Edelachtbare, was Transkei een
haard van onrust.

Iedere oproer getuigde duidelijk van een onstuit-
baar groeiende overtuiging onder de Afrikanen dat
geweld de enige uitweg was. Het liet zien dat een regering die geweld gebruikt om haar macht te handhaven de onderdrukten leert geweld te gebruiken om
zich daartegen te verzetten. Nu reeds waren in de stedelijke gebieden kleine groepen opgestaan die op
eigen gezag plannen maakten voor gewelddadige politieke strijd. Daarmee ontstond ook het gevaar dat
die groepen, bij gebrek aan een goede leiding, terrorisme zouden bedrijven tegen Afrikanen zowel als
blanken. Bijzonder verontrustend was het type geweld dat bijvoorbeeld in Zeerust, Sekhukhuneland en
Pondoland onder de Afrikanen zelf werd ontketend.
Het nam meer en meer de vorm aan, niet van een
strijd tegen de regering hoewel het daaruit voortkwam, maar van een burgeroorlog tussen regeringsgezinde *chiefs* en hun tegenstanders, gevoerd op zodanige wijze dat er geen enkel resultaat van te verwachten
viel behalve verlies van levens en verbittering.

Begin juni 1961, na langdurige overweging van de
zorgwekkende situatie in Zuid-Afrika, kwamen een
aantal collega's en ik tot de conclusie dat het, aangezien geweld in dit land onvermijdelijk was, onrealistisch en onjuist zou zijn als de Afrikaanse leiders doorgingen met het prediken van vrede en geweldloosheid
terwijl de regering onze vreedzame eisen met geweld
tegemoet trad.

Het besluit werd genomen over te gaan tot gewelddadige
vormen van politieke strijd... omdat de regering ons geen
keuze had gelaten

Deze conclusie kwam niet gemakkelijk tot stand. Alleen nadat al het overige gefaald had, nadat alle kanalen voor vreedzaam protest ons waren ontnomen, werd het besluit genomen over te gaan tot gewelddadige vormen van politieke strijd en tot de oprichting van Umkhonto we Sizwe. Wij deden dat niet omdat wij een dergelijke koers wilden inslaan, maar uitsluitend omdat de regering ons geen andere keuze had gelaten. Ik kan alleen zeggen dat ik mij moreel verplicht voelde te doen wat ik gedaan heb.

Toen wij dit besluit hadden genomen, begonnen wij overleg te plegen met leiders van verschillende organisaties, waaronder het ANC. Ik zal niet vertellen met wie wij spraken of wat zij zeiden.

Umkhonto zou sabotage plegen... onder geen beding mochten de leden mensen verwonden of doden bij de planning of uitvoering van operaties

Het ANC was een omvangrijke politieke organisatie. De leden hadden zich aangesloten op een uitdrukkelijk geweldloos beleid. Het ANC kon en wilde niet overgaan tot geweldpleging.

Anderzijds was het, in het licht van de situatie die ik heb beschreven, wel bereid in zoverre af te wijken van het vijftig jaar oude beginsel van geweldloosheid dat het geen bezwaar zou maken tegen goed gecontroleerde sabotage, wat inhield dat het ANC geen disciplinaire maatregelen zou nemen tegen leden die zulke acties uitvoerden.

Ik spreek van 'goed gecontroleerde sabotage' omdat ik duidelijk had gesteld dat ik, indien ik aan het opzetten van de organisatie zou meewerken, die te allen tijde zou onderwerpen aan de politieke richtlijnen van het ANC en nooit zonder toestemming van het ANC zou overgaan tot andere vormen van actie dan die ons voor ogen stonden.

Wij vreesden dat het land afgleed naar een burgeroorlog (tot sabotage werd besloten in de hoop die burgeroorlog af te wenden!)

Umkhonto werd opgericht in november 1961. Toen wij dit besluit namen en ook later bij het uitwerken van onze plannen, bleef het ANC-erfgoed van geweldloosheid en harmonie tussen de rassen ons in hoge mate bij. Wij vreesden dat het land afgleed naar een burgeroorlog waarin zwarten en blanken elkaar zouden bevechten. Wij beschouwden de toestand als alarmerend. Een burgeroorlog zou de ontkrachting betekenen van alles waarvoor het ANC zich had ingezet; met een burgeroorlog zou vrede tussen de rassen onbereikbaarder worden dan ooit.

Het vermijden van een burgeroorlog had ons denken vele jaren lang beheerst, maar toen wij besloten sabotage als element in ons beleid op te nemen, beseften wij dat er een dag zou kunnen komen waarop zo'n oorlog onafwendbaar zou zijn. Hiermee moest rekening worden gehouden bij het formuleren van onze plannen. Wij hadden een planning nodig die flexibel was en die ons de mogelijkheid zou geven in te spelen op de eisen van het moment; bovenal moest het een planning zijn die burgeroorlog als laatste redmiddel zou erkennen en een beslissing daarover aan de toekomst zou overlaten. Wij wilden niet uitgaan van een burgeroorlog, maar wij wilden ervoor klaar zijn als die onvermijdelijk zou worden.

Vier vormen van geweld zijn mogelijk. Er is sabotage, er is guerrillaoorlogvoering, er is terrorisme en er is openlijke revolutie. Wij kozen ervoor de eerste methode toe te passen en die ten volle uit te testen voordat wij tot iets anders zouden besluiten.

Gezien onze politieke achtergrond was het een logische keuze. Sabotage bracht geen verlies van levens mee en bood de meeste hoop voor de toekomstige rassenrelaties. De verbittering kon tot een minimum worden beperkt en democratisch bestuur kon, indien de tactiek vruchten afwierp, werkelijkheid worden.

Aanslagen op de economische levenslijnen van het land zouden gecombineerd worden met sabotage op regeringsgebouwen

Het oorspronkelijke plan was gebaseerd op een nauwgezette analyse van de politieke en economische situatie in ons land. Wij waren van mening dat Zuid-Afrika in hoge mate afhankelijk was van buitenlands kapitaal en buitenlandse handel. Wij dachten dat planmatige vernielingen aan energiecentrales en verstoringen van spoor- en telefoonverbindingen een ontmoedigend effect kon hebben op buitenlandse investeerders en op de lange duur een zware aanslag zou plegen op de economie van het land, waardoor de stemgerechtigden tot een herbezinning van hun positie konden worden gedwongen.

Aanslagen op de economische levenslijnen van het land zouden gecombineerd worden met sabotage op regeringsgebouwen en andere symbolen van de apartheid. Deze aanslagen zouden als inspiratiebron fungeren voor ons volk.

Umkhonto zou sabotage plegen en vanaf het allereerste begin kregen de leden strenge instructies dat zij onder geen beding mensen mochten verwonden of doden bij de planning of uitvoering van operaties.

De controle en de dagelijkse leiding van Umkhonto kwam in handen van een Nationaal Oppercommando, dat tot cooptatie gemachtigd was en dat op zijn beurt de Regionale Commando's aanstelde. Het Oppercommando was het orgaan dat tactieken en doelen bepaalde en zorg droeg voor de training en de financiën. Onder het Oppercommando stonden de Regionale Commando's, die verantwoordelijk waren voor de leiding van lokale sabotagegroepen. Binnen de door het Nationale Oppercommando vastgelegde beleidslijnen waren de Regionale Commando's bevoegd om zelf de aan te vallen objecten te selecteren. Ze waren volstrekt niet gerechtigd de voorgeschreven beleidslijnen te overschrijden en hadden dus niet het recht daden te begaan die levens in gevaar konden brengen of die niet overeenstemden met het algehele sabotageplan. Zo was het Umkhonto-leden bijvoorbeeld verboden ooit wapens te dragen tijdens een operatie.

Umkhonto voerde zijn eerste operatie uit op 16 december 1961, toen regeringsgebouwen in Johannesburg, Port Elizabeth en Durban werden aangevallen. De keuze van de objecten is een bewijs voor het beleid dat ik zojuist heb beschreven. Hadden wij de bedoeling gehad levens te bedreigen, dan zouden wij objecten hebben gekozen waar veel mensen samenkwamen in plaats van lege gebouwen en elektriciteitscentrales. De sabotage die voor 16 december 1961 werd gepleegd was het werk van geïsoleerde groepen en had geen enkele relatie met Umkhonto. In feite, Edelachtbare, werden sommige van deze en een aantal latere acties door andere organisaties opgeëist.

Het Manifest van Umkhonto werd uitgebracht op de dag van de eerste operaties. De respons van de blanke bevolking op onze acties en ons manifest was in zijn agressiviteit karakteristiek. De regering dreigde met harde maatregelen en riep haar supporters op standvastig te blijven en geen gehoor te geven aan de eisen van de Afrikanen. De blanken lieten na op veranderingen aan te dringen; zij reageerden op onze uitdaging door zich terug te trekken in hun *laager*.

Daarentegen was de respons van de Afrikanen voor ons een aanmoediging. Plotseling was er weer hoop. Er gebeurde iets. De mensen in de *townships* kregen interesse voor het politieke nieuws. De eerste successen wekten een golf van geestdrift en de bevolking begon al te speculeren hoe snel de vrijheid zou komen.

Maar wij van Umkhonto wogen de reactie van de blanken met diepe bezorgdheid. De scheidslijnen werden getrokken. Blanken en zwarten verschansten zich in afzonderlijke kampen en de kans op vermijding van een burgeroorlog werd kleiner. In de blanke kranten verschenen berichten dat op sabotage de doodstraf zou worden gesteld. Als dat waar was, hoe konden wij de Afrikanen dan blijven afhouden van terrorisme?

Alle blanken ondergaan een verplichte militaire opleiding, maar Afrikanen krijgen zo'n opleiding niet... wij achtten het onze plicht... geweld te gebruiken om onszelf tegen geweld te kunnen verweren

Nu wil ik mij bezighouden, Edelachtbare, met de kwestie van guerrillaoorlogvoering en hoe dat een punt van overweging werd. In 1961 waren honderden Afrikanen gestorven ten gevolge van rassenconflicten. In 1920, toen de vermaarde leider Masabalala gevangen werd gehouden in Port Elizabeth, werden bij een betoging om zijn vrijlating te eisen vierentwintig Afrikanen gedood door de politie en door blanke burgers.

In 1921 werden meer dan honderd Afrikanen gedood in de Bulhoek-affaire. In 1924 werden meer dan twee-honderd Afrikanen gedood toen de Administrateur van Zuidwest-Afrika troepen inzette tegen een groep die in opstand was gekomen tegen de invoering van een hondenbelasting. Op 1 mei 1950 stierven achttien Afrikanen als gevolg van beschietingen door de politie tijdens de staking. Op 21 maart 1960 stierven negenenzestig ongewapende Afrikanen in Sharpeville.

Hoeveel Sharpevilles zouden er nog volgen in de geschiedenis van ons land? En hoeveel Sharpevilles kon het land nog verdragen zonder dat geweld en terreur tot de orde van de dag gingen behoren? En wat stond ons volk te wachten als dat stadium eenmaal was aangebroken? Op de lange duur waren wij zeker van de overwinning, maar ten koste van wat voor onszelf en voor de rest van het land? En als dit zou gebeuren, hoe konden zwart en blank dan ooit weer samenleven in vrede en harmonie? Dat waren de problemen waarvoor wij ons geplaatst zagen, en dit was wat wij besloten.

De ervaring had ons geleerd dat rebellie voor de regering grenzeloze mogelijkheden zou openen om ons volk zonder aanzien des persoons af te slachten. Maar juist omdat de grond van Zuid-Afrika al zozeer doordrenkt is van het bloed van onschuldige Afrikanen, achtten wij het onze plicht op de langere termijn voorbereidingen te treffen voor het gebruik van geweld om ons tegen geweld te kunnen verweren. Indien oorlog onvermijdelijk werd, wilden wij klaar zijn wanneer het moment aanbrak en dat de strijd gevoerd zou worden onder de meest gunstige condities voor ons volk. De strijdmethode die voor ons de beste vooruitzichten en voor beide partijen de minste levensrisico's bood was de guerrillaoorlog. Daarom besloten wij bij onze preparaties op de toekomst voorzieningen te treffen voor een eventuele guerrillaoorlog.

Alle blanken ondergaan een verplichte militaire opleiding, maar Afrikanen krijgen zo'n opleiding niet. In onze ogen was het van essentieel belang een kern van goed getrainde mannen op te bouwen, die het noodzakelijke leidende kader konden vormen wanneer het tot een guerrillaoorlog kwam. Wij moesten ons op een dergelijke situatie voorbereiden voor het te laat zou zijn om afdoende preparaties te treffen. Het was eveneens noodzakelijk een kern van mannen op te bouwen die geschoold waren in bestuurlijke zaken en andere vakgebieden, zodat de Afrikanen ook capabel waren om deel te nemen aan de regering van dit land zodra men hun dat toestond.

De verklaring van getuige X

Ik wil mij nu richten op bepaalde details van de verklaring van getuige X. Veel van wat hij verteld heeft is in grote lijnen juist, maar veel is verdraaid en in sommige belangrijke aspecten onwaar. Ik wil over die verklaring zo kort mogelijk zijn.

Ik heb inderdaad gezegd dat ik het land in het begin van dat jaar verliet om de PAFMECSA-conferentie bij te wonen en dat de conferentie geopend werd door keizer Haile Selassie, die de rassenpolitiek van de Zuidafrikaanse regering aanviel en zijn steun betuigde aan de Afrikaanse bevolking van dit land. Ik heb hun ook verteld over de unanieme resolutie, die de slechte behandeling van het Afrikaanse volk hier veroordeelde en steun toezegde. Ik heb ook gezegd dat de Keizer zijn hartelijke gelukwensen liet overbrengen aan mijn leider, *chief* Luthuli.

Maar ik heb nooit gesproken over een vergelijking die tussen Ghanezen en Zuidafrikaanse rekruten werd getrokken, en kon dat niet gedaan hebben om een simpele reden. Toen ik uit Ethiopië vertrok waren de eerste Zuidafrikaanse rekruten nog niet in dat land aangekomen en Ghanese soldaten ontvangen hun opleiding, voor zover ik weet, in het Verenigd Koninkrijk. Gelet op dit feit en mijn veronderstelling, kan het onmogelijk bij mij zijn opgekomen het Regionale Commando te vertellen dat de Keizer van Ethiopië onze rekruten beter vond dan de Ghanezen.

Deze uitspraken zijn daarom puur verzinsels, tenzij ze X werden ingefluisterd door iemand die een verkeerd beeld wil oproepen.

Ik heb hun wel verteld over de financiële steun die ik in Ethiopie en andere delen van Afrika had ontvangen. Ik heb hem beslist niet verteld dat bepaalde Afrikaanse staten ons één procent van hun budget hadden beloofd. Die suggestie van een donatie van één procent is tijdens mijn bezoek nooit ter sprake gekomen. Die kwam, voor zover mij bekend, pas naar voren op de conferentie van mei 1963, toen ik al tien maanden in de gevangenis zat.

Alhoewel X beweert zich dat niet te herinneren, heb ik wel gesproken over studiebeurzen die ons in Ethiopië waren toegezegd; dat soort algemene educatie van ons volk is, zoals ik heb uitgelegd, altijd een belangrijk aspect geweest van ons plan.

Mijn bezoek aan Egypte viel samen met dat van maarschalk Tito en ik kon niet wachten tot generaal Nasser tijd had om mij te woord te staan. De beambten die ik ontmoette uitten kritiek op artikelen in *New Age* over generaal Nassers aanvallen op het communisme, maar ik zei hun dat *New Age* niet noodzakelijk de standpunten van onze beweging weergaf en dat ik de klacht zou doorgeven aan *New Age* en zou proberen mijn invloed aan te wenden om hen tot een andere koers te bewegen, aangezien het niet onze taak was te dicteren hoe een andere staat zijn vrijheid diende te verwezenlijken.

Ik vertelde het Regionale Comité dat ik niet in Cuba was geweest, maar ambassadeurs van dat land had ontmoet in Egypte, Marokko en in Ghana. Ik sprak over de warme ontvangst die mij op deze ambassades was bereid en over de vele vormen van hulp die ons werden aangeboden, inclusief studiebeurzen voor onze jongeren. In verband met de kwestie van blanke en Aziatische rekruten heb ik inderdaad gezegd dat het voor Cuba, als een multiraciaal land, logisch zou zijn om zulke personen naar dit land te sturen aangezien de rekruten hier makkelijker in te passen waren dan tussen zwarte soldaten in Afrikaanse staten.

Op de terugweg, na mijn rondreis over het Afrikaanse continent, ontmoette ik in Tanganyika een dertigtal jonge Zuidafrikanen die onderweg waren naar Ethiopië voor hun training. Ik sprak hen toe over discipline en goed gedrag tijdens het verblijf in het buitenland.

Uiteraard sprak ik ook over Umkhonto we Sizwe, maar men kan niet naar waarheid beweren dat zij voor het eerst van mij hoorden dat dat de naam was of dat het de 'militaire vleugel' van het ANC was een aanduiding die de staat in dit proces zo vaak heeft gebruikt. Op 16 december 1961 had Umkhonto een proclamatie uitgebracht waarin het bestaan van de eenheid was verkondigd en diverse maanden voor die ontmoeting plaats had, was de naam algemeen bekend. En ik had de eenheid beslist nooit aangeduid als de militaire vleugel van het ANC. Ik heb haar altijd beschouwd als een afzonderlijke organisatie en ernaar gestreefd dat zo te houden.

Ik heb hun wel verteld dat de kans bestond dat de activiteiten van Umkhonto twee fasen zouden doorlopen, namelijk sabotagedaden en eventueel guerrillastrijd, indien dat noodzakelijk zou worden. Ik beschreef de problemen van elk van de fasen. Maar ik heb niet gezegd dat er mensen bezig waren geschikte terreinen voor guerrillaoorlogvoering te verkennen, omdat daar toen helemaal geen sprake van was. Ik heb benadrukt, precies zoals hij verklaarde, dat het van het grootste belang was onze eigen geschiedenis en onze eigen situatie te bestuderen. Wij moeten natuurlijk ook de ervaringen in andere landen bestuderen en daarbij niet alleen kijken naar de gevallen waar revoluties succes hadden, maar ook naar gevallen waar revoluties werden verslagen.

Maar ik heb niet gesproken over het trainen van mensen in Oost-Duitsland, zoals X in zijn getuigenis heeft beweerd.

De bomaanslagen op privé-woningen van regeringsgezinde personen hadden niets te maken met het beleid van Umkhonto

Ik wil ook terugkomen op bepaalde gebeurtenissen die zich volgens getuigen in Port Elizabeth en East London hebben afgespeeld. Het betreft de bomaanslagen op privé-woningen van regeringsgezinde personen tijdens september, oktober en november 1962. Ik weet niet wat voor rechtvaardiging er was voor deze daden of welke provocatie eraan voorafging, maar indien wat ik hiervoor heb gezegd aanvaard is, dan mag duidelijk zijn dat deze daden niets te maken hadden met de uitvoering van het beleid van Umkhonto.

Hij zette vervolgens uiteen dat er een verschil bestond tussen een resolutie, tot stand gekomen in de sfeer van een comité-vergadering, en de concrete problemen die zich voordoen op het terrein van de praktische tenuitvoerlegging. Het feit dat degenen die de operaties in goede banen hadden kunnen leiden onder een *banning*, huisarrest of in ballingschap verkeerden, gaf een verklaring voor het vervagende onderscheid tussen Umkhonto en het ANC.

Veel voorzorgen waren genomen om de activiteiten in Zuid-Afrika van de twee organisaties gescheiden te houden. Het ANC bleef een grote politieke vereniging van Afrikanen, die zich uitsluitend bezighielden met het soort politieke werk dat zij ook voor 1961 hadden gedaan. Umkhonto bleef een kleine organisatie, die haar leden rekruteerde uit verschillende rassen en organisaties en die haar eigen specifieke doel nastreefde. Het feit dat leden van Umkhonto uit het ANC afkomstig waren en het feit dat sommigen, zoals Solomon Mbanjwa, actief waren in beide organisaties, betekende naar onze mening niet dat het ANC veranderd was of nu een geweldspolitiek aanhing. Zo'n overlapping van stafleden was overigens eerder uitzondering dan regel. Dat is de reden, Edelachtbare, waarom personen zoals X en Z, die tot het Regionale Commando behoorden van hun respectieve gebieden, niet deelnamen aan ANC-comités of ANC-activiteiten en waarom mensen als Bennett Mashiyana en Reginald Ndubi niets hoorden over sabotage tijdens hun ANC-bijeenkomsten.

Rivonia was (niet) het hoofdkwartier van Umkhonto...
toen ik daar verbleef

Een van de overige beweringen in de aanklacht is dat Rivonia het hoofdkwartier was van Umkhonto. Dit gaat in ieder geval niet op voor de tijd toen ik daar verbleef. Mij werd uiteraard wel verteld en ik wist ook dat bepaalde activiteiten van de Communist Party daar werden uitgevoerd, maar dat was voor mij geen reden, zoals ik aanstonds zal uitleggen, om die plek te mijden.

Voordat ik aan mijn rondreis door Afrika begon, woonde ik in het vertrek dat op plattegrond A als nr. 12 wordt aangeduid. Na mijn terugkeer in juli 1962 woonde ik in het huisje met het rieten dak.

In de perioden dat ik op Lilliesleaf Farm verbleef ging ik geregeld op bezoek bij de heer Goldreich in het hoofdgebouw en hij kwam mij ook bezoeken in mijn kamer. Wij discussieerden veel over politiek.

Tot het moment van mijn arrestatie was Lilliesleaf Farm noch het hoofdkwartier van het African National Congress, noch van Umkhonto. Met uitzondering van mijzelf woonde daar niemand van de bestuurders of leden van deze organisaties, werden daar nooit vergaderingen van de bestuursorganen gehouden en werden van daaruit nooit activiteiten georganiseerd of geleid die met een van beide organisaties verbonden waren. Tijdens mijn verblijf op Lilliesleaf Farm had ik talrijke ontmoetingen zowel met het Executive Committee van het ANC als met het Nationale Oppercommando, maar zulke bijeenkomsten werden elders gehouden en nooit op het landgoed.

De doelstellingen van het ANC en de Communist Party komen [niet] overeen...; het Freedom Charter... is geenszins een blauwdruk voor een socialistische staat

De aantijging dat de motieven en doelstellingen van het ANC en de CP met elkaar overeenkomen is een leugen. Dit is een oude verdachtmaking, die weerlegd werd tijdens het Verraadproces en die wederom de kop opsteekt. Het ideologische credo van het ANC is en is altijd geweest dat van het Afrikaanse nationalisme. Het is niet het concept van Afrikaans nationalisme dat tot uiting komt in de kreet 'Drijf de blanken de zee in'. Het Afrikaanse nationalisme waarvoor het ANC zich inzet is het concept van vrijheid en ontplooiing voor de Afrikanen in hun eigen land. Het allerbelangrijkste politieke document dat ooit door het ANC werd aangenomen is het Freedom Charter. Dat is geenszins een blauwdruk voor een socialistische staat. Het propageert een herverdeling maar geen nationalisatie van het grondbezit; het voorziet in een nationalisatie van mijnen, banken en monopolie-industrieën, omdat zulke monopolies in handen zijn van een enkel ras en omdat raciale overheersing zonder een dergelijke nationalisatie zou voortduren, ondanks de spreiding van politieke macht. Het zou een loos gebaar zijn de Gold Law-verbodsbepalingen voor Afrikanen te herroepen, terwijl alle goudmijnen eigendom zijn van Europese maatschappijen. In dit opzicht stemt het ANC-standpunt overeen met het vroegere beleid van de huidige National Party, die de nationalisatie van de goudmijnen, in die tijd gecontroleerd door buitenlands kapitaal, jarenlang als programmapunt heeft gevoerd. Onder het Freedom Charter zouden de nationalisaties plaatsvinden in een op particulier initiatief gebaseerde economie. De verwezenlijking van het Freedom Charter zou nieuwe terreinen openen voor een welvarende Afrikaanse bevolking van alle klassen, inclusief de middenstand. Het ANC heeft nimmer in enige periode van zijn historie gepleit voor een revolutionaire wijziging van de economische structuur van het land en evenmin, voor zover ik mij herinner, ooit een verwerping uitgesproken van de kapitalistische maatschappij.

Ik geloof dat de communisten altijd een actieve rol hebben gespeeld in de bevrijdingsstrijd van koloniale landen

Wat de Communist Party betreft: als ik haar politiek goed begrijp, streeft zij naar de vestiging van een staat die gebaseerd zal zijn op de beginselen van het marxisme. Hoewel de partij bereid is zich in te zetten voor het Freedom Charter, als een voorlopige oplossing voor de problemen die de blanke overheersing heeft gecreëerd, beschouwt zij het Freedom Charter als een begin en niet als einddoel van haar programma.

Het ANC heeft, in tegenstelling tot de Communist Party, alleen Afrikanen als leden toegelaten. Zijn voornaamste doelstelling was en is het veroveren van eendracht en volwaardige politieke rechten voor het Afrikaanse volk. Het hoofddoel van de Communist Party was daarentegen de kapitalisten uit te schakelen en te vervangen door een bewind van de arbeidersklasse. De Communist Party probeerde de klassenverschillen aan te scherpen, terwijl het ANC ze juist wil overbruggen. Dat is een cruciaal onderscheid, Edelachtbare.

Het is waar dat er vaak een nauwe samenwerking heeft bestaan tussen het ANC en de Communist Party. Maar die samenwerking bewijst slechts dat ze een gemeenschappelijk doel hadden, in dit geval de afschaffing van de blanke overheersing, en bewijst niet dat al hun belangen volledig samenvielen.

Edelachtbare, de wereldgeschiedenis telt talrijke voorbeelden van dit soort samengaan. De meest saillante illustratie is wellicht te vinden in de samenwerking tussen Groot-Brittannië, de Verenigde Staten van Amerika en de Sovjet-Unie tijdens de oorlog tegen Hitler. Buiten Hilter zelf zou niemand het gewaagd hebben te suggereren dat zo'n coöperatie van Churchill of Roosevelt, communisten of werktuigen van het communisme maakte, of dat Engeland en Amerika werkten aan de totstandkoming van een communistische wereld.

Edelachtbare, ik noem deze voorbeelden omdat ze relevant zijn voor de bewering dat onze sabotage een communistisch complot was of het werk van zogenaamde agitators. En omdat, Edelachtbare, een ander voorbeeld van dit soort coöperatie nu juist in Umkhonto te vinden is. Kort na de oprichting van Umkhonto werd mij door sommige leden daarvan verteld dat de Communist Party Umkhonto zou steunen, hetgeen toen ook gebeurde. In een later stadium werd die steun openlijk gegeven.

Ik geloof dat de communisten altijd een actieve rol hebben gespeeld in de bevrijdingsstrijd van koloniale landen, omdat de korte-termijn doelen van het communisme steeds samenvielen met de lange-termijn doelstellingen van de bevrijdingsbewegingen.

Zo, Edelachtbare, hebben communisten een belangrijke rol gehad in de vrijheidsoorlogen die in landen als Malaya, Algerije en Indonesië werden gevoerd, en toch is geen van deze staten tegenwoordig een communistisch land. Ook in de ondergrondse verzetsbeweging die tijdens de laatste wereldoorlog in Europa opkwam speelden communisten een belangrijke rol. Zelfs generaal Tsjang Kai-sjek, een van de bitterste vijanden van het communisme, vocht samen met de communisten tegen de heersende klassen in de strijd die in de jaren dertig tot zijn machtsovername in China leidde.

Dit patroon van samenwerking tussen communisten en niet-communisten heeft zich herhaald in de Zuidafrikaanse National Liberation Movement. Voordat de Communist Party door een *banning* werd getroffen, waren gezamenlijke campagnes waaraan de Communist Party en de Congress-beweging deelnamen heel gebruikelijk. Afrikaanse communisten konden lid worden en werden lid van het ANC en sommigen van hen hadden zitting in nationale, provinciale en lokale comités.

Ik ben geen communist en ben nooit lid geweest van de Communist Party... wij rekenen communisten tot degenen die onze zaak steunen

Er zijn vele Afrikanen die, op dit moment, zover gaan dat zij vrijheid gelijkstellen met communisme. Zij worden in die overtuiging gesteund door de wetgeving, die alle voorstanders van democratisch bestuur en vrijheid voor de Afrikanen brandmerkt als communisten en hen, hoewel zij geen communisten zijn, tot *banning* veroordeelt op grond van de Wet op Onderdrukking van het Communisme. Alhoewel ik, Edelachtbare, geen communist ben en nooit lid ben geweest van de Communist Party, ben ikzelf onder die verderfelijke wet gedaagd vanwege mijn rol in de Verzetscampagne. Ik ben tevens onder *banning* geplaatst en veroordeeld op grond van die wet.

Niet alleen op het terrein van de binnenlandse politiek rekenen wij communisten tot degenen die onze zaak steunen. Op het internationale vlak zijn communistische landen ons altijd te hulp gekomen. In de Verenigde Naties en andere mondiale verbanden heeft het communistische blok de Afro-Aziatische strijd tegen het kolonialisme gesteund en lijkt het vaak meer begrip te hebben voor onze situatie dan sommige van de Westerse mogendheden. Ook al wordt apartheid universeel afgekeurd, toch klinkt de stem van het communistische blok luider dan die van de meeste Westerse landen. In deze omstandigheden kan alleen een jonge en onbezonnen politicus, zoals ik in 1949 was, uitroepen dat de communisten onze vijanden zijn.

Ik heb ontkend dat ik communist ben en ik meen dat ik gezien de omstandigheden verplicht ben precies aan te geven wat mijn politieke overtuigingen zijn, teneinde te kunnen uitleggen wat mijn positie was in Umkhonto en wat mijn standpunt is ten opzichte van het gebruik van geweld.

Ik heb mijzelf altijd voor alles beschouwd als een Afrikaanse patriot

Ik heb mijzelf altijd, op de allereerste plaats, beschouwd als een Afrikaanse patriot. Tenslotte ben ik zesenveertig jaar geleden geboren in Umtata. Mijn voogd was mijn neef, de waarnemend *paramount chief* van Thembuland. Ik ben een bloedverwant zowel van de huidige hoogste *chief* van Thembuland, Sabata Dalindyebo, als van Kaiser Matanzima de *chief minister* van Transkei.

Momenteel voel ik mij aangetrokken tot het denkbeeld van een klassenloze maatschappij, een aantrekkingskracht die deels voortkwam uit het lezen van marxistische werken en deels uit mijn bewondering voor de structuur en organisatie van vroegere Afrikaanse gemeenschappen in dit land. De grond, toen het voornaamste bestaansmiddel, was eigendom van de stam. Er waren geen rijken of armen en uitbuiting bestond niet. Het is waar, zoals ik al eerder heb verklaard, dat ik beïnvloed ben door marxistische ideeën, maar dit geldt ook voor velen van de leiders van de nieuwe onafhankelijke staten. Zulke uiteenlopende persoonlijkheden als Gandhi, Nehru, Nkrumah en Nasser komen daar allen voor uit. Wij allen onderkennen de behoefte aan een of andere vorm van socialisme, willen wij ons volk de kans geven hun achterstand op de ontwikkelde landen van de wereld in te lopen en hun erfenis van extreme armoede te overwinnen. Maar dat wil niet zeggen dat wij marxisten zijn.

In de ogen van communisten is het parlementaire stelsel van het Westen ondemocratisch en reactionair... ik ben een bewonderaar van zulke stelsels... Ik beschouw het Britse Parlement als het meest democratische instituut ter wereld

Sterker nog, Edelachtbare, wat mijzelf betreft geloof ik dat het betwistbaar is of de Communist Party een concrete rol hoeft te vervullen in dit specifieke stadium van onze politieke strijd. De essentiële taak voor dit moment is de afschaffing van rassendiscriminatie en de verwerving van democratische rechten op basis van het Freedom Charter en voor die strijd is er geen betere leider dan een sterk ANC. In zoverre de CP die taak bevordert, is haar steun mij welkom. Ik ben mij ervan bewust dat dit een van de voornaamste wegen is waarlangs mensen van alle rassen in onze strijd kunnen worden betrokken.

Maar uit mijn marxistische lectuur en uit gesprekken met marxisten heb ik de indruk overgehouden dat het parlementaire stelsel van het Westen in de ogen van communisten ondemocratisch en reactionair is. Maar ik ben integendeel een bewonderaar van zulke stelsels.

De Magna Charta, de Petition of Rights en de Bill of Rights zijn documenten die de hoogste eerbied genieten van democraten over de hele wereld.

Ik heb groot respect voor de Britse politieke instituties en voor het juridische systeem van dat land. Ik beschouw het Britse Parlement als het meest democratische instituut ter wereld, en de onafhankelijkheid en onpartijdigheid van de Britse rechterlijke macht dwingen bij mij een duurzame bewondering af.

Het Amerikaanse Congres, de doctrine van de scheiding der machten in dat land alsook de onafhankelijkheid van de rechtspraak wekken bij mij soortgelijke gevoelens.

In mijn denken ben ik beïnvloed door het Westen zowel als het Oosten. Dit alles heeft mij tot de overtuiging gebracht dat ik, bij het zoeken naar een politieke formule, absoluut onpartijdig en objectief moet zijn. Ik mag mij niet binden aan een specifiek systeem of een bepaalde maatschappijvorm, buiten de algemene beginselen van het socialisme. Ik moet mij de vrijheid behouden het beste te ontlenen aan West en Oost.

(Marxistische aantekeningen in Mandela's handschrift)... een goede vriend... was lezingen aan het schrijven, bestemd voor intern gebruik binnen de Communist Party... ik zei hem dat ze mij veel te gecompliceerd leken voor de gemiddelde lezer... en zette mij aan de taak ze te herschrijven in vereenvoudigde vorm.

Ik wil nu aandacht besteden aan sommige van de bewijsstukken. Veel van de bewijsstukken zijn in mijn handschrift geschreven. Het is altijd mijn gewoonte geweest samenvattingen te schrijven van het materiaal dat ik heb bestudeerd.

De bewijsstukken R. 20, 21 en 22 zijn in mijn handschrift opgestelde lezingen, maar ze stammen oorspronkelijk niet van mij. Ze werden geschreven in de volgende omstandigheden.

Sinds een aantal jaren probeerde een goede vriend, met wie ik heel nauw had samengewerkt in ANC-verband en die zowel in het ANC als in de CP bestuursfuncties bekleedde, mij over te halen lid te worden van de Communist Party. Ik had vaak met hem gedebatteerd over de rol die de Communist Party in deze fase van onze strijd kan vervullen en ik bracht wat mijn politieke standpunten betrof tegenover hem dezelfde ideeën naar voren die ik eerder in mijn verklaring heb beschreven.

Om mij te overtuigen dat ik tot de Communist Party moest toetreden gaf hij mij van tijd tot tijd marxistische literatuur te lezen, alhoewel ik daar soms geen tijd voor kon vinden.

Wij bleven beiden onwrikbaar op ons stuk staan in de kwestie of ik al dan niet lid moest worden. Hij stelde dat wij wanneer de vrijheid eenmaal bereikt was, onmogelijk de problemen van armoede en ongelijkheid konden overwinnen zonder een communistische staat te stichten en dat wij daarvoor geschoolde marxisten nodig hadden.

Ik hield vast aan mijn standpunt dat ideologische verschillen pas aan de orde mochten komen nadat de vrijheid tot stand was gebracht.

Ik zag hem verschillende keren op Lilliesleaf Farm en bij een van de laatste gelegenheden zat hij met boeken om zich heen te schrijven. Toen ik hem vroeg waarmee hij bezig was, zei hij dat hij lezingen aan het schrijven was voor intern gebruik binnen de Communist Party en stelde mij voor ze te lezen. Het waren concepten voor diverse lezingen.

Nadat ik ze gelezen had, vertelde ik hem dat ze mij veel te gecompliceerd leken voor de gemiddelde lezer, dat het taalgebruik beneden peil was en dat ze volstonden met de geijkte communistische clichés en jargon. Als het hof een aantal standaardwerken van het marxisme wil bekijken, zal duidelijk worden wat ik bedoel. Hij zei dat het niet mogelijk was de taal te vereenvoudigen, omdat daardoor het effect verloren zou gaan van wat de auteur wilde benadrukken. Ik was het niet met hem eens en toen vroeg hij mij eens te proberen de lezingen te herschrijven in de door mij gesuggereerde, vereenvoudigde vorm.

Ik stemde erin toe hem te helpen en zette mij aan de taak ze te herschrijven, maar ik heb dat nooit afgemaakt omdat ik later in beslag werd genomen door andere praktische bezigheden die belangrijker waren. Ik heb het onvoltooide manuscript niet meer teruggezien totdat het hier tijdens het proces naar voren werd gebracht.

Ik verklaar tevens dat het niet mijn handschrift is wat op bewijsstuk R. 23 voorkomt, hetgeen kennelijk een concept is van de persoon die de lezingen heeft bedacht.

Onze politieke strijd is altijd gefinancierd... uit fondsen die door onze eigen mensen waren verzameld

Edelachtbare, er zijn bepaalde bewijsstukken die de suggestie wekken dat wij financiële steun uit het buitenland ontvingen en die kwestie wil ik nu afhandelen.

Onze politieke strijd is altijd gefinancierd met interne middelen uit fondsen die door onze eigen mensen en door onze eigen aanhangers bijeen waren gebracht. Telkens wanneer wij voor een speciale campagne of een belangrijke politieke zaak stonden, bijvoorbeeld het Verraadproces, kregen wij financiële steun van sympathiserende individuën en organisaties in de Westerse landen. Wij hebben nooit de noodzaak gevoeld daarbuiten ook andere bronnen aan te boren.

Umkhonto (probeerde) fondsen te werven bij de Afrikaanse staten

Maar toen in 1961 Umkhonto werd opgericht en een nieuwe fase in de strijd werd ingeluid, beseften wij dat deze gebeurtenissen een zware aanslag zouden plegen op onze magere reserves en dat de schaal van onze activiteiten beperkt zou worden door gebrek aan geld. Een van de instructies die ik bij mijn vertrek naar het buitenland in januari 1962 meekreeg, was fondsen te werven bij de Afrikaanse staten.

Ik moet hieraan toevoegen dat ik in het buitenland gesprekken had met leiders van politieke bewegingen in Afrika en ontdekte dat vrijwel ieder van hen, in gebieden waar de onafhankelijkheid nog niet was gerealiseerd, allerlei vormen van steun had ontvangen uit de socialistische landen en ook uit het Westen, met inbegrip van geldelijke steun. Ik ontdekte tevens dat bepaalde welbekende Afrikaanse staten, die alle niet-communistisch en in sommige gevallen zelfs anti-communistisch zijn, soortgelijke hulp hadden ontvangen.

Bij mijn terugkeer in de republiek heb ik met klem aanbevolen dat wij ons niet moesten beperken tot Afrika en de Westerse landen, maar ook een missie naar de socialistische landen moesten sturen om de zo dringend benodigde fondsen te werven.

Umkhonto werd niet opgericht door de Communist Party... wij hebben geen communisten nodig... om ons daarover te onderrichten (armoede en gebrek aan menselijke waardigheid)

Volgens de aanklacht en in het bijzonder de getuigenis van X, zoals ik die heb opgevat, was Umkhonto een bedenksel van de Communist Party die, door op denkbeeldige grieven in te spelen, het Afrikaanse volk trachtte in te schakelen in een legermacht die ogenschijnlijk zou vechten voor de Afrikaanse bevrijding, maar in werkelijkheid vocht voor een communistische staat. Niets is minder waar. De suggestie is zelfs absurd. Umkhonto werd geformeerd door Afrikanen teneinde hun vrijheidsstrijd te bevorderen in hun eigen land. Communisten en anderen hebben de beweging steun verleend en wij zouden het alleen maar toejuichen als meer secties van de samenleving zich achter ons zouden scharen.

Onze strijd is gericht tegen werkelijke en niet tegen denkbeeldige beproevingen, of zoals de aanklager het omschreef: 'zogenaamde beproevingen'. In essentie, Edelachtbare, strijden wij tegen twee aspecten die karakteristiek zijn voor het leven van de Afrikanen in Zuid-Afrika en die verankerd zijn in een stelsel van wetten, waarvan wij de afschaffing bepleiten. Deze aspecten zijn armoede en gebrek aan menselijke waardigheid en wij hebben geen communisten, of zogenaamde 'agitators', nodig om ons daarover te onderrichten.

De klacht van de Afrikanen... is niet alleen dat zij arm zijn... maar dat de wetten... tot doel hebben deze situatie in stand te houden

De blanken genieten wellicht de hoogste levensstandaard ter wereld, terwijl Afrikanen in armoede en ellende verkeren. Veertig procent van de Afrikanen leeft in overvolle en in sommige gevallen door droogte geteisterde reservaten, waar bodemerosie en uitputting van de grond elke kans ontnemen om zich met landbouw in leven te houden. Dertig procent leeft als arbeiders, boerenknechten en illegale bewoners op blanke bezittingen, waar zij werken en leven onder omstandigheden die vergelijkbaar zijn met die van de lijfeigenen in de Middeleeuwen. De resterende dertig procent leeft in de steden, waar zij economische en sociale gewoonten hebben ontwikkeld die in vele opzichten de blanke norm benaderen. Desondanks verdient zesenveertig procent van alle Afrikaanse huisgezinnen in Johannesburg niet genoeg om zich staande te houden.

De klacht van de Afrikanen echter is niet alleen dat zij arm zijn en de blanken rijk, maar dat de wetten die door de blanken worden gemaakt tot doel hebben deze situatie in stand te houden. Er zijn twee manieren om aan armoede te ontstijgen. Ten eerste door middel van officiële scholing, en ten tweede doordat een arbeider zijn vaardigheid op het werk vergroot en op die manier een hoger loon gaat verdienen. Voor zover het de Afrikanen betreft zijn beide wegen om vooruit te komen opzettelijk door wetgeving geblokkeerd.

De huidige regering... belemmert Afrikanen in hun behoefte aan educatie

De huidige regering heeft altijd gepoogd Afrikanen te belemmeren in hun behoefte aan educatie. Er bestaat een schoolplicht voor alle blanke kinderen die hun ouders vrijwel niets kost, ongeacht of zij rijk zijn of arm. Zulke faciliteiten zijn niet beschikbaar voor Afrikaanse kinderen. In 1960-1961 werden de overheidsuitgaven *per capita* voor Afrikaanse studenten van door de staat gefinancierde scholen geschat op 12,46 rand. In datzelfde jaar bedroegen de *per capita* uitgaven voor blanke kinderen in de Kaapprovincie (dat zijn de enige cijfers waarover ik kon beschikken) 144,57 rand. De huidige eerste minister verklaarde tijdens het debat over de Bantu Education Bill in 1953: 'Wanneer ik het Inlandse onderwijs onder controle heb, zal ik het zo hervormen dat Inlanders van kindsbeen af het inzicht wordt bijgebracht dat gelijkheid met de Europeanen voor hen niet is weggelegd... Mensen die in gelijkheid geloven zijn als onderwijzers voor Inlanders niet gewenst. Wanneer mijn departement het Inlandse onderwijs regelt, zal het weten voor welke klasse van hoger onderwijs een Inlander in aanmerking komt en of hij in zijn leven de mogelijkheid zal hebben zijn kennis te gebruiken.'

Industriële rassenscheiding

Het tweede grote obstakel voor de economische vooruitgang van de Afrikanen is de industriële rassenscheiding, waardoor alle betere industriële banen alleen voor blanken toegankelijk zijn. Bovendien hebben de blanken geen recht op het formeren van vakbonden, zoals die erkend zijn onder de Industrial Conciliation Act. De regering reageert vaak op wie haar kritiseren door aan te voeren dat de Afrikanen in Zuid-Afrika economisch beter af zijn dan de inwoners van de andere landen in Afrika. Onze klacht is niet dat wij arm zijn in vergelijking met mensen in andere landen, maar dat wij arm zijn in vergelijking met blanken in ons eigen land en dat de wetgeving ons verhindert iets aan die ongelijkheid te veranderen.

Het leven in de townships is gevaarlijk

Honderden en duizenden Afrikanen worden van jaar tot jaar naar de gevangenis gestuurd op grond van pasjeswetten. Veel erger is nog dat pasjeswetten man en vrouw gescheiden houden en tot onttakeling van het gezinsleven leiden.

Armoede en onttakeling van het gezinsleven hebben op hun beurt weer gevolgen. Kinderen zwerven door de straten van de *townships* omdat zij geen school hebben waar zij heen kunnen, of geen geld om een school te betalen, of geen ouders die erop toezien dat zij naar school gaan omdat beide ouders, zo er al twee thuis zijn, moeten werken om het gezin in leven te houden. Dat leidt tot een afbraak van morele normen, tot een schrikbarende toename van criminaliteit en tot een groeiende gewelddadigheid, die niet alleen in de politiek, maar overal uitbreekt. Het leven in de *townships is* gevaarlijk; er gaat geen dag voorbij dat er niet iemand wordt neergestoken of in elkaar geslagen. En het geweld verbreidt zich vanuit de *townships* naar de woonwijken van blanken. Mensen worden bang om in het donker over straat te gaan. Inbraken en diefstallen nemen toe, ondanks het feit dat voor zulke vergrijpen nu de doodstraf kan worden opgelegd. Doodstraffen kunnen de etterende zweer niet genezen. Genezing is alleen te verwachten als er verandering komt in de condities waaronder de Afrikanen gedwongen zijn te leven, en als men gehoor geeft aan hun terechte onvrede.

Wij willen opgaan in de totale bevolking en niet beperkt blijven tot onze getto's

Wij willen opgaan in de totale bevolking en niet beperkt blijven tot het leven in onze getto's. Afrikaanse mannen willen met hun vrouwen en kinderen wonen daar waar zij werken, en niet gedwongen zijn tot een onnatuurlijk bestaan in mannenpensions. Onze vrouwen willen bij hun echtgenoten wonen, en niet permanent als weduwen achterblijven in de reservaten. Wij willen het recht hebben om na elf uur 's avonds buiten te komen en niet als kleine kinderen in onze kamers opgesloten worden. Wij willen de vrijheid hebben te reizen in ons eigen land en werk te zoeken waar wij dat willen en niet waar het Arbeidsbureau ons dat oplegt. Wij willen een rechtmatig aandeel in heel Zuid-Afrika; wij willen een veilige plaats hebben en een bijdrage kunnen leveren aan de gemeenschap.

Ik heb altijd het ideaal gekoesterd van een democratische en vrije maatschappij... Het is een ideaal waarvoor ik bereid ben te sterven

Boven alles, Edelachtbare, willen wij gelijke politieke rechten, omdat wij zolang die ontbreken altijd gehandicapt zullen blijven. Ik weet dat dit voor de blanken in dit land klinkt als een revolutie, omdat de meerderheid van de kiezers Afrikanen zullen zijn. Dit wekt bij de blanke angst voor democratie. Maar die angst mag geen belemmering zijn voor de enige oplossing die harmonie tussen de rassen en vrijheid voor allen garandeert. Het is niet waar dat kiesrecht voor iedereen tot raciale overheersing zal leiden. Politiek onderscheid op basis van huidkleur is volstrekt kunstmatig en wanneer dat verdwijnt, zal ook de overheersing van de ene raciale groep door een andere verdwijnen. Het ANC heeft een halve eeuw lang gevochten tegen racisme. Wanneer het eenmaal triomfeert, wat zeker zal gebeuren, zal het dat beleid niet veranderen.

Dit is wat het ANC bevecht. Onze strijd is in ware zin een nationale strijd. Het is een strijd van het Afrikaanse volk, geïnspireerd door ons eigen lijden en onze eigen ervaringen. Het is een strijd om levensrecht.

In de loop van mijn leven heb ik mijn leven in dienst gesteld van deze strijd van het Afrikaanse volk. Ik heb gevochten tegen blanke overheersing en ik heb gevochten tegen zwarte overheersing. Altijd heb ik het ideaal gekoesterd van een democratische en vrije maatschappij waarin alle mensen in harmonie en met gelijke kansen samenleven. Het is een ideaal waarvoor ik wil leven en waarvan ik de verwezenlijking hoop te beleven. Maar, Edelachtbare, mocht het nodig zijn, dan is dit een ideaal waarvoor ik bereid ben te sterven.

Het was een lange verklaring, een verduidelijking van het ANC, van Umkhonto, van zichzelf en zijn volk. Mandela had er tot diep in de nacht aan gewerkt en was totaal uitgeput geweest toen hij alles had opgeschreven. Nu hij klaar was met het uitspreken, voelde hij zich opgetogen. De hele tijd had hij gevoeld dat alle zwarten op de tribune hoorden wat hij zei en beaamden wat hij dacht, omdat hij wist dat het hun eigen gedachten en woorden waren. Hij was zich ook intens bewust geweest van Winnies indringende blik, van de stille goedkeuring van zijn moeder, de trots van zijn zuster en de loyaliteit van zijn clangenoten.

Na zijn toespraak volgden de getuigenissen van Walter Sisulu, Ahmed Kathrada, Lionel Bernstein, Dennis Goldberg, Govan Mbeki, Elias Motsoaledi en

Raymond Mhlaba. Een voor een imponeerden zij het publiek met hun welsprekendheid en integriteit; het effect op de rechters was wisselend. Tenslotte begon Alan Paton met het beroep op verzachtende omstandigheden. Het vonnis kwam als een opluchting. Zij hadden de doodstraf kunnen krijgen. Zij kregen levenslang.

Er zijn zoveel manieren om de feiten te benaderen, zoveel basishoudingen, en in dit proces namen die scherpe en heldere contouren aan:

- Er was dr. Yutar, die sprak uit naam van de wet. Het was een lange reeks van misdrijven die hij voor het hof de revue liet passeren: sabotage, samenzwering met het oog op revolutie, illegale daden, nog meer illegale daden.

- Er waren de beklaagden, die de meeste van die daden toegaven maar zich moreel niet schuldig achtten. De poging van Alan Paton om uit te leggen waarom zij zo hadden gehandeld; zijn beschrijving van de twee alternatieven: 'Het hoofd buigen en zich onderwerpen, of met geweld in verzet komen'; zijn beoordeling van de persoonlijke karakters van de beklaagden.

- Er was het appel van H.J. Hanson, QC, de eerste getuige die verzachtende omstandigheden aanvoerde, op het 'begrip en meegevoel dat altijd de grondslag is geweest van rechterlijke beslissingen in dit land'. En zijn stelling dat 'hun doelstellingen niet crimineel waren, alleen de middelen waarvan zij zich hadden bediend'.

- De rechtbankpresident, die een gedetailleerde analyse gaf van de organisatie van Umkhonto en het aandeel daarin van het ANC.

- De zo bondig geformuleerde reden die rechter De Wet gaf voor het toekennen van levenslang in plaats van de doodstraf.

Zelfs de politie scheen zo'n zware straf niet te hebben verwacht, want tijdens een schorsing op de dag van de uitspraak zei een politieman tegen de pers: 'Deze kerels zullen niet al te lang vastzitten, we hebben veel van hen geleerd tijdens het proces, weet u.'

Aggery Klaaste beschreef de situatie buiten de rechtszaal:

'Ik zal het nooit vergeten...

De stemmen uit de menigte die zich zingend verhieven buiten het Paleis van Justitie op de dag van de uitspraak (11 juni) van het Rivonia-proces in Pretoria... de priester die voorging in gezang terwijl ze wachtten op het vonnis... en de manier waarop ze *Nkosi Sikelele* aanhieven toen Winnie Mandela op de trappen verscheen.

Hoe Hilda Bernstein op haar man Rusty afrende toen hij Niet Schuldig was bevonden... en de uitdrukking op haar gezicht toen hij, twee minuten later, opnieuw werd gearresteerd en de politie haar opzij duwde.

De verwilderde blik op het gezicht van de oude mevrouw Mandela, de moeder van Nelson Mandela, die helemaal uit Umtata was gekomen om te horen hoe haar zoon schuldig werd bevonden aan sabotage en tot levenslange gevangenisstraf werd veroordeeld.

De expressies op de gezichten van de beklaagden toen het vonnis Schuldig werd uitgesproken, Nelsons glimlach naar zijn vrouw; Walter Sisulu die wuifde; Kathy Kathrada die zijn schouders ophaalde. En hoe zij eruitzagen op de dag van het vonnis: Nelson in een nieuw zwart pak, notities makend; Sisulu met zijn verfijnde broodmagere gestalte; Dennis Goldberg, opgewekt en bijna mollig; Govan Mbeki, luisterend met een hand aan zijn oor; Raymond Mhlaba, die alles zwijgend gadesloeg.

De woordenwisseling tussen dr. Percy Yutar, de aanklager, en mr. Alan Paton, die verzachtende omstandigheden aanvoerde. De sarcastische toon waarop dr. Yutar, doelend op mr. Patons voorspelling van sabotagedaden, hem vroeg: "Dus u bent een profeet?" En de rustige waardigheid waarmee Paton antwoordde: "Ja, een profeet."

De kalme stem van rechter De Wet die zei: "Het vonnis luidt levenslang op alle punten."

De stilte die over de rechtszaal viel, een haast doodse, bewegingloze stilte. Toen, de acht mannen in de beklaagdenbank, zij stonden kaarsrecht en hadden geen enkele emotie laten blijken, die zich omdraaiden naar de stampvolle tribunes en glimlachten.

Het moment waarop hun vrouwen en verwanten en vrienden een laatste glimp van hen opvingen terwijl zij de zaal verlieten.

De auto waarvan de uitlaat knalde als een pistoolschot. Wij stapten allemaal verschrikt achteruit. Het blaffen van een politiehond. En iemand die nerveus fluisterde: "Sharpeville!" Maar ook de politiecommandant naast mij, met zijn glimmende rijen knopen, die koel en onverstoorbaar bleef staan.

Het kalme, bijna vervelde wachten van de vrouwen in hun zwart-groene uniform terwijl de klok voortkroop naar het middaguur. Eindelijk kwart over twaalf, en de onvermijdelijke politieman die met zijn hond over het plaveisel heen en weer liep.

De eerste toeschouwer die het Paleis uitkwam. Wij keken haar allen gespannen aan, en zij riep: *"Amandla!"* En het wat weifelende antwoord van de menigte, *"Amandla!"*

De beroering die door de menigte ging toen Zij naar buiten wandelde. Winnie Mandela. Het gefluisterde "levenslang" dat van mond tot mond ging als in een film.

Mensen die dicht bij haar stonden zeiden dat er tranen in Winnies ogen hadden gestaan. Maar niemand huilde.

Toen begonnen de vrouwen te zingen en daarna het ontvouwen van vlaggen, de spontane uitbarsting in vrijheidsliederen.

De mars van zingende vrouwen over Church Square, ook dat zal Pretoria nooit vergeten. Ongeveer vijftig vrouwen, enkele jongeren die probeerden hen te laten struikelen, iemand die naar hen schopte.

Maar de vrouwen marcheerden verder, rondom het hele blok van het Paleis van Justitie.

Een emmer water kwam uit een venster. Pal boven de zingende vrouwen. Zij marcheerden desondanks verder.

Alleen een dwaas kan de achterkant van het Paleis vergeten, waar de arrestantenwagen naar buiten zou komen.

Mensen keken vanachter de ramen. Sommigen stonden op het balkon. Anderen stonden op de daken van winkels.'

Ook aan de achterkant van het Paleis van Justitie stond een menigte geduldig te wachten, hun ogen gericht op de gietijzeren sierhekken waardoor de bus met de gevangenen naar buiten zou komen. Politieagenten, niet minder gespannen, lieten hun motoren gieren. Toen gingen de zwarte hekken open en een oorverdovend lawaai klonk op, dat bijna onmiddellijk werd overgenomen door de sirenes van de begeleidende politieauto's. De toeschouwers waren even verlamd door de staatsmacht die zich manifesteerde in het vreselijke gebrul van de voorbijsnellende motorvoertuigen. De arrestantenwagen kwam in zicht en gevangenei en hun aanhangers strekten hun halzen om een laatste glimp van elkaar op te vangen door de getraliede ruiten. Toen barstte luid de kreet *Amandla!* los en waren de twee groepen voor een historisch ogenblik verenigd. De veroordeling kon de bezorgdheid van de staat niet wegnemen: op 10 juni verklaarde de minister van Justitie, Vorster: 'Wij zijn voorbereid op alles wat de communisten eventueel voor na het Rivonia-proces hebben gepland' en nogmaals op 12 juni: 'Wij zijn op alles voorbereid.' Op 13 juni zei brigadier C.J. Joubert van de Veiligheidsdienst: 'De toestand is erg rustig, maar wij zijn voorbereid. Er kan gedonder komen, maar we verwachten het niet.'

Wat hij niet verwachtte gebeurde de volgende dag, op 14 juni, toen saboteurs de gevel van het postkantoor Vrededorp in Johannesburg opbliezen.

De gevangenen

Nelson en zijn vrienden werden naar Pretoria Central Prison gebracht waar ze allemaal, behalve Nelson die al een gevangene was, de gebruikelijke procedures ondergingen: ontkleden, het visiteren van de naakte lichamen en het aantrekken van de grove gevangeniskleding. Tot middernacht brachten ze de tijd door in aparte cellen, waarna kolonel Aucamp Nelson meedeelde dat ze naar Robbeneiland gebracht zouden worden. Bij het ochtendgloren werden ze in gesloten vrachtwagens geladen en naar het militaire vliegveld gereden. Daar ze in paren waren geketend, vielen ze tegen elkaar aan bij hun pogingen om het vliegtuig te betreden. Na enkele uren kwam het vertrouwde beeld van het gebergte van de Kaap in zicht. Ze landden op de militaire landingsbaan, werden naar de haven gereden en staken over naar Robbeneiland.

De eerste die ooit op Robbeneiland gevangen zat was Autshumao, een Khoi-Khoi. Hij was naar het schip van Jan van Riebeeck gezwommen toen deze in 1652 met drie schepen voor anker was gegaan in de baai van Kaap de Goede Hoop. Autshumao, door Van Riebeeck Herrie (Harry) genoemd, bood de gezagvoerder van de Verenigde Oostindische Compagnie zijn diensten aan als tolk en gids. Al gauw ontdekte hij echter dat de blanken er op uit waren om hem en zijn volk te beroven van hun vee, hun land en hun vrijheid. Vanaf dat moment voerde Autshumao een niet aflatende guerrilla tegen de Nederlanders. Nadat Van Riebeeck hem op Robbeneiland gevangen had gezet, slaagde hij erin te ontsnappen in een klein bootje dat door een nonchalante functionaris was achtergelaten.

Meer dan driehonderd jaar later had het eiland de reputatie zo zwaar bewaakt te zijn, dat maar weinig gevangenissen in de wereld een zelfde veiligheid konden garanderen.

Nelson noch een van zijn collega's geloofde dat hij voor het leven gevangen zou zitten. Misschien gedurende het leven van de eerste minister maar daarna zouden ze worden vrijgelaten. Ze waren niet ter dood gebracht en hoewel hun bewegingsvrijheid was beperkt, behoorde het leven nog aan hen zelf toe. Op den duur zou de regering dit ook wel beseffen en zou hun gevangenschap een probleem gaan vormen.

Het Rivonia-proces was niet het enige Umkhonto-proces waarmee de staat zich in 1963 had moeten bezighouden. In Pietermaritzburg stonden Ebrahim Ismail, Girja Singh, Natvarlal Bebebenia, Billy Nair, Kisten Moonsamy, George Naicker, Kisten Doorsamy, Riot Mkhwanazi, Alfred Duma, Msizeni Shadrack Maphumulo, Mfanyana Bernard Nkosi, Zakela Mdhlalose, Matthews Meyiwa, Joshua Thembinkosi Zulu, Mdingeni David Mkhize, David Ndwande en Siva Pillay terecht wegens sabotage.

Noch was MK de enige sabotagegroep die terecht stond. In Kaapstad werd het National Liberation Committee in staat van beschuldiging gesteld. De aangeklaagden daar waren Neville Alexander, Don Davis, Marcus Solomons, de drie Van den Heydons (Elizabeth, Doris en Leslie), Fikile Bam, Lionel Davis, Dorothy Alexander, Dulcie September en Gordon Hendricks.

Nelson kende een aantal van hen persoonlijk, maar de meesten waren vreemd voor hem. Op het eiland vormden ze een broederschap tegen apartheid. Nelson voelde zich vooral aangetrokken tot Fikile Bam en Neville Alexander, twee mensen wier intellect hij bewonderde. Ze spraken met elkaar tijdens het werk en discussieerden wanneer ze maar konden, altijd heimelijk en niet zonder risico.

De oorspronkelijke gevangenis op Robbeneiland was een oud stenen gebouw met elf cellen. Maar toen de politieke gevangenen binnenstroomden werd er een gebouw van golfplaten aan toegevoegd: de zinken gevangenis. In 1963-1964 werden de voornaamste blokken voor de politieke gevangenen (blokken A, B, C en D) gebouwd.

De dagindeling gedurende de eerste tien jaar van Nelsons gevangenschap werd gekenmerkt door strenge discipline. De klok luidde 's ochtends om half zes. De gevangenen wasten zich snel, maakten hun bedden op en gingen in dubbele rijen in het midden van de cellen staan. Het luide gerinkel van sleutels kondigde het openen van de deuren en het binnenkomen van de bewakers aan. Vanaf dat moment mochten ze niet meer met elkaar praten, behalve tijdens de lunch. De bewakers liepen op en neer langs de rijen en telden de gevangenen, die daarna de cel uitmarcheerden naar de keuken. Daar gingen ze in de rij staan voor het ontbijt. Ze aten in stilte, twee aan twee gezeten in dubbele rijen op de grond in de open ruimte naast de keuken. Na het ontbijt volgde het ziekenappel. Gevangenen die zich ziek meldden werden naar het ziekenhuis gestuurd. De anderen marcheerden zorgvuldig bewaakt door gewapende bewakers in dubbele rijen langs de bewakingspost naar de plaats waar ze opnieuw werden geteld, om daarna in groepen van vijftig aan het werk te gaan. Ze werkten tot de lunch, waarbij het weer was toegestaan om met elkaar te praten.

Na de lunch werden de gevangenen weer in dubbele rijen opgesteld om te worden geteld. Het werk stopte om half vijf 's middags, waarna de gevangenen naar het kamp terugmarcheerden, zich uitkleedden, gevisiteerd werden en hun avondmaal ophaalden in de keuken. Na het eten werden ze teruggebracht naar hun cellen en voor de nacht opgesloten.

De lichten in de cellen bleven de hele nacht aan. De gevangenen benutten deze periode om met elkaar te discussiëren en plannen te maken.

Nelson en de andere politieke gevangenen raakten aan het gevangenisleven gewend. Hoewel gevangenschap onmenselijk is, te afschuwelijk voor woorden, wordt het niet als een lange, onophoudelijke nachtmerrie ervaren. Een gevangenis is uiteindelijk een sociaal instituut en vormt als zodanig zijn eigen samenleving, zelfs als de bewoners gedwongen zijn deel te nemen. Bovendien is de menselijke natuur plooibaar en vindingrijk waardoor zij zich aanpast aan de omstandigheden. Wat het verblijf op Robbeneiland draaglijk maakte, was de aanwezigheid van de politieke gevangenen. Er was een concentratie van moed, intellect en integriteit die men niet gemakkelijk in een ander deel van Zuid-Afrika zou aantreffen. De bewoners van Robbeneiland, de saboteurs van 1964, hingen verschillende ideologieën aan. Maar ze waren allen tot dezelfde conclusie gekomen: sabotage was de juiste revolutionaire strategie. Ze hadden bovendien voor dezelfde rechters gestaan en eensluidende vonnissen horen vellen.

Deze gedeelde ervaringen waren op zichzelf al een sterk bindende kracht. Het maakte het mogelijk de ideologische verschillen die buiten de gevangenis onoverbrugbaar hadden geleken, binnen met elkaar te verzoenen. De gevangenis werd een universiteit. De gevangenen spraken hun verschillen uit, deden daar hun voordeel mee en leerden met deze verschillen te leven. Ze spraken tijdens hun noeste arbeid in de kalkgroeve, tijdens het verzamelen van zeewier in het water en tijdens de sobere maaltijden, eerst oneetbaar maar later draaglijk. En er waren natuurlijk frustraties; de momenten, de uren dat ze elkaar niet konden verdragen en ze verstikten in elkaars aanwezigheid.

Ze spraken met elkaar over hun benadering van de gevangenisautoriteiten, van de regels en de voorschriften. Er waren onenigheden en woordenwisselingen, maar ze bouwden een broederschap op in deze volkomen besloten, streng bewaakte en gereguleerde samenleving. Hun verwanten en familieleden ontmoetten elkaar in de haven van Kaapstad, in het ruim van de veerboot die de gevangenen naar het eiland had gebracht, en ook zij ontwikkelden een gevoel van saamhorigheid.

In zijn cel markeerde iedere gevangene het verstrijken van de jaren. Allen, behalve de Rivonia-groep,

Wilton Mkwayi, Jeff Masemola en een aantal andere PAC-leden, wisten dat ze zouden worden vrijgelaten. Het lot van de leden van de Rivonia-groep hing af van een verandering van het politieke klimaat.

'Een kind en het geluid van kinderstemmen, dat miste ik nog het meest,' zei Neville Alexander. Ahmed Kathrada beschreef hoe hij de inhoud van de brieven van thuis opslokte en meer wilde, zoals Oliver Twist. Hij verlangde naar persoonlijk contact en hunkerde naar kleine wetenswaardigheden over geboorten en huwelijken, school, sport, film, theater, boeken, bloemen, reizen, regen, nieuwe vindingen, sociale problemen, veranderende opvattingen. In de geslonken wereld van de gevangenis werden deze ogenschijnlijk kleine dingen oneindig belangrijk.

Ahmed Kathrada schreef op 9 september 1982:

'Ik geloof dat het in 1971 was dat jullie, Shamin en Rashid, naar Kaapstad kwamen met jullie moeder. Ze schreef dat jullie de Tafelberg waren opgeklommen en met een telescoop naar Robbeneiland hadden gekeken. Ze zei dat jullie kleine harten naar mij uitgingen. In die tijd mochten we nog geen nieuws ontvangen en in de brief moet iets hebben gestaan dat ze als "ongewenst" hebben beschouwd, dus kreeg ik alleen een gedeelte van de brief. We hebben lang nagedacht over wat voor belangrijke informatie eruit was gehaald.

Ik wil je graag vertellen over een boek dat ik lang geleden heb gelezen. Ik geloof dat het *Mistress of Kafka* heette. Ergens beschrijft de schrijfster haar gevangeniservaringen, en ze zegt dat het in de gevangenis de minuten en uren zijn die het moeilijkst door te komen zijn. De jaren gaan relatief ongemerkt voorbij. Ze heeft gelijk!'

De zware arbeid ging voort. Het moeilijkste werk was het uithakken van kalk. Nelson herinnert het zich nog goed: 'Je begint het werk vol goede moed, vol ijver, zingend en dansend, maar het harde steen neemt dit alles snel weg. De kalk is zacht, maar ingebed in bijna ondoordringbare lagen zeer hard steen. Je hakt, maar het blijft onvermurwbaar. Dan verandert het zingen in vloeken en zijn er woordenwisselingen met de bewakers.'

De moord op Verwoerd in 1966 had zijn weerslag op de politieke gevangenen. De moordenaar, Tsafendas, was een blanke bode uit het parlement, die later krankzinnig werd verklaard. De beweging had met de moord niets te maken, maar de woede van de blanke gevangenisleiding richtte zich op de gedetineerden.

In januari 1967 raakten Nelson, Eddie Daniels, Neville Alexander en Laloo Chiba in de groeve betrokken bij een woordenwisseling met de bewakers. De gevangenen werden ervan beschuldigd 'lui, onverschillig en nalatig' te zijn. Het incident bracht ze weer nader tot elkaar en ze werkten samen aan hun verweer en huurden juristen in om zich te verdedigen. De aanklacht kwam te vervallen.

De houding van de gevangenisleiding bleef veranderen. Zodra er nieuw personeel kwam, begonnen de misstanden opnieuw. Maar altijd slaagden de gevangenen er weer in tot de bewakers door te dringen en ze aan te zetten tot menselijker gedrag. De autoriteiten probeerden vertrouwelijkheid tussen gevangenen en bewakers te voorkomen, door de laatsten voortdurend te vervangen.

Nelson herinnert zich de officier Van Rensburg als een van de kwaadaardigste bewakers. Hij was naar het eiland gekomen vanuit Brandvlei, een gevangenis die de reputatie had een hel te zijn. Hij was beestachtig in zijn grofheid:

'Hij leunde tegen onze eettafel en urineerde daar als

hij aandrang had. Hij kon volkomen onaangedaan door de stank en de vuiligheid naast de plek blijven staan waar hij net zijn behoefte had gedaan. Iedere dag koos hij een ander slachtoffer uit voor zijn spelletjes. Op een dag waren Fikile Bam en ik zijn doelwit. "Ik wil jullie spreken," zei hij aan het eind van de dag. Hij nam ons mee naar de luitenant en beschuldigde ons ervan gelummeld te hebben tijdens het werk. *Te lui om te werk* was de officiële classificatie in het Zuidafrikaans. We verdedigden ons en nodigden de luitenant uit om mee te gaan en de berg stenen te bekijken die bewees hoeveel werk we hadden gedaan. "Het zijn maar kleine bergjes," sprak Van Rensburg tegen. De luitenant zei dat hij zelf zou gaan kijken en we kregen een inspectie *in loco*. Van Rensburg schrok toen hij de grote bergen gebroken steen zag. "Dat is het werk van een hele week," zei hij, maar het was duidelijk dat hij loog. De geïrriteerde luitenant deed wat een officier zelden doet, hij strafte zijn ondergeschikte in het bijzijn van gevangenen. "Je liegt," zei hij. Het was een vorm van rechtvaardigheid die ons allemaal een hart onder de riem stak.' Er waren andere voorbeelden van integriteit: 'In 1972 werden we getreiterd door kolonel Badenhorst, die van zijn pensioen was teruggehaald. Hij was te grof voor woorden en bovendien lui. Als bevelvoerend officier was het zijn taak om dagelijks een inspectie uit te voeren. Hij kwam eens per maand. Als je een klacht had, was zijn vaste reactie je te beledigen met de meest schunnige Zuidafrikaanse scheldwoorden. "*Jou ma se moer!*" was een favoriete. Toen drie rechters Steyn, Corbett en Theron ons bezochten, klaagde ik namens de gevangenen. Badenhorst bedreigde mij in hun aanwezigheid. "Je krijgt moeilijkheden," zei hij. Ik vertelde de rechters dat dit een typisch voorbeeld was van wat er op Robbeneiland aan de hand was. Badenhorst werd overgeplaatst.

Onze strategie om de bewakers niet tegen te spreken als we beschuldigd werden van slecht gedrag, maar te wachten totdat zij het initiatief namen om ons te straffen, werkte. We verdedigden ons tegenover de leiding en wonnen bijna altijd. Dit verminderde de agressie van de bewakers.

De bewakers leerden ook dat grofheid tegenover ons altijd resulteerde in een "langzaam aan" van onze kant, dat, als ze onze medewerking wilden, ze ons op een beschaafde manier moesten benaderen. Sergeant Opperman wilde meer kalk uit de groeve. "Heren," zei hij tegen ons, "de zware regenval gisteren heeft de markeringen op de wegen weggespoeld. Er is dringend behoefte aan kalk. Kunnen jullie helpen?" Dat konden wij.

Voedsel was altijd een probleem: het was van slechte kwaliteit en er was onderscheid per ras (Indiërs en kleurlingen kregen beter eten dan Afrikanen). Soms was er helemaal geen eten; bewakers stalen en verkochten het. Koffie was in het begin van de gevangenschap gemalen maïs. Op een dag kregen we ons dagelijks rantsoen suiker (een theelepel) niet meer en ook de porties pap op ons bord werden steeds kleiner. We vreesden dat we op een ochtend wakker zouden worden en er helemaal geen eten meer zou zijn. De pap was afschuwelijk, maar we leefden er op. Toen generaal Steyn de zaak overnam was het alsof een zware last van onze schouders viel. Hij was woedend toen hij onze klachten hoorde. Er kwam weer voedsel, sadistische bewakers werden vervangen, de voorschriften werden strikt nageleefd en brieven die uit willekeur waren achtergehouden kwamen tevoorschijn. Ik had tijdens een bezoek tegen Zami geklaagd: "Waarom schrijf je me niet?" Ze protesteerde: "Ik heb je iedere maand geschreven." Ik besprak de zaak met de bevelvoerend officier. De volgende dag kreeg ik zes van mijn brieven.'

Nelson schreef een autobiografie in de late jaren zeventig. Eén exemplaar kon naar buiten worden gesmokkeld voor publicatie, een ander verborg hij in een lege pijp onder het beton. Op een dag brak men de vloer open, de pijp en het beton werden vernield en het originele exemplaar van het manuscript ging verloren in het puin.

'Een gevangenis is bovenal bedoeld om te straffen. Het breekt de menselijke geest, buit menselijke zwakheden uit, ondermijnt menselijke kracht, vernietigt initiatief en individualiteit, negeert intelligentie en brengt een vormeloze, robotachtige massa voort. De grote uitdaging is dit te weerstaan, je niet aan te passen, de kennis van de maatschappij buiten intact te houden en volgens haar regels te leven, want dat is de enige manier om het menselijke en het sociale in jezelf te bewaren. We moesten proberen dit te begrijpen en het begrip met elkaar delen, het was de enige manier om onze eigen identiteit te behouden. We waren niet allemaal gelijk, onze reacties op de ontberingen verschilden. We leefden allen onder grote spanning, maar sommigen van ons waren beter in staat om hier mee om te gaan dan anderen. Het ergste van gevangenschap is eenzame opsluiting. Je komt oog in oog met tijd en er is niets zo angstaanjagend als het alleen zijn met niets dan tijd. Dan komen de spoken. Ze kunnen erg duister zijn, erg onheilspellend, duizend vragen oproepen over de mensen buiten, hun loyaliteit. Was jouw offer al die moeite waard? Hoe zou je leven er hebben uitgezien als je er niet bij betrokken was geraakt?

De enige die je kan redden ben jezelf en het helpt wanneer je een verborgen talent hebt dat naar voren komt. Iedereen heeft een of ander talent. Vaak weet de gevangene zelf niet dat hij dat talent heeft; er is in het leven buiten zoveel te doen dat het daar vaak verborgen blijft. In gevangenschap kan dit talent je reddingslijn worden. Het kan een prachtige therapie blijken, die jezelf en je kameraden verlost. Er waren mannen op Robbeneiland die goed met hun handen konden werken, anderen hadden een goed verstand en sommigen blonken op beide terreinen uit. Jeff Masemola, een PAC-lid, leerde me wiskunde en hij maakte een loper waarmee je iedere deur in de gevangenis open kon maken. Ze verwijderden hem van de algemene afdeling. Hij was te inventief en daarom te gevaarlijk. Mac Maharaj, Laloo Chiba en Henry Fozzie maakten hun eigen gereedschap van stukjes zink of wat ze maar vonden. Ze namen afval mee van de werkplaats, hout en steen, en tijdens de uren dat ze opgesloten zaten maakten ze hiervan de meest verfijnde beeldjes en huisraad.

Er waren in elke politieke groepering mannen die bereid waren ieder offer te brengen voor hun kameraden, er waren ook mannen die de mensheid te schande maakten. De laatsten werden ons probleem. In de loop van de tijd vormden we comités voor discipline, onderwijs, politiek, ontspanning en literatuur, en deze zorgden ervoor dat de schaarse faciliteiten die we hadden, gelijk verdeeld werden. De autoriteiten erkenden uiteindelijk, onofficieel uiteraard, dat de orde in de gevangenis uiteindelijk niet door de bewakers, maar door ons werd gehandhaafd.

We hadden ons eigen sociale leven opgebouwd en dat gevormd naar het leven dat we hadden geleefd en zouden leven buiten de gevangenismuren. We stimuleerden bovenal studie. We hielpen elkaar met onze eigen kennis en deskundigheid. In deze beperkte, deprimerende omgeving kenden we het delen de hoogste waarde toe, het delen van alles, iedere bron, van materiële of intellectuele aard. En in het algemeen slaagden we daarin.

Kathy was voor in de dertig en de jongste van de Rivonia-groep, maar van het begin af aan streefde hij naar twee dingen in de gevangenis: eenheid en discipline. Hij vooral was verantwoordelijk voor het ontwikkelen van communicatiekanalen tussen de Rivonia-groep en andere politieke gevangenen. Het systeem dat hij ontwikkelde bleek te werken. Walter was de vaderfiguur. De gevangenen vonden bij hem troost en een gewillig oor.'

Ze werden gescheiden van de niet-politieke gevangen maar er bleef altijd contact bestaan. Nelson herinnert zich een bepaald incident.

'Ik was bezig met mijn gebruikelijke taken in onze sectie. De zon stond hoog en ik had mijn breedgerande kartonnen hoed op, die was gemaakt door Jeff Masemola. Een groep gevangenen was aan het werk op een hoger gedeelte en konden mij daarom zien. *"Amigos!"* riepen ze. Ik negeerde ze, omdat ik wist dat de bewaker die mij in de gaten hield in moeilijkheden zou komen. De gevangenen werden boos. *"Mdala!"* riepen ze ditmaal minachtend. Later ontdekten ze wie ik was en toen ze me weer zagen probeerden ze opnieuw mijn aandacht te trekken, ditmaal met een strategie die meer succes had. "Wij zijn ook je kinderen," riepen ze. "Waarom praat je alleen met de Xhosa? Waarom discrimineer je ons?" (De meeste gevangenen in de West-Kaap zijn kleurlingen en de meeste Afrikanen Xhosa.) De beschuldiging stak me. "Hoe kunnen jullie dat zeggen?" vroeg ik. "Jullie hebben me niet zien praten met de Xhosa. Jullie kunnen me niet beschuldigen van discriminatie. Nee! Nee! Nee! We zijn één. Begrijpen jullie dan niet dat we moeilijkheden krijgen als ik met jullie praat." Ze waren tevreden, want ik had met ze gepraat.'

'Ze waren zoals onze vaders: Govan Mbeki, Walter Sisulu, Nelson Mandela (zei een van hen!).

Mandela helpt iedereen. Hij discrimineert niet omdat iemand PAC is of BC. Als je een probleem hebt, ga je naar hem toe en praat je met hem, persoonlijk, over welke kwestie dan ook. Vooral persoonlijke problemen kunnen een zware tol eisen. Als er iemand sterft of erger, als je vrouw of vriendin er vandoor gaat met een andere man, kan dat dodelijk zijn.

Op een bepaald moment waren er problemen tussen ons en de bewakers. Nelson overtuigde de autoriteiten dat door overleg de impasse kon worden doorbroken. Iedere cel werd gevraagd om afgevaardigden te sturen. We werden naar een klein kantoor geleid. Er waren niet genoeg stoelen, dus bleven sommigen van ons staan en gingen anderen samen op een stoel zitten. De functionarissen zaten comfortabel. Nelson was een van de laatsten die binnenkwam. Hij keek even en zei: "We kunnen geen overleg voeren onder deze omstandigheden. We moeten allemaal goed zitten." Ze brachten meer stoelen binnen en het overleg werd gevoerd in een geschiktere omgeving.'

Strini Moodley was een van de negen leden van de South African Student Organization (SASO), die in 1976 waren veroordeeld wegens 'terroristische' gedachten. Ze hadden geen enkele bom tot ontploffing gebracht, maar de rechtbank vond hun poëzie, toneel en politieke redevoeringen, terroristisch. Het waren jonge mannen, onder de dertig, en ze brachten een nieuw revolutionair elan naar het strenge eiland.

Strini vertelt:

'We kwamen op 22 december 1976 op Robbeneiland aan. We keken uit naar een ontmoeting met onze leiders, die voor ons legendarische helden waren. Dat was het enige voordeel van onze langdurige straf. Maar we zagen ze niet, niet meteen. We werden in de C-sectie geplaatst en ieder afzonderlijk in een cel opgesloten. Het enige dat we zagen van de Rivonia-mannen waren schimmige figuren op de binnenplaats van de B-sectie, die we konden zien wanneer we uit de hoge ramen van onze cellen keken, over onze binnenplaats heen en door de hoge celramen aan de overkant. We konden niemand herkennen.

Onze sectie was al een tijdje niet meer in gebruik, het werd de observatie- of strafsectie genoemd. Het was er zo vochtig dat de verf er voortdurend afbladderde. Als je je voet tien of vijftien minuten op de cementen vloer hield, lag er als je hem optilde een plas water onder. Er was een doorgang in het centrum van het blok en de cellen lagen tegenover elkaar. Het kantoor van de bewakers lag aan het einde van de gang en daar voorbij was een smalle, ommuurde ruimte met zes douches en een aantal toiletpotten. Er was geen warm water, alleen koud zeewater.

Onze cellen waren klein, ongeveer drie stappen naar iedere kant. Er waren twee hoge ramen en van één was het derde ruitje verwijderd zodat de bewakers naar binnen konden kijken. De ramen waren aan de binnenkant gebarricadeerd. Het enige dat ik kon zien vanuit mijn achterraam waren de betonnen muren van de andere celblokken. We hadden in onze cel een emmer, een fles, een handdoek, een washandje, drie slaapmatjes (één van stro en twee vilten) en vier dekens. Die kleine ruimte en die schaarse bezittingen vormden zes weken lang onze wereld. We werden een uur per dag gelucht; 's ochtends om te douchen en de toiletten te gebruiken en 's middags om een luchtje te scheppen en onze benen te strekken.

Eenmaal op de binnenplaats trotseerden we openlijk onze bewakers. We schreeuwden *Amandla!* zo hard als we konden, zodat de andere gevangenen ons konden horen. Omdat ze ons niet konden tegenhouden bouwden ze een hoge muur, zodat de anderen ons niet konden zien.

Op de dag voor Kerstmis bezochten Kathy (Ahmed Kathrada) en Frank Anthony van de Non-European Unity Movement ons. Ze brachten snoep en tabak voor ons mee van hun comité, Ulundi. We waren opgetogen om Kathy te zien. Hij had naar mij persoonlijk gevraagd en hij vertelde me dat hij mijn vader kende. Hij was emotioneel en wilde niet weggaan en stelde me eindeloos vragen over mensen in Durban die we beiden kenden.

We overlegden hoe we contact met ze konden houden. We ontdekten dat er een opening was in het ijzeren hek tussen onze binnenplaatsen, waar we boodschappen achter konden laten. We vertelden Kathy dat we Nelson wilden zien en we stelden voor dat hij op een bepaalde plek en bepaald tijdstip op hun binnenplaats zou gaan staan, zodat we hem konden zien. Toen hij werd gearresteerd lagen de meesten van ons nog in de luiers en sommigen waren nog niet eens geboren, maar hij maakte deel uit van onze ziel en onze politieke cultuur en we verlangden er zeer naar hem te zien. Hij deed zoals we hadden gevraagd en we zagen hem staan, lang, mager en waardig. We spraken niet en we wisselden geen tekens uit, we keken met verbazing naar de man en spraken later opgewonden over hem.

We werden na verloop van tijd verplaatst naar sectie D, het gemeenschappelijke blok. Zoals alle gemeenschappelijke blokken had sectie D een aantal voordelen. De toiletten en de douches waren in het blok gebouwd zodat we voortdurend toegang tot ze hadden en, nog belangrijker, we hadden elkaars gezelschap. 's Nachts discussieerden we, maakten plannen en lazen of studeerden als ons dat werd toegestaan.

De niet-politieke gevangenen waren twee tot drie kilometer van ons vandaan gehuisvest. We zagen ze als ze het terrein naast onze gebouwen kwamen schoonmaken of in groepen naast ons werkten. Ze hielden in het algemeen het eiland schoon.

Er waren twee bijzonder zware vormen van dwangarbeid op Robbeneiland: het verzamelen van vogelpoep en het uithakken van kalk. Door de vogelpoep werden we zo smerig en roken we zo vies dat we aan het eind van de dag nauwelijks onze eigen lichaamsgeur konden verdragen. In de groeven scheen de zon op de witte kalk en verblindde onze ogen. We konden nauwelijks zien en waren bang dat we per ongeluk elkaar zouden slaan. We moesten zonder onderbreking hakken, scheppen en laden en we waren bang dat er ongelukken zouden gebeuren. We vroegen om pauzes tussen de taken, maar de bewakers weigerden. Er ontstond een woordenwisseling en we legden het werk neer. Onze groep bestond uit ongeveer 150 man. Toen er versterking voor de bewakers was komen opdagen, werd ons opgedragen weer aan het werk te gaan. We weigerden. We werden naar onze cellen geleid. Die avond, we waren net begonnen met het avondeten, werd ons gezegd te stoppen. We protesteerden. We waren net begonnen. Ze lieten de honden op ons los. Hondetanden zonken in ons vlees. Razend van woede grepen we naar onze houwelen en spaden en gingen de bewakers te lijf. Er kwam weer versterking. Ze gebruikten hun wapenstokken om ons te overmeesteren en 77 leden van onze groep werden opgesloten in sectie C.

De gevangenen waren woedend. Nelson en zijn collega's speelden ons briefjes toe waarin ze ons moed toewensten en steun toezegden. We gingen in hongerstaking; zij volgden. Uiteindelijk greep het Rode Kruis in en werd de hongerstaking beëindigd.

Onze zaak kwam voor de rechter en omdat we geweigerd hadden ons te onderwerpen aan het gezag van Richardson, de commandant en een echte fascist, werd er een magistraat van het vaste land overgebracht. Acht leden van onze groep werden voorgeleid en de beschuldiging tegen ons werd ingetrokken. We ontvingen voortdurend steun en advies van de Rivonia-groep en vooral van Nelson.

Later werden Saths, Aubrey en ik verplaatst naar de B-sectie en leerde ik Nelson van nabij kennen. Hij was precies zoals ik gedacht had. Hij stak met kop en schouders boven de anderen uit. Iedereen keek naar hem op en respecteerde hem. Als hij sprak luisterden wij. Hij was geduldig en tolerant, ik zag hem nooit zijn geduld verliezen.

Nelson was erg benieuwd naar onze politieke opvattingen en regelde dat we voordrachten konden houden, zodat ze de post-Sharpeville activiteiten uit de eerste hand zouden horen en de Black Consciousness Movement zouden begrijpen.

Ik voelde dat hij geen moeite had zich in te leven in onze positie, maar dat hij tegelijkertijd op een constructieve manier kritisch was. Hij zei dat we wat onbesuisd waren. Ik suggereerde dat hij eigenlijk bedoelde dat wij wat radicaler waren. Ik vertelde hem dat mijn vader altijd zei dat ik onbesuisd was, maar uiteindelijk toegaf dat ik radicaler was dan hij. Nelson ging daar niet tegen in.

Zijn begrip voor de uiteenlopende opvattingen die er onder ons leefden was opvallend. Ik vond hem toleranter ten opzichte van de verschillende gezichtspunten dan de meeste anderen. Ik herinner me een film die we te zien kregen, die denk ik bewust was gekozen om ons te doordringen van het legitieme karakter van autoriteit. De film toonde twee groepen: een groep Hell's Angels en een legereenheid. De legereenheid was in gevechten verwikkeld en er waren opnamen bij van acties in Vietnam, nogal schokkend, maar niettemin volgens de regels. De Hell's Angels schonden de wet op een grove manier en mishandelden en verkrachtten uiteindelijk een aantal vrouwen op een afschuwelijke manier. Het leger kreeg ze te pakken en de film eindigde met het wegleiden van de Hell's Angels door de militairen. Iedereen was het er aan het eind van de film over eens dat de Hell's Angels hun straf hadden verdiend. Behalve ik, ik zei dat we naar de symboliek van de film moesten kijken. De Hell's Angels symboliseerden in werkelijkheid de revolutionaire jeugd van de jaren zeventig, Cohn-Bendit en zijn generatie; de film vergoelijkte dus institutioneel geweld, maar veroordeelde het geweld dat tegen het systeem was gericht. Men was verontwaardigd. Ik werd ervan beschuldigd een stelletje verkrachters, het kwaad, te steunen. Mijn verhaal over symbolisme was, zo zei men mij, onzin. Alleen Nelson hield zich afzijdig en bracht de gemoederen tot bedaren toen hij zei: "Nee, Strini kan best gelijk hebben. Laten we proberen het te begrijpen. Het is misschien iets dat aan ons voorbij is gegaan." Hij stelde voor dat ik een voordracht zou houden over dit onderwerp. Ik hield de voordracht, de belangstelling was groot en in de discussie, waarin Nelson een hoofdrol vervulde, speelden emoties geen grote rol.

Ik vond Nelson ook fantastisch gezelschap. Hij hield ervan om te schaken en domino te spelen. Hij was nooit neerbuigend tegen ons omdat we van een jongere generatie waren. Als we samen waren en grappen maakten, zoals mannen dat doen, en de grappen werden soms een beetje gewaagd, dan trok hij zich niet terug. Hij bleef bij ons.

Eén gebeurtenis in het bijzonder herinner ik me. We hadden teams gevormd in onze sectie die tegen elkaar uitkwamen. We kozen iemand uit ons gezelschap die de gebeurtenissen van die dag zou samenvatten. In dit geval was ik de commentator en moest ik verslag doen van de volleybalwedstrijd waarin een team op de vuist was gegaan en iedereen had moeten lachen. Nelson had geen spier vertrokken tijdens de partij. Toen ik het incident weergaf, iedere gebeurtenis overdrijvend om het grappig te maken, gooide Nelson zijn hoofd naar achteren, sloeg op zijn dijen en bulderde van het lachen.

Mijn cel was tegenover die van hem zodat ik hem kon zien door het traliewerk.'

George Sithole beschrijft het leven op Robbeneiland in de jaren tachtig. De omstandigheden waren toen heel wat verbeterd. Hij vertelt:

'De gevangenis van Robbeneiland is een ommuurd kamp, ongeveer het formaat van vier voetbalvelden. Er zijn daar tien grote, over de ruimte verspreide gebouwen, in zeven ervan bevinden zich de celblokken en in de overige de administratie, de recreatieruimte annex bibliotheek en het ziekenhuis.

Toen ik naar het eiland kwam waren Mandela, Sisulu en Kathrada al overgeplaatst naar Pollsmoor. Motsoaledi, Mhlaba en Mbeki waren er nog steeds.

Maar het was alsof de andere leden van de Rivonia-groep nooit weg waren gegaan.

We hoorden voortdurend verhalen over ze, over Mandela en Sisulu en Kathy. John Ganya, lid van het PAC, vertelde dat Mandela vlak nadat hij op Robbeneiland was aangekomen al een groep PAC-leden hielp. Nelson was ervan overtuigd dat ze onterecht waren veroordeeld en hij bereidde hun bezwaarschrift voor en had succes. Ganya had het voorstel om in beroep te gaan afgewezen omdat hij geen gunsten van een blanke rechtbank wilde, maar hij had spijt van deze houding toen de anderen werden vrijgelaten.

De leden van de Rivonia-groep hadden veel invloed en het is te danken aan hun regels dat de politieke gevangenen zich concentreerden op studie, schrijven en het behalen van examens.

De gevangenisautoriteiten gaven de Rivonia-groep de ruimte omdat ze bang voor hen waren. Ze respecteerden ook de autoriteit van andere leiders, maar niet in dezelfde mate als bij de ANC-leiders. Deze konden wanneer ze dat wilden de gevangenis in rep en roer brengen, en dat wisten ze. Het ANC dankte zijn autoriteit aan het feit dat het democratisch was en het waren vooral de mannen van de Rivonia-groep die daarvoor de fundamenten hadden gelegd.'

Maar, zegt Sithole, ze waren ook bang voor de ANC-leiders en daarom werden ze gescheiden van de andere gevangenen in blok C.

'De administratie-gebouwen kijken uit over blok B en het staat onder voortdurend toezicht. Je moet naar een lager gedeelte om de cellen te bereiken. Ze zijn koud en ellendig en krijgen maar een paar uur per dag zon. De Rivonia-groep bracht de meeste tijd van haar celstraffen daar door. Het heeft zijn eigen bibliotheek en tennisbaan, zodat de leiders en invloedrijke gevangenen onder elkaar blijven.

De gevangenis heeft tegenwoordig een capaciteit van ongeveer zevenhonderd gevangenen. Toen ik daar was van 1983 tot 1988 waren er zeshonderd ANC-kameraden, vijftig AZAPO-leden, dertig leden van het PAC en ongeveer twintig Namibiërs.

We konden het goed met elkaar vinden en we leerden wat toleranter te zijn ten opzichte van onze ideologische verschillen. De ANC-leden werden zo nu en dan beschuldigd van arrogantie. Ze probeerden ons een toontje lager te laten zingen door te insinueren dat, aangezien er zoveel van ons in de gevangenis zaten, we zeker een hoop fouten hadden gemaakt. Wij daarentegen benadrukten dat er zoveel in de gevangenis zaten omdat we ook buiten de gevangenis met zovelen waren.

Elke politieke groepering benaderde de gevangenisautoriteiten op eigen wijze. De Namibiërs zagen zichzelf als vreemdelingen; de PAC en BC handhaafden zo lang mogelijk een politiek van non-coöperatie; het ANC nam de regels in acht, gebruikte de voorzieningen en probeerde ons saamhorigheidsgevoel te versterken. Dit was het beleid zoals de Rivonia-groep en vooral Mandela het hadden vastgelegd. Ik vond het een bijzonder positieve benadering. Het versterkte onze betrokkenheid bij het ANC en het resulteerde ook in het winnen van aanhangers onder het PAC en BC.

Het leven in de gevangenis is in hoge mate georganiseerd en de organisatie valt in drie niveaus uiteen. Er is de officiële bureaucratie, de door de gevangenen opgezette comités om de sportieve faciliteiten en die van de bibliotheek te benutten, en tenslotte zijn er de cellencomités van de politieke organisaties, die de discipline handhaven, het binnengekomen geld verdelen en beslissen hoe dit besteed moet worden. De discipline in de gevangenis hangt af van deze laatste comités, en de gevangenisautoriteiten weten dat.

Ik leerde meer in de gevangenis dan in al mijn jaren erbuiten. Als we onder elkaar problemen hadden die we niet konden oplossen, dan namen we ze mee naar de B-sectie. Vervolgens beraadde een commissie zich over de kwestie, waarna haar bevindingen in iedere cel werden besproken. Op die manier probeerden we tot overeenstemming te komen. De omstandigheden op Robbeneiland zijn aanzienlijk verbeterd. Vooral sinds midden jaren tachtig. De gevangenen worden nu wakker op het geluid van doedelzakmuziek, ze hebben stromend water en douches in de cellen, hebben toegang tot radio en tv en kunnen een abonnement nemen op kranten en tijdschriften. Gevangenen wordt ook een vak geleerd. Geen van deze voorzieningen bestond in de jaren zestig en zeventig. Pas in 1984 kwamen er bedden in de algemene cellen en één of twee jaar daarvoor in de enkele cellen. Televisie werd toegestaan in 1986 en radio's ongeveer vijf jaar eerder.

Toen de mannen van het Rivonia-proces gevangen werden gezet waren de omstandigheden heel primitief. Ze sliepen op jute matten op de vloer, droegen smerige uniformen en hadden geen pyjama's. Ze werden in hun cellen opgesloten met sanitaire emmers en een fles water en hadden geen toegang tot lectuur, radio of wat voor medium dan ook. Ze konden niet studeren. Ze vochten voor verbetering van de omstandigheden en hadden succes.

Toen ik op Robbeneiland was, kregen gevangenen die er een jaar zaten de mogelijkheid om een vak te leren: kleren maken, stofferen of metselen. Dwangarbeid betekent onder meer naar het "juk" (plaats waar gewerkt wordt) gaan. Gevangenen klimmen uiteraard op van D naar A, nieuwkomers hebben praktisch geen rechten. Een gevangene kon er soms meer dan tien jaar over doen voordat hij tot klasse A was opgeklommen, waar je het recht hebt suiker, thee en snoep te kopen en in principe recht hebt op veertig bezoeken per jaar. In feite kan de gevangenisbureaucratie zoveel bezoeken per persoon niet aan, bovendien kan de familie van de gevangenen zich deze bezoeken niet veroorloven. De lange afstanden en de hoge kosten van het reizen maken dat onmogelijk. Het Internationale Rode Kruis geeft iedere familie twaalf kaartjes per jaar.'

Maar zoals Nelson tegenwoordig zegt: 'Het was een hard en bitter gevecht om de gevangenis te humaniseren en de omstandigheden te verbeteren, zodat de politieke gevangenen konden leven met iets dat op waardigheid lijkt.' Gevangenishervorming staat hoog op Nelsons prioriteitenlijst.

In juni 1967 bezocht Winnie Nelson voor de derde keer. Ze ontmoetten elkaar een half uur. Winnie bracht hem nieuws van Thembi, die ze daarvoor had gezien en Nelson was blij te horen dat er een prettige reünie was geweest. Nelson mocht toen vier bezoeken per jaar hebben, beperkt tot naaste familieleden. Maar vanwege de lange afstanden en de hoge reiskosten was het voor zijn familieleden niet altijd mogelijk te komen.

Nelson concentreerde zich op zijn studie en probeerde het zware werk dat hem was toebedeeld te waarderen. Hij zag het als een mogelijkheid om frisse lucht binnen te krijgen, de zee en de vogels te zien. Ze werkten in de kalkgroeve, waar ze moesten graven en de vrachtwagens volgooien. Hij raakte geïnteresseerd in steenformaties en archeologie en las alles wat hij over dat onderwerp kon vinden in de kleine gevangenisbibliotheek. Het privilege om te studeren, een correspondentie-cursus te volgen, boeken te bestellen en te ontvangen, opgaven te maken en ze gecorrigeerd terug krijgen, klassen, cursussen en graden te doorlopen, elkaars academische prestaties te delen, dit alles zou later een grote steun zijn.

In 1978 schreef Nelson naar Zindzi:

'Op sommige dagen is het weer op het eiland prachtig, in feite zijn er geen woorden voor, zoals tante Fatima zou zeggen. Op een keer keek ik vroeg in de ochtend door het raam en kon ik naar het oosten zien zo ver als de horizon. Ik had even de illusie dat mijn zicht verder reikte dan het blote oog in feite kon zien. Ik kon enorme gebieden overzien, tot voorbij de gebergten waar ik nooit was geweest. Later liep ik naar buiten naar de binnenplaats en de paar levende wezens die daar waren, de zeemeeuwen, kwikstaarten, de planten, kleine boompjes en zelfs de grassprieten, waren vrolijk en vol glimlachjes. Alles was opgenomen in de schoonheid van de dag. Ik keek in de enorme koepel van blauwe leegte die zich boven mij naar alle kanten uitstrekte, en de illusie was er nog steeds, in al zijn omvang en snelheid, met inbegrip van de informatie die zij stuurde naar moeder aarde.'

(5 maart 1978)

Afgesneden van vrienden en familie

In september 1964, drie maanden na hun gevangenzetting, hoorden ze van de dood van Babla Saloojee, die in gevangenschap was gestorven. Nelson had de jongen uit Fordsburg ongrijpbaar, kinderlijk naïef en volledig toegewijd aan de beweging gekend. Wat de officiële verklaring ook was, hij wist dat de jongen geen zelfmoord had gepleegd.

Het jaar 1965 bracht het nieuws van de arrestatie van Bram Fischer. Het legde een schaduw over Robbeneiland en de vrienden vroegen zich af hoeveel schade er was aangericht. Bram was in vermomming toen hij werd gearresteerd in Johannesburg. De blanke pers toonde foto's 'ervoor' en 'erna', en verdraaiden Fischers opoffering. Nelson wist onmiddellijk dat ook Bram zijn leven lang in de gevangenis zou zitten en hij had medelijden met hem.

Nelson hield van de man en bewonderde hem. Hij beschouwde hem als de meest vooraanstaande jurist in het land. Hij had alles mee: hij was de zoon van een gerespecteerde president van de rechtbank en getrouwd met Molly Krige, die nauw verwant was aan generaal Smuts. Hij had veel macht naar zich toe kunnen trekken, maar hij ging tegen de racistische regering in en koos de kant van de onderdrukten. Kort na het Rivonia-proces, op het hoogtepunt van zijn carrière, had hij zijn juridische afdeling, zijn elegante levensstijl en zijn aangename omgeving vaarwel gezegd en was hij ondergedoken. Nelson beschouwde Fischers offer als groter dan het zijne omdat hij zijn 'stam' had moeten verlaten, iets dat Nelson nooit had hoeven doen. Bram Fischer maakte hem nederig op een manier zoals niemand dat deed. De rustige, beheerste en vooral vriendelijke Fischer was niet geschikt voor het bestaan van onderduiker. Hij was een briljant man, die hoorde te spreken in iedere rechtszaal en bij iedere bijeenkomst. Hij verdiende het niet alleen om president van de rechtbank te zijn, maar ook president van het nieuwe Zuid-Afrika waarvan hij droomde.

Nelson herinnerde zich het stille verdriet van Bram toen zijn vrouw stierf. Hij was hem komen opzoeken op Robbeneiland samen met andere juristen, kort na de veroordeling die volgde op het Rivonia-proces. Nelson vroeg naar Molly en de kinderen. Bram gedroeg zich vreemd; hij mompelde iets, draaide zich plotseling om en liep weg. Na zijn vertrek vertelde een officier, die het bezoek had gadegeslagen, dat Molly bij een auto-ongeluk was omgekomen. 'Ik was geschokt. Ik had Molly gekend en haar bewonderd en ik wist hoe nauw zij en Bram met elkaar verbonden waren. Ik moest steeds aan hem denken en die avond schreef ik hem een brief die zijn verdriet, zo diep dat hij er niet over kon praten, hopelijk kon verzachten.'

Bram werd ook tot levenslang veroordeeld, maar hij zat zijn straf uit in de streng bewaakte gevangenis van Pretoria. Hij stierf daar in mei 1977. Zijn dood werd betreurd door familie en vrienden.

Het jaar na de arrestatie van Bram Fischer bracht het treurige nieuws van het overlijden van *chief* Albert Luthuli. Doordat hem een *banning order* was opgelegd en hij al op leeftijd was, had hij afstand moeten doen van zijn politieke activiteiten. Maar zijn passie voor rechtvaardigheid was gebleven. Hij bracht zijn dagen door in gedwongen afzondering in de missie van Groutville. Afgevaardigden en vrienden kwamen hem bezoeken en meestal ontving hij ze in het huis van zijn vriend en ere-secretaris in Stanger, E.V. Mohamed. Tijdens zijn bezoek aan Zuid-Afrika landde Bobby Kennedy met een helikopter in Groutville, tot grote opwinding en verbazing van de bewoners. De verdoemde senator en de wijze revolutionair brachten een uur pratend door.

De *chief* en zijn gracieuze vrouw Nokukhanya waren gelukkig met hun kinderen: Albertina, een arts,

Hilda, een verpleegster, Jane, een maatschappelijk werkster, hun zoon, een jurist. Hilda en Albertina woonden in het buitenland, maar de anderen bezochten hun ouders regelmatig en de kleinkinderen bleven logeren. De *chief* onderhield zijn land en zijn dieren, las veel en ondernam geregeld een wandeling over een kleine spoorbrug. Hij kende deze route zo goed, zei zijn schoonzoon later, dat hij haar geblinddoekt had kunnen afleggen. Toch werd hij op een ochtend in juli 1967 dood gevonden, overreden door een trein op die zo bekende route. Het raadsel van zijn dood werd nooit opgelost.

Het ergste dat Nelson echter in die eerste vier jaar overkwam, was de dood van zijn moeder. Hij herinnerde zich haar zachtmoedigheid tijdens zijn jeugd en haar christelijke opvoeding, die zich in zijn bewustzijn had genesteld ondanks de ideologische invloeden van buiten. Hij dacht aan haar met Evelyn, met Winnie, met zijn kinderen. Maar met name de herinnering aan haar slanke, stille verschijning op de dag van zijn veroordeling kon hij niet van zich afzetten. Hij was haar enige zoon; ze was al vroeg weduwe. Als een van zijn vaders jongste vrouwen was ze verwaarloosd. Maar ondanks alles had ze haar stoïcijnse kalmte bewaard. Nelson liet het verdriet over zich komen en voelde zich erdoor getroost. Hij had zich weer volkomen in de hand toen zijn vrienden hem hun deelneming kwamen betuigen. Toen hij weer alleen was, dacht hij aan de tijd die hij met haar had kunnen doorbrengen als hij niet was opgeslokt door de politiek.

Hij schreef op 1 maart 1981: 'Zelfs mijn moeder heb ik niet de aandacht gegeven die zij verdiende. Ik schreef haar zelden, behalve dan om te proberen haar over te halen met mij in Johannesburg te gaan wonen.'

Nosekeni Mandela's begrafenis in oktober 1968 stond in groot contrast met haar bescheiden leven. Twee landen maakten hun opwachting: Transkei, als eerbetoon aan een landgenote en moeder van een ondanks politieke meningsverschillen geëerde landgenoot, en Zuid-Afrika, ter herinnering aan de wrede macht die haar zoon gevangen hield. Na een rustig en teruggetrokken leven werd Nosekeni's begrafenis een politiek rendez-vous. Nooit eerder tijdens een begrafenis in Transkei was er zoveel politie op de been geweest. Ze hadden haar nooit lastig gevallen in Qunu, maar ze wist altijd van hun invallen in het huis van haar zoon in Orlando.

Winnie had toestemming gekregen om naar Transkei te reizen voor de begrafenis. Ze barstte in huilen uit aan het graf; haar verdriet vermengde zich met dat van haar schoonzussen, Evelyn en de andere nauw verwante Madiba-vrouwen.

Drie maanden na de begrafenis van Nelsons moeder bezocht Winnie hem met berichten uit eerste hand over zijn moeders ziekte en begrafenis. Geen van beiden realiseerde zich dat het twee jaar zou duren voordat ze elkaar weer zouden zien, dat Winnie binnen een paar maanden gearresteerd zou worden en anderhalf jaar in eenzame opsluiting zou worden gehouden, dat de ergste beproeving nog moest komen.

Pogingen om de Mandela's uit te schakelen

Onmiddellijk na de veroordeling in 1964 van de mannen die later op Robbeneiland gevangen zouden worden gezet, vroegen hun vrouwen en verwanten toestemming om hun echtgenoten, zonen en broers te bezoeken. Winnie en Albertina Sisulu was een *ban-*

ning order opgelegd. Ze waren daarom voor het verkrijgen van de normale privileges voor echtgenotes van gevangenen afhankelijk van de 'genade' van de minister van Justitie. De privileges werden hun verleend, maar de vrouwen moesten afzonderlijk reizen omdat ze als 'bannelingen' geen contact met elkaar mochten onderhouden.

Winnie reisde per trein naar Kaapstad. Vrienden brachten haar naar de haven, waar ze in het claustrofobische ruim van de kleine motorboot stapte. Ze voelde de motor onder haar voeten en daaronder de golven, maar zag niets van de zee. Toen ze bij het eiland aankwam en naar het bovendek was geklommen, zag ze dat een vrolijk gezelschap haar op de boot gezelschap hield. Waarschijnlijk jonge meisjes die de politie en de bewakers bezochten, dacht ze. Toen ze naar het gevangenisgebouw liep, zag ze de uitkijktoren en de grimmige kanonnen. Een koude rilling liep over haar rug en ze realiseerde zich dat het onmogelijk was om van het eiland te ontsnappen.

Ze liep over het grindpad naar de wachtkamer voor het bezoek en wachtte daar. Toen ze werd gehaald, liep ze door de nauwe gang, langs ruiten waartegen gezichten van gevangenen gedrukt waren. Eén moment was ze ontdaan door het zien van die gezichten zonder lichamen, maar ze herstelde zich en beantwoordde hun glimlach. Een gevangene schreeuwde: 'Nelson is aan het eind van de gang,' en toen zag ze hem, hij straalde haar toe. Zij lachte terug en er volgde een onvergetelijk half uur. Voor Nelson was het al voldoende om haar bij zich te hebben, om over de kinderen te praten, om nieuws uit eerste hand te horen.

Winnie keerde terug naar Johannesburg, wanhopig. Een paar weken later werd er voor de tweede maal een *banning order* over haar uitgesproken, waardoor ze Orlando niet mocht verlaten. Ernstiger was dat het Child Welfare Office haar diensten niet meer nodig had. Haar baan was al enige tijd in gevaar omdat de regering haar salaris niet meer wilde subsidiëren. Maar Winnies onmiddellijke superieure, mevrouw Uys, had het voor haar opgenomen en had gezegd dat ze een andere bron zouden vinden om haar salaris te betalen. De druk van regeringswege bleek echter te groot. De politie volgde Winnie naar het kantoor en gewapend met volmachten doorzochten ze haar archief.

Winnie vertelt:

'Ze waren ervan overtuigd dat Nelson en ik met elkaar in contact stonden en ze dachten daarvoor bewijzen te vinden in mijn papieren. Of misschien waren ze alleen uit op wraak, in ieder geval had hun aanwezigheid een intimiderend effect. Ons kantoor was multiraciaal en ik kon met iedereen goed opschieten, behalve met Tiny Kruger. We hadden al eerder aanvaringen gehad, maar die werden nu ernstiger en meer van persoonlijke aard. Ze beklaagde zich over mij bij mevrouw Uys en eiste een verontschuldiging. Mevrouw Uys zei: "Ik kan een blanke werknemer niet voor jou opofferen. Je weet hoe de situatie is in het land." Maar ik voelde er niets voor mijn verontschuldigingen aan te bieden. Ik wist dat Tiny ongelijk had en onrechtvaardig was. Maar ik had de baan nodig, dus zei ik dat ik erover zou denken. De *banning order* voorkwam voor ons allebei dat we beslissingen moesten nemen die tegen ons geweten ingingen. Door het dwangbevel verloor ik automatisch mijn baan.'

Winnie accepteerde zowel dit dwangbevel als het verlies van haar baan. Er was een tijd geweest dat ze zichzelf als onmisbaar had beschouwd voor het bureau. Zij en Janet Makiwane hadden de zwaarste taken. Ze hadden toen ook al diverse conflicten gehad met de chef de bureau van het Child Welfare Office over de plaatsing van kinderen. Hij nam een tribalistisch standpunt in, zij een humanistisch. Er waren veel problemen ontstaan rond Lydia Mudzawana, een vrouw met zeven kinderen die door haar man was verlaten en uit het door hem gehuurde huis was gegooid. Winnie had de familie in het enige beschikbare opvangcentrum geplaatst, maar kreeg toen opdracht om ze weer te verwijderen omdat de familie Mudzawana behoorde tot de Venda-stam en het huis bestemd was voor Xhosa. Dat de kinderen ziek waren en aan astma leden, maakte geen verschil.

Over haar beroep pratend, zegt Winnie:

'Ik hield van mijn werk als maatschappelijk werkster. Ik dacht echt dat ik een belangrijke bijdrage leverde, ondanks al de ellende die ik tegenkwam. Mijn werk hield ook het plaatsen van adoptiekinderen in. In Orlando was het enige opvangcentrum voor nietblanke kinderen die op adoptie wachtten. Op een dag werd ik opgebeld door Aziz, die me vertelde dat mensen een kind wilden afstaan voor adoptie. Hij wilde dat de identiteit van de ouders geheim zou blijven en dat de adoptie op zo'n manier werd geregeld dat zij er niet bij betrokken zouden raken. Ik haalde de baby op en plaatste het kind ergens bij een gezin. Ik vroeg niet naar het ras van het kind of dat van de echte ouders, maar ik leerde van deze ervaring al gauw dat het ras van baby en adoptie-ouders overeen moest komen. Dit was niet alleen noodzakelijk vanwege de wet, maar ook vanwege de mensen die door de wet waren geconditioneerd.

De adoptie-moeder hield van het kind maar haar buren lieten haar niet met rust. Ze bleven zeuren over het steile haar van het kind zodat ze het hoofdje maar bedekt hield. Hoelang kon dat zo doorgaan? Ik besprak dit met mijn collega, Zora Dangore, en we kwamen tot de conclusie dat interculturele adoptie in deze samenleving nog niet mogelijk was. Het kind werd uiteindelijk in een huis voor kleurlingen geplaatst, want zo was men het kind gaan zien, verwekt tijdens een spontane liefde die de ouders blind had gemaakt voor hun raciale identiteit.'

De overheid wilde af van Nelson en Winnie Mandela, dus na Nelsons gevangenzetting legde ze Winnie een *banning order* op. Ze gaven de wereld daarmee een tweede Mandela. Winnie stond onder strenge controle en werd voor de geringste schendingen van de *banning order* gearresteerd en in sommige gevallen gevangengezet. De nachtmerrie van de politie-invallen viel samen met die van vandalen en nachtelijke aanvallers die, te oordelen naar hun werkwijze, exponenten van het systeem of in ieder geval sympathisanten ervan waren.

Nelson werd gekweld door de vervolging van Winnie. Het beroofde Zeni en Zindzi van de aanwezigheid van beide ouders. Hij maakte zich zorgen over de gevolgen daarvan voor zijn dochters. Hij maakte zich zorgen over Winnies isolement en eenzaamheid, over het verlies van haar baan en het verlies van het contact met haar vrienden en familie. Hij kon het niet verdragen dat hij haar niet kon beschermen tegen de politie en misdadigers die haar leven brutaliseerden. En zoals altijd was hij degenen die haar hielpen dankbaar.

Het aantal keren dat Winnie werd vervolgd voor het overtreden van het dwangbevel kwam ongeveer overeen met het aantal jaren dat haar een *banning order* was opgelegd. Tot tweemaal toe moest ze een gevangenisstraf uitzitten voor technische overtredingen.

Voor Winnie was het overleven zonder Nelson alleen mogelijk door net zo te leven als hij. Ze stortte zich op de politiek. Ze zocht slachtoffers van politieke vervolging op en probeerde ze te helpen. Nu het haar onmogelijk was gemaakt haar beroep uit te oefenen, deed ze het op een andere manier, zonder beloning, zich richtend op bijzondere cliënten. Ze trok een aantal medewerkers aan en verbond zich met andere activisten. Boodschappers arriveerden 's nachts met pamfletten die verspreid moesten worden. Hun goeder trouw werd nooit in twijfel getrokken. Op een keer, toen ze om vier uur in de ochtend pamfletten aan het verspreiden was, werd ze verrast door een man die haar begroette met 'Sakubona, Mama'. Ze had niet verwacht dat iemand haar zou herkennen in haar lange overjas, getooid met een hoofddoek die het grootste deel van haar gezicht bedekte.

Ook al zou Winnie hebben verkozen om zich afzijdig te houden van de politiek, dan nog zou de overheid haar niet met rust hebben gelaten. Als 'banneling' en vrouw van een gevreesd man stond ze onder voortdurende politiecontrole. Winnie was voortdurend met de politie in conflict en iedere keer dreef ze de zaak op de spits. Waar anderen het erbij hadden laten zitten en verder waren gegaan met hun leven, maakte zij haar leven tot een voordurende confrontatie met de politie en het systeem.

In oktober 1964, vier maanden na het begin van Nelsons gevangenschap op Robbeneiland, kwam Winnie bij het politiebureau van Johannesburg. Ze had eten bij zich voor Paul Joseph, een 90-Dagen gevangene. De familie Joseph waren goede vrienden en een krachtige steun in de strijd voor vrijheid. Ze hadden veel voor haar gedaan tijdens Nelsons proces. Paul werd op een schandelijke manier ondervraagd en hij had het gerecht verzocht daar wat aan te doen. De 90-Dagen gevangenen mochten alleen voorverpakt voedsel hebben en Winnie had zich strikt aan de voorschriften gehouden, maar de politie wilde het eten niet aannemen. Een woordenwisseling volgde en Winnie viel uit naar de politieagenten. Deze verloren hun zelfbeheersing en sloegen haar. Ze diende toen een klacht wegens mishandeling in. Dit was misschien de reden voor hun nieuwe offensief, nog grimmiger dan de schendingen van haar privacy of arrestaties na schendingen van de *banning order*. Ze verzonnen nu een duister plan om Nelson en Winnie uit te schakelen; ze stelden zich ten doel Winnies reputatie te vernietigen.

Een vrouw is kwetsbaar. Een mooie jonge vrouw, gescheiden van haar echtgenoot, is honderdmaal kwetsbaarder. Die schoonheid zelf wordt het onderwerp van afgunst. Tongen komen zonder reden in beweging en een kleine aanleiding is genoeg om ze niet meer tot rust te laten komen.

Brian Somana was een vriend van de familie. Nelson, die zich na zijn detentie ongerust maakte over Winnie, had vrienden gevraagd om een oogje op haar te houden. Onder hen was Brian, een 90-Dagen gevangene in wie Nelson een groot vertrouwen had. Brian nam Nelsons verzoek serieus. Maar hij werd door de politie gebruikt als instrument om Winnies morele en politieke reputatie aan te tasten. Mevrouw Somana begon een echtscheidingsprocedure en noemde Winnie als co-respondent. Maar zo gauw dit de pers bereikte, werd de procedure stopgezet.

De beweging werd geïnfiltreerd door informanten van de politie, zoals het Rivonia-proces al aan het licht had gebracht. En deze 'informanten', geaccepteerd als leden van het ANC, begonnen een campagne die verwarring en wantrouwen moest zaaien. Winnie merkte dat vrienden haar probeerden te isoleren, maar anderen stelden haar gerust. De politie poogde haar te beschuldigen van overspel, maar Winnie kwam de beschuldigingen ongeschonden door en haar reputatie bleef intact.

In juli 1966 troffen Winnie en Nelson elkaar voor de tweede keer in de gevangenis. Winnie kreeg te horen dat ze haar echtgenoot alleen kon bezoeken met een pas. Dit was opnieuw een poging hen te vernederen. Nelson had zijn pas immers openlijk verbrand. Winnie zou liever naar de gevangenis zijn gegaan dan de pas te dragen die sinds de jaren vijftig verplicht was voor alle Afrikaanse vrouwen. Maar de behoefte om elkaar te zien was zo groot dat het pure zelfkastijding zou zijn geweest om dat stukje papier niet te bemachtigen. Ze hadden elkaar al twee jaar niet gezien en er was in die tijd heel veel gebeurd.

Voor Nelson vielen de jaren en gebeurtenissen weg toen hij naar haar keek. Hij vroeg zich af hoe hij het zonder haar had uitgehouden. Ze zat daar, zo jong en kwetsbaar, achter de glazen wand die hen gescheiden hield. Hij wilde haar aanraken en haar omarmen. IJdele hoop. Ze spraken gegeneerd in het bijzijn van de bewakers en voelden zich als jonge geliefden. Nelson was hulpeloos, ingesloten door politie en bewakers tralies en hoge muren en een zee die hij niet kon oversteken.

De politie volgde Winnie naar het vliegveld van Kaapstad, vanwaar ze naar Johannesburg zou vertrekken en vroegen haar naam en adres. Geërgerd antwoordde ze dat zij dat al wisten. Hoe wisten ze anders wie zij was? Ze werd ervan beschuldigd dat ze weigerde zich te identificeren en dat ze haar aankomst in Kaapstad niet had gemeld. Voor het eerste vergrijp werd ze veroordeeld tot een maand cel en voor het tweede tot een vol jaar. De magistraat vond kennelijk dat deze arrogante zwarte vrouw een lesje moest hebben. Maar op vier dagen na werd haar hele straf opgeschort. Haar advocaat bepleitte een voorwaardelijke straf, op één dag na. De magistraat was het hier niet mee eens en zei: 'Het is erg onredelijk dat de rechtbank op dit punt een oordeel moet vellen. Ze is een vrouw en het kan zijn dat ze van streek was nadat ze haar man had gezien, maar of dit haar het recht gaf om te weigeren haar naam en adres te geven staat ter discussie. Ik schat haar intelligentie hoog in en ik denk dat ze wist wat ze deed.' De verdediging kreeg het recht om in beroep te gaan en ze werd op borgtocht vrijgelaten.

Ondertussen had Winnie een administratieve baan weten te vinden bij een instituut voor schriftelijk onderwijs, maar de overheid dwong haar werkgever haar te ontslaan. De *banning order* verbood het werken bij een onderwijsinstelling.

In afwachting van de afwikkeling van de ene zaak kwam de politie al met een volgende. Luitenant Fourie drong op een dag Winnies slaapkamer binnen terwijl ze zich stond uit te kleden. Ze was net van haar werk thuisgekomen. Ze zette zich schrap tegen de deurpost, verzette zich en duwde hem naar buiten. Hij daagde haar voor het gerecht wegens geweldpleging. In de rechtszaal voldeed mevrouw Mandela echter nauwelijks aan het beeld van een Amazone en de zaak werd geseponeerd.

Dat was voldoende reden tot vreugde. Nelson was trots op haar moed.

Hij beleefde plezier aan de bewondering die dit voorval haar opleverde van zijn lotgenoten op Robbeneiland. Maar ze verloor het beroep in de Kaapstadzaak en er werd vier dagen cel tegen haar geeëst. Ze zat deze uit en verliet de gevangenis glimlachend. Onder degenen die haar verwelkomden was haar vriendin Maude. Een politieagent verontschuldigde zich uit respect voor haar blankheid, 'Excuseert u mij, ik wist niet dat u op haar stond te wachten.'

In 1974 hadden Winnie en Peter Magubane een baan bij een incassobureau. De directeur, Francois Squibble, was trots op de hoge lonen die hij ze betaalde, maar prees ze ook om hun competentie. Hoewel ze echter voor hetzelfde bedrijf werkten, verbood het aan beiden opgelegde dwangbevel dat ze met elkaar praatten. De politie observeerde ze nauwlettend, in de hoop ze al pratend met elkaar aan te treffen. Tijdens de schoolvakanties haalde Peter Zeni en Zindzi op in zijn bestelwagen. Hij zette de auto ergens neer, stapte uit en stelde Winnie in de gelegenheid met de meisjes in de auto te lunchen. Op een keer werden ze door de politie gearresteerd en ervan beschuldigd dat ze met elkaar hadden gesproken. Ze zaten zes maanden in de cel voor die overtreding. Winnie zat de straf uit in het gezelschap van Dorothy Nyembe en Amina Desai, twee politieke gevangenen uit Kroonstad.

In 1981, in de tijd dat haar bewegingsvrijheid beperkt was tot Brandfort, werd Winnie ervan beschuldigd een bezoeker, Mathew Malefane, te hebben ontvangen. Maar Mathew was, zoals later bleek, een huurder en geen bezoeker, zodat de beschuldiging op niets uitliep.

Tussen 1966 en 1969 werd Winnie driemaal aangeklaagd en 491 dagen opgesloten. Tussen 1970 en 1978 werd ze nog eens driemaal aangeklaagd en zat ze zes maanden gevangen. In 1977 werd ze verbannen naar Brandfort.

De *banning order* dwong haar alleen te leven. In

1972 braken twee mannen bij haar in en probeerden haar in bed te wurgen. Haar geschreeuw alarmeerde de buren en de aanvallers sloegen op de vlucht.

Een paar maanden later werd haar garagedeur geforceerd en de ramen van haar auto ingeslagen. In 1976 sneden vandalen haar telefoonlijn door, sloegen de ramen van haar huis in, forceerden de deur en lieten tegen de regering gerichte pamfletten in haar tuin achter.

Nelson trok zich dit alles zeer aan, want hij voelde zich verantwoordelijk voor wat zij doormaakte. Hij hield van haar en zijn lijden kwam voort uit die liefde. Hij had zijn patriarchale verplichtingen altijd gekoesterd en het feit dat hij haar niet kon beschermen was onverdraaglijk. In zijn verbeelding nam de vervolging gruwelijke vormen aan.

Winnies beproeving

Het was 12 mei 1969 en Winnie had haar 35ste verjaardag nog niet gevierd. Nelson zat al zeven jaar in de gevangenis, twee van de eerste veroordeling en vijf van zijn levenslange gevangenisstraf. Hun twee dochters, Zeni en Zindzi, zaten op een kostschool in Swaziland, Winnies zuster Nonyaniso woonde bij haar in.

Om ongeveer drie uur 's nachts, toen de bewoners van huis nr. 8115 nog in diepe slaap waren, werd er plotseling hard op de deur gebonsd. Winnie was onmiddellijk wakker. Ze wist dat het de politie was en waarschuwde haar zuster. Tegen die tijd schudde het hele huis door het geklop op ramen en deuren. Winnie trok haar kamerjas aan en plotseling klonk er een krakend geluid; de voordeur kwam bijna op Nonyaniso terecht. Winnie was woest, maar majoor Johannes

Jacobus Viktor negeerde haar en droeg zijn mannen op het huis te doorzoeken. Ze raakten bijzonder opgewonden toen ze een exemplaar van *Black Power and Liberation: A Communist View* en een boek met gedichten over Zuid-Afrika vonden. Ze zeiden tegen Winnie dat ze haar spullen moest pakken: 'U zult hier lange tijd niet terugkomen, mevrouw Mandela.'

Winnie werd naar Pretoria Prison gebracht en in haar eentje opgesloten. De cel was donker en smal. Er was een deken, een sanitaire emmer, een beker en zijzelf. Ze rolde de deken uit en werd door luizen in haar vingers gebeten, waarna ze de deken weer oprolde en in een hoek gooide. Maar het was koud en ze realiseerde zich dat ze de deken nodig zou hebben. Ze rolde hem weer uit en begon de luizen dood te maken. Een uur en een hoopje dode luizen later was de deken redelijk schoon, maar haar handen voelden intens smerig en ze was misselijk van de geur van luizebloed.

Ze improviseerde een kalender en tekende de dagen aan die voorbijgingen. Ze had geen idee hoe lang men haar zou vasthouden, wie er verder nog waren gearresteerd en waarom. De bewakers spraken niet met haar. Ze duwden borden met smerig uitziend voedsel in haar cel en haalden ze weer weg, onaangeraakt. Ze mocht de cel alleen uit om de emmer te legen en zich te wassen.

Ze was opgelucht toen de politie haar kwam ophalen. Winnie herinnert zich het volgende: 'Het was gezelschap, maar mijn opluchting verdween toen ik de leider van het team zag. Het was de zwaargebouwde en zure majoor Theunis Jacobus Swanepoel. Swanepoel had de reputatie van een *killer* en zijn naam werd in verband gebracht met de dood van Babla Saloojee.'

Pas toen ontdekte ze wie er samen met haar opgesloten hadden gezeten, onder anderen haar zuster en Peter Magubane. Ze vroeg zich verschrikt af hoe het met de kinderen ging. Wie zou er voor ze zorgen? De politie vertelde haar dat ze tachtig getuigen hadden. Ze noemden de namen van haar dierbaarste en intiemste vrienden, die, zo werd haar te verstaan gegeven, de politie alles hadden verteld wat ze wilden weten. Ze hoefde hun woorden alleen maar te bevestigen. Een politieagent zat klaar achter een typemachine om haar bekentenis op te nemen.

Het karakter van de ondervraging wisselde sterk, van milde aandrang tot brute agressie. Hun tactiek was haar te laten geloven dat ze alles toch al wisten; haar collega's, haar zuster en Peter Magubane zouden alles hebben verteld.

V: Wanneer ben je bij het ANC betrokken geraakt?

A: Het ANC is verboden.

V: Vertel geen onzin. Rita heeft ons alles verteld. Dus wat heeft het voor zin? We kennen alle details van je bijeenkomsten in Ndou's winkel, in Diepkloof, in Alexandra, we weten van de eden die je hebt afgenomen, kom op, wees verstandig. Je zult alleen terechtstaan en ze zullen allemaal tegen je getuigen. Wil je een sigaret?

A: Ik rook niet.

V: Koffie?

Hij wachtte niet op antwoord. In het Zuidafrikaans vroeg hij een van de politieagenten om een kop koffie te halen en lachte toen naar haar en zei, weer in het Engels, 'Haal ook wat broodjes, als je toch bezig bent. Dat zal mevrouw Mandela op prijs stellen. Laten we verder gaan.'

'Verder gaan met wat? Er is niets om mee verder te gaan. Wat we deden, deden we openlijk. We hielpen onze mensen.'

Het gesprek ging op deze manier ongeveer een half uur door. Toen stond Swanepoel op en zei dat ze vervelend was. 'Vervelend en koppig, terwijl je zoveel te zeggen hebt. Denk je niet dat je het zult zeggen? Je zult alles hebben gezegd als we met jou klaar zijn. Gert, neem haar mee.'

Gert was een grote man met een rood gezicht. Zijn gedrag was grof en zijn houding dreigend. De manier waarop hij op haar toe liep wekte de indruk dat hij haar wat zou aandoen. Hij praatte niet tegen haar, hij schreeuwde. De anderen deden mee. Waarom draaide zij er zo omheen? Wie dacht ze dat ze in bescherming nam? Ze hadden alle informatie al, op tape: haar ontmoetingen met haar man, zijn geheime instructies aan haar, de telefoongesprekken, haar gesprekken met Oliver Tambo. Alles was opgenomen. Ze zouden haar toch opsluiten, dus wat had het allemaal voor zin?

De tijd ging langzaam. Hoe lang had ze al op die stoel gezeten? Een dag, een nacht, twee dagen, twee nachten? Wat wilden ze van haar? Ze ontdekte hoe ze de tijd kon meten in de kamer, waar alleen het elektrische licht scheen. Ze lette op de aflossing van de ondervragers. Elke ondervrager, zo leek het, bracht vier uur met haar door. De eerste vuurde vragen op haar af, de tweede schreeuwde, beledigde en bedreigde haar, de derde was een en al vriendelijkheid en begrip, bood aan haar te helpen als ze medewerking zou verlenen en antwoorden zou geven. Er kwam eten tijdens het 'vriendelijke intermezzo'. Ze vertelde haar ondervrager dat ze duizelig was en hartkloppingen had. Hij beloofde dat hij een dokter zou halen en zei: 'Waarom doe je jezelf dit aan? Je bent jong en mooi en je hebt twee jonge kinderen. Je bent het je kinderen en jezelf verplicht om een normaal en gelukkig leven te leiden.' Hij bood haar een baan bij de politie aan. Ze had klasse, zei hij, ze zou een van hen moeten worden.

'Denk toch eens, al je problemen zullen voorbij zijn.' Denk, denk, denk, het woord hamerde in haar hersenen. Ze stelde zich Nelson voor die tegen haar zei: 'Zami, volgende maand gaan we naar Durban, op vakantie, hier ver vandaan.' Een vakantie op het strand, met de golven spelend om haar voeten, de zon op het water en Zeni en Zindzi die zandkastelen bouwen...

'Winnie val niet in slaap. We moeten met je praten zodat je hier weg kunt.' Ze werd uit haar dagdroom gewekt.

Hier weg, hier weg, weg, weg. Ze dwaalde af naar Bizana. Ze was met haar vader en ze plukten maïskolven. 'Ze zijn erg goed dit jaar,' zei hij. 'En zo veel. We zullen er goed geld voor krijgen. Dat zullen we opzij leggen voor volgend jaar, voor wanneer je naar kostschool gaat.'

'Winnie?' Een andere stem, een andere man. Ze werd uit haar comateuze toestand gewekt. De vriendelijke man was verdwenen en de 'bruut' zat nu tegenover haar. Haar handen en voeten waren blauw en gezwollen. Ze dacht dat ze dood zou gaan. Swanepoel schreeuwde tegen haar: 'In vredesnaam, laat iets voor ons achter als je van plan bent dood te gaan. Je kunt niet zomaar al die informatie in je graf meenemen.' De pijn werd haar bijna te veel. Haar hart bonsde, haar hoofd draaide. Ze sloot haar ogen en haar hoofd viel naar voren. Ze sloegen op de tafel en klapten in hun handen. 'Nog niet!' schreeuwden ze, 'je hebt ons nog niet alles verteld!'

De nacht ging voorbij, het was weer ochtend en nog steeds zat ze in haar stoel. Ze bleef duizelig. De nieuwe man was een en al vriendelijkheid. Hij vroeg haar of ze een douche wilde nemen en nam haar, zonder op antwoord te wachten, mee de kamer uit naar de doucheruimte. Ze zag dat haar hele lichaam blauw was en deed pogingen zich in te zepen, waarna ze zich verfrist en wat rustiger voelde.

Ze ging terug naar haar stoel. De 'vriendelijke' ondervrager zei dat iedereen zich zorgen om haar maakte en dat men haar respecteerde. 'Daarom laten we je niet staan. We weten dat je een hartaandoening hebt. Welnu, over die ontmoeting met de heer Platt-Mills...'

Platt-Mills? dacht ze. Wie heeft ze dat verteld?

Hij ging door met het geven van details over andere samenkomsten. Ze wisten veel. De anderen waren duidelijk doorgeslagen, maar zij moest standhouden. Het was opnieuw tijd voor majoor Swanepoel. Ze was voor hem nog het bangst, maar niet voldoende om de beschuldigingen te accepteren die hij haar toeschreeuwde:

'Ik zal je zeggen wat je bent, Winnie Mandela! je bent gewoon een hoer! Je deed het allemaal voor geld. Je kreeg het omdat je je voordeed als redder van je mensen. Maar je hield het meeste voor jezelf en kocht er de mooie kleren van die je draagt. Voor wie, Winnie Mandela? je man is in de gevangenis. Voor wie kleed je je als een sloerie? Denk niet dat we het niet weten. Dat onschuldige gedrag werkt bij ons niet. Wij zijn de politie. Je vertelt het ons, als je tenminste niet wilt dat wij het ze vertellen. Want dat maakt aan alles een eind, nietwaar? Wil je graag een groot leider zijn? je bent goed genoeg voor een schop onder je kont. Kom op, wees slimmer. Je kent alle plannen. Ze schrijven je in code en onzichtbare inkt. We kunnen het allemaal ontcijferen, maar we geven je de kans het zelf te doen.'

Hij liep de kamer op en neer en ze kreeg de indruk dat hij haar ieder moment beet zou pakken en neer zou gooien. Ze wilde dat hij het zou doen. Dan zou ze het bewustzijn verliezen, misschien doodgaan. Dan zou het voorbij zijn. Wat zou er na de dood gebeuren, vroeg ze zich af. Zou het precies zo gaan als het in de bijbel staat? Haar moeder zou het weten, ze kon naar haar toegaan. Ze zou het haar vragen, daar in de vee-kraal waar ze bad. Swanepoels stem sneed door haar bewustzijn. 'Waarom verpruts ik mijn tijd met jou? Waarom heb jij al dit uitschot in de politiek gebracht?'

Hij was het aan het opgeven, dacht ze. De aanvallen van duizeligheid in haar hoofd werden erger en ze begon flauwtes te krijgen. Van een politieagent mocht ze haar hoofd op haar knieën leggen. Majoor Coetzee, de vriendelijke, zei dat zijn vrouw zich zorgen maakte om haar. Winnie hoorde hem nauwelijks. Ze werd overmand door een plotselinge pijn onder haar linkerborst en haar lichaam schudde onbeheerst. Plotseling werd haar aandacht gespitst. Ze probeerde de beangstigende geluiden te begrijpen die uit de andere kamer kwamen, kreten van pijn. Haar ondervrager onderbrak zijn werk zodat ze het beter kon horen en zei toen smalend: 'Dat zal hem leren. Wil je weten wie dat is? Een van je mannen, Niet zo dapper nu, niet-waar? Tegen de tijd dat we met hem klaar zijn, heeft niemand meer wat aan hem. Ook hij zelf niet. Maar hij zal praten. Hij is aan het eind van zijn krachten. Nou, wat gaat er met jou gebeuren? Gebroken botten of de verklaringen die we willen?'

'Ik ben schuldig. Ik ben degene die jullie moeten hebben. Ik heb het allemaal gedaan. Ik beken alles. Als jullie de anderen maar met rust laten.'

Swanepoel was buiten zichzelf van opwinding: 'We hebben haar. Het werkt altijd, wie het ook is.'

Er kwam nog meer politie binnen, de kamer vulde zich met ondervragers, alsof ze wilden genieten van het toebrengen van een zware slag aan de Mandela's. Ze liepen op en neer, hardop voorlezend van hun stapels papier en documenten, en stopten zo nu en dan om toelichting en bevestiging te vragen. Ze bleef zeggen: 'Ja, ja, het is waar, ik was daar, ik heb het gedaan. Ik heb de bijeenkomsten georganiseerd, ik heb de brieven geschreven, ik heb ze verstuurd.' Alles, dacht ze, alles is beter dan dat mijn vrienden worden gemarteld.

Majoor Coetzee bewaarde de brieven in een groot boek. Het leek alsof hij de naam had van iedereen die zij het afgelopen jaar had geschreven. Ze moest passages verklaren die onduidelijk waren of handschriften ontcijferen die men niet kon lezen. Ze trokken hun eigen conclusies en vroegen haar of ze juist waren. Ze zei op alles 'Ja, ja!' alsof ze in trance was. De ondervraging ging de hele middag en de hele nacht door en het team werd afgelost, zij bleef. Toen zei Swanepoel uiteindelijk: 'Dat is het. We hebben alles wat we op dit moment nodig hebben.'

Ze brachten haar terug naar haar cel, een schaduw van de vrouw die daar vijf dagen tevoren uit was gekomen. De bewaakster keek door een kier in de deur en hoorde haar tegen zichzelf praten. Ze ijlde en kon niet slapen na vijf dagen wakker te zijn geweest. Ze brachten haar voedsel, maar ze zei dat het vergiftigd was en braakte. Daarop had ze een aanval van diarree. Er waren nachten dat de andere gevangenen werden opgeschrikt door haar geschreeuw. Maar de dagen verstreken en daarmee genas iets van haar lichaam en van haar geest.

Volgens Winnies zelfgemaakte kalender, zei op 18 juli de bewaakster dat ze onmiddellijk naar het kantoor van Swanepoel moest komen. Majoor Swanepoel wilde weten wie Thembi was. 'Mijn oudste zoon,' antwoordde ze. Hij zei haar dat hij omgekomen was bij een auto-ongeluk. Ze moest onmiddellijk aan Nelson denken. Haar lichaam schokte en ze huilde zonder gêne. Ze brachten haar terug naar haar cel, waar ze op haar mat lag en dacht aan de jongen, aan de zoon van wie zijn vader zoveel had gehouden. Ze zag het ongeruste gezicht van Nelson door het raam op Robbeneiland, vragend om nieuws over Thembi. Ze huilde aan een stuk door.

Nelson hoorde het nieuws van Thembi's dood van de bevelvoerend officier op Robbeneiland. Hij hoorde het aan met iedere spier gespannen, vechtend om zijn gevoelens niet te tonen in bijzijn van de bewakers. Hij wilde terug naar zijn cel, om alleen te zijn en zijn emoties, die hem bijna verstikten, de vrije loop te kunnen laten.

Toen de verschrikkelijke pijn enigszins was afgenomen, schreef hij een brief aan Evelyn, de eerste en enige na hun scheiding. Hij troostte haar, want hij wist dat haar verdriet net zo groot was als het zijne. Vervolgens schreef hij Thembi's weduwe en vertelde haar dat hij hoopte dat ze hem zou komen opzoeken en hem zou vertellen over zijn twee kleinkinderen. Nelson uitte zijn gevoelens over de doden in de familie in een brief van 26 oktober 1976, nadat een neef was overleden: 'Ik heb geen woorden om het leed te beschrijven dat ik doormaak wanneer familieleden overlijden en ik niet bij hun begrafenis kan zijn. Het nieuws van Thembi's dood was verschrikkelijk.'

Makgatho herinnert zich: 'Ik kon niet inschatten welk effect Thembi's dood op Tata had. Maar ik zag het aan Mama. Ze was gebroken. Ik voelde me eenzamer dan ooit.'

De politie had nu het plan opgevat om Winnies advocaat Joel Carlson te vervangen door een jurist die plooibaarder was. Ze kenden de conflicten tussen de twee en ze gebruikten deze om hun doel te bereiken. Ze wisten, dat als ze Winnie van Carlson konden losweken, het tot een breuk tussen de verdachten zou leiden. Dat zou hun zaak ernstige schade doen. Ze vertelden haar dat Joel Carlson niet beschikbaar was om hen te vertegenwoordigen en dat hij geen toestemming zou krijgen haar te spreken. Als ze wilde dat haar zaak snel voor zou komen, kon ze beter voor Mendel Levine kiezen. Men stelde haar in de gelegenheid om met de andere verdachten te overleggen.

Later, in de rechtszaal, vertelde Laurence Ndzanga dat hij op een dag werd ontboden op het kantoor van majoor Swanepoel en dat mevrouw Mandela er ook was. 'Hij gaf me een vel papier en zei dat mevrouw Mandela alles zou uitleggen en liet ons samen praten... Ik weigerde het papier te ondertekenen en verklaarde dat ik door Carlson vertegenwoordigd wilde worden.' Elliot Shabangu verklaarde dat majoor Swanepoel had gezegd dat het mogelijk was dat Carlson niet in de rechtszaal zou verschijnen. Swanepoel had hem gevraagd een papier te tekenen waarmee hij instemde om zich door Levine te laten vertegenwoordigen. Rita Ndzanga herinnerde zich haar ontmoeting met Winnie toen ze naar Compol (het hoofdkwartier van de Veiligheidspolitie in Pretoria) werd overgebracht. Ze vroeg waarom Levine naar voren werd geschoven. Winnie antwoordde dat de politie had gezegd dat het Carlson verboden was om nog in gevangenissen te komen.

Toen de 22 aangeklaagden op 29 oktober 1969 naar de rechtbank werden gebracht, verklaarde zowel Joel Carlson als Mendel Levine dat hij mevrouw Mandela vertegenwoordigde. Na een schorsing stemden ze er alle 22 mee in dat Carlson de zaak zou doen. Alle aangeklaagden vertelden de rechtbank dat de politie alles in het werk had gesteld Levine de 22 te laten vertegenwoordigen.

Toen de zaak op 1 december 1969 begon in het Hooggerechtshof van Pretoria in de Old Synagogue, zaten de meesten al zeven maanden vast. Ze werden ervan beschuldigd het ANC weer nieuw leven te hebben ingeblazen door het oprichten van groepen en comités, het werven van leden, het houden van bijeenkomsten, het organiseren van begrafenissen voor ANC-leden, het verspreiden van ANC-propaganda, het werven van fondsen, het opzetten van steun voor familie van politieke gevangenen, het helpen van guerillastrijders, het verzamelen van explosieven en het verspreiden van communistische doctrines.

De openbare aanklager, Liebenberg, verklaarde dat ze in 1967 het ANC hadden doen herleven, contacten met oude ANC-leden hadden gelegd in Soweto, Diepkloof, Alexandra, Durban, Port Elizabeth en Umtata, en dat ze instructies hadden ontvangen van ANC-leden op Robbeneiland en in Nylstroom, maar ook van ANC-leden in ballingschap in Londen en Lusaka. Bovendien werden ze beschuldigd van het houden van geheime ANC-bijeenkomsten in huizen, auto's en buiten.

Naarmate de zaak zich ontwikkelde (en de politie getuigen opvoerde, die waren gemarteld en in de overtuiging verkeerden dat ze zouden worden vrijgelaten als hun getuigenis het juiste resultaat opleverde) werd het duidelijk dat de staat alleen kon bewijzen dat Winnies groep de families van politieke gevangenen en de gevangenen zelf na hun vrijlating had geholpen. Het werd ook duidelijk dat de politie afhankelijk was van 'medesamenzweerders', die voor bevredigende getuigenissen zouden worden beloond met de vrijheid. Twee getuigen, Shanthi Naidoo en Nondwe Vricine Mankahla, weigerden een verklaring af te leggen en werden tot twee maanden cel veroordeeld. Vijf 'kameraden' die wel voor de staat getuigden, gaven tijdens een kruisverhoor toe dat ze waren gemarteld voordat ze hun verklaringen aflegden. Zelfs in die tijd deden hun verklaringen de zaak van de staat geen goed.

De Engelsman Philip Golding was geslagen tijdens zijn verhoor. Hem was beloofd dat hij zou worden vrijgelaten als hij belastend materiaal verschafte. Hij vertelde dat hij bevriend was geraakt met een van de beschuldigden, Samuel Pholotho en hem had lesgegeven in economie en voor de groep boodschappen had overgebracht naar ANC-contacten in Engeland. Herbert Nhlapo zei dat hij bijeenkomsten had bezocht waar men de noodzaak van een Afrikaans klachtenbureau had besproken. Mohale Mohamyele verklaarde dat hij de begrafenis voor Lekoto had geregeld en dat hij Winnie Mandela toestemming had verleend om de stencilmachine te gebruiken in het kantoor waar hij werkte. Dit om pamfletten tegen de verkiezingen voor de Urban Bantu Council te maken en de begrafenis van Lekoto aan te kondigen.

Winnies zuster, Nonyaniso Madikizela, gaf toe dat ze zo was bedreigd en gehersenspoeld door de politie dat ze niet langer verschil kon maken tussen wat ze zelf wist en wat de politie had gesuggereerd.

Eselina Klaas uit Port Elizabeth die al tweeënhalf jaar in de gevangenis had gezeten vanwege haar promotionele activiteiten voor het ANC in 1964, toen ze contacten had met Winnies groep, en nu voor de tweede maal vast zat, was te bang om toe te geven dat ze was gemarteld door de politie. Ze had formulieren verspreid die moesten worden ingevuld door de families van politieke gevangenen en was naar Johannesburg gekomen om instructies te ontvangen van Winnie en Rita Ndzanga.

Bizos: Hoe vaak heeft men u gevraagd om een verklaring af te leggen?

Eselina: Zeven keer.

Bizos: Was uw lip niet gescheurd? Was uw gezicht niet gekneusd?

Eselina: Ze spraken met me van maandag tot donderdag, de hele nacht en de hele dag. Al die tijd stond ik. Ik sliep als ik niet meer kon staan.

Bizos: Vroeg u waarom u moest staan?

Eselina: Ik stond om een verklaring af te leggen.

Ze gaf uiteindelijk toe dat ze over welzijnswerk had gepraat met enkele van de verdachten, maar nooit over het ANC.

Ook het belastende materiaal van de politie was uiterst mager. Majoor Viktor had niet meer dan de twee boeken die hij had gevonden in het huis van de Mandela's. Johannes Jacobus vond bij beschuldigde nummer 17 een pamflet met de titel 'We zijn in oorlog'. W.O. Jordaan trof in Ndzanga's huis kranteknipsels aan over het gebrek aan onderwijsfaciliteiten voor Afrikaanse kinderen en W.O. Smith vond in de kast van verdachte nummer 4 een exemplaar van het M-plan, een kopie van de ANC-eed en Engelse vertalingen van artikelen die in de Zuidafrikaanse tijdschriften *Dagbreek* en *Landstem* waren verschenen.

In februari 1970 trok de staat de aanklacht tegen alle 22 in, maar ze werden allemaal onmiddellijk weer gearresteerd en aangeklaagd op grond van de *Terrorism Act*. Die aanklacht bleek eveneens ongegrond en ze werden vrijgelaten. De staat kon niets anders doen dan ze een *banning order* opleggen.

Winnie had zeventien maanden in eenzame opsluiting gezeten en Nelson had gedurende die tijd geen contact met haar gehad. Hij had haar verschillende brieven geschreven en iemand van de gevangenis had hem ervan verzekerd dat ze waren aangekomen. Dat was niet het geval. Hij had zich ernstige zorgen gemaakt over Winnie, over Zeni en Zindzi. Gelukkig waren de meisjes op de kostschool van Waterford in Swaziland en waren er vrienden die ze zouden helpen. Maar hij wist dat niets hun ouders kon vervangen.

Winnies eerste gedachte toen ze was vrijgelaten was, Nelson te bezoeken. De gevangenisautoriteiten gaven haar toestemming voor een bezoek op 3 oktober, maar op 30 september werd ze opnieuw voor vijf jaar in de ban gedaan. Bovendien werd ze onder huisarrest geplaatst, op doordeweekse dagen tussen zes uur 's avonds en zes uur 's ochtends, in het weekend en op feestdagen tussen twee uur 's middags en zes uur 's ochtends. De plaatselijke magistraat verleende haar geen toestemming om Johannesburg te verlaten en naar Kaapstad te reizen. De politie viel in oktober opnieuw haar huis binnen. Ze troffen er Peter Magubane (die ook een *banning order* was opgelegd), Winnies zuster en haar zwager. Er werd opnieuw een aanklacht tegen haar ingediend wegens het overtreden van het dwangbevel en, om het compleet te maken, arresteerde de politie haar zuster Nonyaniso omdat ze 'illegaal' in Johannesburg was. Ze gaven haar 72 uur om de stad te verlaten en naar Transkei te gaan. Winnies jongere broer werd vervolgd omdat hij geen pasje had.

Al deze beslommeringen hielden Winnie af van haar voornemen om Nelson te bezoeken. Maar haar tweede verzoek om Johannesburg te mogen verlaten, had succes en ze ging op weg om Nelson te bezoeken.

Na twee jaar hadden ze 30 minuten om de grote hoeveelheid huiselijke problemen te bespreken die zich hadden opgestapeld en om gezamenlijk het verlies van Thembi te verwerken. Nelson had het bezoek goed voorbereid, alle onderwerpen die moesten worden besproken had hij nauwkeurig opgeschreven. Hij wist dat als hij dat niet zou doen, hij zo zou zijn afgeleid door het emotionele karakter van de hereniging dat belangrijke zaken zouden worden vergeten en hij zichzelf naderhand van alles zou verwijten.

Winnie had toestemming gekregen om Johannesburg voor één dag te verlaten en moest zich daarom na het bezoek onmiddellijk naar het vliegveld haasten. De opwinding en de spanning van het bezoek bleken te veel voor haar en die nacht kreeg ze in Johannesburg een lichte hartaanval.

Nelson drukte zijn gevoelens over de arrestatie van zijn vrouw zo uit:

'Hoe triviaal de feitelijke beschuldigingen ook zijn, elk van jouw zaken is meer dan een gewone rechtszaak en geluk heeft nauwelijks een rol gespeeld bij je vrijlating. Alleen de loyaliteit en de kundigheid van je vrienden hebben je geholpen. Ik ben ervan overtuigd dat hoe het uiteindelijke vonnis ook zal uitvallen, zij hun best zullen doen. Hoewel ik me altijd goed zal houden, raak ik nooit gewend aan de gedachte dat jij in de cel zit. Er zijn weinig dingen die mijn hele leven zo in de war schoppen als deze vorm van tegenspoed die, zoals het er nu voorstaat, ons nog een hele tijd zal blijven achtervolgen. Ik zal nooit die ellendige periode tussen mei 1969 en september 1970 vergeten, de zes maanden die jij in Kroonstad doorbracht. Iemand te vragen bij je te komen wonen (als je dat deed) was een noodzakelijke voorzorg van jouw kant en het was in geen geval bedoeld om iemand uit te dagen.

Het was een volkomen rationele daad en er is geen reden voor ongerustheid. Ik hoop dat je me de datum van de hoorzitting zult laten weten en ook het uiteindelijke vonnis. Intussen zal ik aan je denken als je voor de rechtbank wordt geroepen en naar alle wendingen, sommige verwacht andere onverwacht, van het bewijsmateriaal luistert. Ik sta pal achter je en ik weet maar al te goed wat je doormaakt als gevolg van je liefde en loyaliteit voor mij, de kinderen en onze grote families. Je liefde en loyaliteit zijn onbegrensd en dit realiseer ik me iedere keer weer.

Toen de autoriteiten je verhoorden, heb ik onze dochters geschreven en ze verteld dat ze zich niet ongerust moesten maken over jouw afwezigheid. Maar ik maak me wel zorgen over jou en je gezondheid. Ik heb slapeloze nachten als ik aan de kinderen denk die alleen thuis zijn. Ik weet niets van wat er thuis gebeurt, wie de huur betaalt en de telefoonrekening, wie er voor de kinderen zorgt. Je hebt je baan verloren, je naasten overlijden, je kunt je examens niet afleggen na er zoveel geld voor te hebben betaald en we hebben geen idee wanneer we elkaar weer zullen zien.

Onze dochters hebben me bezocht en me verzekerd dat het goed met je gaat.'

(7 maart 1981)

Het leven van de Mandela's nam een vast patroon aan van brieven, bezoeken, politiegeweld, arrestaties en rechtszaken. Tegen het eind van de jaren zestig, na vijf jaar gevangenis, had Nelson vijf keer bezoek gehad waaronder ook een keer van Makgatho, die zestien was geworden. Winnie kreeg in die tijd twee *banning orders* opgelegd, zat bijna twee jaar in de gevangenis en stond vaker voor de rechtbank dan dat ze Nelson had mogen bezoeken. De invallen van de politie namen ondertussen voortdurend toe. In 1976 werd Winnie opnieuw voor zes maanden vastgehouden, zonder proces, waarna ze werd verbannen naar Brandfort.

In het begin was ze het slachtoffer van de vendetta die de staat tegen Nelson voerde. Maar nadat ze iedere aanval in een overwinning had weten om te zetten, werd ze zelf het onderwerp van vervolging en uiteindelijk ook van bewondering.

Voor Winnie betekende de *banning order* dat ze voortdurend kon worden lastig gevallen. De politie hield haar nauwlettender in het oog dan andere 'bannelingen' en was belust op persoonlijke wraak. Ze wilden haar achter de tralies en raakten geïrriteerd toen haar straffen steeds werden opgeschort. Ze hadden het vooral gemunt op het Hof van Beroep. 'Deze keer ga je voor lange tijd naar de gevangenis. Deze keer zullen je vrienden in Bloemfontein (Hof van Beroep) je niet helpen,' zei sergeant Van Niekerk, toen hij haar had gearresteerd op de hoek van Jeppe en Troye Street. Ze zou daar in mei 1972 met Peter Magubane hebben staan praten en haar *banning order* weer hebben geschonden.

De opstand van de kinderen

Naarmate de jaren zeventig dichterbij kwamen, verdween het ANC bijna geheel uit het nationale bewustzijn. Een nieuwe generatie zwarten groeide op met Black Consciousness en confronteerde de blanke overheersing met onversneden woede. Winnie vatte sympathie op voor deze beweging toen de jongeren haar heimelijk bezochten en haar om raad vroegen. In 1975-1976 was het leven iets gemakkelijker, haar *ban-*

ning order was niet verlengd. Ze behoorde tot de oprichters van de Black Women's Federation en de Black
Parents Association.

Toen ze in april 1976 een bijeenkomst toesprak, gaf
ze commentaar op de discriminerende reacties in de
media op het opleggen van *banning orders* aan zowel
zwarten als blanken: 'Acht leiders van de NUSAS
(National Union of South African Students) werden
onlangs in de ban gedaan en de stem van het blanke
protest deed de daken schudden. Nauwelijks een
week later werd de vrijheid van acht leiders van de
SASO (South African Students Organization) drastisch beperkt. Er was een gedempt protest dat enige
dagen duurde. Zo ver gaat de blanke hypocrisie.'

Tegen het einde van dat jaar raakte het land verzeild
in een spiraal van geweld. De overheid voerde het
Zuidafrikaans in als voertaal op Afrikaanse (zwarte)
middelbare scholen. Maar Afrikaanse leerkrachten
waren nauwelijks in staat om les te geven in deze taal
en Afrikaanse leerlingen konden nauwelijks iets verstaan. Er heerste oprechte vrees dat ze daardoor niet
voor hun examens zouden slagen. Het aantal Afrikaanse studenten dat werd toegelaten op universiteiten was al schrikbarend laag en het Afrikaanse bevol-
kingsdeel lag wat academische en technische
vaardigheden betreft al ver achter bij andere bevolkingsgroepen. Leerlingen, ouders en leerkrachten
gaven uiting aan hun grote ongerustheid. Ze vroegen
de autoriteiten hun de marteling van het Zuidafrikaans te besparen omdat dit de ontwikkeling van de
Afrikanen nog verder zou vertragen, maar ze spraken
tegen dovemansoren. Mthetheleli Zephania Mncube,
die nu in de dodencel wacht op de uitslag van zijn beroep tegen het vonnis (1989), was toen vijftien jaar.
Hij beschrijft wat hij doormaakte.

'Juffrouw Tabela begon ons in het Zuidafrikaans les te geven, alle vakken, maatschappijleer, geschiedenis. Ze verontschuldigde zich. Ze kon het niet, en wij leerden niets. Daarvoor hadden we les gekregen in het Engels of Zulu. Juffrouw Tabele was wel iets beter dan de andere leraren, maar ze was niet goed. We maakten ons zorgen over de examens. De leraren wisselden Engels af met Zuidafrikaans. We maakten proefwerken en we zakten. De taal was te moeilijk voor ons. Dit ging vijf maanden zo door. We vonden dat we iets moesten doen, maar we wisten niet wat. Toen, in juni, riepen twee leerlingen ons tijdens de middagpauze bijeen en we besloten dat we de school zouden boycotten totdat het Zuidafrikaans zou zijn afgeschaft.'

De leerlingen organiseerden een bijeenkomst op 16 juni 1976, die werd gesteund door de Black Parents Association. De staat verloor zijn zelfbeheersing en de politie schoot met scherp op de kinderen. De wereld was geschokt toen ze de volgende ochtend de foto zag van een jonge jongen die een dood kind droeg, Hector Pieterson.

Het raciale bewustzijn van de jongeren was in het hele land gewekt. Van de ene op de andere dag ontpopten de kinderen zich als verdedigers van hun volk tegen de overheid. Waar ze zich voor die tijd in de straten hadden verzameld om te spelen, kattekwaad uit te halen en kruimeldiefstallen te plegen, richtten ze zich nu tegen de politie en de staat. Ze brachten de leerlingenraden van de talloze scholen bijeen in de Soweto Students Representative Council. Het officiële bestuur van Soweto stortte ineen en de SSRC nam de controle over. De politie sloeg terug en richtte zich daarbij op de jeugd; duizenden vluchtten het land uit om zich bij Umkhonto te voegen.

Het politieke vacuüm dat ontstaan was nadat het

ANC en het PAC waren verboden, werd in de jaren zeventig opgevuld door Black Consciousness. Deze ideologie ontwikkelde zich onder zwarte studenten en was het directe gevolg van Bantu Education en de geïsoleerde positie van zwarten op etnische universiteiten. De opstand in Soweto was een uiting van dat bewustzijn. De Black Consciousness Movement, die sterk was beïnvloed door de voorvechters van *black power* in de Verenigde Staten en door de geschriften van Frantz Fanon en Albert Memmi in Afrika, richtte zich op de psychologische bevrijding van de rechtelozen, zelfontplooiing, gevoel van eigenwaarde, zelfstandigheid en zelfbeschikking. Het doel was het smeden van een verenigde zwarte beweging om de blanke overheersing omver te werpen. Omdat de beweging zich vooral op de zwarten (Afrikanen, kleurlingen en Indiërs) richtte, was zij nogal kritisch ten opzichte van het ANC, dat had samengewerkt met blanke radicalen. Black Consciousness nam ook tegenover het PAC een kritische houding aan, omdat de organisatie bepaalde groepen had uitgesloten op raciale gronden en in feite afhankelijk was van blanke organisaties en hun financiële steun. Hoewel Black Consciousness in het begin het rassenonderscheid zag als basis van het conflict in Zuid-Afrika, paste men deze opvatting later aan en voegde daar de klassenstrijd aan toe.

In het midden van de jaren zeventig ontstond een aantal Black Consciousness organizations: onder studenten, leerlingen, arbeiders, onderwijzers, vrouwen en ambtenaren. Zwarte theologie veroorzaakte een revolutie in de christelijke benadering van bevrijding. De Kerk, eerst terughoudend in het propageren van christelijke rechtvaardigheid en het steunen van mannen als Michael Scott, bisschop Reeves en Beyers

Naude, begon in de jaren zeventig radicale standpunten in te nemen en werd in het midden van de jaren tachtig een bolwerk in de strijd tegen apartheid. Veel voormalige leden van Black Consciousness sloten zich aan bij het ANC. De Zuidafrikaanse geheime dienst schatte het aantal anti-apartheidstrijders dat buiten Zuid-Afrika een militaire training volgde in 1978 op vierduizend, anderen schatten het aantal op het dubbele. Hiervan was 75 procent lid van het ANC.

Het jaar 1976 gaf duidelijk een verscherping te zien van de militaire confrontatie tussen de apartheid en haar tegenstanders. Het aantal gewapende incidenten dat werd gemeld, nam na 1974 sterk toe, van 55 incidenten tot een getal van 210 tussen 1976 en 1983. Tegelijkertijd nam het aantal politieke processen toe en werd er minder acht geslagen op het officiële ANC-beleid, geen burgerlijke doelen aan te vallen. Het ANC breidde bovendien zijn internationale contacten uit. De campagne voor politieke en economische sancties was net zo belangrijk, zo niet belangrijker dan de militaire inspanningen en werd ondersteund door anti-apartheidorganisaties in binnen- en buitenland.

Nelson ontmoette de leiders van Black Consciousness toen de veroordeelden van het SASO-proces het lot van de Robbeneilanders in 1976 kwamen delen. Nelson vond het ironisch dat Bantu Education, dat was bedoeld om de jeugd dienstbaar te maken, de meest strijdbare zwarten had voortgebracht in de geschiedenis van de vrijheidsstrijd. Hun trots op hun afkomst herinnerde hem aan zijn eigen trots in de begindagen van de Youth League. Ze zetten de gevangenis op zijn kop, weigerden zich aan te passen aan de discipline en richtten hun woede op de bewakers. Maar ze behandelden de leden van de Rivonia-groep met respect. Deze deelden hun ervaringen en gaven ze wijze raad over hoe te overleven in de gevangenis. De twee groepen begonnen elkaar te vertrouwen. Nelson raakte gesteld op Ben Koape, Strini Moodley, Saths Cooper en Muntu Myeza.

Winnie kreeg tijdens de onlusten in Soweto in 1976 opnieuw een *banning order* opgelegd en werd vervolgens opgesloten met bijna de gehele top van de Black Women's Federation. Bijna alle Black Consciousnessbewegingen werden in de ban gedaan en de autoriteiten verscherpten het tegen Winnie uitgevaardigde dwangbevel. Voortaan was Soweto voor Winnie verboden terrein, dit omdat haar invloed daar sterk was toegenomen. Onderzoeken in 1977, 1978 en 1979 wezen haar aan als de invloedrijkste zwarte politieke activist na Buthelezi. In 1980, nadat ze drie jaar verbannen was geweest, was haar populariteit in Soweto en East Rand afgenomen en kwam bisschop Tutu als de populairste zwarte activist naar voren. Buthelezi kwam toen qua populariteit niet verder dan de vierde plaats.

Op de ochtend van 16 mei 1977 werd Winnie verrast door vier wagens met politieagenten, die haar huis binnenvielen. Ze hadden van de minister van Justitie, Jimmy Kruger, opdracht gekregen om al haar bezittingen mee te nemen en haar naar Brandfort te brengen. Het was dezelfde man die haar op het vliegveld had nagewezen en haar had gewaarschuwd voor haar gedrag. In 1977 was hij duidelijk nog minder op haar gesteld dan in 1976. Kruger, die nu dood is, is bekend geworden door zijn uitspraak 'Dit laat my koud' na de moord op Biko in de gevangenis. Winnie kende Brandfort niet en had geen idee waar het lag. Men stond Zindzi toe haar moeder te vergezellen.

Zelfs nu nog verkondigde de politie dat ze een aanklacht tegen haar aan het onderzoeken waren, in verband met het overtreden van haar *banning order*.

Alle huisraad werd in een vrachtwagen geladen en ze gingen op weg naar Brandfort, vijftig kilometer van Bloemfontein. Winnie werd verbannen naar de racistische provincie Oranje Vrijstaat. Ze bereikten het dorp na vier uur, gespannen en met de behoefte om zich te wassen. Ze werden naar de wasserij van het plaatselijke hotel gebracht, een armzalige aanbouw, zoals Zindzi het omschreef. Het was hun eerste kennismaking met de discriminatie daar. Het hotel was verboden terrein voor 'niet-blanken'. Later zou Zindzi zeggen: 'Ze bedienen zelfs geen zwarten aan de toonbank, er zijn speciale luikjes waarvoor ze in de rij mogen staan.' Ze arriveerden bij hun nieuwe huis in het zwarte woonoord Phathakahle. Nummer 802 was een kaal huis, twee onder een kap. De buurman was een politieagent, voor alle zekerheid. Toen ze de deur openden schrok zelfs de politieagent. Het was nog erger dan wat Winnie in de gevangenis had gezien. Er was geen vloer en in het midden van de kamer lag een grote berg aarde. De enige deur van het huis was voor het meeste meubilair te klein om het binnen te kunnen brengen. Moeder en dochter zaten buiten op een paar dozen, te moe en verbitterd om iets te kunnen doen. De politie liet arbeiders komen om de aarde weg te graven, bracht het meubilair dat het huis in kon naar binnen en nam de rest, waaronder Winnies fornuis, mee om op te slaan op het politiebureau. Winnie werd vervolgens naar de plaatselijke magistraat gebracht, die haar meedeelde dat ze 100 rand per maand zou krijgen voor levensonderhoud en huur van de woning. Ze hadden haar een goed betaalde baan bij Frank and Hirsch ontnomen en daarom ergerde de onbeschaamdheid van deze toelage haar bijzonder.

De eerste nacht brachten ze in wanhoop door, maar 's ochtends raapten ze hun moed weer bijeen en waren ze vastbesloten om de uitdaging aan te gaan. Ze gingen inkopen doen en sloten niet aan in de rij bij het loket maar liepen zo de winkel in. Het nieuws over de identiteit van de nieuwe inwoners had zich verspreid en pers en politie verzamelden zich. De eigenaars van de winkel kregen de indruk dat er beroemdheden in het dorp waren komen wonen en vonden het niet het geschikte moment om de 'alleen-voor blanken-regel' toe te passen. Winnie en Zindzi Mandela werden gewoon geholpen.

De burgemeester zei dat hem niet was verteld dat er een nieuwe bewoner zou komen, maar heette haar welkom. De waarnemend burgemeester merkte op dat mevrouw Mandela er in was geslaagd om hun dorpje, dat uit één straat bestond, op de wereldkaart te plaatsen. De oud-gouverneur, die op zijn boerderij enkele kilometers verder van zijn pensioen genoot, beklaagde zich tegenover Jimmy Kruger. Ze hadden voor mevrouw Mandela een plek verder van hem vandaan moeten kiezen. Hij kromp ineen bij de gedachte dat hij haar zou tegenkomen bij het lokale postkantoor.

Winnie begon zich thuis te voelen in Brandfort. Ondanks haar oorspronkelijke verzet en het feit dat de politiecontrole nog verstikkender was dan in Soweto, raakte ze erop gesteld. De veiligheidsdienst had geen andere 'cliënt' en besteedde alle aandacht aan haar. Soms verrichtten ze zelfs een kleine dienst. Zindzi's vriend, Oupa Seakamela, trok bij ze in en kon goed met zijn handen overweg, hij vertimmerde en verbouwde het huis. Er was geen stromend water of badkamer. Ze wasten zich in de slaapkamer, in een kuip water en gebruikten een geïmproviseerd toilet in de kleine tuin. In de loop van de tijd zorgden een ijskast op paraffineolie, een tv op batterijen en een kolenfornuis voor enige 'luxe'.

De blanke gemeenschap was niet verteld dat ze Winnie op een afstand moest houden en de autoriteiten namen aan dat dat niet nodig was, maar de zwarten waren gewaarschuwd zich niet met haar in te laten. Albertina Dyasi werd op brute wijze uit de droom geholpen. Het was een ontmoeting tussen buren, over de heg en als het ware op de deurmat. Winnie liep voorbij en stopte om Albertina te vragen waar ze kolen kon kopen. Op het moment dat ze haar de weg uitduidde, kwam Boeta voorbij en stopte om de kip te laten zien die hij goedkoop had gekocht. Hij informeerde naar de foto die de pers had genomen van Winnie. Hij stond er ook op en wilde weten wanneer de foto in de kranten zou verschijnen. Sergeant Prinsloo observeerde ze. Het was een samenkomst van drie mensen en Winnie overtrad haar *banning order*. Hij vroeg Albertina waarover ze hadden staan praten. Ze was doodsbang en verward. Was het verkeerd om met mevrouw Mandela te praten? Als de politie dat zei, dan zou ze gehoorzamen.

Maar geleidelijk leerden Winnies buren haar kennen, politie of geen politie. Ze ontdekten dat ze te vertrouwen was en om hen gaf. Het was een verarmde, uitgezogen en gedemoraliseerde gemeenschap. Winnie bracht de bewoners weer wat zelfrespect bij en ze probeerde de omstandigheden waarin ze leefden te verbeteren. Ze leidde vanuit haar huis een mini-welzijnsbureau en een ziekenhuis en verschafte tijdelijk onderdak aan daklozen in de garage die ze liet bouwen. Ze ontfermde zich over een in de steek gelaten kind en een oude man die ze op de stoep voor haar deur had aangetroffen.

De beginperiode was moeilijk voor Winnie, maar nog moeilijker voor Nelson, die alleen kon denken aan het onrecht dat zijn familie was aangedaan. Hij kon zich niet meer verplaatsen in hun dagelijkse leven en hij moest zich instellen op een nieuwe omgeving. Het was moeilijk geweest zich een beeld te vormen van Winnie in hun huis in Orlando. Maar langzaamaan kwam het beeld weer terug: het huis had een keuken en twee kleine kamers. Er waren 725 identieke huizen in de township, met een totale bevolking van vijfduizend. Het feit dat de bewoners Sotho en Zuidafrikaans spraken, voor hem vreemde talen, stoorde hem, maar Winnie schreef hem dat ze vrienden maakte. Niet alleen onder de lokale zwarten maar ook onder de Afrikaners. De De Waals en Hattinghs werden goede vrienden. Piet de Waal was ook haar advocaat en dr. Hattingh bood haar een baan aan. Het lijkt erop dat zijn vriendschap met haar hem zijn leven heeft gekost, want op de dag dat ze bij hem zou beginnen kwam hij op een onduidelijke manier om bij een auto-ongeluk.

Nelson was enigszins gerustgesteld toen Winnie en Zindzi hem schreven dat ze zich in Brandfort op hun gemak begonnen te voelen en zich naar omstandigheden vermaakten. Hij bewonderde het vermogen van Winnie om in alles wat zij deed betekenis te leggen. Winnie, Zindzi en Oupa begonnen weer te studeren. De verwachting was dat Zindzi en Oupa zouden trouwen en ze kregen een dochter. Ook de kinderen van Zeni kwamen bij Winnie wonen en hun vrolijkheid vulde het hele huis. De politie beschuldigde Winnie van het overtreden van haar *banning order* toen Zindzi's vrienden op bezoek kwamen. Ze werd schuldig bevonden en tot zes maanden voorwaardelijke gevangenisstraf veroordeeld. De magistraat zei: 'De verdachte moet niet worden toegestaan het dwangbevel te omzeilen door, iedere keer als geen toestemming voor een bezoek wordt verleend, te claimen dat het Zindzi's bezoekers zijn.' Dit was in tegenspraak met een eerdere uitspraak van de magistraat dat wanneer er een tweede persoon in het huis woonde, er niet automatisch kon worden aangenomen dat de beklaagde bezoek had ontvangen.

Vrienden legden grote afstanden af om Winnie te bezoeken. Een van de eersten waren Helen Suzman en Helen Joseph uit Johannesburg. Maar dit soort bezoeken hield grote risico's in. Helen Joseph, Jackie Bosman, Ilona Kleinschmidt en Barbara Waite werden veroordeeld tot gevangenisstraffen nadat ze hadden geweigerd tegen Winnie te getuigen toen die werd beschuldigd van het ontvangen van bezoekers.

Zindzi kon het echter na een tijdje niet meer uithouden in Brandfort. Haar relatie met Oupa koelde af, ze raakte gedeprimeerd en keerde terug naar Johannesburg. Het feit dat ze alleen woonde in Orlando was een voortdurende bron van zorgen voor haar ouders. Uiteindelijk begonnen blanke lokale parlementsleden zich te verzetten tegen de aanwezigheid van Winnie in Brandfort en tegen het eind van 1983 werd haar het leven daar moeilijk gemaakt.

De zaken kwamen op 5 augustus 1985 tot een uitbarsting, toen de onrust zich vanuit andere provincies verspreidde over Oranje Vrijstaat. De blanke gemeenschap van Brandfort, gewend aan het respect van de zwarte bevolking, was geschokt toen de schoolkinderen van Phathakahle op de wegen demonstreerden. De politie voerde charges uit met de wapenstok. Op 6 augustus ging Winnie naar Johannesburg voor een medisch onderzoek, haar zuster en Zindzi's zoon Gaddafi bleven thuis. Er was opnieuw een demonstratie van schoolkinderen. De politie greep nog harder in dan de dag daarvoor en de kinderen vluchtten Winnies huis binnen. Tijdens de daaropvolgende verwarring verdween Gaddafi. 'Ik was bij Ayob (Ismail Ayob, Nelsons advocaat) in zijn kantoor toen ik het nieuws hoorde van thuis. Ik werd ijskoud. Hij bracht me onmiddellijk naar Brandfort. Wat we daar zagen was ongelooflijk. Het huis dat ik in goede staat had verlaten was nu een ruïne. De deur was weg en de wind blies door het huis, over de brokstukken van het huisraad. Ze hadden het huis met merkwaardige explosieven beschoten, waardoor het aanrecht in de kliniek was gesmolten. Er zat bloed op de muur en de Kennedy-buste, een cadeau van bewonderaars, was bedekt met een bloeddoordrenkte lap. Een slecht voorteken.

Gelukkig bracht mijn buurvrouw, de vrouw van de politieagent, Gaddafi veilig thuis. Hij was hun huis ingerend toen de politie was begonnen te slaan en zij had hem verborgen gehouden.

Ik had geen onderdak in Brandfort en ik mocht niet terug naar mijn huis in Orlando. Ik betrok een kamer in een hotel in Johannesburg, terwijl de autoriteiten zich druk bezighielden met de vraag of mijn aanwezigheid legaal was of niet. Na drie maanden in het hotel te hebben gezeten, besloot ik terug te gaan naar Orlando. Op die manier ben ik weer in mijn eigen huis terechtgekomen.

De politie wilde dat ik weer terug zou keren. Ze zeiden dat ze het huis in Brandfort hadden opgeknapt. Maar ik had besloten om niet naar Brandfort terug te gaan.'

De *townships* waren openlijk in opstand gekomen. Temidden van deze zwarte woede besloot Winnie terug te gaan naar Soweto. Ze voelde dat de regering zich niet kon permitteren de situatie nog verder op de spits te drijven als zij zich in het brandpunt van de aandacht van de internationale pers bevond. Winnie begon na jaren van gedwongen zwijgen weer openlijk bijeenkomsten toe te spreken en rond haar bundelden zich nieuwe krachten. De veiligheidsdienst was waakzaam, maar bleef op een afstand. Winnie richtte een adviesbureau op: de Mandela Family Office. Jongeren in moeilijkheden, op de vlucht voor de politie of op zoek naar onderdak of geld voor scholing, kwamen bij haar om hulp. Ze liet een tijdelijk onderkomen voor ze bouwen achter haar huis.

De politie was steeds nadrukkelijker aanwezig in de *townships*. De woede richtte zich vooral op de raadsleden van de zwarte woonoorden, die vervolgens professionele bewakers in dienst namen, burgerwachten die de privacy van gezinnen schonden en de jeugd mishandelden. Ze hadden de stilzwijgende goedkeuring van het leger en de politie, die deze lijfwachten in sommige gevallen bijstond. In Langa in de Oost-Kaap en in Mamelodi bij Pretoria opende de politie het vuur en vonden tallozen de dood. Winnie sprak een massale menigte toe bij de begrafenis van veertig zwarten die waren omgekomen in Mamelodi. Ze kwam oog in oog te staan met woedende jongeren, die hun toevlucht zochten in eigen vormen van bizar geweld: van collaboratie verdachte zwarten werden brandende autobanden als 'halsbanden' om de nek gelegd.

Veel factoren waren verantwoordelijk voor dat geweld. Ten eerste was er de slechter wordende economische positie van de zwarten. De internationale banken eisten de aflossing van leningen en de regering berekende deze kosten door aan de miljoenen zwarte huurders. Dit verhevigde het verzet. Hoewel de overgrote meerderheid geen idee had hoever de uitbuiting ging die de Botha's en de Van der Merwes aan de macht hield, begrepen ze maar al te goed wat er gaande was in hun eigen *townships*. Hun woede richtte zich op hun eigen mensen, de zwarte raadsleden, die verantwoordelijk waren voor het innen van de huur en andere belastingen. Die verantwoordelijkheid was ze toebedeeld in het kader van de apartheidspolitiek, waardoor het zwarte bestuur regionaal en lokaal was georganiseerd. Het geweld, dat werd gesteund door de United Democratic Front, richtte zich naar binnen, op de door de overheid gefinancierde regionale raden en gemeenteraden, de thuisland-autoriteiten en op de inwoners van de *townships*.

Nelson had tijdens het proces in 1964 al gewaarschuwd dat het land op weg was naar een burgeroorlog. In het midden van de jaren tachtig was het zover. De *townships* ontstaken in hevige woede toen de prijs van de eerste levensbehoeften steeg en de lonen relatief laag bleven. De prijs van iedere overheidsdienst ging met sprongen omhoog naarmate de regering meer moeite had om apartheid in stand te houden en zij de kosten moest verhalen op de rechtelozen.

De wereld eert Mandela

Naarmate de intensiteit en de omvang van de repressie van de staat toenam, groeide ook het verzet tegen de apartheid. De naam die door ieders hoofd speelde, was die van Mandela. Hij was niet de enige politieke gevangene die een levenslange gevangenisstraf uitzat en het was ook niet zo dat hij meer leed dan anderen. Steve Biko werd dood gemarteld. Hoewel hij doodziek was, had men hem naakt en geketend in zijn cel achtergelaten. De dokter die hem kwam onderzoeken, speelde met de politie onder een hoedje en zei dat hij deed alsof. Biko werd toen van Port Elizabeth naar Pretoria gebracht, een reis van ruim 1500 kilometer, en deze lijdensweg nekte hem. Van medegevangenen weten we dat Neil Aggett zes dagen lang ononderbroken werd ondervraagd. Hij werd een paar uur voor zijn dood gezien door een andere gevangene, bebloed en strompelend. Er waren tallozen zoals zij, maar Mandela vertegenwoordigde ze en werd internationaal gevierd als een menselijk symbool voor vrijheid en verzet tegen onderdrukking.

In 1979 nam India het voortouw en eerde hem met de hoogste onderscheiding van het land, de Nehru Award. Studenten van de University of London droegen hem in 1980 voor voor de functie van Chancellor met prinses Anne als tegenkandidaat. In 1981 verzocht een Amerikaanse Congres-delegatie onder leiding van Harold Wolpe, Mandela te mogen bezoeken, maar het verzoek werd afgewezen. In Frankrijk dienden afgevaardigden van zes organisaties, waaronder de Socialistische Partij van Mitterand, een petitie met 17 000 handtekeningen in bij de Zuidafrikaanse ambassade, waarin ze verzochten om zijn vrijlating. In 1983 regende het prijzen en onderscheidingen van universiteiten, hogescholen, vredesbewegingen en mensenrechtenorganisaties in Europa en de Verenigde Staten. Glasgow maakte hem ereburger, de Students Union van de universiteit van Londen benoemde hem tot erelid. Parken en straten werden naar hem vernoemd: First Avenue in noordoost-Londen werd Nelson Mandela Avenue, Selous Street in Camden werd Mandela Street, een park in de haven van Hull werd Mandela Park en de vergaderzaal van de Amalgamated Union of Engineering Workers (AUEW) werd de Mandela Room.

Winnie deelde niet alleen in deze erkenning, ze werd zelf ook geëerd. Grenada nodigde haar uit om de eerste verjaardag van de onafhankelijkheid van het land bij te wonen, Rome nodigde haar uit voor een conferentie, ze kreeg een ere-doctoraat van de Haverford University en de AUEW stuurde haar 1000 pond voor een vliegtuigticket om Nelson te kunnen bezoeken.

De internationale druk voor hervormingen en voor de vrijlating van Mandela nam toe in het midden van de jaren tachtig. De wereld eiste dat Mandela zou terugkeren naar zijn volk. Het was duidelijk dat het niet langer ging om de terugkeer van een gevangene naar zijn gezin en zijn eigen leven, maar om de thuiskomst van een nationale leider die zijn land naar een nieuwe samenleving zou leiden. De druk op de regering om hervormingen door te voeren en onderhandelingen te beginnen over de toekomst nam toe. De Gemenebestconferentie stelde ondanks Thatchers voorkeur voor de nationalisten een team van politieke zwaargewichten samen, de Eminent Persons Group (EPG), dat een vreedzame overgang naar een nieuw Zuid-Afrika moest bevorderen. De leden reisden naar Zuid-Afrika, voerden overleg met radicale groeperingen en luisterden naar iedereen die met ze wilde praten. Nadat ze Nelson hadden ontmoet in de gevangenis, hadden ze het gevoel dat hij ze nieuwe moed had gegeven. Ze vertrokken verfrist en geïnspireerd.

De zwarte gemeenschap vestigde haar hoop op de EPG en de regering leek klaar te zijn om Mandela vrij te laten en overleg te voeren over een nieuwe grondwet. Er werden voorbereidingen getroffen om Mandela te ontvangen, maar op de ochtend van een belangrijke ontmoeting met de Zuidafrikaanse regering lanceerde Pretoria een aanval op drie hoofdsteden van het Gemenebest: Harare, Lusaka en Gaborone. De boodschap was duidelijk. Pretoria had geen behoefte om te reageren op het voorstel van de EPG en maakte een eind aan de voorbereidingen. Op 16 juni, op het moment dat de EPG zijn conclusies aan de wereldpers meedeelde, kondigde Pretoria weer de noodtoestand af.

In januari 1985 bood president P.W. Botha de mannen van de Rivonia-groep aan ze vrij te laten in een typerende, slecht verwoorde verklaring. Ze bespraken het aanbod en verwierpen het. Nelson nam het op zich te antwoorden. Een moeilijke taak. Hij legde Botha's verklaring weg maar bestudeerde die later weer. Uiteindelijk stond zijn antwoord in essentie vast, maar het kostte meer tijd om het volk de boodschap duidelijk over te brengen. Want het was niet alleen een brief voor Botha, het was ook een brief voor het volk. Hij was vastbesloten de boodschap openbaar te maken. Zindzi las de brief voor op 10 februari 1985 in het Jabulani stadion in Soweto, in het bijzijn van tienduizend mensen. Ze las:

'Ik ben lid van het African National Congress. Ik ben altijd lid geweest van het ANC en ik zal lid blijven tot de dag van mijn dood. Oliver Tambo is meer dan een broer voor mij. Hij is al meer dan vijftig jaar mijn trouwste vriend en kameraad. Als er iemand onder jullie is die naar mijn vrijheid verlangt, dan is het Oliver Tambo, meer dan wie ook, en ik weet dat hij zijn leven zou geven voor mijn vrijheid. Er is geen onderscheid tussen zijn visie en de mijne.

Ik ben verbaasd over de eisen die de regering aan mij stelt. Ik ben geen gewelddadig man. Mijn collega's en ik vroegen in 1952 Malan om een rondetafelconferentie om een oplossing te vinden voor de problemen van ons land, maar we werden genegeerd.

Toen Strijdom aan de macht was, deden we hetzelfde aanbod. Weer werd het genegeerd. Toen Verwoerd aan de macht was, vroegen we om een nationale vergadering voor alle volkeren van Zuid-Afrika om over hun toekomst te beslissen. Ook dit werd niet gehoord.

Alleen toen alle vormen van verzet uitgeput waren, namen we onze toevlucht tot de gewapende strijd.

Botha moet aantonen dat hij anders is dan Malan, Strijdom en Verwoerd.

Hij moet geweld afzweren.

Hij moet apartheid afschaffen.

Hij moet het verbod op het ANC, de beweging van het volk, opheffen. Hij moet alle gevangenen vrijlaten en de *banning orders* opheffen van hen die zich tegen apartheid hebben verzet.

Hij moet ons politieke vrijheden garanderen zodat het volk zelf kan beslissen wie hen zal regeren.

Ik verlang naar mijn eigen vrijheid, maar nog meer verlang ik naar die van jullie. Er zijn te veel doden gevallen sinds ik de gevangenis inging. Te veel mensen hebben geleden voor hun drang naar vrijheid. Ik ben het verplicht aan hun weduwen, aan hun wezen, aan hun moeders en aan hun vaders, die verdriet hebben gehad en om ze rouwen. Niet alleen ik heb geleden tijdens deze lange, eenzame en verspilde jaren.

Ik houd net zoveel van het leven als jullie. Maar ik kan mijn geboorterecht op vrijheid niet verkwanselen, noch de rechten van anderen. Ik zit gevangen als een vertegenwoordiger van het volk en van haar verboden organisatie, het African National Congress. Wat is mijn vrijheid waard als de beweging van het volk verboden blijft? Wat is mijn vrijheid waard als ik een pas bij me moet dragen? Wat is mijn vrijheid waard als de vrouw met wie ik leef Brandfort niet mag verlaten? Wat is mijn vrijheid waard als ik toestemming moet vragen om in een stad te mogen wonen? Wat is mijn vrijheid waard als ik een stempel in mijn pas moet hebben om ergens te kunnen werken? Wat is mijn vrijheid waard als mijn burgerrechten als Zuidafrikaan niet worden gerespecteerd? Alleen mensen die vrij zijn, kunnen onderhandelen. Gevangenen kunnen geen overeenkomsten aangaan. Herman Toivo Ja Toivo deed toen hij vrij kwam geen enkele toezegging, er was ook niemand die dat van hem verlangde.

Ik kan en wil geen enkele toezegging doen zolang ik en jullie, het volk, niet vrij zijn. Jullie vrijheid en die van mij kunnen niet worden gescheiden. Ik zal terugkeren.'

Mandela had tot zijn volk gesproken en een belofte gedaan. Drie jaar later, terwijl het geweld alleen maar toenam en er geen enkele aanwijzing was dat de regering serieus van plan was om haar machtspositie op te geven, vierde Nelson zijn zeventigste verjaardag. De wereld vierde het met hem en allen die voor menselijke waardigheid, rechtvaardigheid en vrede stonden, lieten zich zien.

Paus Johannes Paulus II uitte zijn bewondering voor Mandela en bondskanselier Helmut Kohl daagde de Zuidafrikaanse overheid uit: 'Toon uw bereidheid tot een gesprek met Nelson Mandela en de andere politieke krachten in uw land die buiten de wet zijn gesteld. Alleen dan wordt de nationale dialoog waarover u al zolang spreekt realiteit.' De Poolse partijleider, Jaruzelski, prees Mandela's heroïsche strijd en de Franse president Mitterand sprak over Mandela's levenslange opoffering aan de idealen van rechtvaardigheid, menselijke waardigheid en vrijheid. De Scandinavische landen spraken de hoop uit dat hij spoedig zijn verjaardag in vrijheid zou kunnen vieren, 'in een Zuid-Afrika dat is verlost van de ketenen der apartheid', de ministers van Buitenlandse Zaken van de Europese Gemeenschap eisten de onmiddellijke vrijlating van Mandela en de andere politieke gevangenen. De Wereldraad van Kerken waarschuwde dat Mandela's voortdurende gevangenschap een bewijs was 'voor de politieke repressie van de Zuidafrikaanse regering en haar weigering om in te gaan op de gerechtvaardigde eisen van de zwarte bevolking'. Mike Tyson, de wereldkampioen boksen in het zwaargewicht, stuurde Mandela de bokshandschoenen waarmee hij zijn titelgevecht had gewonnen. New Nation meldde op 27 juli 1988 dat uit Nederland 170 000 brieven en wenskaarten waren gestuurd. Londen organiseerde een groot popconcert en maakte daarmee de weg vrij voor dergelijke concerten over de hele wereld. Een jongen, enthousiast geraakt door de ongelooflijke toewijding van de muzikanten, vroeg: 'En wanneer zingt Mandela... ?'

Inderdaad, wanneer?...

Andere tijden

Kort na zijn zeventigste verjaardag werd Nelson ziek. De jaren van gevangenschap eisten hun tol. Op een avond in augustus werd Winnie opgebeld in haar huis in Orlando vanuit de Pollsmoor-gevangenis. De bevelvoerend officier zei dat ze niet ongerust moest zijn, maar dat haar man twee uur daarvoor was overgebracht naar het Tygerberg Hospital. Het was toen elf uur 's avonds. De officier vertelde Winnie dat haar man na haar laatste bezoek, waarin ze hem had verteld dat hun huis was afgebrand en alle familiedocumenten verloren waren gegaan, niet meer had gegeten. De officier vertelde ook dat hij enkele dagen daarvoor had opgemerkt dat Nelsons manier van praten was veranderd, maar dat de gevangenis-arts hem diezelfde ochtend nog volledig gezond had verklaard. Hij zei tegen Winnie dat zij hem de volgende dag kon bezoeken. De volgende morgen vlogen zij en Zindzi in het gezelschap van Ismail Ayob naar Kaapstad.

Nelson werd goed verzorgd, maar zijn toestand was schokkend:

'Hij herkende ons eerst niet. Ze hadden twee liter vocht uit zijn linkerlong verwijderd en hij was zwaar verdoofd. Hij mompelde en had duidelijk pijn. Ik heb er tot op de dag van vandaag spijt van dat ik Zindzi heb meegenomen, want zelfs nu nog moet ze huilen wanneer ze aan haar vaders toestand denkt. Hij was niet meer dan een schaduw van zijn vroegere zelf. Hij woog nog maar 68 kilo, zijn gezicht was gerimpeld en zag er oud uit. Toch zei hij toen hij zich van ons bewust werd, ondanks de toestand waarin hij was, dat we ons geen zorgen moesten maken en dat hij snel beter zou zijn.'

Zijn arts, professor De Kock, meldde dat hij alle symptomen vertoonde van een acute aanval van tuberculose, maar dat ze het in het beginstadium tot staan hadden gebracht. Er was geen infectie opgetreden en geen blijvende schade aan de longen aangericht.

Winnie zei naderhand: 'Het was een hele opluchting toen we bij ons tweede bezoek, een week later, zagen dat zijn toestand was verbeterd. Tygerberg is een van de beste medische centra van het land en het was duidelijk dat hij de beste behandeling kreeg.'

Tegen oktober was Nelson aan de betere hand. Hij vertelde Winnie dat hij weer wat van zijn gewicht terug had, 's ochtends zijn oefeningen weer deed en zich zo sterk voelde als een leeuw. Winnie zag dat zijn gezicht weer wat voller was en dat de rimpels waren verdwenen. Zijn uitdrukking was levendig en zijn gelaatskleur normaal. Weken en maanden gingen voorbij. De regering kondigde aan dat Mandela niet zou terugkeren naar Pollsmoor. Sommigen voorspelden dat hij vrijgelaten zou worden en de pers wendde zich tot Winnie voor commentaar. Ze zei dat zij geen idee had wat de plannen waren van de regering: 'De Zuidafrikaanse regering heeft ernstige problemen. Zij moet het juiste klimaat scheppen voor Nelsons vrijlating en dit klimaat bestaat nog niet. Het heeft geen zin Nelson vrij te laten in het huidige Zuid-Afrika. Hij zou de volgende dag weer naar de gevangenis moeten, als hij dan niet eerst is doodgeschoten.'

Zijn vrijlating, zo zei ze in een interview in *South* van 17 november 1988, stond gelijk aan bevrijding. 'Hij moet terug kunnen keren naar een situatie waarin hij over de machtsoverdracht kan praten. Voor de miljoenen onderdrukte zwarten in het land en voor de miljoenen onderdrukte gekleurde volkeren staat de naam Mandela gelijk aan de vrijheid waarvoor we allemaal ons leven hebben opgeofferd, voor de bevrijding van ons land.'

Tegen het eind van het jaar bereikten de verwachtingen over Mandela's vrijlating een voorlopig hoogtepunt. Het land gonsde van de geruchten dat Mandela en de anderen van de Rivonia-groep al waren vrijgelaten of op het punt stonden vrijgelaten te worden. In Port Elizabeth werd Govan Mbeki overstelpt met telefoontjes alsof hij in telepathisch contact stond met de actuele gang van zaken. Dit ondanks zijn *banning order* en het isolement waarin hij verkeerde. Bijna overal werden bijeenkomsten gehouden om het grote welkom voor te bereiden. Belangrijke persoonlijkheden en mensen van de media vlogen naar Kaapstad en er vormde zich een grote menigte voor de Pollsmoor-gevangenis. Toen er ondanks al het wachten niets gebeurde, verzamelden zich duizenden mensen op de campus van de University of the Western Cape. Daar hoorden ze het nieuws dat de regering niet van plan was om Mandela of andere tot levenslang veroordeelden vrij te laten.

In december maakte de regering bekend dat Mandela naar een huis was gebracht op het terrein van de Victor Verster-gevangenis, ongeveer vijftig kilometer van Kaapstad. Het was zijn gezin toegestaan om daar met hem te wonen. De kranten drukten foto's af van de voormalige bewakerswoning en besteedden veel aandacht aan het zwembad.

Zoals was te verwachten, sloeg Nelson het 'voorrecht' af om zijn gevangenschap te delen met zijn gezin. Want in ieder opzicht, op de kwaliteit van de omgeving na, bleven de omstandigheden van zijn gevangenschap dezelfde. Ze waren zelfs nog iets slechter geworden, want hij was nu volledig gescheiden van zijn kameraden. Bovendien wees hij ieder privilege af dat niet was toegestaan aan zijn lotgenoten in de gevangenis. Zijn gezin zocht hem op in de gevangenis en later volgden ook zijn zuster en kleinkinderen. Zijn kleindochter Nandi beschrijft de idyllische omgeving van de gevangenis, die haar grootvader nauwelijks heeft kunnen zien.

'Eenmaal door de bewaking heen neemt een gevangenistruck je mee naar *Tatomkhulu's* verblijfplaats, een geïsoleerde driekamerwoning ongeveer twee kilometer van het hoofdgebouw. Hij is nog nooit zo eenzaam geweest. Op Robbeneiland en in Pollsmoor had hij gezelschap van de andere gevangenen, nu zijn er alleen maar bewakers van wie er een aantal naast hem woont. Hij mag geen stap buiten het hek doen en ieder pakje of document dat hij ontvangt, wordt grondig onderzocht en gecensureerd. Het huis is comfortabel, maar zijn eenzaamheid is verschrikkelijk. *Tatomkhulu* klaagt daar niet over, maar wij voelen het.'

In februari 1989 werd zijn eenzaamheid nog versterkt door de berichten dat Winnie was betrokken bij een schandaal, waarin sprake was van kidnapping en moord. De beschuldigingen kwamen niet van de regering maar van de Engelstalige pers en werden bevestigd door verklaringen van twee gerespecteerde anti-apartheidsorganisaties, COSATU en UDF. Dit versterkte de positie van de regering en de Mandela's werden weer het doelwit van politie-invallen en pesterijen. Nelson las niet alleen de verslagen, hij zag op de televisie hoe de politie het huis binnenviel en de aanbouw van het huis doorzocht. Hij hoorde de verslaggever spreken over bloedvlekken op de kleren die door de politie werden gevonden. Hij zag dat de politie naar een muur wees en dat zijn in nachtkleding gestoken vrouw zelfs toen nog een glimlach wist te produceren. Zijn dochter verborg zich met haar kinderen in de keuken, geschokt en verbijsterd. Ze bespraken de gebeurtenissen toen Winnie en Zindzi hem bezochten.

Sinds haar terugkeer naar Soweto in 1985, was Winnie betrokken bij jongeren die het geweld in de *townships* ontvluchtten en bescherming zochten. Ze had zich ontfermd over zestien jongens en ze in de aanbouw van haar woning gehuisvest. Ze gaf hun onderdak en eten en zorgde dat ze naar school gingen. Ze organiseerden zich uiteindelijk in de Mandela Football Club en begonnen haar in die hoedanigheid naar bijeenkomsten te vergezellen, waar ze dienden als een soort erewacht en koor en het voortouw namen bij het zingen en *toyitoying*.

Volgens Winnie zag de politie het voetbalteam als een Umkhonto-cel. De politie begon de Mandela Football Club te vervolgen en binnen een jaar was het oorspronkelijke team uiteengevallen. In december 1987 ontsnapte een aantal jongens uit de gevangenis en vluchtte naar Angola. Maar Winnie had de reputatie gekregen dat ze jongeren hielp en een nieuwe groep verving de oude. Ze leefden bij haar en vergezelden haar bij openbare gelegenheden, gekleed in de trainingspakken van het voetbalteam.

Winnie vertrouwde de jongens. Het is heel goed mogelijk dat het team was geïnfiltreerd door elementen waarover zij geen controle had, dat een aantal van hen informanten van de politie was.

Sommigen raakten betrokken bij schermutselingen met andere jongeren, er waren aanvallen en tegenaanvallen. Winnies groep werd gezien als de zoveelste *gang* in de omgeving.

Het kwam tot een uitbarsting toen het huis in Orlando in brand werd gestoken, vermoedelijk na een conflict tussen de jongens van het voetbalteam en een andere *gang*. De Mandela's zagen ervan af om een aanklacht in te dienen tegen de brandstichters, maar Nelson drukte Winnie op het hart de jongens niet meer bij zich in huis te nemen. Winnie probeerde ergens anders onderdak voor ze te vinden. Tegen het eind van 1988 had ze nog maar acht jongens bij zich wonen.

In november zat Winnie weer middenin een nieuwe crisis. De activiste Xoliswa Falati, die betrokken was geraakt bij het lokale Methodist Boys' Home, bracht een jonge teenager mee waarvan werd beweerd dat hij seksueel was misbruikt door een functionaris van het huis. Winnie liet de jongen onderzoeken door dr. Abubaker Asvat, een vooraanstaand lid van AZAPO, die de aanranding bevestigde en psychiatrische behandeling adviseerde. Xoliswa nam de jongen mee naar de politie en diende een aanklacht in tegen de functionaris. Vervolgens namen ze met behulp van Winnies voormalige voetbaltrainer nog vier jongens mee die, zoals Winnie stelde, zelf aanranders waren geworden. Deze jongens werden ondergebracht in een bijgebouw enkele meters van Winnies huis, waar ze werden ondervraagd en gestraft. Er wordt beweerd dat zij ook zijn aangerand. Vier van de jongens liepen weg, waarvan er één, Stompie Moeketsi Sepei, voorgoed verdween. Er werd een lichaam gevonden dat als het zijne werd geïdentificeerd, maar veel van Stompies naasten twijfelden sterk aan die vaststelling. Hierop volgde een aantal arrestaties van jongens die ooit bij Winnie, Xoliswa, haar dochter of Jerry Richardson, de voetbaltrainer, hadden gewoond.

Nelson overdacht de feiten, raadpleegde zijn advocaten en adviseerde Winnie, gezien de krachten die zich tegen haar hadden gekeerd, zich rustig te houden en geen interviews te geven. De mensen die hem in die tijd bezochten, bemerkten zijn ongerustheid, zijn vermogen om de situatie objectief te beschouwen en de onverminderde liefde voor zijn vrouw.

Op 28 februari 1989 schreef hij aan een vriend: 'De beoordelingsfouten van mensen die regelmatig in de belangstelling staan, kunnen een grote en gevaarlijke woede doen ontstaan. Het zou me niets verwonderen als op dit moment de frustratie en wanhoop je verstikken. Maar je zuster (Winnie) is een geweldig mens, net als jij. Ik moet je om geduld vragen en om de steun die je altijd hebt gegeven.'

De oppositie tegen Winnie had bij lange na niet

het algemene en onbetwiste karakter zoals de media het deden voorkomen. Sommige leidende figuren van organisaties die zich van haar hadden gedistantieerd, betuigden haar hun persoonlijke steun. Onder hen waren dominee Allan Boesak, de oprichter van het UDF, Cyril Ramaphosa en Sydney Mufamadi, respectievelijk secretaris en assistent-secretaris van de CO-SATU, en Frank Chikane van de Zuidafrikaanse Raad van Kerken. Er kwam ook steun vanuit de bevolking, zoals bijvoorbeeld bleek uit de ingezonden brieven die verschenen in de zwarte pers. AZAPO bracht een dertien pagina's lange analyse uit van de situatie en veroordeelde de verklaring van het UDF, net als *chief* Buthelezi.

Tegen het einde van februari 1989 begon de aandacht van de media voor Winnie af te nemen. In maart maakten de voorpagina's weer melding van goede vooruitzichten op een vervroegde vrijlating van Mandela. Dit was het gevolg van de gesprekken van Margaret Thatcher met de Zuidafrikaanse minister van Buitenlandse Zaken, Pik Botha, en haar bezoek aan verschillende Afrikaanse staten, maar ook van de nieuwe ontwikkelingen in Namibië.

Kathrada schreef aan een vriend:

'Ik hoorde dat jij en Joel onder de menigte waren die lang buiten de Pollsmoor-gevangenis stond te wachten om ons te verwelkomen. Ik meen zelfs te weten dat je speciaal voor die gelegenheid een maaltijd had bereid. De loyaliteit, trouw en vriendschap die jij en anderen ons hebben betoond, zijn echt overweldigend. Het is pijnlijk te moeten denken aan de lange voorbereidingen, de grote verwachtingen en het voortdurende ongemak dat jullie doormaakten. En dat terwijl wij, de oorzaak van alle opwinding, ons baadden in een al 25 jaar durende glorierijke ontspanning, over het algemeen totaal onaangedaan door de geruchten en het rumoer. Het zou interessant zijn om de bron op te sporen van deze verhalen, die steeds maar weer de kop op steken. Je kunt de rol van de overheid niet zomaar uitvlakken, maar het is duidelijk dat de op sensatie beluste pers er ook iets mee te maken heeft. En laten we de aanzienlijke bijdrage van jouw goedwillende collega niet vergeten!

Ik denk persoonlijk niet dat zich op korte termijn dramatische ontwikkelingen zullen voordoen. Maar als degenen die het voor het zeggen hebben toch iets van plan zijn, dan ligt het helemaal in hun stijl om ons binnen de kortst mogelijke tijd onze koffers te laten pakken. Binnen enkele uren kunnen we dan ver van Pollsmoor vandaan zijn. Je weet dat toen Uncle Nelson en de zijnen in 1982 naar Pollsmoor werden overgebracht, ze binnen een half uur klaar moesten staan! Voor ze het wisten zaten ze op de boot en hadden ze Robbeneiland, dat acht jaar lang hun thuis was geweest, vaarwel gezegd.'

Epiloog

In juli 1989 meldde een regeringsverklaring dat Mandela een 'beleefdheidsbezoek' had gebracht aan president Botha in zijn residentie Tuynhuis en dat de 'twee leiders' drie kwartier met elkaar hadden gesproken. Er heerste een opgewonden stemming in het land. Er zat verandering in de lucht. Het onmogelijke leek opeens mogelijk. De angst dat de regering Mandela op een dag zou vrijlaten, hem naar Soweto zou verbannen en door zou gaan met de apartheid, was verdwenen. De autoriteiten hadden hem openlijk een 'leider' genoemd. De ontmoeting in Tuynhuis werd omschreven als een 'toenadering' tussen Afrikaans en Afrikaner nationalisme, van de twee 'supermachten' in Zuid-Afrika. Het was een belangrijke aanwijzing dat de Afrikaner overheersing aan het afbrokkelen was, dat de tijd was gekomen dat de Afrikaan de Afrikaner tegenspel zou bieden.

Degenen die het economische en politieke klimaat van het land hadden gevolgd, en met name degenen die kort daarvoor Mandela hadden ontmoet en het ANC in Lusaka, waren niet verrast door het bericht. Apartheid bevond zich in moeilijkheden. Gedwongen door de verslechterende situatie in het land, had de President zich naar Mandela gekeerd als zijn enige hoop. De rand was gekelderd naar een fractie van zijn oorspronkelijke waarde. Met Zuidafrikaans geld kon men nog maar nauwelijks betalen voor de import van overzeese kennis en technologie, laat staan voor buitenlandse vakanties: de staat was steeds afhankelijker geworden van zijn burgers voor het kunnen voldoen aan de geldelijke verplichtingen. Rond zestig procent van de binnenlandse revenuen was afkomstig uit (inkomsten)belastingen (South African Barometer, deel 3, nr. 5, 24 maart 1989. De cijfers zijn afkomstig van de begroting 1989/1990 van het ministerie van Financiën). De gelden moesten hoofdzakelijk worden opgehoest door de zwarte bevolking en hun aandeel kon alleen nog maar groter worden (Jill Natrass, *Indicator*, februari 1983. In 1983 werd veertig procent van het totale bruto inkomen verdiend door zwarten, in 1973 was dat 26 procent). Hoe lang kon nog van de rechtelozen worden verwacht dat ze de politie en het leger, die hen dagelijks lastig vielen, zouden financieren?

De controle op de migratie had de Afrikaanse verstedelijking nauwelijks een halt kunnen toeroepen. Demografen schatten dat tegen het jaar 2000 er 40 miljoen Zuidafrikanen in de steden zouden wonen en 34 miljoen daarvan zouden Afrikanen zijn (John Brewer, *After Soweto,* Clarendon Press, 1986, p. 12). Bantu Education, de illusie van de Afrikaners om de ontwikkeling van zwarten in te perken, had gefaald in die zin dat het aantal zwarte studenten dat tot de universiteiten moest worden toegelaten duizendmaal groter was dan in 1971 (John Brewer, op.cit., p. 18. De Unit for Future Research van de Stellenbosch University schat dat tegen het jaar 2000 tachtig procent van de studenten aan de universiteiten zwart zal zijn, waarvan 68,2 procent Afrikanen). De geïsoleerde positie van de zwarte student was voornamelijk verantwoordelijk voor de jongerenrevolutie van de jaren zeventig, die eigenlijk tot op de dag van vandaag voortduurt.

Heel duidelijk was dat de zwarte arbeiders zich goed georganiseerd hadden en druk aan het uitoefenen waren op zowel de economie als de politiek. De lonen van de Afrikanen, als gevolg van concessies aan de Afrikaanse vakbonden, stegen sneller dan alle andere lonen.

De sociale en economische vooruitgang van de zwarten greep diep in in het leven van de Afrikaner. *Afrikanerdom* was niet langer de ondoordringbare monoliet die het had geleken in de jaren vijftig en zestig. Het was verdeeld geraakt en had zijn eigen kapitalistische klasse gevormd, opgesplitst in de verschillende internationaal opererende bedrijven die kwetsbaar waren geworden door hun investeringen en belangen. In het begin van de eeuw hadden blanke arbeiders de regering Smuts ten val gebracht omdat zij het kapitaal liet prefereren boven de belangen van de arbeiders en van plan was 'blanke' banen open te stellen voor zwarten, tegen lagere lonen. De nieuwe coalitieregering van *Labour* en Afrikaner nationalisten had vooral de nadruk gelegd op de rechten van de blanke arbeiders. Zij waren in opstand gekomen tegen generaal Smuts vanwege zijn betrekkingen met het internationale grootkapitaal. Maar waar ze destijds de wetten van de vrijemarkteconomie ondergeschikt hadden gemaakt aan hun racistische *volk's wil,* waren ze nu zelf partners van het buitenlandse kapitalisme.

De blanke arbeider, die tot in de jaren zestig een bepalende invloed had op de politiek, is bijna geheel verdwenen uit de Zuidafrikaanse economie. Maakte hij in 1982 nog acht procent uit van de totale beroepsbevolking, in het jaar 2000 zal dit aantal zijn gedaald tot zeven procent. De Afrikaner ondernemer en niet de Afrikaner arbeider speelt nu de hoofdrol in de nationale economie. Door hun afhankelijkheid van zwarte arbeid, waren ze gedwongen de oneconomische bepalingen die de blanke arbeider beschermden af te schaffen en de zwarten het recht te geven zich te organiseren in erkende vakbonden. De zwarte arbeider heeft tegenwoordig politieke macht. De dagen dat de leiders van de thuislanden buitenlands kapitaal aantrokken door potentiële investeerders gedweeë en probleemloze arbeidskrachten, het voornaamste Zuidafrikaanse handelsartikel 'zwart goud', aan te bieden zijn voorbij. De zwarte arbeider kent nu zijn macht en maakt er gebruik van.

Zuid-Afrika is nog nooit zo geïsoleerd geweest. De strategie van de rechtelozen, het binnenlandse verzet, de economische en politieke sancties en gewapende strijd, dit alles heeft effect gehad. Na de komst van de nationalistische overheersing, heeft het de sociale, economische en politieke krachten veertig jaar gekost om deze sterkte te bereiken. De nationalistische president F.W. de Klerk zal de onderhandelingen niet durven te beëindigen. Als hij dat wel doet, gaat dat ten koste van het *Afrikanerdom,* want dat heeft zijn meerdere gevonden en kan alleen overleven door te onderhandelen. Mandela is misschien de belangrijkste gevangene van de nationalisten, maar hij heeft het lot van het *Afrikanerdom* in handen. De erkenning van dit feit maakt de positie van Mandela zo comfortabel.

Er zijn sterke aanwijzingen dat leden van de regering al een aantal jaren gesprekken voeren met Mandela. De onderhandelingen gaan langzaam. Aan het eind van 1989 werden op één na alle mannen van het Rivonia-proces vrijgelaten en de regering erkende het recht van de rechtelozen om te protesteren. Er waren optochten en bijeenkomsten, van een omvang zoals daarvoor nooit is voorgekomen, en het praten over een dialoog was aan de orde van de dag. De President had een ontmoeting met Mandela en dit deed de verwachtingen weer groeien. Alle betrokken partijen legden verklaringen af over de zaak; de twee nationalistische groeperingen, Afrikanen en Afrikaners, betuigden hun steun, natuurlijk met uiteenlopende doelstellingen in gedachten. De extremisten ter linkerzijde van het ANC en ter rechterzijde van de National Party verklaarden zich tegen. Mandela heeft altijd duidelijk gemaakt dat hij geen eenzijdige onderhandelingen wilde, dat hij achter het volk, het ANC, de Mass Democratic Movement en zijn medegevangenen zou blijven staan. Hij benadrukte ook dat zijn eigen vrijlating onvoorwaardelijk zou moeten zijn.

Mandela ontving adhesiebetuigingen van alle politieke groeperingen, van radicalen tot leiders van thuislanden. Zijn benadering bleef er een van verzoening. Hij wilde zich niet afzijdig houden van enige politieke groepering en streefde naar een zo breed mogelijk front tegen apartheid. Hij erkende het recht van alle Zuidafrikanen om aan de strijd deel te nemen en de beginselen op te stellen van een nieuwe samenleving zonder rassenstrijd.

En deze man in zijn sportbroek, zijn simpele pullover en zijn golfkartonnen zonnehoed wachtte in de zon in de Victor Verster-gevangenis. Ministers en leden van de Mass Democratic Movement kwamen en gingen, terwijl buiten het aantal belangstellenden toenam. Zij wachtten op hem en hoewel ze wisten dat de tijd aan hun kant stond, hadden ze weinig geduld. Met dat veelbetekenende gegeven ging het *Afrikaner-dom* de laatste slag in.

Op 18 juli 1989 vierde Nelson zijn 71ste verjaardag en voor de eerste keer sinds zijn gevangenzetting mocht hij zijn hele familie ontvangen. Zijn kinderen, kleinkinderen en achterkleinkinderen (uit zijn huwelijk met Evelyn) kwamen vanuit Cofimvaba in Transkei, Winnie en Zindzi en haar kinderen kwamen uit Soweto. Zeni en haar gezin kwamen een maand later vanuit de Verenigde Staten. Zijn oudste dochter, Maki, die met haar gezin uit Massachusetts was gekomen, geeft het volgende verslag van het 'feest'.

'We werden opgewacht op het vliegveld door Dullah en Farida Omar, een horde verslaggevers en een politie-eenheid die zich op de achtergrond hield. De vertoning herhaalde zich, voor wat de pers en de media betreft, bij het ontbijt de volgende ochtend.

Dullah Omar had drie wagens geregeld om ons naar de gevangenis te brengen. De toestand bij de gevangenispoort was chaotisch. De pers en de politie waren vergezeld van *toyitoying* aanhangers, die ons wenskaarten voor Dada in de handen drukten.

We werden door een wagen van de gevangenis naar Dada's huis gebracht. Dat duurde ongeveer vijf minuten. Ik was overdonderd door het huis, ik had niet verwacht dat het er zo goed zou uitzien. We gingen door de keuken naar binnen en werden via de eetkamer naar de woonkamer gebracht. Daar stond een aantrekkelijke jonge man, slank en in goede conditie. Ik kon mijn ogen niet geloven en keek nog eens goed: was hij dat? Ik had Dada het laatst in Pollsmoor gezien. Hij had er oud en grijs uitgezien en zijn huid was donker geworden. Ik dacht toen: Dada wordt oud! Nu zag hij er bijna weer net zo uit als toen ik klein was. Hij had toen een vol gezicht en nu was het mager, maar hij was weer aantrekkelijk.

Hij droeg een bruine broek, een blauw hemd, een bruine pullover en bruine instapschoenen. Hij begroette ons een voor een, beginnend met de kinderen en zo verder tot hij bij de volwassenen kwam, iedereen omarmend en kussend. De kinderen voelden zich bij hem op hun gemak, hoewel ik geloof dat sommigen onder de indruk waren. Mijn kinderen hadden over hun beroemde grootvader gehoord op school in Massachusetts. Ik had ze verteld dat hun grootvader zijn eigen leven had bepaald en dat zij hetzelfde moesten doen, en niet op de naam van hun grootvader moesten teren.

Dada zei tegen Nandi (de tweede dochter van Nelsons overleden zoon, Thembi, studente aan de universiteit van Kaapstad) dat ze dik werd. Ma Winnie plaagde hem en zei dat hij dat niet tegen een jonge vrouw moest zeggen. Hij zei tegen Makgatho's vrouw Zondie, die hij voor het eerst ontmoette, "Kind, je bent prachtig. Ik wist niet dat je zo mooi was," en Ma Winnie lachte en zei tegen Makgatho, "Heb ik je niet gezegd dat hij dat zou zeggen?" en we moesten allemaal lachen.

Het was een prettig huis; er was een haardvuur in de televisiekamer en de eettafel stond vol eten: veel vlees, salades, vruchten en desserts. Gaddafi en

KweKwe (twee van Nelsons kleinkinderen) wilden meteen aan de desserts beginnen. Zindzi en ik hielden ze tegen. Dada wilde zijn kleinkinderen wel verwennen, maar wij hielden voet bij stuk en stonden op de regel 'desserts na de hoofdmaaltijd'.

Dada schepte ons eerst de voorgerechten op, tonijn en garnalen, en hij moedigde de kinderen aan om er ook van te eten omdat je er zo intelligent van wordt. Na het eten gingen Dada en Mama met de kinderen in de televisiekamer zitten en Dada zette een videofilm op: *The Aliens*. De kinderen gingen kijken en wij trokken ons terug in de huiskamer, waar we over de familie praatten, ervaringen uitwisselden en grapjes maakten.

Dada bleef zich bezighouden met de kinderen en maakte vrolijke opmerkingen terwijl zij naar de video keken. KweKwe wilde eerst weten of er een speelgoedwinkel in de buurt was, daarna wilde hij warme chocolade hebben. Mama Winnie zei: "Dit Amerikaanse kind wil warme chocolade. Waar halen we dat vandaan?" Maar Dada zei, "Je zult nog opkijken," en ging naar de keuken en maakte voor KweKwe warme chocolademelk.

Het ging allemaal veel te snel voorbij en tegen vijf uur zeiden we gedag, we kusten en omhelsden Dada. We hadden ons nog nooit zo nauw met hem verbonden gevoeld als die dag.

Toen we naar huis teruggingen, dacht ik er aan hoe fijn het zou zijn als Dada thuis zou zijn, om vaker familiebijeenkomsten te hebben als deze dag. Maar toen bedacht ik me dat hij volledig door het publiek in beslag zou worden genomen en dat we weinig tijd voor onszelf zouden hebben. Maar toen bedacht ik weer, Dada kennende, dat hij altijd tijd zou vrijmaken voor zijn familie.'

Brieven

De gedetineerden van Robbeneiland raakten gewend aan de geestloze dienstregeling van hun gevangenschap en vulden de uren met handenarbeid die hun aandacht genadig afleidde van hun benarde toestand en het leed dat het verlies van het sociale contact teweegbracht. 's Nachts zakten hun lichamen door pure uitputting in slaap. De routine van het werken herhaalde zichzelf in het eindeloos opkomen en ondergaan van de zon, in het groeien en afnemen van de maan.

De brieven en bezoeken, eerst twee keer per jaar, later geleidelijk aan meer (in 1981 twee brieven en twee bezoeken per maand) hielden hen in contact met het leven. Er waren beperkingen opgelegd aan het aantal woorden dat uitgewisseld mocht worden, zowel gesproken als geschreven. Elk woord, geseind door de glazen ruit of geschreven op gelinieerd papier, werd angstvallig gecontroleerd. Om de censor te helpen moesten de gevangenen ieder woord duidelijk opschrijven of uitspreken. Ze leerden netjes en compact te schrijven en zijzelf en de ontvangers van hun mededelingen leerden de kunst van de dubbele betekenis.

De brieven bereikten niet altijd hun bestemming; bezoeken konden niet altijd verwezenlijkt worden vanwege de reisafstand en financiële problemen. In Winnies geval werden bezoeken verhinderd door haar verbanning – haar gangen werden gecontroleerd door de staat – of doordat zij ook gevangen zat.

Het wachten op brieven en bezoeken, de vreugde van vervulde verwachtingen, de radeloosheid volgend op teleurstelling, het tellen van de brieven en het koesteren van brieven en bezoeken komen tot uitdrukking in de volgende fragmenten van Nelsons brieven aan zijn familie.

AAN WINNIE:

Het is me behoorlijk goed gelukt een masker op te zetten, van waarachter ik heb gehunkerd naar de familie, alleen, terwijl ik me nooit haast voor de post, wanneer die komt, totdat iemand mijn naam uitroept. Ook talm ik nooit na de bezoeken, hoewel de drang daartoe soms vreselijk is. Terwijl ik deze brief schrijf, vecht ik om mijn emoties in bedwang te houden.

Ik heb maar één brief ontvangen sinds jij aangehouden bent, die ene van 22 augustus. Ik weet niets van familiezaken, zoals de betaling van de huur, telefoonrekeningen, de zorg voor de kinderen en hun kosten en of jij werk kunt krijgen als je weer vrij bent. Zolang als ik niets van je hoor blijf ik bezorgd en droog als een woestijn.

Ik herinner mij de Karoo, die ik verschillende keren doorkruist heb. Ik zag de woestijn terug in Botswana, op mijn weg naar en van Afrika – eindeloze zandkuilen en geen drupje water. Ik heb geen brief van je gekregen. Ik voel me droog als een woestijn.

Brieven van jou en de familie zijn als de komst van de zomerregens en de lente, die mijn leven opfleuren en het plezierig maken.

Telkens wanneer ik je schrijf, voel ik die geestelijke warmte van binnen die mij al mijn problemen doet vergeten. Ik raak vervuld van liefde.

26 oktober 1976

Het bedroeft me dat ik brieven naar je schrijf en dat jij ze nooit ontvangt.

26 mei 1978

Heks die je d'r bent! Je hebt veel manieren om mij aan het lijntje te houden, maar deze is nieuw. Ik heb nu langer dan een maand niets van je gehoord. Je laatste brief dateert van 17 augustus en die kreeg ik op 30 augustus. Misschien heb je geschreven zoals je altijd gedaan hebt, maar hebben we last van de gebruikelijke knelpunten die opdoemen in onze correspondentie zodra jij in moeilijkheden bent.

1 oktober 1975

Je hebt hoge verwachtingen bij me gewekt toen je in januari op bezoek kwam en me beloofde dat Zeni me zou bezoeken en dat het in maart weer jouw beurt zou zijn. Anderzijds wist ik dat je je het bezoek niet zou kunnen permitteren omdat je net vrijgelaten bent uit de gevangenis. Toch verlangt mijn hart naar jou.

27 maart 1977

Vorig jaar heb ik een oogst verzameld van vijftien bezoeken en drieënveertig brieven. Daarvan zijn er vijftien van jou. Er waren zeven verjaardagskaarten en de kaart van Helen Joseph was in briefvorm. Ik heb vijf bezoeken meer gehad dan in 1977, maar ofschoon ik meer brieven heb gehad dan vorig jaar, heb ik niet het recordaantal van vijftig gehaald dat ik in 1975 had. Deze geweldige bezoeken en lieve brieven maken de sfeer om mij heen betrekkelijk aangenaam en het vooruitzicht stralend.

21 januari 1979

Dit jaar ben je hier zes keer geweest en ik heb negen brieven van je gekregen, met iedere keer meer liefde en goede wensen. Naast de diverse telegrammen die je me gestuurd hebt, heb ik ook nog verjaardags- en kerstkaarten van je gekregen. Al die dingen helpen de rimpels van de vorderende leeftijd glad te strijken, de oude ledematen soepel te maken en het bloed vloeiender te doen stromen.

27 januari 1980

Afgelopen jaar heb ik vijftien bezoeken gehad waaraan ik veel plezier heb beleefd. Dit jaar had ik er niet meer dan tien verwacht, omdat jij op verzoek van de SAP (South African Police) in februari en maart niet kon komen en omdat Zindzi niet kon op 5/4 vanwege haar ziekte. Nu jij en Zindzi langskomen deze maand, kom ik op een totaal van veertien; net zo veel als vorig jaar. Ik heb in december geen brief gekregen, alleen vier kerstkaarten. December is altijd mijn slechtste maand wat dat betreft. In 1977 kreeg ik er maar twee en in 1978 drie, een schrale oogst in vergelijking met wat ik gewoonlijk krijg. Toch heb ik dit jaar niet minder dan zevenenzestig brieven ontvangen, zestien van jou, die me allemaal veel plezier hebben gedaan. Ik ben vrij gelukkig en probeer mijn vreugde altijd te verbergen. We treffen het niet allemaal zo goed. Maar je moet weten dat je me erg verwend hebt en een verwend kind is altijd moeilijk te hanteren.

3 februari 1980

AAN ZINDZI:
Je teleurstelling over mijn korte brieven is begrijpelijk, want zij komt overeen met mijn eigen gevoelens wanneer ik een zuinig briefje krijg, of helemaal niets, van hen die ik liefheb.

4 september 1977

Overigens, weet je hoeveel brieven ik dit jaar van je gekregen heb? Geloof het of niet, het zijn er maar liefst twaalf en dat terwijl ik er maar dertien in de periode van 1967 tot 1978 ontving. Dit is al een hele mooie oogst voor 1979. Ik hoop dat je zo doorgaat.

2 september 1979

Ik wil even zeggen dat het me verbaast dat jij geen waarde hecht aan zulke belangrijke dingen als verjaardags- en kerstkaarten. Niet alleen heb je me er nooit een gestuurd, ook heb je nooit de simpele beleefdheid gehad om mij te bedanken voor de talrijke verjaardags- en kerstkaarten die ik jou de afgelopen acht à tien jaar gestuurd heb. Ieder jaar ontvang ik vele prachtige groeten van mensen die mij het beste toewensen; berichten die ik erg op prijs stel. Maar ik heb altijd het gevoel dat er iets ontbreekt, een woordje van jou en Makgatho. Desondanks heeft jouw brief alles weer goed gemaakt. Het heeft de lente in mijn hart gebracht en ik ben echt trots op je. Ik verheug me erop je te zien in januari. Heel veel liefs en een miljoen kussen. Hartelijke groeten, Tata.

31 december 1978

Ik denk aan mama en al de kinderen, aan de trots en vreugde die jullie mij geven. Onder ons is Nobutho, de geweldige Mantu, wiens liefde en trouw, bezoeken, brieven, verjaardags- en kerstkaarten een belangrijk deel uitmaken van de inspanningen van de familie om mij vele van de beproevingen van de afgelopen twintig jaar te helpen doorstaan.

1 maart 1981

Foto's

Voor iemand die afgesneden is van vrienden en familie, die beperkt is tot contact met slechts enkelen van hen en dat veel minder vaak dan in normale betrekkingen, worden foto's heel belangrijk. Nelson vraagt om foto's en levert daar commentaar op. Hij verbaast zich over de groei van zijn kleinkinderen.

Zij komen met hun moeders als babies op de arm en als peuters en dan kan hij ze veertien jaar niet zien. Via foto's blijft hij op de hoogte.

Ik wil Zazi (Zeni's dochter) erg graag zien voor haar tweede verjaardag op 16/6. Ik kan haar daarna niet meer zien totdat ze zestien is, tenzij ze me voor die tijd komt halen.

15 april 1976

AAN ZENI:
Ik heb de drie foto's gekregen die je me via mama hebt gestuurd en ook al krijg ik ontzettende heimwee als ik je er zo goed zie uitzien, doet het me heel veel plezier je zo gelukkig te zien, in de wetenschap dat je met goede vrienden van de familie bent.

Zazi's foto deed me meteen aan jou denken, vlak nadat je moeder terugkwam van de Baragwanath kraamkliniek in 1959. Je was vast in slaap zelfs toen ze je in bad deed, je afdroogde, je insmeerde met olijfolie, je huid wit maakte met Johnson's babypoeder en je buikje vulde met haaie-olie. Het zijn de familiefoto's, de brieven en de familiebezoeken die me telkens doen terugdenken aan de gelukkige tijden, toen we nog bij elkaar waren. Dat maakt het leven zoet en vervult mijn hart met hoop en verwachting.

Heel erg bedankt, lieve schat. Zindzi vertelde dat Zazi zonder jouw toestemming naar Waterford is geweest. Die scholieren moeten dikke pret hebben gehad.

30 oktober 1977

AAN WINNIE:

De verzameling foto's die je achterliet gaf me zoals gewoonlijk het valse, maar strelende gevoel dat ik vrij was en omringd door jou, de familieleden en de vrienden voor het leven. Ik heb veel tijd doorgebracht met het bewonderen van die foto's en iedere keer voel ik me echt geweldig, zoals iemand die begint aan het uitzitten van meer dan twintig jaar, maar die het niet afmaakt. Vooral de aanblik van Zeni en Muzi en van Zinhle (Zeni's zoon) en zijn zusjes is me een waar genoegen. Ze wekken de indruk een gelukkig paar te zijn en de kinderen lijken voorspoedig op te groeien. Zeni en Muzi zijn twee markante mensen, zelfs als ze het onmogelijke proberen te doen; dat wil zeggen, niet gezien door de ogen van hun ouders maar door die van een onpartijdige toeschouwer. Ik had nooit gedacht dat onze dochter zo'n mooie, rustige, waardige dame zou worden als ze blijkt te zijn. Alle foto's van haar en de manier waarop zij zich tijdens de bezoeken gedraagt, bevestigen die indruk. De band die Zeni en Muzi met jou hebben, is een bron van steun en vreugde en ik hoop van ganser harte dat hun relatie met Lashongiwe (een vrouwelijk familielid) net zo is. Is het Nomsa (Nelsons nichtje) die naast je staat op de foto bij 8115? Ik vermoed dat de jongedame die vóór jou staat Zindzi is, alleen is ze wat langer dan ik verwacht had. Ik herkende ook Mary Benson. Ze ziet er nog vrijwel hetzelfde uit als de laatste keer dat ik haar zag in Londen.

31 maart 1983

Zonder jouw bezoeken, je prachtige brieven en jouw liefde was ik jaren geleden al ten onder gegaan. Ik stop hier even en drink wat koffie, waarna ik de foto's op de boekenkast afstof. Eerst doe ik die van Zeni, die staat aan de buitenkant, dan die van Zindzi en als laatste die van jou, mijn lieve mama. Deze handeling verlicht altijd mijn verlangen naar jou.

6 mei 1979

AAN MAKI:

Ik heb je een hele tijd niet gezien en mis je erg. Ook verlang ik ernaar Nobuhle (Zindzi) en Dumani (Makaziwe's zoon) te zien. Ndindi (Thembi's dochter) stuurde me een groepsfoto, maar daar stond Nobuhle niet op. Waar was zij toen die foto werd genomen? Zowel Mandla (Makgatho's zoon) als Dumani zien er knap uit, ook al keek Mandla een beetje ernstig. De dames Ndindi en Nandi (Thembi's dochter) zijn natuurlijk sterren. Het is verrassend om te zien hoe snel zij gegroeid zijn. Heel veel liefs en een miljoen kussen.

26 november 1978

AAN WINNIE:

Je ziet er zo volmaakt vroom en verlost uit naast Mantu (koosnaam voor Zindzi). Tevergeefs heb ik getracht te ontdekken welk deel en hoofdstuk van de bijbel jullie daar aan het lezen zijn. Maar de uitdrukking op jullie beider gezichten lijkt te suggereren dat het niet alleen een verzameling heilige woorden is die jullie zien op die bladzijden, maar God zelf.

31 maart 1983

Je prachtige foto staat nog steeds zo'n halve meter boven mijn linkerschouder terwijl ik dit briefje schrijf. Iedere ochtend stof ik hem voorzichtig af, want dat bezorgt me het aangename gevoel dat ik je liefkoos, als in vroeger tijden. Ik raak zelfs even je neus aan met de mijne om de elektrische stroom te heroveren die altijd door mijn bloed ging, wanneer ik dat deed. Nolitha staat recht tegenover me op de tafel. Hoe kan mijn geest teneergeslagen zijn als ik de lieve aandacht geniet van zulke wonderschone dames?

15 april 1976

Wie was deze andere dame in zijn leven? Hij plaagde Winnie maar nam Zindzi in vertrouwen.

Overigens, heeft mama je ooit verteld over Nolitha, de andere vrouw in mijn cel, afkomstig van de Andaman Eilanden? Zij houdt jou, Zeni, Ndindi, Nandi, Mandla, Maki en mama gezelschap. Het is een kwestie waarop mama's commentaar verrassend zuinig is. Zij beschouwt de Pigmese schoonheid als een soort rivale en heeft er geen flauw idee van dat ik die foto uit de *National Geographic* gehaald heb. Ik moet hartelijk lachen als ik mama's brieven lees en wanneer ik haar persoonlijk spreek, moet ik mijn lachen inhouden als ik zie hoe zij vecht om haar woede te verbergen. Misschien moet ik bij mijn terugkeer de foto naar Zeni sturen, want ik weet dondersgoed dat onze ouwe moeke me zal opwachten bij de poort met bijl en hakblok.

21 oktober 1976

Problemen

Het volk stuurde een held het gevang in maar negeerde over het geheel genomen het feit dat hij verantwoordelijkheden had en mensen die van hem afhankelijk waren. Nelson, in de eenzaamheid van zijn cel, maakte zich zorgen over het voortbestaan van zijn familie. Hij had een moeder, een vrouw en vijf kinderen achtergelaten. Maar zijn verantwoordelijkheidsgevoel hield niet bij hen op; het reikte tot aan zijn zusters en hun kinderen en tot de kinderen van aanverwanten die hem gesteund hadden.

Het leed geen twijfel dat de staat, door middel van haar politie, probeerde de Mandela's als familie kapot te maken door hun financiële basis, hoe bescheiden ook, teniet te doen. Winnie was haar baan als maatschappelijk werkster kwijtgeraakt en vervolgens ook haar kantoorbaan bij een privéschool omdat zij vanwege haar verbanning niet op het terrein van een educatieve instelling mocht komen. Winnies salaris was belangrijk voor de familie omdat het hun enige bron van inkomsten was. Ze nam baantjes aan als verkoopster en kantoorhulp, waarmee ze maar half zoveel verdiende dan ze als maatschappelijk werkster gedaan zou hebben. Net toen ze een goede baan als kredietcontroleur gevonden had, werd ze gevangengenomen. Onder die omstandigheden werd de steun van anderen cruciaal, maar daar was slechts weinig aanbod van in de jaren zestig en zeventig. Het was pas in de jaren tachtig dat de naam Mandela een internationale legende werd en op zichzelf al een 'steun' genereerde.

Mandela's gevangenneming in 1962 haalde de plaatselijke krantenkoppen, maar niet de internationale. Aan het eind van de jaren zestig nam de herinnering aan Mandela af waardoor Winnie erg op zichzelf aangewezen werd. Zonder de hulp van goede vrienden, alsmede die van bewonderaars uit de buurt en uit het buitenland, was de familie er slechter aan toe geweest. Dat de Mandela's zichzelf door internationale onderscheidingen, filmrechten en royalties van boeken kunnen bedruipen, is iets van de laatste jaren. Zowel in goede als in magere jaren wendde Nelson zich uiteindelijk tot Winnie om de nodige financiële middelen te verkrijgen en zij heeft zich te allen tijde opmerkelijk vindingrijk getoond.

De 200 Rand die mama me in april gestuurd heeft, is op. Alles is duur en ik had een koopaanval van onmisbare literatuur, die een flink gat in mijn voorraad heeft geslagen. Mama en jij werken geen van beiden. Als je denkt dat het verstandig is, vraag dan aan Benjie (Benjamin Pogrund, politiek journalist van de Rand Daily Mail) om me tenminste 250 Rand te sturen.

9 september 1979

Die kostbare vliegreizen moeten de familie leeggezogen hebben. Ik had gehoopt dat alles wat beter zou worden na het eind van deze maand, nu mama haar eerste betaling krijgt nadat ze zolang in de steun heeft gelopen.

15 april 1976

Dit is een speciale brief, Ngutyana (Winnies stamnaam), waarvan ik zou willen dat je hem behandelde als een noodgeval. Kun je me per omgaande 300 Rand sturen voor mijn persoonlijke behoeften? Niet alleen zijn mijn voorraden uitgeput, maar ook sta ik in het rood. Zoals het er nu voorstaat heb ik niet eens geld om mijn bestellingen voor kerst te doen. Ben jij in staat dat op te brengen? Ook wil ik me graag zo snel mogelijk inschrijven voor de rechtenstudie en ik hoop dat deze kwestie je geen moeilijkheden zal bezorgen.

1 december 1980

Ik begrijp dat je onlangs een sollicitatiegesprek had bij Sigma Motors. Ik beschik niet over voldoende informatie om je in deze goed te kunnen adviseren. Ik ben nog net zo onzeker over je financiële toestand als ik was op 15/5/77, toen jij naar dat geïsoleerde dorp werd gedeporteerd. Maar ik denk dat het gevaarlijk en onverstandig is om in deze hectische dagen ergens anders naartoe te verhuizen dan terug naar Johannesburg.

1 juni 1980

Nelsons voornaamste zorg tijdens zijn gevangenschap was altijd de opleiding van zijn kinderen en van de kinderen waarvoor hij de verantwoordelijkheid had genomen, zo blijkt. Soms irriteren hun verzoeken hem, maar hij voelt zich te allen tijde verantwoordelijk, zijn irritatie komt voort uit hulpeloosheid en niet zozeer uit die verzoeken. Hij beklaagt zich bij Winnie:

De kinderen waarderen het niet erg dat ik in mijn huidige positie niet bij machte ben om ze te helpen. Xoliswa (een nichtje) heeft me weer geschreven om te zeggen dat ze de Transkei Universiteit heeft verlaten vanwege het inferieure niveau van onderwijs daar. Ze werkt nu op het departement van Justitie en haar ambitie is om hoogleraar Politieke Wetenschappen te worden. Ze zou graag willen dat ik een studie in het buitenland voor haar regelde. Chrissie (een nichtje) schreef me een soortgelijk verzoek. Ze is nu vijfentwintig en zou zich graag met haar echtgenoot, George, in Europa of in Amerika willen vestigen. Ze stuurde me twee foto's. Volgende week zal ik meneer Fletcher (Leabies contactpersoon) schrijven om uit te vinden hoe het met Leabie (een zus) gaat. Ze zou graag zien dat ik me ontfermde over de opleiding van

Phathiswa, de dochter van Leabie. Daartoe zou ik Alan Paton willen schrijven, om een beurs voor haar te regelen, maar ik weet niet of zijn adres nog klopt. Met het oog op de door hem geboden steun aan Rennie (Makgatho's eerste vrouw, nu gescheiden) zou het beter zijn hem ook deze bijkomende taak toe te vertrouwen, om de indruk te voorkomen dat er allemaal mensen en instellingen worden gebruikt die elkaar niet kennen.

27 mei 1979

Gisteren kreeg ik ook een brief van Nandi (kleindochter), geschreven vanuit de Inyanga High School in Engcobo. Ze vertelde dat haar aanvraag voor toelating tot St. Philomena was afgewezen. Volgens haar schrijven gaat ze volgend jaar naar de Inanda Seminary en ze verwacht dat ik haar schoolgeld betaal. Ze herinnert me eraan dat ik dat beloofd heb en voegt daaraan toe: 'Maar je betaalt niets, ik betaal mijn schoolgelden uit mijn spaarrekening.' Haar verjaardagskaart die ik naar St. John's had gestuurd, kwam terug. Terloops voegt ze eraan toe: 'Op het moment zit ik aan de grond wat betreft zakgeld. Vraag alsjeblieft aan grootmoeder uit Brandfort of ze me wat zakgeld wil sturen.'

De lasten die ik op jouw schouders blijf stapelen zijn kolossaal, het verbaast me hogelijk dat je nog geen bochel hebt. Het is voor mij heel begrijpelijk dat mijn schat af en toe een vlammend humeur heeft, zoals een Penelope wier kuisheid in twijfel wordt getrokken.

15 april 1977

Maar hoewel hij aan Winnie zijn excuses aanbood, tikte hij haar ook op de vingers als zij de verzoeken in twijfel trok:

Jij hebt niemands toestemming nodig, hoe verwant of behulpzaam ook, om Xoliswa's beurs in het buitenland te regelen. Net zo goed als alle anderen is zij ons kind. Haar vaders gunsten aan ons zijn een schuld die wij verplicht zijn terug te betalen.

25 mei 1979

Ik zou ook graag willen dat je je aandacht richtte op de situatie van Dan (een neef). Hij heeft buitengewone literaire talenten, vooral op het gebied van de poëzie en die vaardigheid zou beter ontwikkeld kunnen worden door een academische vorming. Vergeet niet dat die jongens van je houden, het is jouw plicht ze te steunen waar nodig. Wat betreft het geld voor zowel Ntoto als Dan zou je te rade kunnen gaan bij Mpilo (bisschop Desmond Tutu). Ik zit een beetje met de handen in het haar over Ntoto (een nichtje) en ik weet dat je over Dan de moed niet zult verliezen, als hij nog steeds de belofte die hij mij gedaan heeft wil uitvoeren.

Misschien zal het met Christina (een nichtje) veel beter gaan in Duitsland. Ik zou graag haar adres willen hebben zodat ik haar een beetje kan blijven steunen. Ik hou nooit op te denken dat sommige van de kinderen hun levensdromen niet kunnen realiseren om de simpele reden dat ik er niet kan zijn om hun talrijke problemen op te lossen. Ik zal tante Judie (Nelsons nicht) vragen mij het adres te sturen, als ze het heeft.

9 september 1979

Winnie

Winnie is bovenal Nelsons constante deelgenote in zijn cel en zijn contact met de buitenwereld. Door deze lange jaren van scheiding heen, zijn de gescheidenen dichter bij elkaar gekomen. De relatie verflauwt niet en heeft vele kwaadaardige praatjes en kwellingen van Staatswege doorstaan. Hij spreekt haar kinderlijk aan, zoals gewoonlijk tussen Thembu en Pondo, als Mama (de moeder van zijn kinderen), als Dadewethu (zuster), als Nomabandla (de naam die de Mandela-familie haar gaf), als Zanyiwe en Ngutyana (haar stamnamen). Het liefkozen heeft zich op afstand voortgezet, en altijd in aanwezigheid van vreemden; hun uitwisselingen van liefde blijven privé door het gebruik van tekens en gebaren.

Door de jaren heen heeft Winnie van ieder bezoek een genoeglijke en gedenkwaardige gebeurtenis voor hem gemaakt, waarbij zij zich met nauwgezette zorg voor haar toilet, haar sieraden en de voor die gelegenheid gekozen jurk of kaftan presenteerde.

En ieder bezoek werd gevierd in de daarop volgende brief:

Je zag er echt wonderschoon uit op 17/11, heel erg zoals de vrouw die ik trouwde. Er was kleur in je gezicht. Weg was de prikkelbare verschijning en de doffe blik in je ogen die je krijgt wanneer je gebukt gaat onder een te zwaar dieet. Zoals gewoonlijk bleef ik je aanspreken met 'Mama' maar mijn lichaam bleef me steeds vertellen dat er een vrouw zat aan de andere kant van dit platform. Ik had zin om te zingen, al was het alleen maar om even Halleluja! te roepen.

22 november 1979

Je zag er echt verpletterend aantrekkelijk uit in de outfit die je tijdens je vorige bezoek droeg, vooral op zondag. Er was nauwelijks enig bewijs van dat Zeni en

Zindzi jouw jeugd en een deel van je lichamelijke schoonheid hebben weggezogen.

31 maart 1983

Je bezoek van afgelopen maand was vrij onverwacht en dat kan een van de oorzaken zijn dat ik er zo van heb genoten. Ik had verwacht dat op mijn leeftijd alle jeugdige driften vervaagd zouden zijn. Maar dat blijkt niet zo te zijn. De simpele aanblik van jou, zelfs de gedachte aan jou, doet duizend vuren in mij ontvlammen.

Hoewel je vrolijk was op 19/2 zag je er toch een beetje ziek uit en de kleine plasjes water in je ogen verdronken de liefde en de tederheid die ze altijd uitstralen. Maar de kennis van wat ik de laatste twintig jaar heb genoten heeft me die liefde doen voelen, ofschoon zij mij werd ontzegd door ziekte.

Op 29/10 zag je er in die diepgroene jurk nog majesteitelijker en begerenswaardiger uit en ik dacht dat je geluk had dat ik je niet kon aanraken of kon vertellen hoe ik me voelde. Soms voel ik me als iemand die langs de zijlijn staat, iemand die het leven zelf gemist heeft.

's Ochtends met jou naar het werk, je bellen in de loop van de dag, je hand aanraken of je even knuffelen terwijl je bezig bent in huis, genieten van je heerlijke eten, de onvergetelijke uren in de slaapkamer, maakten het leven honingzoet. Dit zijn dingen die ik niet kan vergeten.

21 januari 1979

Misschien wist je het niet, maar één van mijn beste momenten in vroeger tijden was het luisteren naar de

kinderen als ze complimenten maakten aan Dadewethu, de kinderen die ook gevangen waren in het web
van intrige dat Moeder rond zich probeerde te spin-
nen.

2 september 1979

Ik hou de hele tijd van je, tijdens de nare, koude win-
terdagen en wanneer alle schoonheid, zonneschijn en
warmte van de zomer weer terugkeert. Mijn vreugde
kent geen grenzen als jij in lachen uitbarst. Zo denk
ik altijd aan je – onze Mama met meer dan genoeg te
doen; met een lachend gezicht, onder alle omstandigheden.

10 februari 1980

Op 30/8 was ik nog maar nauwelijks uit de bezoe-
kersruimte of ik dacht alweer aan je, teruglopend naar
de cel. Ik zei tegen mezelf: daar gaat Msuthu, als een
vogel in een hand, terugkerend naar de bush, naar de
woeste jungle en de wijde wereld. Ik mis je, Mhlophe,
en ik hou van je! Je liefhebbende Dalibunga.

1 oktober 1975

De laatste tijd heb ik veel aan je gedacht, zowel als
Dadewethu, als Mama, als vriend en mentor. Wat je
misschien niet weet is hoe vaak ik aan je denk en je
voor me zie in gedachten met alles wat je geestelijk en
lichamelijk bent – de vorm van je voorhoofd, schouders, ledematen, de liefdevolle opmerkingen die je dagelijks maakt en het blinde oog dat je hebt voor de
talloze tekortkomingen die een andere vrouw gefrustreerd zouden hebben.

Soms is het een geweldige ervaring om alleen te zijn
en terug te denken aan vroegere momenten die ik met

jou heb doorgebracht, liefste. Ik herinner me een dag toen jij hoogzwanger was van Zindzi en worstelde om je nagels te knippen. De herinnering beschaamt me; ik had het voor je kunnen doen. Of ik me er nu van bewust was of niet, mijn instelling was: ik heb mijn plicht gedaan, een tweede spruit is onderweg en de problemen waar je nu, vanwege je lichamelijke staat, mee te kampen krijgt, zijn jouw zaak.

15 april 1976

Jouw liefde en toewijding hebben een schuld gevormd die ik nooit zal proberen terug te betalen. Hij is zo enorm dat zelfs al zou de afbetalingstermijn een eeuw duren, ik zou hem nooit kunnen vereffenen. Het enige dat ik kan zeggen, Mama, is: *Nangamso!*

21 juli 1979

De tederheid en intimiteit die bestaat tussen een man en zijn Mama, Papa en de bijzondere vriend die jij bent. Deze speciale relatie heeft iets wat niet van het zelf gescheiden kan worden.

21 januari 1979

Je liefhebbende brieven, kerst-, verjaardags- en trouwdagkaarten komen altijd op het goede moment en geven me hoop dat ik de volgende maand een even opwekkende brief krijg. Het feit dat ik veertien jaar lang wekelijks van dezelfde persoon iets verneem, zou die vertrouwdheid moeten hebben gecreëerd die de frisheid en de vreugde van het nieuwe kwijt is. Maar als ik je brief krijg voel ik me onmiddellijk beter en wil ik hoger vliegen dan een arend. Hoewel ik op de hoogte ben van jouw gave om dingen helder en simpel te stellen, voelde ik me onmiddellijk aangetrokken door de prachtige manier waarop jij onze achttien jaren samen

hebt beschreven – achttien jaren van grote verschrik-
kingen in jouw leven. Als gewoonlijk werd ik getroffen
en ontroerd tegelijk door die boodschap.

19 juli 1976

In tijden als deze mis ik je meer dan ooit tevoren. Al
vele keren heb ik je verteld over de simpele dingen in
het leven die ik de afgelopen zestien jaar het meest
gemist heb: met jou naar Jeppe, Chancellor, bokswedstrijden, muziekfestivals, filmvoorstellingen in
Nqonqi in het open veld, de onvergetelijke dagen in
8115 en het allermooiste moment – het sluiten van de
slaapkamerdeur.

19 november 1979

Je brieven zijn meer dan versterkend en iedere keer als
ik van je hoor, voel ik me weer anders, ook al doe je
de jurk van Nogqwashu aan en prikkel je me van alle
kanten. Dergelijke prikkels zijn een deel van ons leven
geworden, onze wederzijdse liefde en ons geluk. Ze
geven mij een idee van de verwoestingen en schade
waarmee wij worden opgezadeld door het leven van
ontberingen dat wij moeten leiden. Bij zulke gelegenheden concentreer ik me altijd op de aanhef van je
brief of op de allerlaatste woorden van de slotalinea.

31 maart 1983

AAN ZINDZI OVER WINNIES JALOEZIE:
Op een zaterdagmiddag, ongeveer een maand voordat
Mama en ik trouwden, kwam ze me met een paar
vrienden ophalen van kantoor en trof mij daar aan,
wachtend op de secretaresse van een buitenlands
staatsman met wie ik een afspraak had. Net als Mama
was ze verpletterend mooi en ongeveer even oud, en
hoewel ze elkaar nog niet kenden was Mama ineens

heel vijandig. Ik was destijds lichamelijk in topvorm en ging geregeld naar de sportschool. Maar ondanks dat greep ze me, in het bijzijn van omstanders, bij mijn nekvel en ze sleurde me naar buiten. Ik heb die dame nooit meer gezien.

Een andere keer, toen Zeni nog een zuigeling was, waren we aan het eten toen er een vriend kwam die vroeg of ik één van Mama's vriendinnen even naar het toenmalige Sophiatown wilde brengen. Terstond trok de Ngutyana zich terug in de slaapkamer, letterlijk trillend van woede. Ik kuste haar en wreef haar liefdevol tussen de schouders en ze koelde wat af. Ik voel me enigszins beschaamd dit nu te zeggen, lieve, maar ik moet toegeven dat Mama, ondanks de hindernissen die ze destijds voor me opwierp, al snel tot bedaren kwam. Vandaag de dag is ze een ruimdenkende herderin met een verheven ziel die van mij een man heeft gemaakt.

4 september 1977

Verjaardagen

De Mandela's vieren waar mogelijk verjaardagen, en trouwdagen vrijwel zonder uitzondering, tijdens de officiële bezoeken in de gevangenis. Daarnaast worden de gebeurtenissen gevierd met kaarten en brieven. Nelson herinnnert zich zijn en Winnies trouwdag in dit fragment:

Ik heb nostalgische herinneringen aan 14 juni. De zware tijden ten spijt gingen we toch naar het altaar. Het hoogverraadproces, strikt gebonden aan Johannesburg, de schulden die zich opstapelden, het onvermogen om verplichtingen na te komen, bij sommige evenementen bleef ze op de achtergrond terwijl ze het volste recht had de schijnwerpers te delen: al deze dingen schokken me als nooit tevoren. Het was ons kruis en ik hoop dat we het redelijk goed gedragen hebben. Ik heb vandaag veel aan je gedacht. Telkens als ik dat doe begin ik letterlijk te gloeien en verlang ik ernaar je te omhelzen en de elektrische schokken te voelen die jouw vlees in mij wrijft, je navel en je hartslag. Over drie jaar vieren we onze zilveren bruiloft – waar en hoe? Tot weerziens.

29 juni 1980

Zijn gedachten blijven in het verleden; relaties die voorbij zijn gegaan, dingen die hij had moeten doen maar niet gedaan heeft.

Lieve Zuster, Vandaag zijn we negentien jaar bij elkaar. Er is veel gebeurd in die tijd. C.K. Nozipho, Phyllis, Tshawuza Ntwasa en *Makhulu*, die bij onze bruiloft waren, zijn allemaal dood. Ook mijn moeder, die jou verwelkomde als de bruid in ons nieuwe huis, is er niet meer, evenmin als Thembi, die jij liefhad als je eigen kind. Mogen zij allen in vrede rusten.

Ik heb je feestelijk herdacht op 26 september (Winnies verjaardag). Ik had vier theelepels Nespray poedermelk in een beker gedaan, daarbij 3 theelepels Milo en 2 theelepels bruine suiker en heb toen het mengsel overgoten met heet water. Het was een geweldig brouwsel, een koninklijke drank.

1 oktober 1975

Ik zou willen dat ik je mee kon nemen voor een lange, lange reis, net als toen op 12/6/58, met als enige verschil dat ik ditmaal liever met jou alleen zou willen zijn. Ik ben al zo lang van je gescheiden, dat het eerste wat ik zou willen doen na mijn terugkeer is je mee te nemen, weg van die verstikkende atmosfeer, je voorzichtig rond te rijden zodat je de gelegenheid zou hebben de frisse, schone lucht in te ademen en de mooie plekjes van Zuid-Afrika te zien, het groene gras en de bomen, de kleurige wilde bloemen, de sprankelende riviertjes, de dieren grazend in het open veld en te praten met de eenvoudige mensen die we onderweg tegenkwamen. De eerste stop zou zijn waar Ma Rhadebe en C.K. (Winnies ouders) slapen. Ik hoop dat ze naast elkaar liggen. Dan zou ik mijn dank kunnen betuigen aan hen die het mogelijk hebben gemaakt dat ik zo gelukkig en vrij ben als nu. Misschien dat de verhalen die ik je al deze jaren al heb willen vertellen, daar beginnen. De sfeer daar zou waarschijnlijk je oren doen spitsen en mij aanzetten tot concentratie op de dingen die smakelijk, stichtelijk en opbouwend zijn. Daarna zouden we verder trekken en de draad weer oppakken bij Mphakanyiswa en Nosekeni (Nelsons ouders), alwaar de omgeving hetzelfde zou zijn. Ik geloof dat we dan weer fris en solide terug zouden rijden naar 8115.

29 juni 1976

Verdriet, nostalgie, dromen

Nelsons brieven weerspiegelen de delen die ongezegd blijven, vanwege de censuurregels die de gedachten van de gedetineerde voorschrijven en verbieden. Het enige wat hij vrijelijk had kunnen uiten was wroeging en spijt. Daar is geen glimp van te bespeuren, in geen van zijn brieven, wat betreft de positie die hij heeft ingenomen ten aanzien van zijn land en zijn vrijheid en die van zijn volk.

De spijtgevoelens die hij uit, betreffen alle de tijd die hij met zijn familie had kunnen doorbrengen. Er is een verborgen bewustzijn van de prijs die zijn kinderen hebben moeten betalen voor hun vader die zich terugtrok van zijn familie en zichzelf aan het volk gaf, van de echtgenoot die zijn jonge vrouw verliet om zijn land te dienen, een bewustzijn van hun pijn omdat hij er niet was als ze hem nodig hadden als een intieme, persoonlijke aanwezigheid.

AAN WINNIE:
Ik leid een leven waarin ik nauwelijks genoeg tijd heb om zelfs maar na te denken.

15 april 1976

Onze dochters, grootgebracht in moeilijke tijden, zijn nu volwassen vrouwen. De eerstgeborene heeft haar eigen huis en brengt haar gezin groot. Wij konden onze wens een zoontje te krijgen niet vervullen, zoals we van plan waren. Ik had gehoopt een schuilplaats voor je te bouwen, hoe klein ook, zodat we een plaats zouden hebben voor rust en steun voordat de trieste, droge dagen zouden komen. Ik viel en kon die dingen niet doen. Ik ben als iemand die luchtkastelen bouwt.

26 juni 1977

Mijn arrestatie wegens hoogverraad op 5 december 1956 en de langdurige processen die volgden, bemoeilijkten de situatie. De wereld om mij heen stortte letterlijk ineen, inkomsten vielen weg en veel verplichtingen konden niet nagekomen worden. Alleen de verschijning van Ngutyana (Winnie) hielp een beetje orde te scheppen in mijn persoonlijke zaken. Maar de chaos was te groot geworden, zelfs voor haar, om de stabiliteit en het gemakkelijke leven, waaraan ik net behoefte begon te krijgen toen het ongeluk toesloeg, nog terug te kunnen brengen.

Al die dingen komen telkens weer bovendrijven als de geest afdwaalt naar dagen in de Gouden Stad. Maar deze ziele-speurtocht smelt hdemaal weg als ik denk aan Mama en alle kinderen, aan de trots en vreugde die jullie me allemaal geven. Onder ons is Nobutho (Zindzi), de geweldige Mantu, wiens liefde en trouw, bezoeken, brieven, verjaardags- en kerst-kaarten een belangrijk deel uitmaken van de inspan-ningen van de familie om mij vele beproevingen van de afgelopen twintig jaar te helpen doorstaan.

1 maart 1981

Het verdriet en de zorgen steken hem in zijn dromen, die levendige, vaak schokkende nachtmerries zijn; af en toe aangename sublimaties.

Ik heb plannen, wensen en hoop. Ik droom en bouw kastelen. Maar je moet reëel zijn. Wij zijn slechts in-dividuen in een maatschappij die wordt geleid door machtige instituties met hun regels, normen, zeden, idealen en opvattingen.

1 september 1975

Ik weet niet hoe ik deze dromen moet uitleggen. Maar ze geven op z'n minst aan dat ik veel minder gestaald ben dan ik had gedacht, dat afstand en twee decennia afzondering het staal in mij niet hebben versterkt, maar de bezorgdheid over mijn familie ver-groot.

28 juni 1980

Ik had een droom die wel de hele nacht leek te duren. Het begon in de bergen, aan de overkant van Orange River. We liepen op groen gras naast een schone beek en hielden elkaars hand vast zoals we altijd deden voordat Zeni en Zindzi geboren waren. We waren in Brandfort en reisden naar Kroonstad, waar we allemaal vrienden tegenkwamen. Alle Ngutyana's en Dhlomo's en onze familieleden waren er.

23 april 1978

In mijn dromen van vorige maand waren we aan het einde van Selborne Road. We kregen een lift naar First Avenue en liepen toen naar de King bioscoop. Maar die bereikten we niet omdat jij mij de weg versperde en me plaagde met tedere kussen. Het zijn maar dromen, maar ik heb ze graag!

27 mei 1979

De wereld is werkelijk rond en lijkt te beginnen en eindigen met hen die we liefhebben. In dat opzicht was de nacht van 23/6 een onvergetelijke, toen het onderbewustzijn een romantische wereld opende, met alle mooie sensaties die ik zo heb gemist. Een vrouw zat op de grond met haar benen gestrekt, zoals onze moeders vroeger deden als ze zich ontspanden. Ik kan me de exacte woorden niet herinneren, maar zij zong met een gouden stem en haar gezicht straalde alle liefde en vuur uit die een vrouw een man kan geven. Ze draaide zich om en kromde haar armen. Die vrouw was niemand anders dan onze lieve Mama. Deze momenten zijn steeds talrijker en maken het leven de moeite waard, ondanks alles. Ik hou van je.

1 juli 1979

Eindeloze dromen over hen die we liefhebben! In de nacht van 21 september reden jij en ik in de Oldsmobile op de hoek bij Eloff en Market Street toen jij er ineens uitsprong en pap uitbraakte. Het was oud en hard met een korstje erop. Bij iedere klont die eruitkwam beefde je over je hele lichaam en je klaagde over een scherpe pijn in je rechterschouder. Ik drukte je dicht tegen me aan, zonder dat ik me om de nieuwsgierige menigte en de verkeersopstopping bekommerde. Ik was nog steeds lichtelijk overstuur toen ik overeind kwam maar toen ik me realiseerde dat het maar een droom was, was ik meteen weer blij.

26 juni 1978

Ik droomde dat ik met de jonge mannen van mijn kraal was. Ze gaven me kruiden om me kracht te geven tegen jou. Ze zeiden dat ik ruzie met je moest maken, zodat jij zou weglopen. En jij schreeuwde tegen mij dat ik die bladeren weg moest gooien, ze waren een slecht medicijn. Dit gesprek werd door een heel publiek gevolgd. Ik gooide de bladeren weg.

16 juli 1978

Op 20/6 werd ik wakker en zag Ngutyana en haar man, op weg van Brandfort naar Johannesburg. Ze kwamen langs twee vijandige groepen jongens die tegenover elkaar stonden, aan weerszijden van een brede beek, popelend om een gevecht te beginnen. Om veiligheidsredenen gingen we uit elkaar, maar ik hield je de hele weg in het oog. Ik keek de waterval af naar de rivier beneden; het landschap was adembenemend. Opeens werd ik doodsbang, toen ik zag dat je verdwenen was, en rende ik de vallei door om te zien of het echt zo was. Je zat daar onbezorgd te baden in de rivier met twee meisjes. Maar toen ik daar aankwam ontdekte ik dat het drie onbekende jongens waren en jij was nergens te bekennen. Ik rende weg om de omgeving af te zoeken en weer raakte ik in paniek. Je lag op je rug aan de Transvaalse kant van de rivier en rilde van de koorts. Een ambtenaar van Bloemfontein was langs je gelopen en had je verzoek om een dokter afgewezen. Geëmotioneerd werd ik wakker.

In de nacht van 26/6 had ik een soortgelijke droom. Ik was aan het dominoën met drie vrienden toen ik je zag liggen op een plek waar de grond dichtbegroeid was en waar gigantische pijnbomen stonden. Deze keer bracht een ziekenhuisverpleger heet water, sterilisatiemiddelen en watten om je te behandelen. Pas toen besefte ik hoe ziek je was. Ik rende naar je toe en omhelsde je. Later kwamen we bij een dorp waar ik een tijd gewoond had, weg van jou. Het was heel leuk voor mij om je alles daar te laten zien.

29 juni 1980

Mijn dromen vertellen hetzelfde verhaal en herinneren me er telkens aan dat ik niet kan ontsnappen uit de ban waar ik tweeëntwintig jaar geleden in gevangen werd. Een paar nachten terug sleurden Zeni en Zindzi me naar een tweedehandswinkel in Eloff Street, tussen Commissioner en Main Street, om een paar huishoudelijke artikelen te kopen die we hard nodig hadden. Toen ik wakker werd op de ochtend van 25/2 miste ik jou en de kinderen heel erg, zoals altijd.

14 april 1976

Ik had weer zo'n eindeloze droom. Ik kwam 's avonds laat thuis, eigenlijk tegen de ochtend, rende door het huis en kwam jou tegen toen je door de achterdeur gewankeld kwam. Je zag er ziek en depressief uit. Ik hield je een tijdje vast, ik voelde me schuldig en kon je niet recht in de ogen kijken. In deze droom was Zindzi nog een baby van ongeveer achttien maanden en ik was verbijsterd toen ik ontdekte dat ze een scheermesje had ingeslikt. De opluchting was enorm toen ze het uitspuwde. De volgende dag droomde ik over jou en de meisjes. Deze keer vroeg Zindzi mij haar te kussen. Toen ik dat deed, klaagde ze dat mijn kus niet warm was. Zeni wilde ook per se een kus en bleek tevreden.

1 juni 1980

Opleiding

Nelson gelooft heilig in opleiding. Beide Mandela's zijn tijdens hun gevangenschap doorgegaan met studeren en examens doen. Als er niets te doen was, was er de studie. In eerste instantie werd politieke gevangenen alle nieuws ontzegd, maar ze pikten stiekem beetjes op uit kranten die bewakers achteloos lieten liggen. Na jaren te hebben geprotesteerd kregen ze toegang tot een beperkt aantal kranten, de radio en uiteindelijk tot de tv.

Nelson is zich gaan interesseren voor archeologie, mythologie, filosofie, religie, en heeft een grote belangstelling voor sociale en culturele systemen. Via UNISA en het London Law Correspondence College heeft hij economie en rechten gestudeerd. In de volgende brieven bespreekt hij zijn en Winnies studies.

Mijn huiswerk houdt me flink bezig. Ik moet tweehonderd punten halen om mee te mogen doen aan het examen bedrijfseconomie aan het eind van het jaar. Tot dusver heb ik honderdtweeënveertig punten uit vijf taken. Nu worstel ik nog voor achtenvijftig punten.

Ik voel me er schuldig over dat ik op m'n gemak mijn studies voortzet, terwijl jij het zo zwaar hebt.

Lieve Meid! Eindelijk ben je terug bij UNISA. Wat zijn je vakken en weet je nog dat je op deze zelfde universiteit zat toen we elkaar achttien jaar geleden leerden kennen? Ik hoop dat je de cursus leuk vindt. Weet wel dat ik verwacht dat je je zult houden aan het hoge niveau waarvan ik weet dat je het aankan. Maar ik ben echt geschrokken van het feit dat jij 's avonds naar de openbare bibliotheek rijdt. Hoe kun je zo'n risico nemen? Ben je vergeten dat je in Soweto woont en niet in het stadscentrum waar je 's avonds veilig bent? De afgelopen tien jaar ben je het doelwit geweest van een aantal lafhartige aanslagen op je leven, waarbij ze je uit huis probeerden te sleuren. Jouw leven en dat van de kinderen is veel belangrijker dan welk diploma ook!

15 april 1976

Het zou een vreselijke tegenslag zijn als het hoofd van de faculteit jouw diploma sociale wetenschappen zou afwijzen, terwijl het geldig is in de Vrijstaat. Wat betreft vrijstelling sta je sterk, want je hebt een diploma in sociale wetenschappen dat zowel wordt erkend door de provinciale gemeenten als door veel welzijnsorganisaties en het bedrijfsleven. Je zou hem kunnen wijzen op de verschillende soorten maatschappelijk werk dat je gedaan hebt sinds je in 1955 bevoegd bent bij Baragwanath en de Child Welfare Society.

1 juli 1979

Wat betreft je studieproblemen, ik moet zeggen dat ik teleurgesteld ben en zelfs vol afkeer, omdat ik weet dat sociaal werk jouw tweede natuur is. Het zou een geweldige compensatie zijn je graad te krijgen na alle zware, nare ervaringen die je de afgelopen tweeëntwintig jaar te verwerken hebt gehad.

1 juni 1980

Het gevangenisdepartement heeft aangekondigd dat studeren weer is toegestaan, inclusief de post-universitaire studies. Gedetineerden mogen individueel hun afzonderlijke studies beginnen. Maar momenteel is het mij nog niet bekend of de rechtenstudies van de London University ook toegestaan zijn... Als ik mag doorgaan met het eindexamen dan ga ik op voor toegepast recht, internationaal recht, Afrikaans recht en handelsrecht of familierecht. Mijn enige angst is dat de boeken onoverkomelijk duur zijn. Ik zal me waarschijnlijk inschrijven voor de colleges van Wolseley of Cambridge en me abonneren op Law Quarterly Review en *Modern Law Review*. Om dit allemaal te verkrijgen heb ik niet minder dan 350 Rand nodig. Als het niet doorgaat dan ga ik verder met B. Com. bij UNISA.

1 juni 1980

Gezondheid

Buiten een operatie aan de prostaat in 1985 en een even succesvolle behandeling tegen tuberculose in 1988, is Nelsons gezondheid goed geweest. Een keer, toen de pers meldde dat hij kanker zou hebben, schreef hij aan Winnie:

Mhlophe, ik voel me geweldig, zowel van geest als van vlees. Ik ben de hele dag bezig, ik voel me prettig bij mijn lichamelijke en mentale arbeid en ik trim iedere ochtend vroeg, zoals ik in de jaren vijftig altijd deed met Jerry Moloi. Mijn eetlust is goed en ik slaap prima. Bovenal vloeien kracht en een super-optimisme door mijn bloed, omdat ik weet dat jij van me houdt en omdat ik geniet van de goede wensen van talloze familieleden. Ik wens noch ziek noch ziekelijk te zijn. Slechts twee keer in mijn leven ben ik in het ziekenhuis geweest, voor maar twee dagen; in 1937 vanwege een maagkwaaltje en in 1945 voor het weghalen van mijn amandelen. Ik ben nog nooit in het Groote Schuur ziekenhuis geweest en heb in 1961 vanaf de weg het gebouw voor het laatst gezien. Een incidentele onpasselijkheid, dat hoort erbij en wat dat betreft heb ik mijn deel aan kleine kwaaltjes wel gehad, maar ik kan me niet herinneren dat ik in de afgelopen vijftien jaar een ernstige ziekte heb gehad. In die tijd is het gehele land verschillende keren getroffen door een epidemie, maar ik ben niet één keer geveld. Dit is geen grootspraak, Kgaitsedi (Winnies stamnaam), maar een feitelijke verklaring van iemand die zich bewust is van de sensationele maar absoluut ongegronde persberichten over het aftakelen van mijn gezondheid. De dag dat ik die riool journalist te pakken krijg harpoeneer ik hem de ring in en sla hem gek in zijn eigen hoek. Ik kan niet voorspellen wat er morgen gebeurt maar op het moment voel ik me prima!

24 mei 1976

Herinner jij je nog dat je mij jaren geleden op 20 december aantrof met een diepe snee bij mijn linkeroog en mijn hoofd in het verband? Vrijwel nooit heb ik jou zo overstuur gezien als bij die gelegenheid. Tot op de dag van vandaag achtervolgt die pijnlijk getroffen uitdrukking op je gezicht mij. Ik heb je toen alles verteld, maar er komt een dag dat onze neef Zwangendaba je nog een klein detail zal onthullen dat ik destijds heb weggelaten... Mijn ogen zijn heel behoorlijk, Ngutyana, en mijn gezondheid is goed.

18 juli 1976

Ik ben op 16/8 bij een orthopedisch chirurg geweest om mijn rechterhiel, waar ik af en toe last van heb, te laten onderzoeken. Ik zal het verder bespreken met dokter Edelstein bij zijn volgende ronde over het eiland.

27 februari 1979

Ik ben op 9/5 bij de oogarts in Kaapstad geweest. Een kwaadaardig virus was sinds 28/3 bezig geweest mijn oog op te eten maar het arme schepsel had er geen idee van hoe sterk mijn levenslust is. Ik heb hem opgegeten en de infectie is over. De specialist, die me ook al op 7/4/76 onder handen nam voor dezelfde klacht, zegt dat mijn gezichtsvermogen heel goed is, hoewel de test wel een paar veranderingen van het oog onthulde sinds de laatste keer. In 1972 heb ik een andere leesbril genomen. Hij vond dat de veranderingen nu zo miniem waren dat hij me geen nieuwe bril aanraadde, tenzij ik een flitsender montuur wilde, maar hij gaf me toch een recept mee, voor het geval dat. Ik was enigszins opgelucht dat jij en Zindzi niet kwamen op 3/3. Op 28/2 verwondde ik mijn oog met een tennisracket en op 1/3 was het helemaal gezwollen en zat er een blauwe rand omheen. Ook moet ik je vertellen dat ik al enige tijd last heb van mijn linkerhiel. Hij doet pijn als ik ren en mijn mobiliteit is dus aanzienlijk verminderd. Voor het blote oog lijkt het alsof er iets mis is met de botformatie. Afgelopen maand lieten de plaatselijke röntgenfoto's zien dat jouw mannie in elke hiel een extra teen heeft. Op de pijnlijke plek zit een litteken, waarschijnlijk van een lang vergeten kwetsure. Op 17 mei heb ik een cortisone-injectie gehad en we hopen dat die tenminste de pijn zal doen afnemen.

27 mei 1979

Met mijn vorige brief heb ik al een medisch rapport meegestuurd. Opnieuw moet ik je verzekeren dat ik me prima in orde voel.

1 juli 1979

Op 19/11 hebben we de pleister eraf gehaald. De snee ziet er goed uit en volgens het rapport van de orthopedische chirurg zal het herstel zonder verdere complicaties verlopen. Ik gebruik de voet alweer.

25 november 1979

De hiel herstelt zich goed en ik loop zonder wandelstok rond op slippers. Misschien dat ik ergens in februari weer met lichte oefeningen begin. Ik ben er niet aan gewend om delen van mijn lichaam te zien afvallen en aftakelen alsof ik 62 ben. Je weet dat ik nog maar 45 ben en vrijwel niemand zal de moed hebben dat in twijfel te trekken zodra ik mijn oefeningen weer hervat.

6 december 1979

Ik ben op 23/5 bij de radioloog in Kaapstad geweest die mijn rechterhiel geröntgend heeft. Hoewel ik de foto's nog niet heb gezien, merkte hij op dat er nauwelijks verschil was tussen de rechter- en linkerhiel. Dezelfde ochtend heb ik ook een cardiogram laten maken. Ik had de hartchirurg voor het laatst gezien op 3/5/77, toen mijn bloeddruk aan de hoge kant was.

Die bleef stabiel tot in de vroege ochtend van 30/4, toen zich symptomen aftekenden dat hij te hoog was. Op 1/5, 's avonds laat, controleerde iemand van het gevangenishospitaal mijn bloeddruk. Hij pompte het bandje op en luisterde nauwlettend toen hij de druk liet weglopen. Plotseling riep hij: 'Wat?' en pompte het snel weer op, zijn gezicht in een zorgelijke frons en met glinsterende ogen. De wijzer schoot omhoog en weer beluisterde hij mijn hartslag. Deze keer liet hij het instrument om mijn arm zitten en belde de dokter. De dokter en de zuster waren vrij rustig en bedaard en hun ogenschijnlijke kalmte gaf me een beter gevoel. Ze bevestigden dat mijn bloeddruk onrustbarend hoog was. Een Aldomat per dag deed hem de volgende morgen duidelijk zakken en in de middag van 3/5 was hij weer normaal en stopte ik met de Aldomat-behandeling. Ik weet niet wat die bloeddruk in eerste instantie zo heeft opgejaagd. De specialisten dachten dat het misschien kwam door familiezorgen, waar ik doorgaans gewoon de schouders over ophaal. Als om die lezing te beklemtonen had ik de avond van mijn terugkeer uit Kaapstad weer een van mijn eindeloze dromen.

1 juni 1980

Maar hij was bezorgd om de gezondheid van zijn familie:

Ik had er geen idee van, liefste, dat jij en Zeni allergisch zijn voor bepaalde voedingsstoffen en dat verschillende artsen proberen de oorzaak te vinden. Ik hoop dat jullie allebei het aanbod van dokter Variawa zullen aannemen en toegelaten zullen worden tot de Coronation voor medische tests. Het vinden van de oorzaak van zo'n allergie is altijd een moeilijke zaak en hoe eerder ze beginnen, hoe beter. Welke vormen neemt de allergie aan? Geef me alsjeblieft alle details in je volgende brief. Het belangrijkste is dat je je absoluut geen zorgen maakt over je kwaal. Onthoud dat regulier sporten, vooral de sporten die je doen rondrennen, lichamelijke en psychische stoornissen verregaand onder controle houden.

5 maart 1978

Ik zal blij zijn als ik hoor dat je kwaal genezen is en je gezondheid weer beter. Je hebt nauwelijks gereageerd op mijn betoog over jouw lichamelijke verschijning. Ik raak gewoon nooit aan je gewend; elke keer dat we elkaar zien krijg ik een schok. In mijn ogen zie je er helemaal niet gezond uit, ook al zeg jij dat je het wel bent, ik weet niet precies hoe ik het moet zeggen, Msutu, maar je ziet er afgemat uit. Dat is niet goed. Ik weet dat je zult zeggen dat je geen toonbeeld bent en dat je liever zou hebben dat mensen je zouden nemen zoals je bent. Maar je bent altijd fris en vol bloed geweest...

Wat zou ik trots en blij geweest zijn als ik wist dat mijn bezorgdheid over jouw verschijning gedurende de afgelopen dertien jaar je zou hebben aangezet om er iets aan te doen. Mijn zorgen zouden voorbij zijn. Ik heb een geweten en telkens wanneer ik je de zichtbare tekenen van het lijden zie dragen, word ik gekweld door schuldgevoel en schaamte. Evengoed zie je er geweldig uit in mijn ogen, ook al verschijn je als zo iemand wiens longen zijn weggevreten door een stel *impundulu's*. Je moet weten dat als je wilt dat ik op m'n gemak ben, je me eens een brief zal moeten schrijven om mij te vertellen dat je terug in je oude vorm bent en dat je tenminste vijf kilo bent aangekomen.

1 oktober 1979

Zonen

Thembi, als enige van al Nelsons kinderen, was tijdens Nelsons gevangenschap oud genoeg om hem te komen bezoeken. Hij deed dat echter nooit en hoewel zijn familieleden er verscheidene verklaringen voor hebben, luidt Winnies uitleg als volgt:

Toen Nelson ondergronds ging steunde hij zwaar op Thembi. De andere kinderen waren nog te jong om het te begrijpen. Thembi leefde zo'n beetje ondergronds met zijn vader. Omdat hij op een leeftijd was dat hij gearresteerd kon worden, gebood zijn vader hem zich uiterst gedeisd te houden en zijn bezoeken aan Lilliesleaf zelfs voor zijn moeder geheim te houden. Ik bracht hem er zelf naar toe om het weekend door te brengen met Nelson en hij nam met mij deel aan vele gevaarlijke missies. De zeer hechte band met zijn vader en zijn betrokkenheid met hem dwongen Thembi een façade van afstandelijkheid en onverschilligheid te handhaven, een façade die hij zelfs ophield voor zijn broertje, zijn zusje en zijn moeder. Ik stond er versteld van dat hij, zo jong als hij was, die schijn zo compleet op wist te houden. Hij vereerde zijn vader en was geheel toegewijd aan zijn rol in Umkhonto. Ik, op mijn beurt, vereerde Thembi.

Toen hij omkwam bij een motorongeluk, schreef Nelson mij; ik zat in die tijd in de dodencel en moest achttien maanden eenzame opsluiting uitzitten. Hij herinnerde mij eraan hoe Thembi hem bezocht had in Lilliesleaf en een veel te groot jasje droeg, van Nelsons kostuum. Hij had tegen Nelson gezegd: 'Papa, ik ben nu in jouw plaats en ik zal proberen om jou te zijn en

voor de familie te zorgen.' Thembi was het diepst gekwetst door de scheiding van zijn ouders. Hij was
toentertijd oud genoeg om de betekenis van een
scheiding in te zien en dat deed hem veel pijn. Hij
leed ook onder de extreme posities die zijn ouders
hadden ingenomen, zijn vader geheel toegewijd aan
de politiek, zijn moeder aan het geloof.

Thembi werd op school in Swasiland verliefd op
Thoko. Zij werd zwanger, was gedwongen met school
te stoppen en keerde terug naar huis. Hij volgde haar
naar Retreat in Kaapstad, waar haar moeder een klein
zaakje had. Thoko hielp in de winkel en Thembi had
een goede administratieve baan. Hun oudste dochter
Ndileka werd geboren gevolgd door hun tweede
dochter, Nandi. Ndileka was drie en Nandi nog maar
zes maanden toen Thembi om het leven kwam.
Thoko overleefde het ongeluk en bleef bij haar moeder wonen.

Later gingen de kleindochters naar Evelyn in Transkei en daar gingen ze naar de middelbare school. De
kleindochters zijn nu volwassen vrouwen en beide
hebben Nelson een achterkleinkind geschonken. Voor
de jongste kleindochter, Nandi, heeft Nelson een
beurs geregeld, en momenteel studeert ze in Kaapstad
en ziet *Tatomkhulu*, haar grootvader, zo vaak ze permissie voor een bezoek krijgt. Ndileka is verpleegster.

Nelson staat vaak even stil bij Thembi. Wanneer
Zindzi vertelt dat ze rijles heeft, schrijft hij:

Ik ben blij dat je rijlessen neemt en ik hoop dat je net
zo'n voorzichtige bestuurder als Mama zult zijn.
Thembi kon al in die enorme Oldsmobile rijden toen
hij tien was. Maar tegen de tijd dat jij je rijbewijs
krijgt zal je het beter hebben gedaan dan Mama en ik.

Wij waren respectievelijk zesentwintig en drieëndertig jaar oud toen wij de onze kregen. Veel succes, lieveling!

4 september 1977

MAKGATHO
Makgatho zegt:

Toen ik zestien jaar en negen maanden oud was, ging ik voor het eerst op bezoek op Robbeneiland. Het was in juni 1967 en ik zat op school in Orlando. Ik had papa niet meer gezien sinds zijn eerste arrestatie in 1962. Wij waren niet bij het Rivonia-proces. We zaten destijds op school in Swaziland. Pas in 1964 verliet ik Swaziland.

In die tijd haalde ik het enige nieuws over Papa uit de krant. Ik kon Papa niet schrijven. Papa kon mij niet schrijven. Toen ik terugkwam uit Orlando zocht ik Mama Winnie op en zij vertelde me over Papa. Ik vond het leuk om naar Mama Winnie toe te gaan. Ik draaide platen en hing wat rond als ik er een dagje was. Mama Winnie zorgde ervoor dat ik Papa kon zien. Ze regelde mijn reis naar Johannesburg en zette me op de trein. Thembi haalde me op in Kaapstad. Thembi was daar in 1965 gaan wonen. Hij was toen al getrouwd en het leek hem goed te gaan. Ik wist dat hij van Papa hield. Misschien was hij in Kaapstad gaan wonen omdat Papa daar was. Ik nam de boot en ging het hol in. We gingen met z'n vieren. Ieder van ons bezocht familie op het eiland.

Ik had een goed bezoek aan mijn vader, maar de tijd was te kort. Hij vroeg me een paar stappen achteruit te doen opdat hij me kon bekijken. Hij zei dat ik groot was geworden en dat ik er mooi uitzag. Hij vroeg naar mijn school en zei dat ik me moest aanmelden bij Fort Hare. Papa vertelde me over zijn dagen op Fort Hare. We praatten veel. Hij lachte vaak. Die dertig minuten waren te kort.

Daarna bezocht ik Papa doorgaans twee keer per jaar. De SACC (de Zuidafrikaanse Raad van Kerken) betaalde onze reis. Ik had twee bezoeken in 1968, twee in 1969 en twee in 1970. Daarna had ik één bezoek per jaar, dat ging door tot 1978. Voor het laatst zag ik hem in 1983.

Na 1983 werden Makgatho's bezoeken onregelmatig en vervolgens hielden ze op. 'Ik werd gewoon lui,' verklaart hij. Pas in 1987 hervatte hij de bezoeken aan zijn vader. De reden lag waarschijnlijk wat dieper dan luiheid. Het was voornamelijk dat hij niet was opgewassen tegen zijn vaders aanhoudende aanmaningen om terug naar school te gaan. Pratend over zijn opleiding zegt Kgatho:

Ik zat op het Niveau negen op St. Christophers en ging over, maar ik keerde niet terug voor mijn eindexamen. In feite ben ik van school gestuurd. We hadden een leerlingenstaking georganiseerd. Drie jaar bleef ik bij meneer M.B. Yengwa in Mazini en toen begon ik weer met school in Orlando. Mama betaalde. Ze werd gesteund door het Institute of Race Relations. Ik deed daar eindexamen en kreeg een einddiploma. Ik had me aangemeld bij Fort Hare maar ik had geen universitaire vrijstelling. Ik deed toelatingsexamen maar zakte weer.

Nelson geloofde in de intellectuele capaciteiten van zijn zoon en vond dat hij terug naar school moest. In november 1974 schreef hij aan een vriend:

Mijn zoon Kgatho is vierentwintig en moet nog in twee vakken eindexamen doen. Hij deed het erg goed tot het JC (Junior Certificaat) en ging met lof over, hoewel hij het examen deed nadat hij een paar maanden van school was gestuurd, wegens het organiseren (zo althans luidde de aanklacht) van een leerlingenstaking. Sindsdien is hij al zijn scherpte verloren en heeft middels privéles nog twee keer geprobeerd eindexamen te doen, echter zonder succes. Het werkelijke probleem is dat het op zijn leeftijd en door mijn afwezigheid erg moeilijk is de verleidingen van het stadsleven te weerstaan. Ik heb geprobeerd hem op een internaat te krijgen – Clarkebury of St. John's, beide in Transkei – waar hij full-time zou kunnen studeren, ver weg van de invloeden die het hem zo moeilijk maken zich te concentreren op zijn studie. Maar hij heeft een sterk argument om op terug te vallen: een prettig baantje dat hij misschien kwijtraakt als hij ingaat op mijn voorstel en ook is hij verloofd. Hoe dan ook, ik denk dat hij nog een jaar de tijd zou kunnen nemen om te studeren en tenminste dat eindexamen af te maken. Ik heb hem verteld dat ik daarna verdere plannen zal bespreken. Misschien als hij uitgenodigd werd in Durban en plaatsen te zien kreeg als Ngoye, Westville en M.L. Sultan College, zodat hij uit eerste hand kan zien wat jonge mensen elders uitvoeren, misschien dat die gelegenheid zijn ambities zou doen ontwaken en hem zou aanzetten tot verbetering van zijn prestaties.

1 november 1974

Maar in plaats van terug te gaan naar school trouwde Makgatho en werd vader van een zoon. Nelson was sceptisch over het huwelijk maar werd later dol op zijn schoondochter Rennie. Zij onderhield uitvoeriger contact met hem dan zijn zoon. Zij bracht het eerste kleinkind, Mandla, mee op bezoek. Hij staarde naar de baby en zag in het stralend gezonde gezichtje de voortzetting van de Mandela-lijn; hij voelde zich gerustgesteld.

Toen deed Rennie wat Makgatho niet had willen doen. Ze liet weten dat ze graag terug naar school wilde. Nelson besprak dit met Alan Paton en die zorgde ervoor dat Rennie toegelaten werd op de hogeschool van Inanda en hij, Peter Brown en Ismail Meer betaalden de collegegelden. Nelsons ambities voor zijn zoon werden er evenwel niet minder om. Hij schreef aan zijn oudste dochter Maki:

Het feit dat Rennie op eigen initiatief terug naar school is, zal Kgatho doen inzien dat hij straks het enige zwarte schaap van de familie is. Blijf schrijven en verzoek hem dringend om na te denken over zijn toekomst en om terug naar school te gaan.

31 december 1978

In 1979 leek het alsof zijn smeekbeden aan Kgatho om weer naar school te gaan eindelijk succes hadden. Voorzichtig schrijft hij:

Ik zal geen commentaar geven op Makgatho's belofte weer terug naar school te gaan. Dat heeft hij de afgelopen negen jaar voortdurend gezegd. Pas wanneer hij daadwerkelijk een school binnengaat, zal ik alles binnen mijn bereik doen om hem te helpen, maar vóór die tijd zeker niet.

Maar Makgatho had nooit zijn eindexamen gehaald en dus kon hij niet worden toegelaten tot de universiteit. Hij was erg gefrustreerd en het deed hem pijn dat hij zijn vader niet tevreden kon stellen. Nelson hoorde dat zijn zoon diens verantwoordelijkheden niet meer kon dragen en dat hij iets te veel dronk. Maki dacht dat het beter voor hem zou zijn als hij bij zijn moeder in Transkei zou gaan wonen en verweet haar vader hem hierin te ontmoedigen. Nelson antwoordde:

In een voorgaande brief had je het over Makgatho's gedrag en je nam het mij kwalijk dat ik hem beïnvloed zou hebben om niet naar Transkei te gaan. De waarheid is dat hij me qua opleiding net zo veel kopzorgen heeft bezorgd als jij. Ik heb de afgelopen acht jaar alles gedaan om hem weer op school te krijgen. Maar al mijn pogingen waren tevergeefs. Zelfs het feit dat Rennie in 1975 naar de Morris Isaacson School is gegaan en nu op Inanda zit, is te danken aan de inspanningen van Mama Winnie, die alles binnen haar macht doet om de kinderen te helpen hun ambities waar te maken. Zelfs nu doet iedereen z'n best en we houden hoop, maar zowel Mama Winnie als ik zijn ver van hem verwijderd en het is bepaald niet gemakkelijk om hem alleen middels brieven en telefoongesprekken over te halen.

Er was echter nog meer aan de hand dan zijn koppigheid en de weigering om terug naar school te gaan. Makgatho's huwelijk liep op de klippen. De familie gaf Rennie de schuld; Nelson bleef neutraal. Hij schreef aan Zindzi:

Ik heb geen partij gekozen in deze kwestie, in de eerste plaats omdat ik Kgatho's verhaal niet heb gehoord. Zelfs als het onmogelijke gebeurt en Kgatho me schrijft, dan zal ik de voorkeur geven aan een vriendschappelijke regeling. Ik zal rekening houden met beide partijen, alsook met Mandla, die veel meer dan wie ook zal lijden onder de breuk tussen zijn ouders. Stel je eens voor, lieve, hoe wij zouden reageren als iemand vanwege mijn tekortkomingen Mama zou vertellen haar spullen te pakken en maar een ander huis te zoeken. Jij bent het produkt van de liefde en toewijding tussen je ouders en je hele leven lang heb je kracht en hoop uit die liefde en geborgenheid geput. De vernietiging van die liefde en dat huis, om welke reden dan ook, zou als een prachtige roos zijn waarvan de tere wortels blootgesteld zijn aan de vorst.

Dacht Nelson aan Thembi? Aan de vorst die zich op zijn hart had vastgezet toen zijn vader zijn moeder verliet? Kgatho en Rennie scheidden, Kgatho hertrouwde en kreeg nog een zoon. Het was K. D. Matanzima die hem, zijn tweede vrouw en zijn zoon naar Cofimvaba bracht om zich bij Evelyn te voegen. Trots stelde K.D.: 'Stuur een man om een man te halen.'

In Umtata stelde hij de verloren Madiba aan de Thembu's voor en vloog met hem naar Port St. Johns om zijn bejaarde echtgenote, die een jaar voor hem en zijn broer Thembi gezorgd had toen zij in Transkei op school zaten, te ontmoeten. Kgatho ging bij zijn moeder in de zaak en tegenwoordig runnen zij met succes de Mandela Trading Store in Cofimvaba.

Dochters

MAKAZIWE

Maki, zoals zij kozend wordt genoemd door haar familie, Evelyns jongste kind, is de oudste van Nelsons drie dochters. Zij was acht toen haar vader voor het eerst veroordeeld werd. Zij kan zich de bezoeken aan hem in Lilliesleaf in Rivonia nog levendig herinneren. Hoe Mama Winnie haar meenam en de lange wandelingen die ze daar met Papa maakte. Op school in Swaziland hoorde ze van haar vaders arrestatie. Ze werd overmand door verdriet en verwarring. Ze begreep niet goed wat het allemaal betekende. Ze zag haar vader niet terug voor 1970. Inmiddels was ze een jonge vrouw geworden en vader en dochter herontdekten elkaar.

Nelson vond haar eerlijk en open, gemaakt noch terughoudend in de dingen die ze zei. Ze had een onafhankelijke benadering van zwarte politieke groeperingen, maar dat zag hij alleen indirect tussen de regels staan. Net als Kgatho voelde zij zich als een kind van Winnie, maar toen ze ouder werd raakte ze aangegrepen door de scheiding van de twee families en ook door haar moeders verbittering. Dat laatste heeft ze onbewust opgenomen, want ze verweet haar moeder die bitterheid.

Maki was de eerste van Nelsons kinderen die haar eindexamen haalde en dat maakte hem heel blij. Maar tot zijn grote spijt kondigde zij vervolgens aan te gaan trouwen. Hij probeerde haar tegen te houden, haar over te halen om eerst naar de universiteit te gaan en alle huwelijksplannen terzijde te schuiven totdat ze daarmee klaar was. Maar Maki liet zich niet beïnvloeden. Ze trouwde en kreeg kort na elkaar twee kinderen. Zoals Nelson al gevreesd had flopte het huwelijk en ging het paar uit elkaar. Nelson troostte Maki en moedigde haar aan om gewoon door te gaan met leven.

Mijn lieveling, Mama Winnie vertelde me van haar bezoek aan jou in Port St. John afgelopen november,

maar ze wil me niet verontrusten (ze vertelt me vrijwel nooit familienieuws waarover ik me zorgen zou
kunnen maken) en zei me dat jij me zou schrijven
over een belangrijke familiezaak. Ik had het vermoeden dat je huwelijk niet zo goed ging. Ik moet bekennen dat ik, sinds je me verteld hebt over je problemen
met Camagu, bang ben geweest dat het zo zou eindigen. Maar je moet reëel zijn en direct tot actie overgaan. Als je ervan overtuigd bent dat je huwelijk
kapot is en niet meer te redden, dan moet je meteen
een scheiding aanvragen en Camagu onmiddellijk
vergeten. Je moet dat in geen geval nalaten en een
mislukt huwelijk in stand gaan houden. Je bent jong
en je hebt nog een stralende toekomst als je van nu af
aan zorgvuldig plannen maakt en vastbesloten bent
om vooruitgang te boeken. Dit is niet de tijd om in te
zitten over het feit dat je ons advies om verder te leren
destijds in de wind hebt geslagen. Heel veel kinderen
hebben die fout gemaakt. Wat belangrijk is, is hetgeen
je van nu af aan kunt doen.

8 juni 1978

Je lijkt besluiteloos over je huwelijk. Dat is niet ongewoon voor een rechtschapen en trotse jongedame die
erg gehecht was aan haar huwelijkse leven. Om voorzichtig te zijn in een kwestie als deze is iets wat ik be-
wonder, maar je moet weten wat je vindt en een besluit nemen. Als je denkt dat het nog te redden is,
spreek dat dan uit en probeer het opnieuw. Maar als
je ervan overtuigd bent dat je huwelijk op de klippen
is, ontbindt het dan onmiddellijk. Je doel moet zijn
een vrij en waardig leven te kunnen leiden. Je hoeft alleen maar een advocaat in te schakelen, bij voorkeur
Fikile Bam, die in Umtata en in Engcobo praktiseert.
Als hij niet kan, moet je Mkentane raadplegen, ook in

Engcobo. Moeilijker te bevatten is het feit dat je Camagu toestaat zijn plicht de kinderen te onderhouden te verzuimen. Als je een advocaat hebt dan krijgt hij vanzelf een bevel tot betaling van alimentatie, alsook een bevel tot vergoeding van een deel van jouw proceskosten. Ik was erg blij te horen van je baan als facturiste. Ik weet niet hoeveel je verdient, maar je hebt tenminste iets om je op de been te houden. Nog blijer was ik je het inzicht te horen verkondigen dat een leven zonder beroep zinloos is. Tevens merk ik op dat je vastbesloten bent om verpleegster te worden, om de simpele reden dat je op die manier tegelijkertijd een beetje geld kunt verdienen en kunt leren. Onder jouw omstandigheden is dat een wijs besluit. Uiteindelijk zul je iets bereikt hebben en zullen je kinderen niet aan de grond raken.

Denk aan het dilemma waarin je je op dit moment bevindt. Het zou niet ondenkbaar zijn als je probeerde je huwelijk te redden in de hoop dat Camagu zal veranderen en weer dezelfde schat zou worden die jou in vroeger tijden zo liefhad en respecteerde. Maar misschien koester je valse hoop, die alleen maar zal leiden tot meer teleurstellingen, op een moment dat jij te oud bent om weer een nieuw begin te maken. De kinderen zullen natuurlijk geschokt zijn door de scheiding en last hebben van het stigma op te groeien zonder de veiligheid van een thuis waar beide ouders samenleven. De beslissing die jij nu gaat nemen is heel belangrijk voor hun toekomst. Maar door je ontwikkeling voort te zetten en een onafhankelijk beroep te kiezen, zoals dokter, of advocaat, of maatschappelijk werker, zul je hun daadwerkelijk inspireren om nog hoger te mikken dan jij. Schrijf me alsjeblieft zo snel mogelijk terug en laat me weten wat je hebt besloten.

26 november 1978

Weer wil ik je vertellen dat het me heel erg spijt dat je huwelijk ten onder is gegaan en dat je zulke nare dingen hebt meegemaakt. Een dergelijke wending is altijd rampzalig voor een vrouw. Onthoud goed, lieveling, dat jij als meisje groot aanzien genoot bij familie en vrienden. Ze hadden hoge verwachtingen vanwege je gedrag op en buiten school, vanwege je ernst en je aangeboren intelligentie. Ooit had ik de hoop dat je een beroep zou kiezen dat bij deze eigenschappen aansluit en ik raad je met klem aan die te ontwikkelen. Een scheiding kan een vrouw te gronde richten, maar de sterke persoonlijkheden hebben het niet alleen overleefd, maar zijn zelfs verder gegaan en hebben een respectabel leven opgebouwd. Ik wil geloven dat jij zo'n sterk mens bent dat deze ervaring je rijker zal maken en je niet in het minst ontmoedigt. Dit is de uitdaging, lieveling, en neem die alsjeblieft aan. We houden van je, we vertrouwen je en we zijn ervan overtuigd dat je een geweldige toekomst te wachten staat.

De gedachte dat het door zijn dochter gestelde doel niet hoog genoeg lag, werd steeds sterker en hij moedigde haar aan om ambitieuzer te zijn.

Ik moet je verzoeken heel zorgvuldig na te denken over je toekomst en iets hoger te mikken dan je nu doet. Dit is je tweede kans, Maki, en misschien komt er geen derde.

Het stelde me teleur te merken dat je ambities niet verder gaan dan verpleegster te worden. Ik stel voor dat je je voornemen om zuster te worden laat varen en dat je je onmiddellijk aanmeldt bij Fort Hare. Mama Winnie en ik zullen proberen de betaling van je collegegelden te regelen, alsook wat kleding en misschien wat zakgeld voor de tijd dat je daar studeert, en je moeder kan je tegemoetkomen in de betaling van de proceskosten van je scheiding. Zoals je weet is Mama Winnie haar baan in Johannesburg kwijtgeraakt toen ze naar Oranje Vrijstaat werd gestuurd. Ze worstelt nu zelf ook om de eindjes aan elkaar te knopen. Maar ze houdt van je en ik weet zeker dat ze haar best zal doen. Het is niet bepaald makkelijk, lieveling, om zulke vertrouwelijke problemen in brieven te bespreken, ik hoop dat je me snel kunt komen opzoeken.

8 juni 1978

Ik zei het je al eerder, ik herhaal het nu: we zijn in staat je op de universiteit te krijgen en je een toelage te geven zolang je daar bezig bent. Vandaag de dag is een universitaire opleiding een absoluut vereiste, ook al wil je alleen maar een gewone verpleegster worden. Ambitieuze meisjes halen eerst hun graad en gaan dan werken, met als resultaat dat ze snel opklimmen naar verantwoordelijke en invloedrijke posities. De meisjes zonder echte ambitie en doorzettingsvermogen mogen voor de rest van hun leven in ondergeschikte posities het zware werk blijven doen. Het verbaast me hogelijk dat je ondanks je nare ervaringen niet in staat bent om aan iets meer te denken dan een gewone verpleegster te worden. Toen je moeder vierendertig jaar geleden die functie bereikte was dat nog een hele prestatie. En later deed ze nog een cursus verloskunde. Je gaat me toch niet vertellen dat je jezelf niet hoger aanslaat dan wat je moeder meer dan dertig jaar geleden deed? Je gooit echt een gouden kans weg, die veel mensen, als ze hem gekregen hadden, nooit zouden missen. Alles wat jij hoeft te doen is je moeder of mij mee te delen dat je besloten hebt om in januari naar de universiteit te gaan. Wij zorgen voor de rest. Denk na, Maki, denk na, je bent nog maar vierentwintig en de hele wereld ligt aan je voeten. Denk heel goed na, nu. Mis die kans om volgend jaar naar de universiteit te gaan niet.

Maki besloot naar de universiteit te gaan. Het feit dat haar moeder niet meer als verpleegster werkte maar een winkel dreef in Cofimvaba, had de financiële situatie veel goed gedaan. K.D. Matanzima had geholpen bij deze wijziging in Evelyns status.

Matanzima was familie. Politiek gezien stonden hij en Rohlihlahla in tegenstrijdige kampen, maar de bloedband was sterk. Hoe Evelyns eigen gevoelens over Transkei ook waren, Matanzima had haar overgehaald het verplegen op te geven en een winkel te beginnen. Hij adviseerde haar omtrent de op de markt te koop aangeboden percelen. De regering, erop uit om het eerste onafhankelijke thuisland tot een succes te maken, verkocht nu opnieuw het onroerend goed, waarvoor ze de blanke eigenaren eerst een flinke schadeloosstelling had gegeven, tegen elk aannemelijk bod aan Afrikaanse mensen. Matanzima was met haar over de hoofdweg van Cofimvaba gereden en had haar al het beschikbare onroerend goed aangewezen. Zij herinnerde zich het plaatsje uit haar jeugd, toen ze daar kwamen om van de Europese winkeliers te kopen. Alles was toen voorbehouden aan blanken: blanke handelsreizigers dronken bier op de veranda van het enige hotel en zwarten mochten alleen door de zij-ingangen de tearooms betreden. Nu was het hele stadje zwart geworden. Ze kocht de winkel die Matanzima haar aangeraden had en in 1978 gingen de zaken zo goed dat zij de zorg voor Maki's kinderen kon overnemen, zodat Maki kon gaan studeren.

Nelson was dolgelukkig toen Maki zich inschreef bij Fort Hare. Hij schreef:

Mijn lieve Maki, bedankt voor je brief van 15 februari en voor je telegram van 2 maart. Het luidde als volgt: 'Ingeschreven bij Fort Hare met geleend geld. Lesgeld nog niet betaald. Colleges starten 1 maart. Doe kandidaats.' Een week later ontving ik een brief van Messrs Mkentane waarin hij ook schreef dat jij weer naar school ging. Ik ben echt heel blij dat je eindelijk op de universiteit zit en ik wens je alle succes met je studie. Je bent al zeven jaar van school af en waarschijnlijk ben je ietwat verstoft, maar ik ben ervan overtuigd dat je je oude vorm snel zult hervinden en dat het goed zal gaan. Als je van het begin af aan hard en volgens een strak schema werkt, dan kun je met lof slagen.

1 maart 1978

AAN WINNIE:
Maki zegt dat ze de gelukkigste ziel op aarde is en dat ze het nauwelijks kan geloven dat zij op Fort Hare is toegelaten. Zoals ze het zelf uitdrukte: 'Dankzij de manoeuvres van Mama Winnie ben ik op Fort Hare gekomen.' Maar ik was wel getroffen toen ik zag dat het schoolgeld 707 Rand bedraagt. Ik heb oma (Helen Joseph) verzocht om aan Amina en haar man (Yusuf Cachalia) te vragen die schoolgelden te betalen. Omdat het zo'n groot bedrag is, het feit dat ze ook zakgeld nodig heeft en vanwege de duur van de cursus, ben ik genoodzaakt ook Benjie om steun te vragen.

19 november 1978

Er waren spanningen tussen de twee door Nelson gestichte gezinnen. Het bleef een pijnlijke zaak dat degenen die hij liefhad elkaar niet liefhadden, of niet genoeg liefhadden. Maki klaagde dat ze te weinig gesteund werd; haar klachten hadden betrekking op Winnie en Nelson verdedigde haar.

In jouw brief rezen andere belangrijke familiekwesties die niet goed per brief besproken kunnen worden. Ik zal er daarom nu niet op ingaan. Misschien kunnen we erover praten als je me komt opzoeken. Wel wil ik dat je nu onthoudt dat Mama Nobandla (Winnie) net zo veel van jou en Kgatho houdt, als van Zeni en Zindzi. Zij probeerde jou en Kgatho en wijlen Thembi op kostschool te houden. Ik wil je ervan verzekeren dat Mama Winnie alles zal doen om jouw college- en kostgelden te voldoen. Als je het beste uit je studie wilt halen dan moet je fulltime studeren en op de universiteit verblijven. Mama Winnie was hier tweede kerstdag en toen hebben we het uitvoerig besproken. Neem alsjeblieft onmiddellijk kontakt met haar op en licht haar op alle fronten in; dat wil zeggen, de faculteit waarbij je je hebt aangemeld, de gekozen cursus, de les- en kostgelden, de prijs van het uniform en, indien nodig, de trein- of buskosten van en naar de universiteit.

Hij had Maki gezegd dat hij graag zou zien dat ze medicijnen ging doen, maar hij was realistisch in zijn verwachtingen.

Die carrière is vandaag de dag nog belangrijker geworden en jouw ambitie is echt lonend geweest. Maar we moeten reëel zijn; je bent vierentwintig en je hebt al een aantal kostbare schooljaren verloren. Je directe doel zou moeten zijn om een paar duidelijke academische kwalificaties te bemachtigen, alsook een beroep dat je zeker en onafhankelijk zal maken. Het zou zeker een goed idee zijn om een graad in exacte wetenschappen te halen als je dokter wilt worden. Maar de moeilijkheid is dat je op dit moment wellicht niet zo goed meer bent in wis- en natuurkunde. In dat geval kun je beter eerst een andere cursus proberen.

Je moet een paar voorzorgsmaatregelen treffen om jezelf voor te bereiden op een vruchtbare studieperiode. Je moet je kennis oppoetsen door het systematisch lezen van literatuur en kranten. Probeer een roman te lezen, al is het maar een uur per dag, en bijvoorbeeld de *Daily Dispatch,* als die verkrijgbaar is op Fort Hare of op de universiteit van Transkei. En je mag je abonneren op de *Sunday Times* als je die daar niet kunt krijgen. Maak er een gewoonte van om, hoe druk je het ook hebt, tenminste het hoofdartikel zorgvuldig te bestuderen en het helemaal te begrijpen. Als je dat iedere dag ijverig doet dan zul je versteld staan hoe snel je algemene begrip van de feiten zich ontwikkelt.

Ook moet je regelmatig lichamelijke oefeningen doen, met name hardlopen. Het voordeel daarvan is dat je alle delen van je lichaam traint en dat het een goed gevoel geeft. Dergelijke activiteit verscherpt de studie-interesse en verhoogt het prestatievermogen in de klas. Neem mijn voorstellen alsjeblieft in ernstige overweging.

31 december 1978

Je moet ook een paar snelle sporten leren, zoals tennis en basketbal, om de boeken even uit je hoofd te kunnen zetten. Je zult zien dat dat heel goed helpt. Sport geeft een goed gevoel en scherpt de geest. En je moet dagelijks minstens twee kranten zorgvuldig lezen, vooral hoofdartikelen en redactionele artikelen. Een universiteitscarrière is niet slechts een kwestie van boeken bestuderen en examens halen. Men moet een meer dan normale kennis opdoen van de huidige stand van zaken in de wereld. Je kunt dat aanvullen door het nieuws te bespreken met een goed geïnformeerde vriend of vriendin.

Laat je niet uit over familieproblemen of religieuze standpunten, zelfs al is het ten overstaan van goede vrienden. Houd die zaken strikt voor jezelf. Op die manier kun je volop genieten van je universiteitsdagen en kun je er later met plezier op terugblikken.

11 maart 1979

Ik ben het helemaal met je eens als je zegt dat men er veel baat bij heeft om mensen met een heel andere levensloop te ontmoeten en dat het praten met mensen met zulke verschillende achtergronden je algemene kennis vergroot. Ik hoop dat je gretig gebruik zult maken van al je contacten en als je het fantasievol aanpakt, dan zal je algehele visie aanmerkelijk verrijkt worden.

Met betrekking tot het opbouwen van een eigen bibliotheek zou ik je willen voorstellen bij de volgende boekhandels de catalogus aan te vragen, waaruit je je favoriete titels kan kiezen: The Ravan Press, Dunwell House no. 409-16, Jorissen Street 35, Braamfontein, Johannesburg, 2001 en het South African Institute of Race Relations, postbus 97, Johannesburg, 2000.

The Ravan Press richt zich op het publiceren van fictie en non-fictie van progressieve zwarte schrijvers en anderen, die normaliter niet verkrijgbaar zijn in reguliere boekwinkels in het land. De SAIRR publiceert jaarlijks een overzicht dat een van 's lands beste informatiebronnen is en ik raad je aan daar elk jaar een exemplaar van te bestellen. Het is een waardevolle schat aan informatie. Zorgvuldig geselecteerde boeken van The Ravan Press zullen je het prettige gevoel bezorgen dat je leest over jouw land, jouw mensen en over jezelf. Ik weet niet of je ooit, zoals ik je voorgesteld heb, te rade bent gegaan bij tante Helen en tante Amina, maar hun kennis en ervaring in deze is enorm en zou in dit verband heel waardevol kunnen zijn.

Over Cowley House gesproken, misschien wist je het al, maar dat huis is gekocht door de Zuidafrikaanse Raad van Kerken om onderdak te bieden aan bezoekers van de politieke gevangenen op Robbeneiland. De stafleden daar zijn allemaal werknemers van de SACC. Het Internationale Rode Kruis, postbus 29001, Sunnyside, 0132 (telefoon: 211597) Pretoria, helpt de reiskosten naar en van Kaapstad te betalen. Ik verheug me erop jou en *Abazukulu* spoedig te zien en ik hoop dat je deze keer je bezoek kunt laten samenvallen met de bezoeken van de familie in Brandfort. Niemand kan jou ooit je recht om Pollsmore te bezoeken betwisten, maar je moet je wel realiseren dat het misschien ongerief teweegbrengt als je de familie in Brandfort niet op de hoogte stelt van je geplande bezoek.

31 januari 1983

Ik ben blij te horen dat je terugbent in de collegezaal en dat je nu bezig bent met de resterende vakken. Wel vind ik het jammer dat je statistiek hebt laten vallen omdat je het een beetje moeilijk vindt. Misschien krijg je het volgend jaar wel voor elkaar.

2 september 1979

Ik kreeg je brief op 20/2, gelukkig kreeg ik die dag ook familiebezoek. Ik heb meteen een bericht naar buiten kunnen sturen over je inschrijfkosten en ik hoop van harte dat de problemen van vorig jaar je bespaard zullen worden. Jammer dat je niet even hebt laten weten dat je tijdens je vakantie in Johannesburg was, anders had ik kunnen regelen dat je daar vrienden ontmoette die je problemen direct met je hadden kunnen bespreken. Laten we er maar het beste van hopen. Ik zie er naar uit je weer te zien. Ik stel voor dat je je bezoek tijdig opgeeft, zeker als je van plan bent in juni te komen; het aantal bezoekers op het eiland wordt steeds groter en je kunt nooit zeker zijn van een bepaalde datum tenzij je het enige maanden van tevoren aanvraagt. Je kunt je aanmelden om me op twee opeenvolgende dagen te komen bezoeken – een zaterdag en een zondag. Ook moet ik je er even aan herinneren dat Ndindi (Thembi's dochter) vandaag zestien is geworden en dat ze me nu mag bezoeken. Ik stel voor dat je gaat logeren bij onze nicht, mevrouw Grace Matsha, Sandile Street 5 in Langa, een zwarte wijk die veel dichter bij de stad ligt. Kaapstad is gevaarlijk geworden, iemand zal je moeten vergezellen op weg naar en van de havens. Overigens, iemand vertelde me dat jij afgelopen jaar gewond bent geraakt tijdens rellen op Fort Hare en wel zo ernstig dat je opgenomen moest worden in het ziekenhuis. Als dit waar is, zou je me dan de bijzonderheden kunnen meedelen? Ik heb de kerst- en verjaardagskaarten voor de kinderen naar Cofimvaba gestuurd en ik hoop dat ze ze allemaal ontvangen hebben. Makgatho en tante judy hebben me in augustus vorig jaar bezocht; later stuurde hij me een kerstkaart. Ik kon hem echter geen verjaardagskaart sturen. Laat me alsjeblieft weten waar hij is. Ik mis je heel erg en verheug me erop je weer te zien, mogelijk in juni aanstaande. In de tussentijd stuur ik je alle liefs en een miljoen kussen. Je toegewijde Papa.

20 februari 1979

Ik zou graag willen dat je iets voor me uitzoekt, bij voorkeur op een moment dat je even uitgeleerd bent. Hoewel ik pas in 1942 afgestudeerd ben, verliet ik de universiteit al eind 1940. In dat jaar deed ik mee aan het inter-universitaire sportevenement dat gehouden werd in Lovedale. Meneer Mokgokong en ik vertegenwoordigden de universiteit bij de mijl-loop. Het was destijds gebruik dat de atletiekploeg op de foto ging en die werd dan opgehangen in de grote eetzaal. Ik ben er niet zeker van of we dat jaar ook gefotografeerd zijn. In november 1940 werd ik gekozen als vicepresident van de Atletiek Unie voor 1941, maar ik ben toen niet teruggekomen om dat jaar af te maken. Kun jij die dingen even uitzoeken en het mij laten weten?

2 september 1979

Hij was blij toen hij merkte dat zijn dochter weer belangstelling kreeg voor de andere sekse. Hij was erg geïnteresseerd in al haar vriendjes en nam een zeer onbevooroordeelde houding aan.

Het was voor mij een grote verrassing toen ik hoorde dat je een vriendje hebt die je mee uit neemt. En ik ben blij dat je de waarheid niet voor hem hebt achtergehouden. Ik heb het volste vertrouwen in jouw oprechtheid en ik weet dat je altijd je uiterste best zult doen. Het was goed en respectabel van je om hem de waarheid te vertellen. Maar je moet me van wat meer bijzonderheden op de hoogte brengen; bijvoorbeeld zijn naam, zijn achternaam, wat zijn ouders doen, wat hij studeert en hoe oud hij is.

2 september 1979

Ik was erg blij met de brief met de examenuitslagen. Twee achten uit vier vakken is een hele prestatie en je resultaten tot dusver beloven nog betere cijfers in november. Ondertussen stuur ik je mijn hartelijke felicitaties. Ik zie dat je dit jaar sociologie 3 doet, maatschappelijk werk 3 en filosofie 1. Wordt dit je laatste jaar of moet je nog een paar cursussen doen? Ook zie ik dat je tijdens je vakantie in december nuttig werk hebt gedaan bij de Child Welfare Society in Johannesburg en dat je het Van Ryns Huis in Benoni hebt bezocht, alsmede een paar andere huizen in Soweto. Ik wist niet dat het Van Ryns Huis nog steeds bestond. Ik ben er in de jaren vijftig enkele malen geweest om een paar minderjarige cliënten te bezoeken, en de simpele vermelding van het huis in je brief deed goede herinneringen bovendrijven.

1 maart 1981

In een andere brief schreef hij:

Het is mijn streven om je, na voltooiing van je studie aan Fort Hare, een voortgezette graad in het buitenland te laten halen. Hoewel het nog te vroeg is om dit project te bespreken, wil ik dat je het in je achterhoofd houdt als je met je universiteitscarrière begint. Op het moment heb ik een paar goede vrienden, zowel in Engeland als in de Verenigde Staten, die belangrijke contacten hebben.

Maki haalde haar kandidaats aan Fort Hare en nam een baan als maatschappelijk werkster. Haar vader was niet tevreden:

Ik moet je er op wijzen dat ik zeer teleurgesteld ben te horen dat je dit jaar niet gaat studeren. Ik heb deze hele kwestie zo zorgvuldig mogelijk met je besproken en het spijt me te ontdekken dat ondanks al mijn pogingen en ondanks al jouw beloften, jij toch gekozen hebt jezelf te veroordelen tot de status van uitgebuite, armoedige maatschappelijk werkster met middelmatige academische kwalificaties, die het jammergenoeg ontbreekt aan de ambitie en het doorzettingsvermogen die de wat serieuzere jeugd van tegenwoordig motiveert. Veel van je leeftijdgenoten studeren verder – ze halen hun doctoraal en promoveren zelfs aan buitenlandse universiteiten, terwijl jij jezelf opsluit in een uithoek en niet in staat bent om zinvolle steun te verlenen aan de mensen die je zo vreselijk graag zou willen helpen. En wederom heb je me niet verteld of je ooit contact opgenomen hebt met tante Fatima, zoals ik je gevraagd had, en of je tante Helen en tante Amina al hebt bedankt voor alle hulp die ze je gegeven hebben. Laat me het alsjeblieft weten.

31 januari 1983

Haar vaders aandringen was niet aan dovemansoren gericht. Maki nam contact op met 'tante Fatima', ging bij haar en oom Ismail in Durban wonen en meldde zich aan bij de universiteit van Natal. Ze voltooide haar specialisatie in sociologie en won een beurs in de Verenigde Staten. Ze is hertrouwd en woont nu met haar man en drie kinderen in Massachusetts. Ze is bezig met haar doctoraal.

ZENI EN ZINDZI

Zeni en Zindzi zijn geboren in de zwaarste jaren van de Mandela's, op het hoogtepunt van zijn politieke activiteiten tussen 1959 en 1960. Zeni werd te vroeg geboren, op 4 februari moest haar moeder om half twee 's nachts in vliegende haast naar het ziekenhuis gebracht worden. Nelson was er niet bij toen ze geboren werd, hij arriveerde een paar uur later. Toen een jaar later Zindzi geboren werd, was Nelson niet in Johannesburg en hij zag haar pas twee dagen later, te midden van een grote politie-inval in hun huis. Later in haar leven zou Zindzi zeggen: 'Ik had het gevoel dat ik min of meer werd grootgebracht door de politie.' Winnie werkte fulltime als maatschappelijk werkster bij de Child Welfare Society en moest na Zindzi's geboorte al snel weer aan het werk. Tegen de tijd dat de kinderen konden lopen waren beide ouders verbannen en zat hun vader in de gevangenis. Geen van de meisjes kon zich hun vader herinneren, ze leerden hem feitelijk pas kennen toen ze zestien waren. Die gebeurtenis was ontzagwekkend en verrukkelijk tegelijk.

Toen ze nog te jong waren om naar school te gaan en Winnies leven in gevaar was, nam Ama Naidoo hen over (haar schoonvader had nauw samengewerkt met Gandhi en haar zoon Indres moest een lange gevangenisstraf uitzitten op Robbeneiland en haar dochter Shantie ging liever de gevangenis in dan dat ze voor de staat tegen Winnie getuigde) en deed ze op de kleurlingenschool in Rockie Street. De meisjes waren er gelukkig en ze deden het goed. 'Maar,' zegt Winnie, 'de tiran van de Indiase gemeenschap, Van Tonder, gebrand op het zeker stellen van raciale zuiverheid binnen de Groepsgebieden, sloot alle Afrikaanse kinderen in het Indiase gebied buiten. Van Tonders terreur bracht hemzelf uiteindelijk ook van zijn stuk. Ik heb gehoord dat hij zichzelf uiteindelijk trachtte te verlossen door een Indiase vrouw te trouwen en zich te bekeren tot de islam.' De meisjes werden vlak voor het eind van het schooljaar gedwongen van school te gaan. Winnie meldde ze toen aan bij de Onze Lieve Vrouwe kloosterschool in Swaziland. Later namen Sir Robert en Lady Birley de zorg voor hun educatieve vorming over en deden de meisjes naar de Waterfordschool, ook in Swaziland.

Toen Zeni negen was en Zindzi zeven, werd hun moeder anderhalf jaar in de gevangenis gezet. Ze raakten gehecht aan Peter Magubane en hun tante Nonyaniso, maar ook die werden gevangengenomen. Er bleef niemand in hun huis achter en de meisjes waren gedwongen om tijdens de schoolvakanties bij vriendjes te wonen. Ze waren zelden gelukkig met die regeling en klaagden vaak, of ze werden het doelwit van klachten van hun weldoeners. En zo gingen ze de puberteit in.

In 1974, toen Zindzi dertien was en Zeni vijftien, werd Winnie veroordeeld tot een gevangenisstraf van zes maanden. Zeni, overgehaald door de pers zich uit te spreken, werd aldus geciteerd: 'We hebben gehuild maar we hebben getracht ons leed niet te tonen. Mama heeft vreselijke tijden doorgemaakt. Voor ons is ze een geweldige moeder geweest. We zijn nu oud genoeg om de zorgen en de pijn met haar te delen. We hebben veel vrienden.'

De tijd dat hun moeder niet in de gevangenis zat werd ze herhaaldelijk gearresteerd. Het huis was continu doelwit van politieinvallen en stond voortdurend bloot aan aanslagen van reactionaire fanatici. De sfeer rond het huis was zo slecht dat Zindzi in januari 1973 een beroep deed op de Speciale Apartheidscommissie om de regering van Zuid-Afrika dringend te verzoeken hen bescherming te bieden: 'De familie en Mama's vrienden vrezen dat er een sfeer wordt opgebouwd waarin Mama iets vreselijks zal overkomen. Zoals u weet is mijn moeder al slachtoffer geweest van verschillende aanslagen en wij denken dat deze aanslagen politiek gemotiveerd zijn.'

Zindzi woont nog steeds bij haar moeder en heeft met haar enkele van de meest angstaanjagende momenten doorgemaakt. De band tussen moeder en dochter is ontzettend sterk. Zindzi's twee jonge kinderen en haar vriend Gaddafi wonen ook bij Winnie.

In 1974, nadat Kgopotse Tiro van de South African Students Organization was gedood door een pakketbom, rees de gedachte dat de Mandelameisjes, die toentertijd op de Waterfordschool zaten, wel eens de volgenden op de lijst konden zijn. De meisjes leefden in angst nadat er een aanslag werd gepleegd op hun huis in Orlando.

Met beide ouders in de gevangenis leefden ze onder extreem onveilige omstandigheden. Ze moesten zich verlaten op vrienden en op hun voogd, dr. Nthato Motlana, om hen naar school in Swaziland te brengen. Omdat hij zich bewust was van hun dubbele ontbering en het feit dat ze vrijwel hun hele leven niet thuis waren geweest, maakte Nelson zich nog meer zorgen over zijn jongste dochters dan over zijn oudere kinderen, die tenminste hun moeder nog hadden. Ook was hij zich ervan bewust dat, omdat ze op Waterford met rijke kinderen in aanraking waren gekomen, hun verwachtingen boven zijn stand gingen. In 1974 schreef hij aan een vriend: 'Volgens de brieven van mijn dochters is het een rage geworden om naar Europa en Amerika te reizen. Nu en dan tijdens het bespreken van dit soort zaken, ben ik geneigd hen er aan te herinneren dat ze mijn kinderen zijn – een feit dat misschien onoverkomelijke problemen op hun pad zal brengen. Maar de harde realiteit strookt meestal niet met wat mensen verlangen, vooral niet als die mensen kinderen zijn.'

ZENI
Zeni is een bevallige jongedame met een oprechte natuur die prima geïntegreerd is in de koninklijke familie van Swaziland, nadat ze in 1977 trouwde met prins

Thumbumuzi, een zoon van koning Sobhuza. Hun huwelijk onderbrak haar studie op de middelbare school. Noch Nelson, noch Winnie was in eerste instantie voor het huwelijk; zij vonden dat Zeni veel te jong was. En bovenal wilden ze dat ze eerst haar middelbare school afmaakte en tenminste één graad haalde alvorens in het huwelijk te treden. De teleurstelling kwam tot uitdrukking in een brief aan Zindzi, gedateerd 4 september 1977: 'Je had moeten zien hoe zielig je moeder keek toen Zeni me vertelde van Muzi. Ik zou die vreselijke blik niet graag weer zien. Jij bent nu de laatste strohalm waar ze zich aan vastklampt en haar geluk ligt grotendeels in jouw handen. Prioriteit nummer 1, ik herhaal: priotiteit nummer 1 is je studie.'

Zeni kreeg kort op elkaar drie kinderen. Nelsons brieven aan haar geven blijk van de angst dat zij zich dermate in het zelfgenoegzame gezinsleventje zal nestelen, dat ze alle kansen om haar individuele talenten te ontwikkelen weggooit. Hij blijft er op aandringen dat ze haar eindexamen doet, zodat ze naar de universiteit kan gaan. Hij geeft haar raad omtrent haar uiterlijk en over de gelijk verdeelde ruimte die zij haar kinderen moet geven. Over het algemeen is hij trots op haar en blij dat haar huwelijk zo goed is uitgepakt. Zijn brieven geven uitdrukking aan zijn verrukking over de kleinkinderen, aan zijn ontevredenheid omdat ze hem niet wat vaker schrijft en aan zijn voortdurende aansporing om de studie weer op te nemen. Hij regelde een beurs voor zowel Zeni als voor haar echtgenoot en het paar studeert nu in de Verenigde Staten.

Mavelengekacingi is een prachtige en weloverwogen naam. Mama en ik zouden die dolgraag op het geboortecertificaat zien staan. Uitsluiting van die naam zou je schoonfamilie diep kwetsen en dat moeten jij en Muzi tot elke prijs zien te vermijden. Alsjeblieft, lieve, overweeg het met zorg en laat ons weten wat je hebt besloten. Wij zijn niet blij totdat jij ons ervan verzekert dat je de naam hebt geaccepteerd en het geboortecertificaat hebt gewijzigd door deze aan de naam Zaziwe toe te voegen.

30 oktober 1977

Ik maakte me ook zorgen over de voorzorgsmaatregelen voor Zeni's bevalling en ik was opgelucht toen je me vertelde van de geboorte van Zuzeka Zanele. Ik heb Zeni geschreven om haar te feliciteren en de nieuwe Mzukulu te verwelkomen.

1 juli 1979

De oude hoop die we sinds 1977 besproken hebben is: opleiding. Ik hoop dat je, zodra Zazi oud genoeg is om met de fles gevoed te worden, naar de Verenigde Staten zult vertrekken. Al die vertragingen storen me enorm. Dit is al het derde jaar dat je van school bent en Mama en ik zullen echt heel erg teleurgesteld zijn als je niet voor juni naar de Verenigde Staten vertrokken bent. Ik heb Mama al gevraagd contact op te nemen met een paar vrienden van ons om voorzorgsmaatregelen te treffen voor het geval je genoodzaakt bent zonder Muzi te vertrekken. Het zou jammer zijn als Mama dat verzoek niet ten uitvoer heeft gebracht.

AAN WINNIE:

Ik ben verbaasd over Zeni's gebrek aan ambitie en finesse. Ze is bezig haar hele toekomst te vergokken. Zonder degelijke academische kwalificaties wordt hun huidige positie uiterst onzeker. De Swazi's hebben, net als alle andere Afrikaanse volkeren, de waar-

514

de van scholing ontdekt. Ze proberen naar gelang hun stand hun kinderen de beste kansen te geven. Hoewel ze vandaag gelukkig en vol vertrouwen mag lijken, zal de tijd al snel zijn sporen op haar nalaten en de eigenschappen die nu zo sterk lijken zullen misschien snel slijten en zelfs wegraken. Het ontbreekt haar aan fantasie en vooruitziendheid als ze zichzelf toestaat teruggebracht te worden tot de positie van buitenstaander die op zo'n belangrijk punt tekort schiet. Ik aarzel ze voor te stellen om tenminste thuis te studeren. Ik denk niet echt dat ze daarvoor het doorzettingsvermogen en de energie hebben. Misschien grijpen ze de kans gewoon en gebruiken ze ons advies als een soort verweer tegen elke verdere druk die je op ze uitoefent. Je kent de andere angsten die ik heb over hun onwil om naar het buitenland te gaan. Die worden misschien wel eerder bewaarheid dan we denken. Ik hoop dat Zindzi mijn verzoek ten uitvoer zal brengen en een vertrouwelijk gesprek met haar zus zal hebben over de hele kwestie.

26 september 1979

Ik hoop dat het telegram waarin ik je feliciteer met de geboorte van Zuzeka Zanele je op tijd bereikt heeft. Elke zin en ieder woord in die brief is geïnspireerd door de vreugde en trots van het voor de tweede keer opa zijn. Ik verheug me erop Zuzi te zien, zodra het veilig voor haar is om hier naartoe te vliegen en over de Atlantische wateren te varen. Ik hoop dat Zazi de baby zal liefhebben als een zusje en als een toekomstig speelkameraadje dat haar leven op veel manieren zal verrijken.

Mama's telegram kwam aan toen ik net op het punt stond een brief te schrijven met het voorstel om deze keer de eer van het benamen van de baby voor te behouden aan de Swazi's. Zij kunnen gemakkelijk beledigd zijn als we ze bij een dergelijke aangelegenheid negeren. Onze enige redding is dat de baby een meisje is. Als het een jongen was geweest dan hadden ze er waarschijnlijk op gestaan om hun voorrecht te laten gelden. Misschien heb je de volgende keer meer geluk dan Mama en wordt je derde kind een jongen. Ik kan me de opwinding en het veilige gevoel bij de geboorte van een zoon goed voorstellen. Ik denk soms dat Mama's bezorgdheid en onzekerheid deels veroorzaakt worden door mijn afwezigheid van huis en deels door de gebeurtenissen die ons overvielen voordat we een zoon hadden. De gedachte aan jou en Zindzi, getrouwd en weg van huis, haar achterlatend zonder iemand om voor haar te zorgen op haar oude dag, vreet aan haar ziel. Maar ik hoop niet dat je geobsedeerd raakt door het verlangen naar een zoon. Ontspan je waar het gaat om dingen die je niet kunt sturen en laat ze je geluk niet verstoren. Je moet de geboorte van je volgende kind wat beter plannen, namelijk in de vakantie. Hebben de Swazi's de baby al gezien?

26 maart 1979

Nomadabi (Zeni) is goed aan het volgroeien en ik heb genoten van het gesprek dat ik een paar avonden geleden met haar had. Ik wou dat ik vertrouwelijk met haar kon praten over een aantal zaken. In haar laatste brief vertelt ze me dat ze van plan is om samen met Muzi de geschiedenis van het Dlamini Huis te schrijven en een harmonieus plaatje van het koninklijk huis te presenteren. Een dergelijk verlangen van hun zijde is natuurlijk begrijpelijk. Het koninklijk huis van Swaziland is natuurlijk één van de beroemdste families in het zuiden van Afrika en de populariteit van de schoonvader doet die roem opgloeien. Maar als ze

516

zo'n project willen aanpakken dan moeten ze zich grondig voorbereiden; academisch en anderszins. Ik heb het niet met haar besproken, maar het punt is dat in het licht van de moderne denkwijzen zoiets een heel voorzichtige behandeling behoeft, en zo'n gevoelige zaak in het bijzonder. Ik zou veel liever zien dat ze de boekenmarkt opging met een wat minder omstreden onderwerp.

29 juli 1979

AAN WINNIE:

Ik was erg verontrust toen ik hoorde van Zeni's operatie. Ik weet niet, Mhlope, hoe ik Zeni kan bewegen om gewend te raken aan de pen. Wat jij me verteld hebt over die operatie zijn details die ik rechtstreeks van haarzelf had moeten horen en ik vind die zwijgzaamheid van haar al even verontrustend. Ik weet niet eens of die zwijgzaamheid het gevolg is van haar ziekte. Ik doe erg mijn best om gewend te raken aan haar nonchalante houding ten opzichte van correspondentie. Haar onverschilligheid contrasteert zo sterk met jouw en Zindzi's ijver en het zal me mijn hele leven wel kosten om te accepteren dat ik wat dat betreft van één dierbaar kind met minder genoegen moet nemen.

1 juni 1980

Heb je Fatima en Ayesha (dr. Ayesha Arnold, bij wie de familie vele jaren gelogeerd heeft als ze Kaapstad bezocht) een paar Swazi jurken gestuurd zoals ik je eens heb voorgesteld? Je hebt me niet laten weten of je mijn verjaardagsbrief gekregen hebt. Er zijn maar weinig kinderen die het makkelijk vinden hun ouders te schrijven en als ze het niet doen dan is dat niet zo erg. Maar de gewoonte om op kleine dingen te letten

en om kleine gunsten te waarderen is een van de belangrijkste kenmerken van een goed mens.

1 augustus 1978

AAN WINNIE:
Ik was teneergeslagen toen je me vertelde dat Zeni en
Muzi toch niet vertrokken zijn. Ze heeft nu drie jaar
verspild en dat kan op langere termijn misschien verdere complicaties met zich mee brengen. Ik hoop dat
jij de zaak met haar zal bespreken en dat ze na haar
bevalling snel weggaat.

27 februari 1979

Hoewel Mama me vertelde dat jij me regelmatig
schrijft, heb ik sinds april geen brieven meer van je
ontvangen. Er is niets, echt niets wat die leegte in mij,
vanwege het verlangen naar jouw brieven, kan goed-
maken. Ik vertrouw erop dat ik je snel zie, maar de
maanden die er na je laatste bezoek verstreken zijn, lijken levenslang. Mijn enige troost zijn Mama's berichten dat ze contact met je heeft, al is dat dan enkel te-
lefonisch. Ik vraag me af hoe je je vrije tijd
doorbrengt, wat je leest en of je tijd kunt vinden voor
lichamelijke oefening. Wat je ook doet, lieveling, ver-
waarloos je gezondheid alsjeblieft niet. Zowel Mama
als ik zijn van nature zwaargebouwd, een eigenschap
die voor- en nadelen heeft. Iemand die fors is kan, als
hij een atletisch figuur heeft, indrukwekkend zijn,
maar ook, als hij te zwaar is, afstotelijk. De beste manier om jezelf in vorm te houden is door regelmatig lichamelijke oefeningen te doen en door, mits je
schoonfamilie daar geen bezwaar tegen heeft, te gaan
sporten bij een vaste club; bijvoorbeeld hockey, tennis
of basketbal.

30 oktober 1977

Ik heb Zeni de twee delen van *Oorlog en Vrede* van Tolstoi, gestuurd, plus een doos chocolaatjes. Deze zaken gingen vooraf aan een kaart voor haar eenentwintigste ver jaardag, met op de voorkant een prachtige foto van een paardehoofd. Vandaag heb ik haar weer een brief geschreven om haar beterschap te wensen na haar laatste operatie en om haar te wijzen op het belang van lichamelijke oefening, met name regelmatig hardlopen, waardoor haar ademhaling zeker zal verbeteren. Dergelijke oefeningen hebben tot de zuivering van mijn eigen holtes bijgedragen. Ze moet geen neusdruppels meer gebruiken.

10 februari 1980

ZINDZI

Terwijl Zeni zich nestelde in een gelukkig huwelijksleven en ook haar vaders wens – dat ze ging studeren – vervulde, is Zindzi bij haar moeder gebleven en staat zij zeer dicht bij haar. Toen Nelson haar voor het eerst zag, sinds hij haar als peuter achtergelaten had; schreef hij aan een vriend op 1 januari 1976: 'Ik had op 27 december een geweldige tijd met Zeni en Zindzi. Zeni zag ik voor de derde keer, maar de jongste zag ik voor het eerst sinds 1962. Er zit veel pit in haar en ik hoop dat ze dat ten volle zal benutten.'

Zindzi is veruit de meest welbespraakte en de bekendste van Nelsons vier overlevende kinderen. Ze heeft uitzonderlijke talenten en publiceerde op haar vijftiende een bloemlezing van haar gedichten. Maar dit was de enige gelegenheid waarbij ze haar verborgen vonk met de wereld deelde. Sinds die tijd is ze overladen geweest met problemen, zowel van zichzelf als van haar moeder, met wie zij zich sterk identificeert. Zonder twijfel is zij degene die het zwaarst getroffen is door haar ouders beproevingen en de aanhoudende trauma's die de familie teisterden, hebben hun littekens achtergelaten. Ze is gestopt met schrijven en zegt: 'Het is opgedroogd.' Doordat de twee oudste dochters in de Verenigde Staten studeren, is Zindzi degene die, naast Winnie, de nauwste banden onderhoudt met Nelson. Altijd vergezelt ze haar moeder tijdens haar bezoeken en daarnaast heeft ze nog haar eigen bezoeken. In het jaar dat ze op de universiteit in Kaapstad zat, zag ze haar vader vrij vaak.

Met de twee oudsten onderhoudt Nelson een vader-dochterrelatie, maar voor Zindzi is hij meer een vertrouweling en een vriend.

Mijn lieveling, 23 december! Hoe vier je je zeventiende verjaardag zo ver van huis, waar je zestien jaar van je leven hebt doorgebracht, en ver van bekenden en vrienden, van degenen die je liefhebben en je prachtige cadeau's zouden zijn komen brengen, die je bij hun thuis zouden hebben uitgenodigd of je mee uit hadden genomen. Hoe laat arme Mama haar liefde blijken aan onze laatstgeborene in een vreemde plaats, waar ze geen inkomen heeft en tegen talloze problemen moet opboksen? Voor de eerste keer in je leven ben je op 23 december zonder je geliefde zus Zeni en ver weg van je broer Makgatho, van Rennie en Mandla. Is het onder zulke omstandigheden nog juist om van een verjaardag te spreken?

30 oktober 1977

Ik herinner me nog steeds die keer dat ik je zag op 21/10/79. Je zag er werkelijk verbluffend uit in je kniebroek en alle stoffen van je kleding leken te schreeuwen om aandacht, ze leken in de rondte te smeken om opmerking van het feit dat deze jongedame in de zaal Mantu was. De schok van jouw bezoek op 23/12 ligt me nog vers in het geheugen. Het is een veelbetekenend gebaar van een jongedame om haar negentiende verjaardag door te brengen met het heen en weer reizen over de vervuilde wateren van de Atlantische Oceaan. Jouw bezoeken kalmeren het nostalgische gevoel dat onvermijdelijk komt opwellen wanneer ik denk aan hoe jij en ik altijd speelden, thuis en op andere plaatsen waar ik toen placht te wonen. Zoals gewoonlijk liet je me achter in een geweldige stemming. Ik zal de herinnering aan dat bezoek altijd koesteren.

Zindzi's literaire talenten

Zindzi's bekwaamheid in het schrijven beviel Nelson:

Ik ben blij te horen dat je columniste bent bij *True Love* en dat je de eerste betaling al ontvangen hebt. Dit is geen geringe prestatie op jouw leeftijd en het is erg aardig van J.B. om jou zo'n uitdagende kans te geven. Schrijven is een prestigieus beroep dat je in het centrum van de wereld plaatst en om aan de top te blijven moet je echt heel hard werken; het doel is een goed en origineel thema, eenvoud in uitdrukking en het gebruik van het onvervangbare woord. Wat dat betreft heb je veel kundige vrienden die je zouden kunnen helpen. Benjie is daar één van. Volgens je gedicht, dat vervuld is van een grote belofte, heb je de kwaliteiten van een professional op dat gebied.

4 september 1977

Hij had gelijk, want twee jaar later, publiceerde ze in de Verenigde Staten op vijftienjarige leeftijd haar eerste gedichtenbloemlezing. Hij wilde ze erg graag zien maar dat werd hem enige tijd verboden. Ondertussen las hij de kritieken.

Ik heb Zindzi's bloemlezing niet gekregen maar ik mocht, zonder aantekeningen te maken, het artikel van dr. Paton in de *Fair Lady* (31/1/79) lezen. Het is een krachtige bespreking, niet geschreven door iemand wiens voornaamste opzet het was om Zindzi voor te stellen aan de lezers van het blad, maar om haar te inspireren 'vreugde groot te maken en verdriet klein.' Daarvoor verdient hij zeker onze dank.

Nog steeds vecht ik om je bloemlezing te krijgen. Ik heb je al verteld dat ik toestemming had om dr. Alan Patons bespreking van je poëzie te lezen, ik mocht alleen geen aantekeningen maken. Ik vond je thema's heel treffend en je taalgebruik eenvoudig en spits, zelfs zozeer dat ik nog steeds de zwarte vogel zie die de muur beledigt, jou zijn rug toekeert en dan sierlijk wegvliegt naar een vreemde engel; de zwarte schoonheid 'die mij herinnert aan wie ik ben'. Nog steeds zie ik de twee handen, de onmogelijkheid om ze in één zak te stoppen want 'dat zou te ongemakkelijk zijn'. Hoop en verwachting wellen bij me op als jij roept: 'kom morgen, vol verlangen wacht ik op jou...' Niettemin, lieve, heeft dr. Paton gelijk als hij je adviseert om je gedichten zorgvuldig te overdenken. Ruwe gevoelens worden verfijnd en de scherpe kantjes er afgeslepen; woorden op papier zetten wordt een vorm van kunst. Zoals Ernst Fischer zegt in zijn boek *The Necessity of Art,* wordt de kunstenaar niet geleefd door het beest – hij temt het. Maar Mantu, je moet mijn opmerkingen en die van dr. Paton niet als kritiek opvatten. Het zijn slechts tips aan een meisje dat wij beiden liefhebben en respecteren. *Black as I am* bleek iets heel anders te zijn dan ik verwacht had. Je zult je zonder twijfel bewust zijn van de schok die goede literatuur teweeg kan brengen. Vergeet niet dat Homerus in ongeveer 1200 v. Chr. schreef en dat zijn werken tot op de dag van vandaag nog steeds zeggingskracht hebben. Maar dat is iets waarover je je geen zorgen hoeft te maken. Al met al heb je meer gedaan dan ik verwachtte. Wat Kenneth Roscroft over jouw poëzie gezegd heeft, is een treffende opsomming van mijn eigen visie. Je pen is net zo praatgraag als onze lieve Mantu. Maar de ideeën onthullen een diepte die eigenlijk aan oudere geesten voorbehouden zou moeten zijn.

27 januari 1980

Ik weet niet in hoeverre jij en Mama het echt voor het zeggen hadden in het gezamenlijke project. De verzorging van het omslag, de keuze van de biografische aantekeningen en de omvang van elke aantekening gaven mij de indruk dat jullie allebei langs de zijlijn stonden. Ook was ik er niet van op de hoogte dat hetzelfde bedrijf dat *Black as I am* uitgegeven heeft, nu ook de publicatierechten voor *Black and Fourteen* heeft gekregen. Ik wilde dat je dat eerst en volledig met mij overlegd had, dan had ik de zaak met jou en Mama kunnen bespreken en een ander advies gegeven.

Een goed gebruik van fotografie kan zelfs armoede, met al haar vodden, vuil en ongedierte, iets goddelijks geven dat in het echte leven zelden waarneembaar is. De oude man op pagina negenentwintig ziet er echt sterk en majestueus uit. Ik kan zijn kalme, zelfverzekerde voorkomen maar moeilijk vergeten. De huilende dame op pagina achtenveertig lijkt op onze buurvrouw, mevrouw Mtimkulu. Het enige verschil is dat deze vrouw er jonger uitziet dan onze buurvrouw nu moet zijn.

AAN WINNIE:
Ik moest ontzettend lachen toen ik over Zindzi en Fort Hare hoorde. Ik realiseer me meer dan voorheen hoe diepgeworteld de omgeving is waarin ze geschoold zijn – Rockie Street, Kliptown en vervolgens Waterford. Het is heel jammer dat ze weer een jaar verliest, maar ik heb het volste begrip voor de redenen, emotioneel en anderszins, van haar protest en terugkeer van Fort Hare. Zindzi is een dichteres en in staat om de diepere betekenis makkelijk te bevatten. Niettemin zou Zindzi's werk veel meer zaken kunnen dienen en het voornaamste doel moet niet commercieel zijn of voortkomen uit een verlangen naar publiciteit.

6 augustus 1979

Vooruitlopend op Zeni's Swazi-bruiloft en in de wetenschap dat het dan voor de Swazi's gebruikelijk is dat de jonge vrouwen met blote borsten dansen, schreef Nelson zijn Zindzi:

Over de bruiloft gesproken, ik vertrouw erop dat je niets zult doen dat je zus en Muzi in verlegenheid zou kunnen brengen. De schoonheid van een vrouw ligt net zo zeer in haar gezicht als in haar lichaam. Je borsten moeten zo hard zijn als appels en zo gevaarlijk als kanonnen. Je kunt ze trots en eervol laten zien indien de gelegenheid dat verlangt. In onze tijd was het normaal dat ongetrouwde vrouwen rondliepen met niets aan hun lijf behalve een *mini mbaco*. Ik denk dat het de beroemde ballerina Duncan was die het eerst verscheen in het schaarse modern ballet-tenue. Ze deed het publiek versteld staan door haar onelegante, conservatieve pakje tijdens een voorstelling te verscheuren. Met het lichaam deels ontbloot en terwijl ze daar naar wees riep ze: 'Dit is de schoonheid van een vrouw!'

Ik mis je heel erg en ik hoop dat ik je deze maand zie. Ik ben zo egoïstisch geworden dat het me moeite kost de verleiding te onderdrukken om te regelen dat je je eerste graad in Kaapstad kunt halen, zodat ik je iedere maand kan zien. Het leven zou, ondanks alles, ideaal zijn geweest als ik jou, Zazi, Zeni en Mama in mijn borstzakje had kunnen stoppen, zodat jullie aan mijn hart gedrukt zaten. Misschien zou het verlangen dat me jarenlang heeft opgevreten aanzienlijk minder worden en misschien zou ik me zelfs jonger voelen. Ook zou ik even in het zakje kunnen gluren wanneer zich moeilijke tijden aandienden. De hoop dat ik je spoedig zal zien, dat ik een leuke brief van je zal krijgen en dat ik misschien uiteindelijk wel dagen, weken, maanden bij je kan zijn, vult mijn leven met verwachting en optimisme. Ondertussen heel veel liefs en een miljoen kussen voor jou, Mama, Zeni en Zazi. Je toegewijde Papa.

5 maart 1978

Zindzi's opleiding

Het was echt heel leuk voor mij om wat meer details te krijgen over wat je nu doet met betrekking tot je 'talenten'. Je vakken zijn vast erg interessant. Ik ben alle geschiedenis die ik ooit gekend heb vergeten en ik kan me de Stuart- en Tudortijdperken maar heel vaag herinneren. Het enige wat me nog bijstaat is de film *Mary, Queen of Scots,* waarin Vanessa Redgrave de rol van koningin Elizabeth speelt. Die periode was niet alleen voor Engeland heel belangrijk, maar ook voor de rest van de wereld, omdat ze het einde van het feodale stelsel en het begin van het hedendaagse kapitalistische tijdperk markeert. Ik weet niet welk boek je hebt over de koude oorlog, maar ik zou het graag willen weten. De koude oorlog is een produkt van twee strijdige maatschappij-systemen – socialisme en kapitalisme – die elkaar vandaag de dag op vrijwel elk gebied beconcurreren. Maar door meer contact tussen de beide systemen over de hele wereld en doordat ze gedwongen zijn gemeenschappelijke problemen samen op te lossen, door samen te werken in de ruimte en aan de liefde en vrede voor alle mensen op aarde, begint de koude oorlog nu weg te smelten. Tot slot, lieveling, moet ik je vertellen dat ik je heel erg mis omdat ik altijd van je brieven geniet en natuurlijk omdat ik heel veel van je houd en altijd bezorgd word als je je zo lang stil houdt. Heel veel liefs en een miljoen kussen. Je toegewijde Papa.

10 juli 1978

AAN WINNIE:
Ik heb Zindzi geschreven en ik heb haar ook een gelukstelegram gestuurd. Als niets haar tegenhoudt, dan gaat ze slagen en zien we haar volgend jaar in Cambridge of Wits.

27 mei 1979

Ik hoop dat Zindzi, wat ze verder ook doet, haar studie niet zal verwaarlozen. In ieder geval moet ze slagen voor haar examens in juni en volgend jaar moet ze naar de universiteit gaan. Ik weet soms echt niet hoe die kinderen redeneren!

19 november 1983

Ik wacht op berichten van je, over de eventuele afronding van Zindzi's studiekwestie. Ik weet dat je over deze zaak even bezorgd bent als ik en misschien ben je het gezeur zelfs beu.

29 juni 1983

Ik vond het ook spijtig te horen dat Zindzi niet is toegelaten tot Wits. Wat ze nu ook doet, het kan nooit zo goed zijn als het voortzetten van haar academische opleiding. Het betekent dat ook zij drie jaar zal verliezen, iets wat wij ons niet kunnen veroorloven.

27 februari 1979

Wat betreft je toelatingsgesprek met professor Dugard, je moet het helemaal niet betreuren dat hij je heeft aangeraden om eerst je eindexamen af te maken alvorens je toetreedt tot de universiteit. Dat zal je grondiger voorbereiden op Cambridge en je meer vertrouwen geven in je academische werk. Uiteraard ben ik zeer blij dat je terug in de schoolbanken bent. Probeer je examen zo snel mogelijk uit de weg te krijgen en begin daarna aan je universitaire weg. Laat me intussen weten welke vakken je doet. Ik hoop dat Oupa zijn studie ook serieus neemt. Uit alles wat je over hem verteld hebt, blijkt dat hij een begaafd kind is en met de passende academische kwalificaties zou hij zich behoorlijk nuttig kunnen maken. Ben je opgehouden met je muzieklessen? Doe het alsjeblieft niet als je zware programma het enigszins toelaat.

5 maart 1978

Oupa Seakamena werd een grote steun voor de familie en beide Mandela's gingen hem liefhebben als een zoon. Zindzi en hij werden geliefden, maar de relatie bekoelde en het stel ging uit elkaar. De volgende frag-

menten geven uitdrukking aan Nelsons verwelko-
ming van de jongeman en vervolgens aan zijn teleurstelling over hun scheiding.

Onze lieve Oupa, Zindzi, Zeni en hun Mama zijn vol
van hartelijke lof over jou en ze hebben mij verteld
hoe jij thuis op allerlei manieren helpt en dat het hok
er nu een beetje redelijk uitziet met de mooie dingen
die je gemaakt hebt en met een tuin met bomen. Tijdens mijn afwezigheid hebben zij onder vreselijke
spanning geleefd en het is veel veiliger om het grootste deel van de tijd iemand als jij in de buurt te hebben. Ik ben blij te horen dat jouw vader en moeder
met die regeling hebben ingestemd. Ook ben ik blij te
weten dat je nu je studie hervat hebt, ook al is het dan
schriftelijk.

23 april 1978

Hoewel ik je nog maar zevenenvijftig dagen geleden
heb gezien, mis ik je heel erg en mijn gedachten dwalen geregeld tussen Oranje Vrijstaat en Transvaal, tussen Brandfort en Norwood. Ik zie je kwebbelen met
Mama, Oupa en *Granny*; roddelen over dit en over
dat, die en die vraag stellen, naar de radio luisteren,
's avonds naar de televisie kijken en dan zie ik je ineens pen en papier grijpen wanneer een nieuw idee je
treft, als je emoties en gedachten door een inspiratie
gevoed worden. Ik zeg kwebbelen, niet janken, want
mijn vrouw en oma zijn te vreedzaam om jou aan het
huilen te maken.

9 september 1979

AAN WINNIE:
Oupa, 'de droom van een overigens geweldige jongen', die zich bij ons geliefd heeft gemaakt en van wie

wij eens hoopten dat hij een permanent lid van de familie zou worden. Ik vind de zaak even spijtig als jij, maar we moeten Zindzi's gevoelens en zienswijze respecteren en alles vermijden wat zou doen vermoeden dat wij haar in een relatie dwingen die zij niet langer wil. Laten we de situatie accepteren en deze droom helemaal vergeten.

29 juni 1983

Aan het eind van 1979 werden Zindzi de scherpe politie-observatie en het feit dat haar moeder vervolgd werd vanwege de vrienden die haar kwamen bezoeken, te veel en zij keerde terug naar hun huis in Orlando. Nelson schreef aan Winnie:

Het feit dat Zindzi nu op haar eentje thuis woont, verontrust me. Zoals je weet heb ik alle vertrouwen in haar en ik heb alle begrip voor haar verlangen terug te keren naar de plek waar ze twee jaar van haar leven heeft doorgebracht. Maar ze is gewoon te jong om alleen te wonen of alleen met Nomfundo (Nelsons nichtje). Laat Niki (Nelsons schoonzus) en Marsh (Nelsons zwager) proberen om een oudere tante bij haar in huis te krijgen als dat kan.

10 februari 1980

Ik ben even ongelukkig over Zindzi's positie, ook al weet ik dat jij je uiterste best doet om het probleem op te lossen. Wij kunnen haar niet tegenhouden als ze met alle geweld in dat huis wil blijven, de plaats waar zij, haar zus en haar Mama de gelukkigste dagen van hun leven hebben doorgebracht; plezier dat zoet was, ondanks alle nare ervaringen die jullie gehad hebben. Ons thuis is een fijn thuis en Zindzi's vastbeslotenheid om daar te wonen is een natuurlijke zaak die gerespecteerd en gesteund moet worden. Maar gezond verstand en ervaringen uit het verleden eisen dat ze niet alleen woont, of met alleen maar een ouder stel in de achtertuin. Ze heeft een moeder nodig die vierentwintig uur per dag aan haar zijde kan staan, die haar best zal doen en haar leven rijk en gelukkig zal maken. Geen van de door Niki of Nthato (dr. Morlano) bereid gevonden stellen zal het door die berekende pesterijen lang uithouden, zoals de jonge Makgatho en vele anderen reeds ondervonden hebben.

1 juni 1980

Zindzi, die tot voor kort zo'n goede correspondente was, lijkt te zijn opgebrand. Als het wachten op haar uitslagen voor mij al zo'n kwelling is, hoe moet zij zich dan wel niet voelen?

1 juli 1980

Gevoelig voor het feit dat Zindzi geplaagd werd door vlagen van depressie, schreef hij haar om haar te bemoedigen en om haar gevoel voor eigenwaarde weer aan te wakkeren.

Mijn lieveling, neerslachtigheid is slechts een normaal verschijnsel waar heel veel mensen last van hebben. In jouw geval is het heel begrijpelijk. Het is voor jou, voor Zeni en voor Mama een moeizame strijd die al meer dan vijftien jaar duurt. En na zo veel jaren lijkt het niet alsof er een echte oplossing in zicht is.

3 februari 1979

Ik heb je er al eerder aan herinnerd en ik doe het nu weer: jij bent een van de fortuinlijkste meisjes van het land. De hele wereld ligt aan je voeten als je je kansen op de juiste wijze benut. Je bent vroegtijdig wijs geworden en je hebt dingen gepresteerd die een bron zijn van grote trots en vreugde, niet alleen voor familie en bekenden, maar ook voor vrienden en mensen uit het publiek die jou nog nooit ontmoet hebben. Je hebt een heerlijke persoonlijkheid en mensen vinden je heel innemend. Je foto, die bij mij op de boekenkast staat tussen die van Zeni en die van Mama, geeft een goed beeld van je persoonlijkheid. Je ziet er alert uit, heel energiek en ongedwongen; in harmonie met jezelf en met de wereld. Als je dit bewust onthoudt zul je je depressieve momenten tot een minimum beperken. Je hebt alle reden om het lot van tegenspoed, waar je van tijd tot tijd onder geleden hebt, te vervloeken en om te zweren dat je die tegenslagen zult omzetten in overwinningen. Als je behept bent met een ijzeren wil en de nodige bekwaamheid zijn er in de wereld slechts weinig tegenslagen die niet omgezet kunnen worden in een persoonlijke triomf. Jij hebt ze allebei, lieveling, en als je ze de kans geeft zich te ontwikkelen dan zul je nog meer successen boeken. 'Tel uw zegeningen één voor één', en je gestel zal immuun zijn voor alle vormen van depressie.

Ik zeg je, in vertrouwen, als een vader die advies geeft aan een geliefde dochter die te kampen heeft met buitengewone problemen, dat jij je met je leergierige geest, je ontspannen instelling, je grote gevoel voor humor, je vermogen om vrienden te maken en met je buitenschoolse activiteiten, in een positie kunt plaatsen waarin je nieuwe werelden kunt veroveren en zelfs je stoutste dromen kunt verwezenlijken. Dat is onze Zindzi! Dat is de reden waarom familie, vrienden en bekenden zo veel vertrouwen in jou hebben. We houden heel erg veel van je, lieve, en de eerbiedwaardige visie van dokter Farb (een plaatselijke arts) is echt een versterking voor mij.

Je opbeurende gedicht, je brieven aan mij, zelfs de wraakkaarten, en bovenal de talloze vrienden die je nu hebt die, achteraf, zelfs Brandfort tot iets leuks maken, gaan de meeste van dokter Farbs verstandige opvattingen bevestigen. Ik heb nooit enige twijfel gehad over jouw goede gezondheid. Je maakt op mij een geweldige indruk, altijd als ik je zie en in al je brieven aan mij. Liefs en kussen voor jou en Mama en mijn hartelijke groeten aan al je vrienden. Je toegewijde Papa.

25 maart 1979

Vrienden

Nelson is, voor alles, bezorgd over de opleiding van zijn kinderen en kleinkinderen. Wanneer hij vrienden om hulp vroeg, dan was dat altijd in verband daarmee. Hij had het gevoel dat hij elk kind en kleinkind een goede opleiding verschuldigd was en dat zijn detentie hen dat recht ontnomen had. En zo vroeg hij de hulp van degenen die hun liefde, bewondering en hun sympathie lieten blijken en van degenen van wie hij wist dat hij op ze kon rekenen. Onder hen waren Helen Joseph, de familie Cachalia, de familie Meer, Benjamin Pogrund, Alan Paton en Peter Brown. In het buitenland nam sir Robert Birley de zorg voor Zeni's en Zindzi's opleiding voor zijn rekening. David Astor en Mary Benson zijn altijd behulpzaam geweest. Hij was en is hen nog steeds dankbaar en hij drukt die dank in zijn brieven uit.

Wahali Fatimabehn. Zelfs al had je me dat geweldige telegram van 14/10 niet gestuurd, dan nog was ik er vrij zeker van geweest dat jij en Ismail voor de meisjes hadden gezorgd, dat ze nooit wees zouden worden zolang jullie in leven zijn, dat er tijdens Zanyiwe's afwezigheid altijd iemand zou zijn waar ze in geval van problemen terecht konden, een vertrouwd iemand met onze achtergrond, onze zienswijzen, onze aspiraties en dromen, we zouden zelfs onze tekortkomingen moeten toevoegen.

1 november 1974

Vrienden in ballingschap

Het is een goede zaak voor Zeni als ze naar het buitenland gaat. Haar contact met Adie, Paul en Zoya wekken dierbare herinneringen op die een belangrijk deel van ons leven vormen. Ik kan het niet helpen dat ik telkens fantaseer over hoe anders het leven zou zijn als ik een onbeperkt aantal brieven mocht schrijven aan familie en vrienden en naar al die mensen wiens vriendschap en liefde ons zoveel sterkte en hoop geven.

AAN ZINDZI:
Zeg tegen dokter Abdulla dat ik hem niet vergeten ben en dat enige jaren geleden bij een artikel in Alpha zelfs foto's stonden van zijn nieuwe huis. Ik vond het alleen jammer dat er geen foto van hemzelf en van zijn familie bij was. Ik was bevriend met zijn kinderen, met hen ging ik altijd schaduw-boksen als we op onze beurt moesten wachten om onderzocht te worden.

5 maart 1978

AAN WINNIE RE HATTINGH:
Wat betreft Susan (Chris Hattinghs zus), ik zal haar

mijn goede wensen sturen voor haar examens. Dat zal mijn bijdrage zijn aan jouw inspanningen om haar over de schok van haar broers tragische dood heen te helpen. Maar vertel het haar alsjeblieft nog niet. Ik wil dat de kaart als een verrassing komt. Ik hoop dat je onmiddellijk contact hebt opgenomen met David Astor en Gwen om een buitenlandse beurs voor haar doctoraal studie te regelen.

26 september 1979

Matlala en haar vrienden hebben je wat geld gestuurd voor een auto en ik hoop van ganser harte dat onze dealer in Johannesburg je van een nieuwe, betrouwbare auto kan voorzien. Mijn liefde en respect voor onze vrienden hier en in het buitenland heeft zich aanzienlijk verdiept. Ik huiver altijd bij de gedachte aan wat er gebeurd zou zijn als we helemaal alleen waren geweest. We hadden het wel overleefd, maar het was een veel zwaardere opgave geweest. Ik heb de gevangenisleiding reeds ingelicht over de verwachte brieven van Matlala. Maar ik heb mijn eerdere belofte haar niet opnieuw te schrijven herhaald.

1 maart 1981

Ik denk veel aan onze vrienden, vooral aan degenen die proberen jou en de kinderen van dienst te zijn. Ze zijn ontelbaar en ik ben ze allen dankbaar. Ik raakte bemoedigd door hun warme manier van reageren na 15/5/77. Die reactie hielp ons door alles heen. Wat ik nooit had verwacht, was het feit dat je van beide zijden aan de kleurlijn vrienden kunt winnen in die Provincie. Als ik erover nadenk, dan had ik eigenlijk moeten weten dat er mensen bestaan als drs. Moroka en Stofile, Molefe Litheko en de jeugd die al spoedig op de hut toegestroomd kwam. Maar ik moet bekennen dat ik nooit gedacht had dat je hulp kon krijgen van mensen als de De Waals, de Van Aswegens en wijlen Chris Hattingh. Het feit alleen al dat Chris jou een baan aanbood en dat hij zo lang wachtte terwijl jij onderhandelde over de verlichting van jouw restricties, is heel tekenend.

19 november 1979

Waarschijnlijk vind je het leuk om Ismail of Zamila te vertellen over een artikel over leukemie in de *Huisgenoot* van 28/6, getiteld 'Hoop voor kinderen'. Het handelt over het werk van het St. Jude's Hospital in Memphis, USA. Volgens dat artikel zijn er sinds 1962 al honderden kinderen met leukemie uit verschillende delen van de wereld gratis behandeld. Hotelaccomodatie voor de ouders is ook gratis. Ik weet niet of zij op de hoogte zijn van het bestaan van dit instituut, maar het kan geen kwaad om het hen in elk geval even te noemen. Doe ze en de kinderen alsjeblieft onze hartelijke groeten. Ik hoop echt dat de gezondheid van het kind zal verbeteren.

26 juli 1979

AAN ZINDZI:
Ik zal hier in geen geval ingaan op de speciale herinneringen die de Amina uit Johannesburg bij me oproept, behalve dan dat zij me altijd doet denken aan een onvergetelijk hoofdstuk uit ons leven. Ik schrijf haar om haar te bedanken voor de vele dierbare momenten die ze bij jou in de kliniek heeft doorgebracht. De Amina uit Kaapstad blijkt net zo'n fijn mens te zijn en ik vermoed dat achter het harige gezicht van haar mannie veel talent en menselijkheid schuilgaan. Misschien kun je bij een volgend bezoek aan Kaapstad een foto maken van Peggy Delport en

de prof en zijn vrouw, zodat ik tenminste het plezier beleef ze te kunnen zien. Het was een lief gebaar van Mama om je op te zoeken en je bij je laatste bezoek hier naar toe te rijden. Ik zou ook graag haar schilderijen van de familie willen zien, zodra ze die afheeft.

29 juni 1983

Verwanten

De in Transkei gevoerde politiek – de intriges binnen de Madiba-stam die de eenheid vernietigden, degenen die Nelson steunden verzwakten en de collaborateurs versterkten – baarde grote zorgen, en zelfs vanuit zijn cel oefende Nelson alle mogelijke invloed uit op de stamleden die om raad vroegen.

Het hoogste opperhoofd Sabata, de neef van zijn weldoener Jongintaba, de achterkleinzoon van Ngangelizwe, die had gecollaboreerd met de Britten, had eervol en onverschrokken geweigerd Transkei tot een thuisland te maken. K.D. Matanzima, wiens overgrootvader geweigerd had aan de Britten te verkopen en zodoende een beroemd man was geworden in Thembuland, collaboreerde met de regering, onttroonde een held van het volk, Sabata, en dwong hem in ballingschap, waar hij stierf. In een brief die werd geschreven op het moment dat het conflict tussen Sabata en Matanzima een hoogtepunt bereikte, toen Sabata, geconfronteerd met de bestorming van het Thembu-paleis door vijftig politiemannen, en vrezend voor zijn leven het land uitvluchtte, schreef Nelson:

Ik wou dat je onmiddellijk Jongilanga (Sabata) kon bellen, om hem en zijn familie te waarschuwen. Hij is

536

behept met de onhebbelijkheid traag en onachtzaam te zijn in zaken waar hij nu juist snel zou moeten handelen. Hij had hier allang geweest moeten zijn, zodat we de zaken konden bespreken. Als hij me die gelegenheid gegeven had, dan had ik hem geadviseerd over hoe hij doeltreffend had kunnen handelen, zonder zichzelf bloot te stellen. Zijn positie was waarschijnlijk sterker en veiliger geweest en slechts weinigen hadden zich in zijn buurt durven wagen. Ik kan zulke vertrouwelijke zaken niet per brief bespreken. Maar ik heb hem al eerder gewaarschuwd voor het gevaar van wegblijven, wanneer velen waarmee hij moeilijkheden heeft, de mogelijkheid hebben om mij hun kant van het verhaal te vertellen. Natuurlijk zal ik alles binnen mijn bereik doen om hem te beschermen, zelfs waar ik dacht dat hij een bepaald probleem anders had moeten aanpakken en niemand het ooit weer zal aanwenden. Zelfs met zijn huidige probleem sta ik geheel achter hem en in Port St. John's zal ik hard mijn best doen om het tij te doen keren tegen hen die hem voor de rechter gesleept hebben. Maar weet hij dat ik nog steeds niet precies weet welke opmerkingen hij in Butterworth beweerdelijk gemaakt zou hebben, over de uiterst onbevredigende wet? Nxeko (ex-staatshoofd van Thembu) was hier op 15/9 en ik heb hem gevraagd onmiddellijk Jongilanga op te zoeken.

Wat betreft de overige dringende familiezaken was ik verheugd te horen dat jij Jongilanga bezocht hebt. Het spijt me dat hij ziek is. Het bezoek moet hem opgevrolijkt hebben. Als het ons lukt om de partijen tot elkaar te brengen, dat wil zeggen de rivaliserende groepen, dan zou jij daar ook bij moeten zijn, zodat jij de losse eindjes tijdens mijn afwezigheid aan elkaar kunt knopen. Overigens vond ik het heel vreemd dat jij Mafungwashe (Matanzima's bejaarde echtgenote) hebt opgezocht in Qawukeni, omdat een paar weken geleden ook ik aan die zaak moest denken. Het deed me genoegen te vernemen dat je goed bent ontvangen.

Onze lieve Sisi (een nichtje)

Onze families zijn veel groter dan die van de blanken en het is altijd een groot genoegen om helemaal geaccepteerd te worden als een geliefd lid van de huishouding door een heel dorp, een district of zelfs meerdere districten die bezet worden door je eigen stam, waar je altijd aan kunt kloppen, volledig kunt ontspannen, rustig kunt slapen en vrijelijk kunt deelnemen aan de bespreking van problemen en waar je zelfs gratis vee en bouwland kunt krijgen.

Zoals je weet was ik amper tien jaar oud toen onze vader stierf, geheel berooid. Moeder kon lezen noch schrijven en was niet van plan mij naar school te sturen. Maar een lid van onze stam leidde mij op, van de lagere school tot aan Fort Hare, zonder dat hij ooit om enige vergoeding vroeg. Volgens ons gebruik was ik zijn kind en zijn verantwoordelijkheid. Ik heb alle lof voor deze instelling, niet alleen omdat het een deel van mij is, maar ook omdat het zo zinvol is. Het draagt zorg voor al degenen die zijn voortgekomen uit één voorvader en het houdt hen als één familie bij elkaar.

Het is een instelling die is ontstaan en gegroeid op het platteland en die alleen in dat gebied werkt. Het feit dat hele horden mensen naar de stad, de mijnen en de boerderijen zijn getrokken, bemoeilijkt dit systeem even goed te functioneren als in vroeger tijden.

Jij en Winnie zijn daar, terwijl Leabie, Maki en de

kleinkinderen aan de overzijde van de Kei wonen. Kun jij je voorstellen hoe ik me voelde met kerst en Nieuwjaar, toen ik uitgerekend jou geen prettige feestdagen kon toewensen? Niet alleen ben je onze zuster, maar ook een trouwe vriendin die Winnie en ik liefhebben en bewonderen, ook al zijn jullie twee altijd verwikkeld in allerlei onzinnige ruzies die jullie allebei overdrijven. Ik zal zeker niet mijn tijd nog eens verspillen met pogingen vrede te stichten tussen twee grote vrouwen die beter zouden moeten weten dan ze nu doen. Ik had verwacht dat jullie me de talloze hoofdpijnaanvallen die jullie me hebben bezorgd, zouden besparen.

Maar het eigenlijke doel van deze brief is jullie te laten weten dat jij mij en Winnie nog even dierbaar bent als op de onvergetelijke dag dat je ons vergezelde op het plein voor Bizana, bijna twintig jaar geleden. Ik heb het al eerder gezegd, ik herhaal het nog eens: ik mis de rijst met rozijnen zonder pitten die je Winnie en mij voorzette, toen we na onze terugkeer uit Pondoland samen aten. We denken aan je en bidden dat je gezegend bent met een goede gezondheid en dat je langer mag leven dan mijn moeder. Het is tegen die achtergrond dat ik jou, de kinderen, dé kleinkinderen en achterkleinkinderen met mijn hele hart een vrolijk kerstfeest en een stralend en gelukkig Nieuwjaar toewens.

Een van mijn liefste wensen van de afgelopen veertien jaar is het om weer bij jullie te zijn, om naar je geestige verhalen te luisteren, om je vele beloften te horen maken die je vervolgens weer niet nakomt. Kun je je nog herinneren dat je ons vertelde dat je nooit meer aardappels zou eten? Ook heb ik vele kerkdiensten bijgewoond, als ik wist dat jij gevraagd was om te bidden. Wanneer er goddelijke woorden uit jouw mond klinken, dan zijn deze realistisch, simpel en inspirerend. Maar er zijn tijden geweest dat je me deed denken aan Nongqawuse. Die keer dat je profeteerde dat Sekwati gelijk Jezus zou herrijzen. Ik weet nog goed dat Libhebheke (aanklager Liebenberg) en Vanikeke (aanklager Van Niekerk) jou aan die onvervulde belofte herinnerden, toen je op Twist Street en in de Pretoria Tempel was.

Misschien is het voordelig geweest, in die zin dat het jou tot bezinning heeft gebracht en dat het de dagelijkse ervaringen van gelovigen en niet-gelovigen meer dan ooit tot onderwerp van je gebeden heeft gemaakt. Ik ben natuurlijk gedoopt in de Weslyan Church en heb hun zendingsscholen bezocht. Buiten en hierbinnen blijf ik een trouw lid, maar je visie op de kerk lijkt zich dusdanig te verbreden dat men pogingen tot confessionele eenwording toejuicht. Hier heb ik naar gebeden van priesters van verschillende gezindtes geluisterd – Anglicanen, Nederlands-Hervormden, Hindoes, Methodisten, Moraviërs, Presbyterianen, Moslims en Rooms-Katholieken. De meesten van hen zijn welbespraakte en ervaren mannen en een paar preken waren gedenkwaardig. Ik ben een groot voorstander van de samensmelting van alle Zuidafrikaanse kerken, zolang de leer van de nieuwe kerk maar progressief is en zich afkeert van de starre en onderontwikkelde dogma's van weleer.

Tot besluit, alle mensen in de wereld hebben van tijd tot tijd stammen gehad, sommige waren zeker machtiger en bekender in de geschiedenis dan de onze. Maar voor jou, Winnie en mij is die van ons de hele wereld, onze paraplu, de bron van al onze kracht en prestaties; de navelstreng die ons verbindt als een familie, die jou en mij verbindt, Sisi. Ik heb je al lang niet meer gezien, maar deze brief is een reünie en roept alle heerlijke momenten die we samen hebben doorgemaakt in mijn herinnering. Al deze gevoelens deelt Winnie met mij. Ik meen te weten dat je reumatisch bent geworden en dat je moeilijk kunt schrijven. Dicteer je antwoord aan de kinderen. Nogmaals, een Vrolijk Kerstfeest en een Gelukkig Nieuwjaar! Met hartelijke groet, je Buti.

Huis en land

Nelsons gehechtheid aan bezit is eerder sentimenteel dan materieel en dit wordt weerspiegeld in zijn houding ten opzichte van zijn huis in Orlando en van grond in zijn geboorteplaats Qunu.

HUIS
Met betrekking tot het zogenaamde eigendomsprogramma is onze voornaamste moeilijkheid dat wij het huis niet bewonen en dat we er derhalve niet voor in aanmerking komen. Als je man meer dan 1500 kilometer verderop zit en als de verwachting was dat jij niet de aard noch het lef zou hebben om het zolang in Brandfort uit te houden, dan kunnen we niet geacht worden aan dergelijke programma's deel te nemen. Als we dat wel konden, dan zou ik zeker hebben voorgesteld het 99 jaar durende huurcontract te nemen, alsmede een contract om een beter huis te bouwen.

Het huis zelf was oorspronkelijk een gemeentewoning en het ontwerp, als voor alle gemeentewoningen, was door hun eigen tekenaars vervaardigd. De uitbouw is, als ik het me wel herinner, gemaakt door meneer Molefe, de overleden echtgenoot van Ma Dlomo. De garage is, zoals je weet, gebouwd door mijn sportmaatje Peter, die nu waarschijnlijk terug is in zijn huis in Bloemfontein, en onze vriend Japan uit het Orlando East. In beide gevallen zijn de tekeningen gemaakt door de bouwers en goedgekeurd door de hoofdopzichter, meneer Griffiths.

1 juli 1979

LAND
Heb jij onderhandeld met Jongilanga of Nomoscow (een stamgenoot) over de grond ten noorden van Xami's huis? Misschien is het daar al bezet, maar het was mijn verlangen om daar mijn laatste dagen door te brengen,

27 maart 1977

Ik heb twee brieven geschreven aan de magistraat van Umtata, waarin ik verzocht om de overdracht van de woon- en tuinpercelen aan Qunu. Ik heb ook de vereiste beëdigde verklaring naar Sabata gestuurd, die met de zaak bezig was. Ook heb ik alle gemeentebelasting tot en met 1977 betaald. Maar ik heb geen kwitantie of antwoord van die instantie ontvangen. Misschien bespreek jij de kwestie met Sabata en kun je hem voorstellen om, als hij daar geen bezwaar tegen heeft, iemand anders, bijvoorbeeld Mlahleni, de zaak te laten behandelen.

10 februari 1980

Brandfort

Nelsons reactie op Winnies verblijf in Brandfort is opgetekend in de volgende brieffragmenten:

Ik heb veel aan je gedacht, sinds ik vernam over de hevige sneeuwval in verschillende delen van het land.

Een paar dagen voordat de koudegolf Robbeneiland bereikte, zag ik eindelijk een foto van de plaats waar jij en de kinderen zijn gedeponeerd. Ik vrees dat er geen haardvuur is dat die bouwval ooit warm krijgt. Met zo'n wankele structuur en zo'n armoedige afwerking dringt de kou makkelijk door de spleten in de gammele muren naar binnen en blijft de temperatuur uiterst laag. Je moet je niet alleen beschermen met warme kleren overdag en dikke dekens 's nachts, maar er moet ook wat vet in je eten zitten om het lichaam te behoeden voor bevriezing. Dat zijn dingen die je je niet kunt permitteren zonder inkomen. Ik hoop dat het lot en de wonderen die je al die jaren gaande hebben gehouden je tot ons weerzien overeind en gezond houden. Het koude weer, zo kort na je ziekte, baart me zorgen.

29 juli 1979

Ik heb geen idee waar Phathakahle ligt, in welk district, en al helemaal niet hoe de situatie in 802 is. Maar in mijn hoofd heb ik een levendig plaatje, denkbeeldig, maar toch levendig, van dat krot. De voornaamste plaats in dat plaatje wordt ingenomen door de slaapkamer. Ik denk altijd aan je en hou van je.

19 november 1979

Zindzi houdt van lezen en het is jammer dat je een petroleumlamp hebt. Herinner je je de lamp die we hadden voordat er elektriciteit was? Die is wel duur, maar probeer er toch maar twee voor in huis te kopen.

7 oktober 1979

Het doet me genoegen te weten dat je bent bezocht door mensen die zelfs helemaal uit Pietermaritzburg komen. Blijkbaar is dr. Biggs een bekend orthope-

543

disch chirurg in die stad en zijn zijn vrouw en mevrouw Corigall allemaal bekend van naam in die provincie en daarbuiten. Als je ze weer ziet, omhels ze dan maar even flink van me.

2 september 1979

AAN ZINDZI:

Ik hoop echt dat ik je kan zien op de avond van je vertrek. Ik weet dat je die ellendige uithoek zult missen, ook al heb je het er zwaar te verduren gehad. Ik heb de hoop en het vertrouwen dat het je tenminste in de gelegenheid heeft gesteld om in alle rust de balans van je leven op te maken, over de vijftien jaar die aan je aankomst daar voorafgingen.

6 augustus 1979

Contact houden per telefoon moet een vreselijk moeilijk karwei voor je zijn, aangezien je onvermijdelijk bent aangewezen op het gebruik van de openbare telefoon. Maar wie anders kan ik belasten met deze verzoeken? Ik kan met gemak de assistentie van de oude families inroepen, en ik weet zeker dat ze enthousiast zouden reageren. Maar jij zou waarschijnlijk uit je vel springen van woede als ik dat deed.

31 maart 1983

Wordt het leuk in Brandfort! Ik kan het niet geloven. Mama heeft bijna alles verloren. Ze zal daar nooit meer een baan krijgen, behalve misschien als hulp in de huishouding of als landarbeidster of wasvrouw, en ze zal al haar dagen in armoe moeten slijten. Ze heeft een beschrijving gegeven van het bouwsel waarin jullie nu moeten wonen en van het soort toilet en wasgelegenheid waarop jullie nu zijn aangewezen. Ik durf niet naar het kaptiaal te vragen dat ze nodig zal hebben om er een geschikte woonruimte van te maken. Je zult je nooit zo goed kunnen kleden, nooit zo goed kunnen eten als in J-B, noch zullen jullie je een televisie kunnen veroorloven, noch een bezoek aan de bioscoop of het theater, noch een telefoon.

Ik ben niettemin blij, lieveling, dat je je aanpast en toch gelukkig probeert te zijn. Ik voel vertedering als ik het zinnetje 'Toch wel aardig hier' lees. Zolang je een ijzeren wil hebt, lieverd, kun je ongeluk veranderen in voordeel, zoals je zelf ook zegt. Als dat niet zo was, dan was Mama nu een absoluut wrak geweest.

4 september 1977

AAN WINNIE:
Ik zou graag willen weten hoeveel jij denkt dat het opknappen van het krot in Brandfort gaat kosten.

Over de verbeteringen in 802, inclusief de dure bomen die je geplant hebt, wacht ik nog op informatie, zoals gevraagd in mijn laatste brief, alvorens ik je goed advies kan geven.

Intussen zou ik graag wat inlichtingen willen over je werkgever, de namen van andere werknemers, als die er zijn, het soort werk en het gemiddeld aantal mensen dat je dagelijks moet verzorgen. Denk alsjeblieft goed na over Kaapstad.

27 februari 1979

Het is niet eenvoudig je te adviseren inzake de baan bij Welkom. Het is het werk waarvan je het meeste houdt en waarin je veel ervaring hebt. Het zal je overdag bezighouden en het zal je genoegen verschaffen mensen met allerhande problemen te helpen; iets waarvoor jij een natuurtalent bezit. Niet minder belangrijk is het feit dat de baan je een vast inkomen zal brengen en je enige mate van financiële onafhankelijkheid kan garanderen, en al die dingen zijn van groot belang.

Ik ben het roerend met je eens wat betreft je standpunt ten opzichte van dat voorstel of die verborgen hint om in Welkom te gaan wonen. Je bent naar die plaats gedeporteerd en daar moet je dan ook maar blijven. Zelfs al is Brandfort niet meer dan een boerendorp, je hebt je daar gevestigd en dat heeft je genoeg moeite gekost. Ik wil niet dat je weer helemaal opnieuw begint en van een grot een woning moet maken. Je aankomst in Brandfort werd gevolgd door allerlei vervelende gebeurtenissen.

27 januari 1979

Ik heb het gevoel dat, in tegenstelling tot wat we hadden gehoopt – je verwijdering uit Brandfort zou alleen geschieden na fatsoenlijk overleg met ons – je misschien opnieuw gedeporteerd wordt, zonder ons daar verder in te kennen. In dit verband steun ik nog steeds jouw oorspronkelijke standpunt te weigeren vrijwillig ergens anders naar toe te gaan dan naar Johannesburg. Dit ondanks het feit dat ik ons graag de mogelijkheid had zien onderzoeken om in Kaapstad te gaan wonen, alsmede de problemen bij jouw vertrek uit die wereld. Intussen wil ik graag dat je meteen hier komt, zodat we tenminste de meest dringende huishoudelijke zaken kunnen bespreken.

6 mei 1979

Sprekend vanuit het standpunt dat de familie verhuist, zou Kaapstad beter zijn als we een goede baan kunnen krijgen. Besef je dat ik je twee keer per maand zou kunnen zien en dat je de oude families helemaal uit je hoofd zou kunnen zetten? Mogelijk zou het ook een goede therapie zijn voor Zindzi en Oupa. En waarschijnlijk zouden jullie allemaal aan de universiteit van Kaapstad kunnen studeren. Maar ik denk niet dat we het plan ooit kunnen bespreken onder de omstandigheden waarin we elkaar moeten zien.

Ik moet ook proberen contact op te nemen met Helen in Kaapstad, om te zien of zij passend werk voor je kan krijgen, zodat we vruchtbaar de mogelijkheid – ik zeg met nadruk mogelijkheid – kunnen overwegen om de familie naar Kaapstad te verhuizen.

19 november 1979

Ik ben het helemaal eens met je weigering naar Welkom te verhuizen, of naar welke andere plaats dan ook behalve Johannesburg. Andere dingen maken me nog bezorgder, zoals het simpele feit dat jij verbonden bent met die plaats, om over het wonen daar nog maar te zwijgen. Ik geloof niet dat ik dat ooit zou goedkeuren. Het baart me ook zorgen dat je per dag niet minder dan twee uur en twintig minuten zou moeten reizen. En die tijd kun je, gezien de afstand, alleen halen als je flink doorrijdt. Bovendien zijn benzine en olie erg duur geworden en als je ook rekening houdt met slijtage en onderhoud, dan slokt het je hele inkomentje op.

27 februari 1979

De plotselinge dood van Chris trof me zo zwaar, dat het leek alsof hij een levenslange vriend was. Ik zou het op prijs stellen als je zijn ouders mijn innige deelneming zou willen overbrengen.

Zijn tragische dood, op de eerste dag dat jij voor hem werkte, was een verpletterende klap voor jou, de kinderen en mij. Zelfs voordat ik je brief van 20/2 kreeg wist ik hoezeer je je verheugde op 1/3. Ondanks mijn bezorgdheid over die enorme reisafstand die je

iedere dag alleen moest afleggen, over de twaalf uur
die je per dag moest werken en over mijn verzet tegen
je verhuizing naar Welkom, had ik het gevoel dat je
het toch moest proberen, voor die drie afgesproken
maanden. Zijn dood heeft al je hoop op een nieuwe
en uitdagende ervaring door het werken in die wereld
de bodem ingeslagen. Ik wijs erop dat je bij Chris van
8.00 u tot 20.00 u zou werken. Zelfs al woonde je in
Welkom, een twaalfurige werkdag zou behoorlijk op
je gedrukt hebben. Voeg daaraan de dagelijkse twee à
drie uur reizen tussen Brandfort en Welkom toe; zelfs
het krachtigste gestel was hierdoor zwaar op de proef
gesteld en het had de voortzetting van je studie bemoeilijkt.

19 november 1979

Ik heb nagedacht over je studieproblemen. Het vooruitzicht dat je misschien naar Klerksdorp moet verhuizen verontrust me in hoge mate en ik zou het niet
doen. Om in deze fase van je leven te gaan rondzwer-
ven is niet wenselijk, ondanks alle voordelen die dat
zou kunnen hebben voor je studie. We hebben zoveel
nachtmerries beleefd in Johannesburg en Brandfort
en die wil ik tegen elke prijs vermijden. In Johannesburg zijn we eroverheen gekomen en in Brandfort
strijken we net neer. Om nu weer te verhuizen naar
wat praktisch plattelandsgebieden zijn, waar de politie, de commissarissen en politierechters geen enkele
ervaring hebben in de omgang met mensen zoals jij
en ik, dat zal al die akelige problemen, zoals we die de
afgelopen zeventien jaar hebben ondervonden, doen
herleven. Zo'n stap is voor Zindzi misschien nog wel
rampzaliger, omdat zij net gewend raakt aan Brandfort, de sfeer van ontwrichting en afzondering die
eromheen hangt ten spijt. Het zal Oupa blootstellen

aan nieuwe aanvallen en die moeten hem bespaard blijven. Terwijl ik geen alternatief te bieden heb, zou ik willen voorstellen om te proberen een kantoor in Bloemfontein te vinden, waaraan jij jezelf zou kunnen verbinden... Het hoofd van de sociologische faculteit aan de universiteit van de Oranje Vrijstaat heeft misschien dergelijke contacten en mogelijk is het zinvol om de zaak met hem te bespreken. Het voordeel van plaatsing bij een speciaal kantoor in die stad is dat je dagelijks op en neer kunt reizen vanuit Brandfort. Het zou je alle problemen besparen die zijn verbonden aan het verhuizen naar een nieuw oord. Intussen wens ik je alle succes, lieve Mama.

25 november 1979

AAN ZINDZI:

Ik ben blij, lieveling, dat jij in de buurt bent om een oogje op Mama te houden. Het was echt een opluchting om haar schoon, recht overeind en sterk te zien oprijzen uit al de problemen die ze sinds mei heeft gehad. Dat was voornamelijk het gevolg van jouw diepe liefde en bezieling. Mama is, nu ze drieënveertig is, niet jong meer. In die fase voelt de gemiddelde vrouw zich doorgaans gedeprimeerd als ze haar haar grijs ziet worden en haar eens zo mooie gezicht door lelijke rimpels ziet vervormen. Kinderen groeien en worden onafhankelijk van haar en ze kan gemakkelijk denken dat degenen die eerst zeer aan haar gehecht waren haar nu negeren. Ik ben je heel dankbaar voor alles wat je voor haar doet.

Ben je nu aan de studie? Ik hoop dat je reisje je een rijke ervaring heeft bezorgd en je stof heeft opgeleverd voor een tweede bundel. Een miljoen kussen en heel veel liefs. Je toegewijde Papa.

De wereld prijst de Mandela's

Winnie's verbanning verviel in september 1975 en dertien jaren van stilte werden verbroken. In zekere zin was ze teruggetrokken uit de dood. Durban verwelkomde haar op een zondag, 12 oktober, in een woelige bijeenkomst op het vliegveld, waar zo'n zeshonderd mensen stonden te wachten, begeleid door dr. Naicker, bisschop Manas Buthelezi, Fatima Meer, George Sithole, David Gasa en M.J. Naidoo. De autoriteiten verhinderden en verstoorden de regelingen door de passagiersingang te wijzigen. De zorgvuldig voorbereide ontvangst werd een chaos, de rijen renden voor de 'leadership' uit, iemand tilde Winnie op, nam haar of ze wilde of niet op de schouders en paradeerde met haar naar de parkeerplaats. Uiteindelijk werd ze bij dr. Naicker en bisschop Manas Buthelezi gebracht en een stuk of vijftig Zulu dansers deden mee aan de formele ontvangst.

De stoet auto's maakte een rondrit door Umlazi en de bewoners renden hun huis uit om deze Mandela te zien. Tenslotte arriveerde Winnie, gekleed in het stamgewaad van Xhosas, in de overvolle hal van de YMCA, waar meer dan duizend mensen geduldig gewacht hadden om haar te horen spreken. Toen ze terugkeerde naar huis, de maandag na de bijeenkomst, vestigde een journalist, Farook Khan, Fatima Meers aandacht op de minister van justitie en gevangenissen, Jimmy Kruger, wiens auto net tot stilstand was gekomen voor het vliegveld. Fatima leidde Winnie voorzichtig naar de aangewezen auto 'om wat lol te maken'. De minister, een kleine man met een bril met zwaar montuur, was op dat moment half begraven in de achterbak van zijn auto om zijn koffer eruit te halen. 'Meneer Kruger, ik geloof dat wij nog niet hebben kennisgemaakt. Ik ben Fatima Meer en dit is mevrouw Mandela.' De kleine man keek de vrouw aan en zei dat het hem een genoegen was hen te ontmoeten. Winnie vroeg: 'Wanneer laat u mijn echtgenoot vrij?' 'Dat hangt van u af,' zei hij, terwijl hij een vermanende vinger opstak. 'Hoor hem,' lachte Winnie, 'hij zegt dat het van mij afhangt, wat heb ik met de vrijlating van mijn echtgenoot te maken?' 'Als je je gedraagt,' zei de minister. 'Me gedragen?' De twee vrouwen lachten spottend en gingen weer terug naar hun vrienden.

Winnie beschreef dit opwindende moment voor Nelson en hij schreef terug:

Ik was heel blij te horen van je bezoek aan Durban, van de aanwezigheid van Ma Nokukhanya (mevrouw Albert Luthuli), van Monty (dr. G.M. Naicker) en van anderen en ik hoop dat die gebeurtenis je de berg problemen waarover je je zorgen maakt, heeft doen vergeten. Momenten van complete ontspanning en gelukzaligheid, nu jij in de handen bent van lieve en toegewijde vrienden die klaar staan om jou hun liefde te geven en je dat gevoel van veiligheid en vetrouwen te bieden, geboren uit de wetenschap dat je buiten bereik van de kwaden bent en omringd wordt door talloze mannen en vrouwen die erg op je gesteld zijn, die je uit de klauwen van de hyena's en jakhalzen, die zoveel jaren om het huis hebben geslopen, kunnen trekken, dat is altijd een gedenkwaardige gebeurtenis en een enorme inspiratie, niet alleen voor jou, maar ook voor de kinderen, voor de familie en voor mijzelf.

Eens zul je alles aan me vertellen en wat ik me het meest afvraag is of de details de gaten zullen vullen tussen de regels van het plaatje dat zich in mijn hoofd gevormd heeft aan de hand van jouw en Fatima's verslagen. Doordat je zo innig bent met Fatima neem ik aan dat je Ismail net zo vaak gezien hebt als Fatima. Hij is altijd aardig en grappig.

1 december 1975

Aan Fatima, die het hele voorval in Hindoe-mythologie verwoord had en daardoor aan het begrip van de censors voorbijschoot, antwoordde Nelson:

Een goed stel hersenen en een goed hart vormen altijd een geweldige combinatie. Maar als je daar een onderlegde tong of pen aan toevoegt, dan heb je iets heel bijzonders en draagt een eenvoudig verhaal wat je al bij herhaling gehoord hebt opeens een waardevolle morele les in zich. Me interesseren voor mythologie? Ik zou zelfs de magie proberen, als jij het me maar aanraadde. Wat betreft mythologie, mijn interesse op dat gebied heeft een lange voorgeschiedenis, omdat mijn moeder mij er vanaf de vroegste dagen van mijn jeugd mee gevoed heeft. Ik heb veel mythologie gehad op school, maar buiten het leslokaal kan mythologie nog veel uitdagender en boeiender zijn en dat is waarom ik jouw verhandeling zo stimulerend vond. Een element van wijsheid achteraf kan niet geheel worden uitgesloten bij een verklaring die is opgemaakt nadat een gewichtige gebeurtenis zich heeft voltrokken. Maar je moet weten dat ik sinds oktober 1974 veel gemist heb en dat het denkbeeld van godin Zamona (verwijzing naar Winnie), die afdaalt naar de derde hemel, me herhaaldelijk heeft beziggehouden. Alleen was dat toen niet meer dan een simpele bevlieging, die kwam en ging als de wind en ik hechtte er geen enkele betekenis aan. Pas toen ik jouw geweldige brief kreeg en die van Zami (Winnie), vroeg ik me af of die bevlieging een voorgevoel was of niet. Misschien moeten we niet veel verder doorgaan op dit punt, want anders eindigen we in de bovennatuurlijke wereld. Het zij voldoende te zeggen dat deze specifieke vertelling, gebracht met karakteristieke bekwaamheid, al het pessimisme verjaagd heeft dat had kunnen voortvloeien uit het geloof dat alle vuur uit de Vhora's, de Kola's, de Hada's en de Bihara's (verwijzend naar de zwarte volkeren van Zuid-Afrika – Indiaas, Afrikaans, 'Gekleurd') is weggelopen en dat de kwade geesten onoverwinnelijk zijn. De simpele les van religies van alle filosofieën en van het leven zelf is dat, hoewel het kwaad misschien bij tijd en wijle uitzinnig tekeergaat, het goed de lauweren uiteindelijk moet winnen. Jouw verhaal drukt deze waarheid zeer goed uit. Ik heb de veelvoudigheid van goden in de Griekse mythologie altijd beschouwd als de zoveelste manifestatie van het wijdverbreide geloof dat het lot van alle natuurlijke en menselijke zaken in de handen ligt van de godheden wiens bovenmenselijke voortreffelijkheid een bron van inspiratie en hoop is voor de hele schepping, een voortreffelijkheid die de wereld uiteindelijk zal regeren.

Wij, die grootgebracht zijn in gelovige huizen en die op een zendingsschool hebben gezeten, ervoeren het scherpe spirituele conflict, dat bij ons opkwam toen we de manier van leven die wij heilig achtten, betwijfeld zagen door de nieuwe filosofieën, en toen we beseften dat zich onder hen die onze geloven als opium van zich afzetten heldere denkers bevonden wiens integriteit en naastenliefde buiten kijf stonden. Maar er was tenminste één ding waarover zowel de aanhangers van de Bijbel als de atheïsten het eens waren: geloof in het bestaan van wezens met bovenmenselijke krachten geeft aan wat de mens zou willen zijn en hoe hij door de eeuwen heen alle soorten kwaad heeft bevochten en streefde naar een deugdzaam leven.

Je zegt dat mythes niet op het eerste gezicht moeten worden beoordeeld en dat er grote morele lessen achter schuilgaan. Dat neem ik geheel aan en welke veranderingen zich ook in mijn zienswijze hebben voorgedaan, ik besef meer dan ooit tevoren de dynamische rol van de mythologie in de uiteenzetting van menselijke problemen en in de vorming van menselijke eigenschappen.

Een paar jaar geleden bladerde ik gehaast door een overzicht van de werken van Euripides, Sophokles en ander Griekse geleerden en stuitte ik op de stelling dat een van de basisprincipes die wij hebben geërfd van de klassieke Griekse filosofie, is dat een ware man iemand is die stevig in zijn schoenen staat en nooit door de knieën gaat, ook al heeft hij te maken met het goddelijke.

Het verstrijken van tijd lijkt zelfs onvergankelijke lessen als deze af te stompen en jouw verhaal heeft mijn belangstelling voor symbolische abstractie weer tot leven gebracht. Als ik toegang had tot de Veda's en de Upanishads dan zou ik ze vol vuur doorworstelen.

1 januari 1976

In maart 1979 schreef Fatima naar mevrouw Gandhi, tijdelijk niet meer aan het bewind als premier van India, om Mandela in aanmerking te laten komen voor de Nehru Prijs. Ze antwoordde op 6 juli 1979 vanuit haar huis, Willingdon Crescent 12, New Delhi:

Ik deel uw hoop voor Zuid-Afrika en voor Nelson Mandela. De houding van de Indiase regering is dusdanig dat elke aanbeveling die ik zou doen zeker wordt afgewezen. Maar ik heb geprobeerd om Mandela's naam indirect voor te stellen. Ik zal hem zeker een kaartje sturen, maar mijn post, inkomend en uitgaand, is heel onregelmatig.

Doe mijn hartelijkste groeten aan alle vrienden en kameraden in jullie moedige strijd.

Mevrouw Gandhi's voorstel werkte. Mandela kreeg de Nehru Prijs van 1979 toegekend. Zijn onmiskenbare vreugde over de prijs liet hij blijken aan Winnie:

In verband met de ontwikkeling van de afgelopen drie maanden is 1979 een fortuinlijk jaar geweest voor de familie en ik kon je letterlijk voor me zien; stralend van blijdschap en trots na zoveel jaren van zware strijd, werkloosheid en eenzaamheid. Het is zo'n verschil met dezelfde drie maanden, een decennium geleden. Het doet mij bijzonder veel genoegen de eer met jou te delen en ik betwijfel het ten zeerste of dat ook mogelijk was geweest zonder Ngutyana (Winnie) in de buurt.

Ik hoop dat je me bij je volgende bezoek meer informatie zult geven over de Nehru Prijs.

3 februari 1980

1979 was een goed jaar. De druk die Mama zo lang heeft doorstaan, bleef afnemen. In de ergste tijden was ze in staat mij een verleidelijk lachje toe te werpen. Maar die lach flikkerde door een levenloze huid, opgespannen over bot en kraakbeen. Deze keer was er rood in haar wangen, vuur in haar ogen en ze werd een halve meter langer nadat ze haar uitslag van UNISA had gekregen. Om haar zo gezond en in zo'n opgewekte stemming te zien, geeft me echt een goed gevoel.

21 januari 1980

Hij wilde graag dat Winnie naar India zou gaan en dacht een tijdje dat ze een paspoort zou krijgen.

Fatima stelt voor dat jij en de meisjes plus aanhang een reis maken naar India en Groot-Brittanië. Dat is een prima idee en als je een paspoort kunt krijgen dan geniet het voorstel mijn volle ondersteuning. Maar het meenemen van de hele familie naar de andere kant van de Indische Oceaan, zou te duur zijn en ik zou willen voorstellen dat je de meisjes achterliet, zodat er iemand is om mijn bezoeken te regelen tijdens jouw afwezigheid. Overigens, ooit had India schatrijke prinsen met prachtige paleizen en voor het geval hun glans en bekoring Dadewethu van nationaliteit zouden doen veranderen, zal ik, als de meisjes achterblijven, niet alles verliezen. Misschien zijn we te optimistisch om zelfs maar te denken dat het plan bespreekbaar is, maar proberen kan geen kwaad. Ik zal voor je duimen.

Ik hoop dat je de zaak in de gaten houdt en dat je de kans in geen geval voorbij zult laten gaan. Misschien heb je reeds contact opgenomen met Matlala (Adelaide Tambo) om haar in kennis te stellen van je plannen en om je van de exacte datum van de formele ceremonie te vergewissen. Ook hoop ik dat je Zeni en Muzi op de hoogte blijft houden van je plannen ingeval zij je plaats moeten innemen.

10 februari 1980

In verband met de Nehru Prijs wordt het tijd dat je me iets vertelt over Zeni's en Muzi's reis naar India. Als je het moeilijk vindt dit met hen te bespreken, stel ik voor dat je meer druk uitoefent via Reggie. Overigens was ik geschokt te horen van de plotselinge dood van Indira's zoon. Zo'n tragedie is een ramp, niet alleen voor Indira persoonlijk, maar voor heel India. Uit alle berichten bleek hij een verstandige jongeman te zijn geweest en het zal voor Indira heel moeilijk zijn om de leegte die hij achterlaat te vullen.

29 juni 1980

Er was enige verwarring ontstaan omtrent het foto-album van de gebeurtenissen in New Delhi. Op 21/2 begreep ik dat jij dacht dat je het in Ayesha's huis had gelaten en ik ontdekte het misverstand pas toen ik op 23/2 de *Eternal India* kreeg. Laat Zindzi het album meenemen als ze me deze maand komt bezoeken.

1 maart 1981

Andere prijzen en onderscheidingen kwamen in 1981 en tot in 1983.

Ik hoop dat je senator Tsongas al bedankt hebt. Het is geen klein gebaar van de leden van het Amerikaanse Congres om zo overdadig te reageren, en een persoonlijke brief van jouw hand zou de meest passende manier van bedanken zijn. Een persoonlijke brief voor de Grieken zal ook nodig zijn. Zij zijn een nieuwe macht met een rooskleurige toekomst en de uitnodiging voor jou om de Bundelog bij te wonen, moet in dat licht gezien worden.

31 maart 1981

De Simon Bolivar Prijs, die we delen met Spanje, valt samen met ons vijfentwintigjarig huwelijksfeest. Deze eerbewijzen, die uit vele delen van de wereld zijn gekomen, betekenen enige steun voor onze goede vrienden, degenen met wie we zijn opgegroeid, met wie we naar school zijn geweest, die in dezelfde getto's werkten en woonden en met wie we unieke dingen hebben meegemaakt, moeilijk uit te leggen onder onze huidige omstandigheden, mannen en vrouwen die zich het plezier ontzegd hebben, de welstand en de eer die zij zozeer verdienen, zodat jij en ik toch een soort veiligheid en geluk genieten, waar we ook zijn. Zij en zij alleen zijn in de eerste plaats verantwoordelijk voor welk zalig nieuws ons hart maar mag verwarmen.

29 juni 1983

Deze brief werd geschreven nadat Nelson Mandela genomineerd was voor het Kanselierschap van Universiteit van Londen.

De steun van 7199 mensen tegenover zulke uitstekende kandidaten moet de kinderen en al onze vrienden in binnen- en buitenland geïnspireerd hebben. Het moet voor jou in het bijzonder nog vleiender zijn geweest, het heeft van dat ellendige krot een kasteel gemaakt en de kleine kamers zo groot als die van Windsor. Ik wil graag dat al onze aanhangers weten dat ik niet eens verwacht had de honderd te halen, om maar te zwijgen van 7199, en dat naast een Britse prinses en een zeer voorname Engelse hervormer als Jack Jones. Dat getal heeft een veel grotere betekenis dan ik nu in deze brief, geschreven in mijn huidige omstandigheden, tot uitdrukking kan brengen.

1 maart 1981

Postscriptum

De vrijlating

De hele maand januari van het jaar 1990 bleef Mandela overal ter wereld voorpaginanieuws. Telkens moesten de media hun opwinding opschorten. Op 2 februari waren ieders ogen gericht op de opening van het parlement. Voor het historische gebouw ging de traditionele ceremonie, waarvan de zwarten van begin af aan buitengesloten waren geweest, met bugelgeschal van start. Daar stond de nationalistische president met zijn knappe vrouw aan zijn zijde, de erewacht zette het Afrikaner volkslied in. De stoet ging het gebouw binnen.

Buiten het parlementsgebouw kwamen de rechtelozen bijeen voor een massale optocht onder aanvoering van bisschop Desmond Tutu, dominee Alan Hendrikse en Nomzamo Winnie Mandela. Zij verwachtten niet dat de openingsrede van De Klerk tot iets van betekenis zou leiden. Al eerder hadden nationalistische staatshoofden gewichtige uitspraken aangekondigd die niet verwezenlijkt waren; apartheid was blijven voortduren.

Maar deze keer was het anders. De president kondigde de opheffing aan van het verbod op het ANC, het PAC, de SACP en andere verboden partijen, de vrijlating van alle politieke gevangenen die niet ook voor 'criminele' activiteiten veroordeeld waren, de afschaffing van de veiligheidswetten die de politieke vrijheid belemmerden en de opheffing van de noodtoestand zodra dat haalbaar was. 'Met de stappen die de regering genomen heeft,' vervolgde de president, 'toont zij aan vertrouwen te hebben. Nu kan er met verstandige leiders over een nieuw bestel worden gepraat. Tot de doelstellingen behoren onder meer een nieuwe democratische grondwet, burgerrechten voor iedereen, het afzien van overheersing, gelijkwaardigheid voor een onafhankelijk gerechtelijk apparaat, bescherming van de rechten van minderheden en van individuen, godsdienstvrijheid, een gezonde economie gebaseerd op beproefde economische principes en particulier ondernemerschap, dynamische programma's gericht op beter onderwijs en betere gezondheidszorg, huisvesting en sociale voorzieningen voor iedereen.'

Hij zei verder dat deze aankondiging de kern raakte van wat de zwarte leiders, onder wie de heer Mandela, door de jaren heen hadden aangeduid als de reden waarom ze tot gebruik van geweld waren overgegaan. 'Men voerde aan dat de regering niet met hen wenste te praten en dat hun door het verbod op hun organisaties het recht op normale politieke activiteit was ontnomen. Tegen hen die zo redeneerden, wil ik vandaag zeggen: de regering wil praten met alle leiders die de vrede nastreven. Het onvoorwaardelijk opheffen van het verbod op de genoemde organisaties stelt eenieder in staat politieke doelen na te streven.'

De rechtelozen konden hun oren niet geloven. 'Ik sta hier perplex van', riep bisschop Tutu uit en voegde eraan toe: 'We zien hier de geschiedenis in wording en dat moeten we toeschrijven aan onze vrienden en aan onze mensen die standvastig tegen alle verwachting in bleven gaan.'

Tijdens de Defiance Campaign in de jaren vijftig zongen de activisten 'Vula Malan, Thina Qonqota' ('Doe de deur open, Malan, we kloppen'). En nu ging de deur open en de mensen konden naar binnen om over de niet-raciale democratie te onderhandelen die ze zichzelf in het vooruitzicht hadden gesteld.

Maar de onderhandelingen konden niet beginnen zolang Mandela nog gevangenzat. Op 9 februari zette De Klerk, die Mandela reeds had ontmoet, zijn gesprekken met hem voort en kondigde de dag erna aan dat de regering, 'overtuigd van de bereidheid van de heer Mandela om zich in te zetten voor een vreedzame oplossing', hem zondag 11 februari 1990 om drie uur 's middags zou vrijlaten. Dit werd gevolgd door Mandela's eigen aankondiging, waarin hij nogmaals toezei dat hij zich in zou zetten voor een niet-raciale eenheidsstaat en universele burgerrechten voor alle volwassenen.

De twee aankondigingen ontketenden uitzinnige feestelijkheden in de townships. Iedereen ging de straat op, met schetterende claxons reden auto's volgepakt met mensen over de stoffige wegen op en neer, anc-vlaggen en spandoeken kwamen als bij toverslag tevoorschijn en werden overal waar maar ruimte was in slingers opgehangen; het huis van de Mandela's was helemaal in de ANC-kleuren gedrapeerd.

Winnie hoorde het nieuws over de op handen zijnde vrijlating van haar man op een plaatselijk kerkhof, waar ze een van de baardragers was bij de begrafenis van Zindzi's verloofde, de vader van haar drie maanden oude baby. Hij zou zelfmoord hebben gepleegd in zijn cel toen hij in voorarrest verhoord werd. In haar verdriet om het jonge MK-kaderlid hoorde ze het belangrijke nieuws min of meer als verdoofd aan, maar begon al snel koortsachtig voorbereidingen te treffen voor de thuiskomst van haar man.

Op zondag kwamen de mensen al 's morgensvroeg samen bij de poort van de Victor Verster. Er werd gezongen en gedanst. In aantal werd die mensenmenigte in bijna gelijke delen aangevuld door verslaggevers en politieagenten.

In het huis in de Victor Verster-gevangenis was Nelson al voor dag en dauw opgestaan en zijn bezittingen stonden kant en klaar ingepakt in een stuk of tien dozen. Medewerkers van het Ontvangstcomité-Mandela waren bij hem en het huis gonsde van hun opwinding. Bewaarder Swart bracht zijn hooggeachte gevangene diens laatste lunch in gevangenschap. De gasten aten mee. Het werd twaalf uur en de klok tikte door naar het geplande tijdstip van vrijlating, drie uur 's middags. Net na twee uur arriveerde Winnie met Walter Sisulu en andere familieleden. Ze hadden een vlucht gecharterd en er waren de onvermijdelijke oponthouden geweest.

Voor de menigte die buiten de poort van de Victor Verster bijeengekomen was, werd het drie uur en later en nog steeds was er geen teken van Mandela. Toen, rond kwart over vier, verschenen er helicopters in de lucht en daar reed zijn auto door de gevangenispoort. De mensen rukten op, Nelson en Winnie stapten uit, hand in hand, en liepen enige passen in de richting van de menigte, hun vrije arm geheven in de traditionele vrijheidsgroet. De wachtende foto- en filmcamera's zoomden in, waarop het gewichtige echtpaar al te snel hun auto werd ingeloodsd en voorafgegaan door een konvooi voertuigen op weg ging naar Kaapstad.

Zevenentwintig jaar waren voorbijgegaan en elk jaar en elke dag hadden hun onuitwisbare stempel op Nelsons ziel gedrukt: er waren ogenblikken geweest van wanhoop, van doodsangst, van spijt, maar voor het overgrote deel had het lijden zijn mededogen, zijn geduld en zijn wijsheid verdiept. Het lijden had hem voorbereid op de grote taak die in het verschiet lag, om een natie gezond te maken en een volk te verzoenen dat diep in conflict was geraakt, en te zijner tijd zou hij juist daar zijn beste bijdrage leveren.

De colonne auto's sloeg een secundaire weg in en bezorgde degenen die langs de hoofdweg stonden opgesteld om een glimp van hun leider op te vangen, een teleurstelling. De paar gelukkigen die het konvooi zagen, wuifden opgewonden en Nelson reageerde verheugd. Toen hij een blank echtpaar met twee kleine kinderen langs de weg zag, waarvan de man zijn best deed om een foto van hem te maken, liet Nelson halthouden, waarop hij uitstapte om even naar hen toe te gaan terwijl de huisvader deze gebeurtenis op de gevoelige plaat vastlegde.

Op de beroemde Parade in Kaapstad, aan een kant begrensd door het stadhuis en aan de andere door het zeventiende-eeuwse Fort dat de eerste kolonist, Jan van Riebeeck, had gebouwd, zwol de menigte aan tot bijna honderdduizend man. Toen de uren verstreken, het duister inviel en er nog steeds geen teken van de leider te bekennen was, raakte het ongeduld vermengd met relletjeschopperij. Een aantal jongeren begon winkelruiten in te gooien en te plunderen; de politie, de pistolen paraat, opende het vuur, een jongen viel dood neer. De wachtenden waren razend en een paar gevaarlijke ogenblikken lang leek het erop dat er een oproer zou uitbreken, maar het vooruitzicht dat ze Mandela zouden zien, weerhield hen daarvan.

Een overkapping stortte in onder het gewicht van de mensen die erop zaten. Met gillende sirene haalde een ambulance de gewonden op en bracht hen snel naar het ziekenhuis, hun wachten voorbij.

Op het podium verzocht dominee Boesak met hees geworden, overslaande stem de mensen dringend om geduld te hebben en verzekerde hen dat Mandela zou komen, dat hij eraan kwam, dat hij er snel zou zijn.

Toen het konvooi eindelijk de stad bereikte, reed de chauffeur van Mandela's auto per vergissing de menigte in, en de opwinding sloeg om in totale verwarring toen onstuimige handen in koortsachtige rivaliteit stompten en duwden om bij de leider te komen. In wat wel een eeuwigheid leek, zaten Nelson en Winnie opgesloten in de auto; ze durfden niet uit te stappen uit vrees platgedrukt te worden door al die toewijding. Toen konden de *marshals* gelukkig wat orde scheppen en een weg voor de auto vrijmaken, maar de chauffeur, die tegen die tijd buiten zichzelf was van angst, reed met grote snelheid weg van de stad. Nelson begreep dat de man zijn richtinggevoel was kwijtgeraakt en geen idee had waar hij heen reed. Met de hulp van Winnie wees hij hem de weg naar Rylands Park, het huis van Dullah en Farida Omar. Verrukt als zij waren over dit onverwachte bezoek, konden ze alleen maar denken aan de enorme menigte op de Parade wier ongeduld gevaarlijke afmetingen begon aan te nemen en drongen daarom aan op een snelle terugrit.

Bij zijn eerste ontmoeting met het volk kwam Nelson vijf uur te laat, maar dat deed er niet toe. Hij was er, en de mensen waren razend enthousiast. Hij was alles waarop zij hadden gehoopt en toen hij sprak, luisterden ze aandachtig als naar een profeet (tekst van de toespraak op pag. 569). Zijn grootste zorg betrof de mythevorming die hem omhulde. Hij wilde dat de mensen hem als een gewone man zouden accepteren. Hij kende zijn beperkingen en wilde dat de mensen die ook kenden. In de beslotenheid van zijn zitkamer in de Victor Verster had hij tegen mij gezegd: 'Als deze overspannen verwachtingen allemaal overwonnen kunnen worden, kan ik goed werken.' Nu klonk vanaf het balkon zijn stem, met die weloverwogen ritmiek waarmee de mensen vertrouwd zouden raken, waarmee hij zich in dienst stelde van het volk en hun stoutste dromen overtrof. De mythe nam de gedaante aan van de man en de man was opgewassen tegen de mythe. De mensen zagen de vrijheid binnen hun bereik. Het wachten was voorbij.

Nelson bestempelde zichzelf als een man die raad zou geven, die standvastig zou zijn maar niet de wet zou voorschrijven. Hij verzekerde verontruste ANC-leden dat hij in wezen een partijmens was en zijn reus-achtige charisma ter beschikking van de partij zou stellen.

Mandela, de nieuwgekozen president van de nieu-we, niet-raciale en, zoals spoedig zou worden toege-voegd, niet-seksistische democratie, gleed in zijn nieuwe rol alsof hij ervoor in de wieg was gelegd. Hij was gul met zijn tijd, vaak te gul, klaagde zijn familie. Psychiaters voorspelden dat de roes vanwaaruit hij nu werkte spoedig zou omslaan in depressiviteit. Dat is nooit gebeurd. Hij spreidde een enorm uithoudings-vermogen tentoon, gaf talloze interviews waarbij hij de media met verrassend aplomb te woord stond, en verliet welwillend zijn huis om op het trottoir de bus-ladingen toeristen te groeten die gekomen waren om deze 'fenomenale man' te zien. Hij groette hen met overvloedige charme en onverwachte nederigheid. Een bewonderaarster die hem de hand schudde, zei dat ze haar handen nooit zou wassen. 'Denk je dat ik de mijne zal wassen?' was zijn schertsende reactie.

Nelson betrok met Winnie het arbeidershuisje in Orlando, dat één slaapkamer telde, het huis dat ze voor zijn gevangenschap hadden bewoond. De paar vierkante meter besloten ruimte met het tuintje van zakdoekformaat, door Winnie vindingrijk verfraaid, werd het middelpunt van wereldwijde belangstelling toen verslaggevers en televisieploegen toestroomden. De kinderen van Zindzi kwamen en bleven. Zijn meest ontspannen ogenblikken waren die met de vier jaar oude Bambatha, die al snel in de gaten had dat zijn grootvader een echte onnozele hals was over wie hij de baas kon spelen.

De verantwoordelijkheden kwamen snel en waren zwaar, ontnamen hem de tijd om bij zijn gezin te zijn en wekten bezorgdheid op omdat hij te hard werkte en van pure uitputting nog zou instorten. Maar Nelson vertrouwde zijn gezondheid volkomen. In de gevangenis had hij een routine opgebouwd die hem hielp zijn lichaam onder controle te houden en een bijna buitensporige energie losmaakte wanneer hij die nodig had. Hij werkte tot diep in de nacht en stond bij het krieken van de dag op om het werk te hervatten dat de slaap onderbroken had.

Zijn internationale reizen begonnen in de weken na zijn vrijlating. Eerst zijn bezoek aan het ANC-hoofdkwartier te Lusaka, waar hij tot waarnemend algemeen president werd gekozen en als zodanig officieel met de ANC-leiding beraadslaagde. Daarop vloog hij naar Zweden om zijn opwachting te maken bij de ziek geworden Oliver Tambo, die de organisatie niet alleen gedurende meer dan achtentwintig jaar in ballingschap bijeengehouden had, maar haar had uitgebouwd tot de kolos die ze nu was.

Winnie vergezelde Nelson op zijn eerste buitenlandse reizen – naar Groot-Brittannië om het massale Mandela-Concert bij te wonen; naar Frankrijk waar ze de Mitterands ontmoetten; naar Italië om op audiëntie te gaan bij de paus; naar Venezuela waar ze allebei onderscheiden werden met de hoogste eretekens van het land; naar New York waar ze werden verwelkomd met een duizelingwekkende ticker-tape parade; naar Delhi waar honderdduizend kinderen hen met hun vlaggetjes toewuifden op weg naar de hoofdstad; naar Calcutta waar de mensen een vierentwintig kilometer lange erewacht vormden van de luchthaven naar de stad; naar Indonesië, Maleisië en Australië, enzovoort, enzovoort. In elk land en in elke stad waren er overweldigende manifestaties van liefde – de mensen benaderden hem als was hij een god, een supermens, een heilige. Nelson trad hen nederig en vol liefde tegemoet door, zo leek het, miljoenen handen te schudden en ieder die hij kon te omarmen. Het leek wel of er zowel bij hem als bij zijn bewonderaars een behoefte was om aan te raken, lichamelijk contact te maken, verwanten te worden.

De joodse lobby in de Verenigde Staten wilde hem weghouden van mensen als Arafat en Gaddafi maar zijn verbondenheid met degenen die hij als zijn vrienden beschouwde, werd niet aan het wankelen gebracht en hij liet duidelijk merken dat zijn ziel niet te koop was. Zijn treffen met Gaddafi had iets bijzonders omdat Winnie een van haar kleinzoons naar hem had vernoemd.

Weer thuis klaagde Winnie dat het huis, met die ene slaapkamer, te klein was voor 'de grote man'. Het NEC haalde Nelson over om te verhuizen naar het huis dat Winnie had gebouwd. Het had zeven slaapkamers, die ruimte boden aan hun dochters en hun gezinnen en familieleden uit Transkei. Van groter belang was dat het een bestuurskamer had waar de Executive kon vergaderen. Winnie had het huis gebouwd met de royalties die zij voor haar boek Part of my Soul had ontvangen; nu richtten ze het in met de royalties voor Higher than Hope. Toen ze erin trokken, zei Winnie: 'Kijk eens hoe hij er op zijn plaats uitziet, in dit huis, en zijn vrouw heeft het helemaal alleen voor hem gebouwd.' Het was beslist geen luxueus huis; comfortabel was het wel en het verschafte hen de nodige privacy en veiligheid. Overal ter wereld had men

Winnie gehekeld omdat het zo opzichtig was maar toen Nelson erin trok, was er niet de minste kritiek hoorbaar. Hij verdiende het, zo redeneerde de populaire pers, zij niet.

In dat grote huis genoten de Mandela's, enige tijd, momenten van familiegeluk. De jongere kleinkinderen rolden over het king-size bed en sprongen erop, en altijd deelden ze het met hun grootouders. Elke ochtend boog Nelson zich over Winnie met haar medicijnen en een glas water in zijn hand; Winnie hield toezicht op zijn kleding en zijn ontbijt; daarna ging het echtpaar elk naar hun eigen taken, hij in zijn rode Mercedes die hem door de arbeiders van Mercedes Benz South Africa was geschonken, zij in haar crèmekleurige; hij overdreven bezorgd om haar en goed oplettend of ze de veiligheidsriem om deed, terwijl zij hem tot spoed maande omdat hij anders te laat op zijn afspraken zou komen. Winnie was het middelpunt van zijn leven, aan zijn zijde, en bij haar verlichtte hij de eenzaamheid die hij in het gedrang van de menigten voelde.

De kwaadaardige kritiek op zijn vrouw had hem erg veel pijn gedaan en hij was vastbesloten haar te beschermen. Hij wilde dat Winnie zich onder zijn hoede plaatste, gewoon zijn vrouw was, maar dat was voor iemand als Winnie niet genoeg. In zijn afwezigheid en door alle vervolgingen die ze had ondergaan, was ze een op zichzelf staand politica en leidster geworden. Hij erkende dat en steunde haar in haar ambities, maar dat ging niet vanzelf. Er waren mensen die zeiden dat zijn liefde voor haar hem verblindde en dat hij te toegeeflijk was, en er waren mensen die zich verheugden over hun toewijding voor elkaar. Uiteindelijk zouden het geïntrigeer van een pressiegroep binnen het ANC en het op de voorgrond treden van onverenigbare temperamenten en behoeften hun tol eisen. Terwijl ze in hun scheiding samen waren geweest, ontdekten ze in hun samenzijn hoe onafhankelijk ze waren geworden.

Ondertussen vestigde Nelson zijn aandacht op de onderhandelingen.

Mandela's toespraak van 11 februari 1990

De toespraak die Nelson Mandela hield vanaf het balkon van het stadhuis in Kaapstad op zondag 11 februari 1990, de dag van zijn vrijlating:

Vrienden, kameraden en landgenoten, ik groet u allen in de naam van vrede, democratie en vrijheid voor allen.

Ik sta hier voor u, niet als profeet, maar als nederige dienaar van u, het volk. Uw onvermoeibare en heroïsche offers maakten het mogelijk dat ik hier vandaag kan zijn. Daarom leg ik de resterende jaren van mijn leven in uw handen.

Op deze dag van mijn vrijlating spreek ik mijn oprechte en warme dank uit aan de miljoenen landgenoten en aan hen die overal ter wereld niet aflatend hebben geijverd voor mijn vrijlating.

Speciaal bedank ik de inwoners van Kaapstad, de stad die gedurende drie decennia mijn thuis is geweest. Uw massale marsen en andere vormen van strijd zijn een voortdurende bron van kracht geweest voor alle politieke gevangenen.

Ik groet onze voorzitter, kameraad Oliver Tambo, die het ANC zelfs onder de moeilijkste omstandigheden heeft geleid.

Ik groet de gewone leden van het ANC. U hebt lijf

en leden geofferd in het nastreven van het edele doel van onze strijd.

Ik groet de strijders van Umkontho we Sizwe, die de hoogste prijs hebben betaald voor de vrijheid van alle Zuidafrikanen.

Ik groet de South African Communist Party, die zo'n gedegen bijdrage leverde aan de strijd voor democratie. U hebt veertig jaar van voortdurende vervolging overleefd. De herinnering aan grote communisten als Moses Kotane, Yusuf Dadoo, Bram Fischer en Moses Mabhida zal worden gekoesterd door de komende generaties.

Ik groet generaal-secretaris Joe Slovo – een van onze beste vaderlanders. Wij worden gesterkt door het feit dat het verbond tussen ons en de Partij zo sterk blijft als het altijd was.

Ik groet het United Democratic Front, Cosatu, het National Education Crisis Committee, het South African Youth Congress, de Transvaal en Natal Indian Congresses en de vele andere formaties van de brede democratische beweging.

Ook groet ik de Black Sash en de National Union of South African Students. We constateren met trots dat u gehandeld hebt als het geweten van de blanke Zuidafrikanen. Zelfs in de donkerste dagen van onze strijd hield u de vlag van de vrijheid hoog. De mobilisatie op grote schaal van de laatste jaren is een van de belangrijkste factoren die leidden tot de opening van het laatste hoofdstuk van onze strijd.

Ik groet tevens de werkende klasse van ons land. Uw georganiseerde kracht is de trots van onze beweging. U blijft de betrouwbaarste kracht in de strijd om een einde te maken aan uitbuiting en onderdrukking.

Ik betoon eer aan de vele religieuze gemeenschappen die de campagne voor gerechtigheid voortzetten toen onze mensen het zwijgen was opgelegd.

Ik groet de traditionele leiders van ons land. Velen onder u gaan voort op de weg van onze grote helden als Hintsa en Sekhukuni.

Ik betoon eer aan de grenzeloze heldhaftigheid van de jeugd. Jullie, de jonge leeuwen, hebben onze hele strijd energie gegeven.

Ik betoon eer aan de moeders en vrouwen en zusters van onze natie. U bent het rotsvaste fundament van onze strijd. Apartheid heeft u meer leed berokkend dan wie ook.

Bij deze gelegenheid bedanken wij de wereldgemeenschap voor haar grote bijdrage aan de anti-apartheidsstrijd. Zonder uw steun zou onze strijd dit gevorderde stadium niet hebben bereikt. De opofferingen van de frontstaten staan voorgoed in het geheugen van de Zuidafrikanen gegrift.

Mijn begroeting zou niet compleet zijn als ik niet mijn grote waardering uit zou spreken voor de kracht die mij gedurende mijn lange en sombere jaren in gevangenschap gegeven is door mijn geliefde vrouw en mijn familie. Ik ben ervan overtuigd dat jullie lijden veel erger was dan het mijne.

Voor ik verder ga, wil ik duidelijk maken dat ik op dit moment alleen een paar voorlopige opmerkingen wil maken. Ik zal pas een vollediger verklaring afleggen nadat ik mijn kameraden heb kunnen raadplegen.

Vandaag erkent de meerderheid van de Zuidafrikanen, zwart en blank, dat apartheid geen toekomst heeft. Er moet een einde aan worden gemaakt door onze eigen vastberaden massale actie om vrede en veiligheid te bewerkstelligen. De massale verzetscampagnes en ander acties van onze organisatie en van ons volk kunnen alleen uitmonden in de vestiging van de democratie. De vernietiging die de apartheid in ons subcontinent heeft aangericht is onmetelijk. Het gezinsverband van miljoenen van mijn mensen is vernietigd. Miljoenen zijn dakloos en werkloos. Onze economie is ontredderd en onze mensen zijn in politieke strijd verwikkeld. Ons besluit tot gewapende strijd in 1960, met de oprichting van de militaire vleugel van het ANC, Umkhonto we Sizwe, was een zuiver defensieve actie tegen het geweld van de apartheid. De factoren die de gewapende strijd noodzakelijk maakten, bestaan ook vandaag nog. Wij hebben geen andere keus dan door te gaan. We spreken de hoop uit dat er spoedig een klimaat zal worden geschapen, dat een oplossing op basis van onderhandelingen zal bevorderen, zodat de gewapende strijd niet meer noodzakelijk zal zijn.

Ik ben een loyaal en gedisciplineerd lid van het African National Congress. Daarom sta ik volledig achter al zijn doelstellingen, strategieën en tactieken.

De noodzaak om ons volk te verenigen, is nu een even belangrijke taak als het altijd al was. Geen enkele individuele leider is in staat deze enorme taak alleen te volbrengen. Het is onze taak als leiders om onze visies aan onze organisaties voor te houden en de democratische structuren in staat te stellen de weg voorwaarts te bepalen.

Wat betreft de democratie in de praktijk, voel ik mij verplicht te zeggen dat een leider van de beweging iemand is die op democratische wijze is gekozen tijdens een nationaal congres. Dit is een principe waarvan onder geen voorwaarde mag worden afgeweken.

Vandaag wil ik u mededelen dat mijn besprekingen met de regering bedoeld waren om de politieke situatie in het land te normaliseren. We zijn nog niet begonnen met het bespreken van de fundamentele eisen van onze strijd.

Ik wil benadrukken dat ik zelf op geen enkel moment onderhandelingen ben aangegaan over de toekomst van ons land. Ik heb er alleen op aangedrongen dat er een ontmoeting tussen het ANC en de regering plaatsvindt.

President De Klerk is verder gegaan dan welke nationalistische president ook, met het nemen van werkelijke maatregelen om de toestand te normaliseren. Er zijn echter verdere maatregelen, zoals geschetst in de Harare Declaration (de ANC-verklaring waarin de weg naar onderhandelingen is omschreven, vert.), die moeten worden genomen eer onderhandelingen over de essentiële eisen van het volk kunnen beginnen.

Ik herhaal onze oproep tot, onder andere, de onmiddellijke opheffing van de noodtoestand en de vrijlating van alle, en niet alleen sommige, politieke gevangenen.

Alleen zo'n genormaliseerde toestand die vrije politieke activiteit toelaat, kan ons toestaan ons volk te raadplegen om een mandaat te krijgen. Het volk moet worden geraadpleegd over wie gaat onderhandelen en over de inhoud van zulke onderhandelingen. Onderhandelingen kunnen niet plaatsvinden over de hoofden heen of achter de ruggen van onze mensen. Het is onze overtuiging dat de toekomst van ons land alleen bepaald kan worden door een lichaam dat democratisch verkozen is op een niet-raciale basis. Onderhandelingen over de ontmanteling van de apartheid zullen zich moeten richten op de overweldigende vraag van ons volk om een democratisch, niet-raciaal Zuid-Afrika dat een eenheid vormt. Er moet een eind komen aan het blanke monopolie op politieke macht, en een fundamentele herstructurering van ons politieke en economische systeem, om te garanderen dat de ongelijkheden van apartheid aan de orde komen en onze samenleving diepgaand wordt gedemocratiseerd.

Er moet worden toegevoegd dat president De Klerk zelf een integer man is die zich werkelijk bewust is van het gevaar om als publiek figuur zijn verplichtingen niet na te komen. Maar als organisatie baseren we onze politiek en strategie op de harde realiteit waarmee we worden geconfronteerd. En de realiteit is dat we nog steeds lijden onder de politiek van de nationalistische regering.

Onze strijd heeft een beslissend stadium bereikt. Wij roepen ons volk op om dit moment aan te grijpen zodat het proces van democratisering zich snel en ononderbroken kan voltrekken. We hebben te lang op onze vrijheid moeten wachten. We kunnen niet langer wachten.

Nu is het tijd onze strijd op alle fronten te intensiveren. Nu verslappen zou een vergissing zijn die komende generaties ons niet zullen kunnen vergeven.

Het zicht op vrijheid die aan de horizon opdoemt moet ons aanzetten onze inspanningen te verdubbelen.

Alleen door gedisciplineerde massale actie kan onze overwinning worden verzekerd.

Wij roepen onze blanke landgenoten op om zich bij ons aan te sluiten bij het vormen van een nieuw Zuid-Afrika. De vrijheidsbeweging is ook voor u een politiek thuis. Wij roepen de internationale gemeenschap op om de campagne om het apartheidsregime te isoleren voort te zetten. Nu de sancties intrekken zou het risico inhouden het proces van volledige uitroeiing van apartheid af te breken.

Onze mars naar vrijheid is onomkeerbaar. We mogen niet toestaan dat angst ons daarbij in de weg staat. Algemeen kiesrecht op basis van een gemeenschappelijke kieslijst in een verenigd, democratisch en niet-raciaal Zuid-Afrika is de enige weg naar vrede en raciale harmonie.

Ten slotte wil ik de woorden citeren die ik sprak tijdens mijn proces in 1964. Ze zijn vandaag nog net zo waar als toen:

'Ik heb gevochten tegen blanke overheersing en ik heb gevochten tegen zwarte overheersing. Ik heb het ideaal gekoesterd van een democratische en vrije samenleving waarin alle mensen in harmonie en met gelijke kansen samenleven. Het is een ideaal waarvoor ik hoop te leven en dat ik hoop te realiseren.

Maar mocht het nodig zijn, dan is dit een ideaal waarvoor ik bereid ben te sterven.'

Onderhandeling en geweld

Nelsons voornaamste zorg bij zijn vrijlating was het voeren van onderhandelingen voor een nieuwe grondwet en het inluiden van de niet-raciale democratie waar de mensen recht op hadden. Het initiatief ertoe had Nelson al in 1988 in de gevangenis genomen met sleutelfiguren van de nationalistische regering. In januari 1989 had hij de toenmalige premier P.W. Botha geschreven om er bij hem op aan te dringen met het ANC te praten. 'De ernstiger wordende politieke crisis in ons land is al geruime tijd een bron van grote zorg voor mij', schreef hij toen, 'en nu zie ik het als noodzakelijk voor het landsbelang dat het African National Congress en de regering met spoed bij elkaar komen om tot een doeltreffend politiek akkoord te komen.'

Ondanks zijn internationale status en de persoonlijke macht die hem al was toegevallen, benadrukte hij de centrale rol van het ANC en zijn ondergeschiktheid daaraan; hij wees erop dat hij 'deze stap zette zonder met het ANC overleg te plegen' en dat 'ik bij een normale gang van zaken mijn standpunten eerst aan de organisatie zou voorleggen (...) maar onder de huidige omstandigheden kan ik deze weg niet bewandelen, wat de enige reden is waarom ik op eigen initiatief handel, in de hoop dat de organisatie te zijner tijd haar goedkeuring zal geven aan mijn handelwijze. In onze bijzondere situatie is het onderhandelen over politieke aangelegenheden letterlijk een zaak van leven of dood, die door de organisatie zelf moet worden behandeld bij monde van de door haar benoemde vertegenwoordigers.'

Hij had benadrukt dat hij zijn diensten niet als onderhandelaar aanbood maar als tussenpersoon, en dat de stap die hij voorstelde niet gezien moest worden als het begin van de daadwerkelijke onderhandelingen tussen de regering en het ANC. 'Mijn taak is een erg beperkte en behelst het naar de onderhandelingstafel voeren van de twee belangrijkste politieke instituties van het land.'

De allereerste voorwaarde die er aan zijn vrijlating werd gesteld, namelijk dat het ANC geen geweld meer zou gebruiken, wees hij van de hand door te verklaren dat 'het anc geweld verafschuwde maar de gewapende strijd niet opschortte en al evenmin prijsgaf, tot het moment waarop de regering zich bereid toonde afstand te doen van het politieke machtsmonopolie om rechtstreeks en te goeder trouw met de erkende zwarte leiders te onderhandelen.' De eis dat het ANC de SACP niet langer zou erkennen, verwierp hij eveneens: 'Geen enkele zichzelf respecterende vrijheidsstrijder zou zich door de regering laten voorschrijven wie zijn bondgenoten in de vrijheids- strijd moeten zijn, en gehoor te geven aan dergelijke instructies zou verraad betekenen van degenen die al die tijd met ons onderdrukt zijn.' Wat betreft het af- zien van het recht op meerderheidsbewind had hij erop gewezen dat het juist de ontkenning ervan was geweest voor de huidige onrust onder de burgers. Hij had echter toegegeven op het punt dat het meerder- heidsbewind zo gestructureerd moest zijn dat de blanke minderheid niet door zwarten zou worden ge- domineerd.

Het memorandum, dat uitlekte naar de pers en on- danks de geldende censuurwetten werd gepubliceerd, toonde een man onveranderd door zesentwintig jaar gevangenschap en bereid om zonodig nog langer te lijden. Het toonde ook een man die het volste ver- trouwen had in zijn bekwaamheden om de teugels van zijn land over te nemen en er volkomen van over- tuigd was dat niets de onvermijdelijke loop der ge- schiedenis in die richting zou tegenhouden.

Bijna zes maanden gingen voorbij tot de 'regering' erin toestemde met het 'ANC' te praten en president Botha en Mandela voor hun gesprek bijeenkwamen op Tuynhuys.

Onmiddellijk na Nelsons oproep tot onderhande- len, hadden het ANC en de OAU (in de Harare De- claration van augustus 1989) hun voorwaarden vastge- legd voor het scheppen van het noodzakelijke onderhandelingsklimaat: vrijlating van alle politieke gevangenen, opheffing van de vrijheidsbeperkingen opgelegd aan organisaties en personen, het verwijde- ren van alle troepen uit de townships, het beëindigen van de noodtoestand, het herroepen van alle wetten die de vrijheid van politiek handelen beperkten en het installeren van een interimregering om toezicht te houden op het opstellen en aannemen van een nieuwe grondwet.

Botha had het politieke klimaat verkeerd ingeschat. Hij had aangenomen dat alleen de vrijlating van Mandela zijn regering wel zou vrijkopen en dat apartheid op gewone voet kon voortgaan. Zijn kabinet was veel realistischer geweest en had beseft dat uitsluitend de ontmanteling van apartheid en de afkondiging van universele burgerrechten voor volwassenen afdoende zouden zijn. Botha's onbuigzaamheid jegens die houding had hem zijn post gekost: binnen enkele maanden na zijn ontmoeting met Mandela was hij vervangen door De Klerk, wat Nelson een pragmatischer onderhandelingspartner opleverde en het proces voor radicale verandering openstelde. In zijn historische parlementaire rede van 1990 had De Klerk alle basisvoorwaarden voor de onderhandelingen ingewilligd zoals die door het ANC waren vastgelegd. Nu Nelson ten slotte leider van het ANC was geworden, voerde hij hun onderhandelingsteam aan.

Overal in het land heerste de verwachting dat het ANC met een overweldigende meerderheid zou winnen en dat Mandela de volgende president zou zijn. Nelson nam echter geen enkel risico. Hij geloofde niet dat de nationalisten op het punt stonden de macht af te staan. Hij wist dat ze zouden proberen om tot een grondwet te komen die hen in belangrijke mate aan de macht zou laten, en om dat te pareren moest het ANC de sterkst mogelijke eenheid van anti-apartheidsgroeperingen smeden; de bestaande driedelige eenheid van ANC, COSATU en SACP moest worden uitgebreid met het PAC en de AZAPO en daarnaast de thuislandleiders, want of het ANC dat nu wilde of niet, ook zij zouden aan de onderhandelingstafel zitten en met hun steun kon de regering een grondwet krijgen die in haar voordeel zou uitpakte. Er begon nu een delicaat spel van *checks and balances* waarbij elk mogelijk voordeel in huis werd gehaald. Hij opperde het idee van een Patriottisch Front en besprak het met Jerry Mosala, zijn vriend uit de gevangenis en de leider van het PAC. Helaas kwam Jerry Mosala een paar weken later om bij een auto-ongeluk. De besprekingen werden voortgezet met diens opvolger Zeph Mothopeng en het Patriottisch Front werd in oktober 1991 in het leven geroepen tijdens een conferentie die werd bijgewoond door 92 organisaties en thuislandvertegenwoordigingen en de Labour en Democratic Parties. Maar het front was niet hecht genoeg om duurzaam te kunnen zijn: het spleet en werd gereduceerd tot het ANC en zijn bondgenoten. De AZAPO, aanvankelijk samen met het PAC belast met de convocaties, wilde voor de conferentie al niet meer meedoen vanwege haar bezwaren tegen de thuislandleiders; het PAC en de DP trokken zich kort na de conferentie om verschillende redenen terug.

Nelson beschouwde de deelname van *chief* Buthelezi aan de onderhandelingen als van doorslaggevend belang en hij zag hem als een potentieel bondgenoot. Voor zijn gevangenschap had hij hem gekend als een betrouwbaar ANC-supporter en in de gevangenis had hij steunbetuigingen van hem ontvangen. Hij had de pogingen van de *chief* om hem vrij te krijgen gewaardeerd. Maar het belangrijkst was dat hij de *chief* zag als degene die het machtsevenwicht tussen het ANC en de NP in handen had. De optie was om Inkatha aan de ANC-kant te hebben of aan de kant van de oppositie, de NP. Nelsons persoonlijke achting voor Buthelezi werd dus door zijn politiek pragmatisme geschraagd, maar zijn volgelingen deelden dit pragmatisme niet en de *chief* en diens partij werden niet tot het Patriottisch Front toegelaten.

Chief Buthelezi's bewondering voor Mandela was groot en hij had gehoopt, zo niet verwacht, na diens vrijlating met hem samen te kunnen werken en Inkatha en het ANC te verzoenen. Inkatha was immers tot in de latere jaren zeventig een bondgenoot van het ANC geweest en als de BCM, de Zwarte Bewustzijnsbeweging, er niet geweest zou zijn, die de eerste wig tussen hen dreef, zouden die hoop en die verwachting vervuld zijn.

Veertien dagen na Nelsons vrijlating had het ANC in Durban een massale welkomstrally georganiseerd. Nelson had graag het podium met Buthelezi willen delen maar zijn mensen waren ertegen. In 1974 was de *chief* ontstemd geweest omdat hij werd uitgesloten van het welkomsttreffen in Durban ter ere van de tijdelijk niet-verbannen Winnie Mandela. Dat hij deze nieuwe uitsluiting als een bewijs van geringschatting zou opvatten, was een voldongen feit. Nelson probeerde het goed te maken door tijdens de rally de hoop uit te spreken dat zij op zekere dag een podium zouden delen. 'Op dit moment bereiden wij ons voor op een bijeenkomst, in de nabije toekomst, van ons en de Zulu-vorst, koning Zwelethini Goodwill Kabhekuzulu. We reiken Inkatha in vriendschap de hand en hopen dat het ooit mogelijk zal zijn om het podium te delen met zijn leider, *chief* Mangosutu Buthelezi.' Deze verzoenende opmerkingen werden met onheilspellend afkeurend geroezemoes ontvangen, dat alleen door Nelsons goddelijke prestige getemperd werd maar overduidelijk toonde dat zijn volgelingen niet klaar waren voor een verzoening met Inkatha.

De verwerping van Inkatha door het ANC gaf de regering vrij spel om verdere tweedracht tussen de twee zwarte groeperingen te zaaien. De veiligheidspolitie stelde clandestien een bedrag van twaalf miljoen rand beschikbaar om een tegenrally te organiseren als oppepper voor Inkatha. 'De gevolgen van het mislukken van deze rally zullen verstrekkende gevolgen hebben voor Buthelezi en de Republiek Zuid-Afrika', schreef de plaatselijke politie aan haar hoofdkwartier te Pretoria ter motivering van de gift.

De rally, die een kleine tienduizend man op de been bracht in tegenstelling tot de honderdduizend voor Mandela, mislukte inderdaad. Maar juist deze mislukking had verschrikkelijke gevolgen voor Zuid-Afrika. Wat men met opkomstcijfers niet had kunnen winnen, probeerde men nu te bereiken met bruut geweld en moordpartijen. 'Zwaar bewapende groepen, in omvang variërend van tweehonderd tot drieduizend man, verplaatsten zich in bussen, vrachtauto's en andere voertuigen of te voet en vielen gebieden binnen die niet tot Inkatha behoorden. (...) De aanvallen vonden in alle onbeschaamdheid op klaarlichte dag plaats en dikwijls in aanwezigheid van de politie die er in sommige gevallen actief aan deelnam.' (Amnesty International, *South Africa State of Fear*, 1990-1992, p. 44-45.)

In zeven dagen sneuvelden tachtig mensen. Het geweld verspreidde zich naar de *Vaal-Driehoek* en vormde een ernstige bedreiging voor het in een pril beginstadium verkerende onderhandelingsproces. Inkatha en het ANC werden erdoor in onverzoenlijke posities gedreven.

Nelson probeerde de situatie te redden; hij nam contact op met Buthelezi en ze spraken af een gezamenlijke rally te houden, maar toen de plaats van samenkomst die Buthelezi had uitgekozen bekendgemaakt werd, maakten ANC-afdelingen in de Midlands van Natal bezwaar omdat dat, zo zeiden ze, het bolwerk was van waaruit Inkatha zijn aanvallen op hun leden had uitgevoerd, en de rally werd afgeblazen. De gewelddadigheden namen hand over hand toe en speelden hen die de onderhandelingen wilden saboteren in de kaart.

Vijf dagen voordat de besprekingen hadden moeten beginnen, opende de politie tijdens een ANC-bijeenkomst in Sebokeng zonder waarschuwing het vuur op een menigte van vijftigduizend man en doodde zeventien mensen. Nelson werd bedolven onder de oproepen om zich uit de besprekingen terug te trekken maar zag niet in hoe dat het probleem zou helpen oplossen. Hij was van mening dat zowel het ANC als de regering verstrikt waren in een proces waarover zij de macht kwijt konden raken en om die macht te beteugelen, waren spoedige onderhandelingen van belang. Zijn vertrouwen in De Klerk bleef intact maar over het algemeen waren volgens zijn mensen Inkatha en de regering gezamenlijk verwikkeld in een gewelddadige samenzwering tegen het ANC en men vond dat praten pas zin had als het geweld een halt toegeroepen was. De besprekingen werden daarom opgeschort en pas hervat nadat De Klerk erin toestemde een commissie te benoemen die, met rechter Goldstone aan het hoofd, een onderzoek zou instellen naar de schietpartij in Sebokeng.

Op 2 mei vloog Nelson met zijn team naar Kaapstad, waar in de verfijnde entourage van Groote Schuur de eerste besprekingen begonnen tussen de twee partijen die openlijk met elkaar in oorlog waren geweest. Nelson was zich van zijn persoonlijke succes bewust en zijn uitstraling verleende de besprekingen glans. De voormalige guerrillaleider maakte op iedereen indruk als een opmerkelijk onderhandelaar. Hij wees de weg en gaf de toon aan, en aan het einde van de dag kwamen de twee levenslange vijanden, alsof er een wonder was gebeurd, naar buiten met een vredesakkoord in hun hand.

De regering verplichtte zich politieke gevangenen vrij te laten, de terugkeer van ballingen te vergemakkelijken en de veiligheidswetgeving waartegen bezwaren bestonden te amenderen of in te trekken; het ANC verplichtte zich het geweld te helpen beëindigen zodat de regering de noodtoestand kon opheffen.

Maar beide kanten hadden hun opponenten: de regering stuitte op verzet van de ultrarechtse blanke vleugel die de onderhandelingen beschouwde als een overgave aan de zwarten; het ANC ondervond de weerstand van ultraradicale zwarte organisaties die meenden dat het ANC laffe compromissen sloot met de racisten. Daar kwam nog bij dat de thuislandbondgenoten van de regering zich ongemakkelijk begonnen te voelen en hun eigen voortbestaan in gevaar zagen komen bij het zien van de wijze waarop de alliantie tussen de twee grootmachten tot stand kwam. Het was zo goed als zeker dat er binnen het nieuwe bestel geen plaats zou zijn voor de thuislanden. Hoe konden zij het voortbestaan van hun persoonlijke macht dan zeker stellen?

Maar het geweld, in het geheim door agenten vanuit het staatsveiligheidsapparaat gemobiliseerd, vormde de bedreiging die voor de onderhandelingen het meest funest was. Het was de basis van wat men zou gaan benoemen als de derde macht, die de hartstochten van de machtelozen manipuleerde in hun strijd om de macht. De regering wist de toenemende aantijgingen dat deze derde macht een vaste plaats had binnen haar eigen veiligheidsapparaat te ontkrachten door commissies te benoemen die de moorden die met de politiek verband hielden onderzochten en door alle clandestiene operaties onder de controle van het kabinet te plaatsen. De commissies leverden uiteindelijk de onweerlegbare bewijzen dat de veiligheidsdiensten bij politieke moorden betrokken waren.

In augustus kwamen de regering en het ANC in Pretoria bijeen voor hun tweede gespreksronde. Het vertrouwen tussen beide leiders was er nog maar in wat wel geïnterpreteerd moest worden als een duivels plan om dat vertrouwen binnen enkele dagen na de besprekingen teniet te doen, werden *townships* op de Reef, met name de *squatter*-gemeenschappen, het slachtoffer van massale geweldpleging. In tien dagen werden 510 personen gedood toen hostelbewoners, die naar men zei een band met Inkatha hadden, zich op hen stortten, volgens velen vergezeld door de politie. Inkatha was intussen de Inkatha Freedom Party (IFP) geworden en had daardoor een landelijk bereik gekregen. De machtsstrijd die zich tot dan toe min of meer tot Natal had beperkt, concentreerde zich nu op de Reef. Het patroon in Transvaal was heel anders dan dat in Natal. In Natal had het geweld het karakter aangenomen van spiraalvormige wraak tussen onderling strijdende groeperingen die door bitterheid aan elkaar verwant waren; in Transvaal terroriseerden anonieme hordes weerloze bevolkingsgroepen en vermoordden mensen die ze niet kenden. Het kreeg het karakter van huurlingenacties.

Tegen het eind van augustus 1990 was het goeddeels afgelopen met het uitwisselen van plichtplegingen tussen Mandela en De Klerk. De formele beleefdheid tussen het ANC en de regering werd vervangen door een lastercampagne die nationaal en internationaal alle aandacht van de media kreeg. De regering gaf de schuld van het geweld aan de zwarten, aan het ANC en Inkatha die in een machtsstrijd waren verwikkeld.

Nelson bracht daartegenin dat Inkatha niet de capaciteiten had voor gecoördineerde geweldpleging op zo'n grote schaal en beschuldigde de veiligheidsdiensten ervan dat zij een derde macht organiseerden. Het in november gepubliceerde rapport van de regeringscommissie-Harms staafde Nelsons aantijgingen. De commissie constateerde dat het Civil Cooperation Bureau (CCB) van de regering 'de hele veiligheidstak van de staat had aangestoken'. Hoewel de commissie de verantwoordelijkheid van het CCB voor het vermoorden van anti-apartheidsactivisten door doodseskaders niet afdoende kon aantonen, wat hoofdzakelijk door haar beperkte bevoegdheden kwam, maakte zij bekend dat het CCB bij acht van de negen zaken die haar waren voorgelegd betrokken was geweest. Diverse getuigenverklaringen vond zij vaag, met elkaar in tegenspraak en onbetrouwbaar. Latere onthullingen, vrijwillig aan de pers gedaan door ex-medewerkers van het CCB, bevestigden de medeplichtigheid van de politie. Volgens de commissie was het hoofd van de South African Defence Force (SADF), generaal Magnus Malan, verantwoordelijk voor de clandestiene activiteiten van het CCB en alle politieke partijen vroegen om het aftreden van de twee hoofden van de veiligheidsdiensten, generaal Malan en Adriaan Vlok, maar beiden bleven op hun post totdat nieuwe onthullingen in augustus 1991 de regering tot herschikking dwongen. Geconfronteerd met mogelijke aanklachten tegen hen als de nieuwe regering een feit was, zou de nationalistische regering hen samen met drieëenhalfduizend politieagenten op de vooravond van haar overdracht vrijwaren en een storm ontketenen in de nationale eenheidsregering.

Het feit dat mensen meedogenloos en kennelijk onder politiebescherming moorden pleegden, zette aan tot gewone criminaliteit. Het *necklacing* dook weer op en berichten over gruwelijke kannibalistische riten deden de ronde. Het sadisme kreeg in vele *townships* nieuwe proporties doordat mannelijke 'paramilitaire' formaties vrouwen onder bedreiging tot seksuele omgang dwongen en het aantal verkrachtingen nam toe.

Nelson huiverde als hij de mate waarin de mensen werden gebrutaliseerd overdacht. Hoe eerder ze in een niet-raciale democratie konden leven, hoe eerder het genezingsproces kon beginnen. Hoewel hij wist dat de enige weg naar de democratie die van het onderhandelen was, kon hij het ongeduld van de mensen voelen. Ze raakten het vertrouwen in het 'praten' kwijt, wat duidelijk werd bij de Constitutionele Conferentie van het ANC die eind 1990 plaatsvond. De delegaties vonden dat hij en zijn nationale leiderschap te week werden, dat hij te veel toegaf en te weinig bereikte. Ze zetten vraagtekens bij het recht van de Executive om te onderhandelen met Inkatha en andere surrogaten van het regime zonder met de regio's te overleggen.

Nelson luisterde aandachtig en legde toen met enige heftigheid uit dat de leiding niet als leiding kon functioneren als ze geen initiatieven mocht ontplooien of creatief te werk kon gaan, dat onderhandelen zonder een mandaat om discreet te werk te gaan onmogelijk was, dat de besprekingen niet op elk belangrijk punt opgehouden konden worden terwijl de onderhandelaars overleg pleegden met de achterban. Maar de conferentie verklaarde dat de onderhandelingen slechts één strategie waren om verandering te bewerkstelligen en gaf het NEC de opdracht om tegelijkertijd een massale campagne tegen de regering op touw te zetten, die moest beginnen met een protest tegen de opening van het racistische parlement in 1991 en gevolgd zou worden door een huis-aan-huis handtekeningenactie voor een interimregering en een wetgevende vergadering. Ook kreeg het NEC het mandaat om met de hulp van de MK verdedigingseenheden van het volk op te zetten als bescherming tegen het 'endemisch geweld en het afslachten van onschuldige mensen'. De regering werd beschuldigd van het gebruik van geweld in een moedwillige poging om de groei en consolidering van het ANC en andere democratische machten te destabiliseren en te ondermijnen, van 'het scheppen van een klimaat van verwarring en demoralisering onder onze leden en onze mensen in een poging hen van onze beweging te vervreemden'.

De conferentie stelde een ultimatum aan de regering om op uiterlijk 30 april 1991 alle obstakels genoemd in de Harare Declaration die een vreedzame verandering in de weg stonden, te verwijderen of anders met opschorting van alle verdere besprekingen geconfronteerd te worden.

Nelson boog voor de wil van de meerderheid maar was er meer dan ooit van overtuigd dat de oplossing in doorpraten lag, en hij beschouwde Buthelezi als een van degenen die aan de gesprekken moesten deelnemen. Eind 1990 had hij zijn Executive ertoe overgehaald zijn standpunt in deze kwestie te aanvaarden en in januari 1991 ontmoette hij Buthelezi in het Royal Hotel in Durban, dat het favoriete ontmoetingsoord van zowel Inkatha als het ANC was geworden. De media verwelkomden de ontmoeting als het begin van het einde van het geweld, maar dat laatste was niet het geval. De twee leiders omarmden elkaar hartelijk en het was zonneklaar dat er vriendschap tussen hen bestond, maar dat was niet genoeg om het geweld een halt toe te roepen of het vredesproces in

gang te zetten. Zelfs terwijl zij hun akkoord ondertekenden, steeg het aantal moorden.

Een bondgenoot was hiermee niet gewonnen, verre
van dat, en in de daaropvolgende maanden werd het
ANC aan alle kanten onder vuur genomen, door de
regering en door de leiders van de thuislanden Kwa-
Zulu, Boputhatswana en Ciskei. De gewoonlijk vlei-
ende woorden van Nelson werden harde, waarmee hij
uithaalde naar de geweldplegers en dreigde dat het
ANC met geweld naar de macht zou grijpen als het
die niet door onderhandelen kon verkrijgen; hij herhaalde de oproep tot sancties en massale actie. Hij beschouwde de grootschalige proliferatie van gevaarlijke
wapens als een cruciale stimulans voor geweld en riep
de regering op alle wapens te verbieden op openbare
bijeenkomsten. De regering stond erop de traditionele rechten van de Zulu's om in het openbaar wapens
te dragen te beschermen. Het meedragen van scherpe
stokken, schroevendraaiers en autobanden werd verboden maar de assegaai en de stok bleven bij 'culturele' gelegenheden toegestaan.

In juli 1991 was Nelson druk bezig met de voorbereidingen voor de 48e Jaarlijkse Algemene Conferentie van het ANC, de eerste die sinds haar verbod in
het land gehouden zou worden. Hij betrad de met
kleurige slingers versierde, enorme aula van de universiteit van Durban-Westville met Winnie aan zijn
zijde en werd met gedempt applaus verwelkomd, wat
duidelijk maakte dat dit geen massabijeenkomst was
maar een serieuze zaak. Hij werd gekozen tot algemeen president van het ANC door de tweeduizend
gedelegeerden in het bijzijn van een indrukwekkende
reeks buitenlandse hoogwaardigheidsbekleders. Oliver Tambo werd gekozen tot nationaal voorzitter en
Cyril Ramaphosa tot algemeen secretaris.

De onlangs gemachtigde Executive begon aan de voorbereidingen voor de multi-partijenbesprekingen. Nelson maakte zichzelf niets wijs over de respectievelijke macht van het ANC en de NP. De nationalisten, die hun achterban met zwarte kiezers wilden uitbreiden, hadden het lidmaatschap opengesteld voor alle rassen, apartheid gehekeld als zondig tegen de geboden Gods en de taak op zich genomen om de Zuidafrikaanse samenleving te hervormen en te herstructureren. Ze spreidden het meest pragmatische antiracisme tentoon. Halverwege 1991 hadden ze vrijwel alle rassenwetten ingetrokken en de veiligheidswetten aanzienlijk geamendeerd, en ze waren de strijd tegen de sancties aan het winnen. De Europese Gemeenschap en een aantal Afrikaanse landen stonden klaar om de sancties op te heffen en het zag ernaar uit dat Zuid-Afrika toegelaten zou worden tot de Olympische Spelen, maar niet zonder de hulp van het ANC. Minister van Buitenlandse Zaken Pik Botha pochte: 'Net als de ontmanteling van apartheid is ook de ontmanteling van de sancties onherroepelijk geworden.'

Het ANC daarentegen was beland in een moeras van geweld dat door de binnen- en buitenlandse media als 'zwart tegen zwart' werd afgeschilderd, en die op hun beurt de indruk verspreidden dat de zwarten niet met macht konden omgaan. Deze nadelige propaganda tastte de hoogstaande morele basis van het ANC aan zodat op de vooravond van de multi-partijenbesprekingen beide partijen ongeveer gelijk leken te staan: de NP leek zeker van de steun van het merendeel van de politieke groeperingen die met haar hulp was ontstaan uit de thuislandstructuren en het drie-kamerparlement, terwijl het ANC enige steun van de thuislanden, vooral van Transkei, had gekregen en de bij het ANC aangesloten groeperingen had versterkt en uitgebreid. Nelsons persoonlijke inspanningen om stemmen te werven hadden het bondgenootschap van een aantal thuislandleiders en aanzienlijke financiële steun opgeleverd. Tien landen alleen al hadden een totaal van 684 miljoen rand toegezegd, met de Zweedse International Development Authority (SIDA) aan kop met 540 miljoen rand. Bovendien had de Hoge Commissie van de VN, in de eerste overeenkomst aller tijden met de Zuidafrikaanse regering, een budget van 80 miljoen rand opgesteld voor de repatriëring van dertigduizend ballingen.

Nelson, zich bewust van de kritiek dat het ANC geen ideologische basis had en een heterogene organisatie van vele overtuigingen was, begon een oriëntatie gericht op noodvoorzieningen van praktische aard te cultiveren, een koers die steeds duidelijker de visie werd van het ANC voor het nieuwe Zuid-Afrika, concreet weergegeven in het Reconstructie- en Ontwikkelingsprogramma (RDP) van het ANC.

CODESA

De Conventie voor een Democratisch Zuid-Afrika (CODESA) kwam op 20 december 1991 voor de eerste keer bijeen in het Trade Centre te Johannesburg en het leek wel of de hele wereld de deelnemers was komen aanmoedigen. Voor Nelson was het een persoonlijk succes. Nadrukkelijk afwezig waren weliswaar AZAPO, PAC, de extreem rechtse Afrikaner partijen en *chief* Buthelezi, die wegbleef uit protest tegen het uitsluiten van de Zulu-vorst, maar Inkatha was er wel en, zo leek het, alle anderen. Enkele deelnemers brachten de legitimiteitskwestie naar voren vanwege de deelname van de thuislandleiders, maar dat negeerde

Nelson. Zijn toespraak tot de vergadering straalde optimisme en hoop uit. Tegelijkertijd benadrukte hij de verantwoordelijkheid die de gedelegeerden droegen om de hoop van de mensen in vervulling te brengen. 'CODESA', zei hij, 'was de vrucht van de strijd en de opoffering van het volk' en de mensen 'hadden het recht te verwachten dat [de Conventie] ons land op weg helpt naar de democratie.'

De Klerk bracht de vergadering echter in rep en roer toen hij vraagtekens zette bij de bevoegdheid van het ANC om aan de besprekingen deel te nemen door aan te voeren dat de organisatie een leger in stand hield en daardoor het Vredesakkoord rechtstreeks schond. 'Een organisatie die zich in bleef zetten voor gewelddadige strijd kon niet volledig vertrouwd worden als ze zich tevens inzette voor vreedzame oplossingen aan de onderhandelingstafel', zo luidde zijn aanval.

Nelson was buiten zichzelf over deze aanval op de integriteit van het ANC maar hij wachtte zijn tijd af. Hij was vastbesloten dat niets de conferentie zou weerhouden van het ondertekenen van de Intentieverklaring die CODESA in beweging zou brengen. Zodra de verklaring getekend was, richtte hij zich tot De Klerk in een tegenaanval die een andere zijde liet zien van zijn gewoonlijk zo opgewekte aard.

'Het gedrag van de heer De Klerk heeft mij vandaag ernstig verontrust. Zelfs de leidsman van een illegaal, in diskrediet geraakt minderheidsbewind als het zijne dient bepaalde morele normen hoog te houden. Geen wonder dat de Conservative Party zijn macht zo ernstig heeft aangetast. Als iemand naar een conferentie als deze komt en de politieke spelletjes speelt die hier zwart op wit staan, zouden er maar weinig mensen zijn die met hem in zee willen gaan.'

Hij zei dat hij in gesprekken met De Klerk had geprobeerd aan te tonen dat diens zwakheid lag in het bekijken van 'de dingen vanuit het perspectief van de National Party en de blanke minderheid in dit land, niet vanuit het perspectief van de bevolking van Zuid-Afrika. Ik heb hem bovendien gezegd dat het geen enkele zin heeft als het ANC probeert de National Party te ondermijnen, omdat we wilden dat de National Party in dit initiatief de steun van de blanken zou krijgen. En ik heb hem talloze keren gezegd dat het geen enkele zin heeft als de National Party het ANC probeert te ondermijnen. Hij gaat er gewoon mee door en wij proberen hem tegen te houden.' Hij waarschuwde: 'U hebt een sterke, goed uitgeruste politie- en defensiemacht. Waarom gebruikt u die niet om het geweld te stoppen? Ik heb gezegd dat onze mensen van mening zijn dat elementen van het veiligheidsapparaat zich in de voorste gelederen van dit geweld bevinden.'

Over de positie van Umkhonto zei hij: 'Onze gewapende strijd werd opgeschort ondanks het feit dat onze mensen werden gedood en de regering, al was ze in staat het geweld te beëindigen, niets deed om het afslachten van onschuldige mensen te stoppen. Met de regering was overeengekomen dat Umkhonto zijn wapens zou overhandigen voor een gezamenlijke controle door de regering en het ANC, afhankelijk van hoe het politieke proces zich zou ontwikkelen. Wij zouden de wapens nooit kunnen afgeven aan een regering waarvan volgens ons vaststaat dat zij of de controle over de veiligheidsdiensten verloren heeft of de veiligheidsdiensten precies laat doen wat haar goeddunkt.' Hij beschuldigde De Klerk van 'misbruik van deze bijeenkomst voor het behalen van triviale politieke winst' en bevestigde 'wat wij al voortdurend hebben gezegd, dat de National Party en de regering er een dubbele agenda op na houden. Met ons praten ze over vrede. Tegelijkertijd voeren ze oorlog. (...) Umkhonto we Sizwe zal niet ontbonden worden. Wij zijn geen politieke partij. Wij zijn een politieke organisatie, met meer wereldwijde steun dan hij.'

Hij besloot zijn vermanende woorden met de oproep dat er desondanks samengewerkt moest worden. 'Ik ben bereid met hem te werken, ondanks alle fouten die hij maakt,' zei hij, 'en ik ben bereid er rekening mee te houden dat hij een produkt van apartheid is. Alhoewel hij deze democratische veranderingen wil, heeft hij soms erg weinig idee van wat democratie betekent. Toch ben ik bereid met hem te werken om erop toe te zien dat deze democratische veranderingen in ons land worden ingevoerd. We kunnen alleen slagen als onze betrekkingen hartelijk en open zijn.'

De aanval was bijtend en persoonlijk want Nelson en zijn mensen hadden geleden onder De Klerk en andere leiders van het Afrikanerdom, en De Klerk toonde zich gebeten, wat ook de bedoeling was. Hij zei: 'Ik heb de heer Mandela nooit aangevallen en ben dat ook nu niet van plan, niettegenstaande het feit dat hij in Zuid-Afrika en daarbuiten zeer, zeer grievende beschuldigingen aan mijn adres heeft geuit. Ik geef er de voorkeur aan op de bal te spelen, niet op de man.' Toen herhaalde hij zijn beschuldigingen aan het adres van het ANC. 'Er is hier maar een partij aanwezig met een particulier leger en geheime wapenopslagplaatsen... die dat toegeeft. Geen van de andere partijen kent dit dualisme... U kunt zich onmogelijk inzetten voor vreedzame oplossingen als uw belangrijkste woordvoerders tot twee weken terug vanaf verschillende podia (...) voortdurend opriepen dat de strijd moest doorgaan en het concept van gewapende actie voorstonden.' Hij beschuldigde het ANC van het illegaal opslaan van AK47's en zei dat 'juist die wapens' werden gebruikt om mensen te doden. 'Ongeveer een week geleden zei ik tegen de heer Mandela: "Als we niet genoeg vorderingen maken, zal ik dit ter sprake moeten brengen." En gisteravond, toen duidelijk werd dat we binnen de gestelde tijd niet genoeg vorderingen konden maken, luidde de boodschap aan een van zijn hoofdadviseurs: "We moeten dit ter sprake brengen, maar zullen ons tot de hoofdzaak beperken en details uit de weg gaan (...) Ik heb de hoofdzaak ter tafel gebracht (...) tenzij we vorderingen maken, wordt ons belet verdere overeenkomsten te sluiten." Jawel meneer, ik heb het gezegd', en hij waarschuwde dat tot dit probleem opgelost was, 'er een partij zal zijn met een pen in de ene hand, die het recht opeist om in de andere een wapen te blijven dragen.'

Hij gaf de zwarte bevolking de schuld van het geweld en verklaarde: 'Het is al te eenvoudig om te beweren dat ik, omdat ik de regering ben, het soort ongrijpbare en gewelddadige situaties waar we hier in Zuid-Afrika mee te maken hebben, kan oplossen... Als jullie leiders met elkaar praten, hoeven jullie elkaar niet te vermoorden. Dus laten we het geweld stoppen.'

De woordenwisseling werd openbaar gemaakt, de resultaten met gesloten deuren bezegeld; een fractie van de innerlijke dynamiek van het onderhandelingsproces werd zo onthuld en gaf de mensen inzicht in de aard van de verhouding tussen de twee leiders. Die hadden hun bezorgdheid in alle openheid onder ogen gezien, zonder bang te zijn dat door die openheid de een de ander zou kwijtraken. Ze waren eerlijk en openhartig, enkel en alleen vanwege de kracht van de onderhandelingsstructuur waarin beiden hetzelfde geïnvesteerd hadden.

In de pauze en 's avonds werd door leden van beide partijen op informele wijze over hun openbare conflict gesproken en zij beloofden elkaar dat ze de mondeling toegebrachte verwondingen zouden helen. De dag erna zei Pik Botha, de nationalistische minister van Buitenlandse Zaken, geëmotioneerd: 'Het is mijn plicht en ook mijn hartewens tegen de leider van het ANC en tegen het ANC te zeggen, en ik hoop dat ik mezelf getrouw ben als ik het in alle oprechtheid zeg, dat wij gisteren erg gekwetst waren, heel, heel erg – ik kan het op geen andere manier omschrijven – door de opmerkingen van de heer Mandela.' Hij vertelde dat hij zijn gekwetstheid aan Mandela had toevertrouwd, die hem had gezegd: '"Akkoord, ik zal luisteren", en dat was hoopgevend. U hebt ons gekwetst, heel, heel erg gekwetst. We konden terugslaan, geloof me, we konden terugslaan, maar daar zagen we vanaf. We zagen ervanaf omwille van een betere sfeer hier en omwille van de verzoening die vanmorgen ook uit de houding van de ANC-leiding sprak toen zij ons als bevriende broeders kwamen begroeten.'

Nelson bezegelde die verzoening toen hij tot de vergadering zei: 'Waar ik het nu over wil hebben, is iets wat gisteren is gebeurd en dat wellicht alle gedelegeerden hier aanwezig reden tot bezorgdheid heeft gegeven. De deelnemers aan CODESA zijn bijeengebracht door een gezamenlijke verbintenis om een spoedige oplossing voor de problemen van ons land te vinden. Onze aanwezigheid hier veronderstelt al dat wij het er onderling over eens zijn dat we op constructieve wijze handelen om tot dat resultaat te komen, en daarom moet niemand van ons handelen op een wijze die erop gericht is een van de andere deelnemers aan CODESA te verzwakken, omdat ieder van ons zich heeft verplicht om onze respectievelijke kiezers het vredesproces binnen te voeren. De landelijke groei van rechts, dat de handhaving van apartheid nastreeft en klaarstaat om dat doel door middel van geweld te verwezenlijken, moet voor ons allemaal een grote bron van zorg zijn. De vijanden van CODESA wrijven zich vast en zeker in de handen vanwege hetgeen er gisteren tegen het einde van de zitting is gebeurd. Wat toen gezegd is, moest gezegd worden maar ik wil rechts iedere illusie ontnemen die daar wellicht wordt gekoesterd dat wij op wat voor manier dan ook goedkeuren dat zij pogingen ondernemen om het African National Congress, de National Party, de regering of enige andere partij te ondermijnen die zich inzet voor de vreedzame oplossing van de gezamenlijke problemen waarmee wij allemaal geconfronteerd worden.'

De gedelegeerden ontspanden zich en de besprekingen werden in rustiger vaarwater voortgezet; aan het einde van de plenaire zitting waren de deelnemers overeengekomen een niet-raciale, niet-seksistische multi-partijendemocratie te vormen op basis van algemene burgerrechten voor volwassenen. Wat moest er nog besproken worden? In de ogen van de leek waren de besluiten genomen en was het nu een kwestie van het uitwerken van de details in de daarvoor opgerichte werkcommissies. Maar in die details schuilde het potentieel dat de onderhandelingen kon maken of breken.

In februari berichtten de media dat CODESA overeenstemming had bereikt over de overgangsregering, waarbij zowel het ANC als de nationalisten aanzienlijke concessies van elkaar verlangden. In feite waren de bereikte akkoorden vaag en tentatief, met voor elke partij genoeg ruimte om haar eigen specificaties toe te voegen. De situatie was zowel geriefelijk als vertroostend, maar ook misleidend. Van Nelsons onderhandelaars kwam de vertrouwelijke mededeling dat een interimregering binnen enkele maanden geïnstalleerd zou zijn en dat verkiezingen voor een grondwetgevende vergadering voor het einde van het jaar zou worden gehouden. Deze voorspellingen waren echter veel te optimistisch. Bovendien had Nelson met problemen thuis te kampen.

Barsten in het huwelijk

Tegen het einde van 1991 werd duidelijk dat het huwelijk van de Mandela's wankelde. Er waren mensen binnen het ANC die wilden dat het huwelijk strandde omdat ze Winnie als een blok aan het been beschouwden en er waren mensen binnen de regering die wilden dat het huwelijk stand hield omdat dat 'blok' hen tot voordeel kon strekken. Zo was het huwelijk in eerste instantie een slachtoffer van de machtsstrijd en pas in tweede instantie een privé-aangelegenheid.

Vrijwel vanaf het moment dat Nelson de gevangenis in ging was het huwelijk een politieke en openbare aangelegenheid geworden. Zijn gevangenbewaarders, geërgerd door zijn veerkracht, kwamen tot de ontdekking dat zijn jonge vrouw zijn zwakke plek was en belasterden haar trouw om hem te kwellen. Het huwelijk van Nelson en Winnie doorstond deze kwaadaardige aanvallen echter en won zelfs, ondanks de tralies, aan kracht. Daarom leek er nauwelijks reden te zijn om te verwachten dat het huwelijk bij Nelsons vrijlating zou wankelen. Toch maakten de media zich op om de zeepbel uiteen te laten springen en begonnen daar al mee op het moment dat ze hand in hand de vrijheid in stapten. Op 17 februari 1990 kopte de *Star*: HOE LANG HOUDT WINNIE'S INGETOGEN IMAGE HET VOL? en voorspelde problemen, zowel in hun politieke leven als in de privé-sfeer. Britse psychologen voorzagen problemen binnen de eerste maand en het commentaar van een van hen luidde dat het paar het na een jarenlange 'pen-friend'-relatie moeilijk zou vinden om elkaar te leren kennen; een ander was van mening dat ze het gevoel zouden hebben met een volslagen vreemde te leven, omdat ze in het beginstadium van hun korte huwelijk niet de gelegenheid hadden gehad een emotionele band te smeden.

Deze voorspellingen waren tot op zekere hoogte waar. Zowel Winnie als Nelson had een nogal romantisch beeld van hun relatie. Nu werden ze met de realiteit van hun romance geconfronteerd.

Winnie's eerste zorg na Nelsons vrijlating gold haar taken als zijn vrouw, zoals hoe hij 's morgens geholpen wilde worden en wat ze als ontbijt moest opdienen. Die eerste dagen van hun hereniging probeerde ze de klassieke echtgenote te zijn en haar uitstraling, als die van een bruidje, werd door de camera's vastgelegd. Maar zo was Winnie niet, en al heel gauw probeerde ze niet langer de traditionele echtgenote te zijn en hervatte ze de werkzaamheden waaraan ze gewend was geraakt sinds zijn gevangenneming. Al te gauw hielden man en vrouw zich aan verschillende tijdschema's. Dat van Nelson hinderde Winnie niet maar met het hare had Nelson grote moeite. Hij had er zo'n behoefte aan dat ze bij hem was, om van elkaar te houden, om haar thuis te vinden wanneer hij binnenkwam, kortom, dat ze een gewone echtgenote was. Toen hij negenentwintig jaar eerder werd gearresteerd, had hij tegen haar gezegd dat ze de nationale zaak het beste diende door gewoon thuis te blijven en niets te doen. Daar kon echter geen sprake van zijn. Ze moest haar brood verdienen, er werd beroep op haar gedaan omdat ze zijn vrouw was, en wat het belangrijkste was, de politie koos haar als doelwit en dwong haar tot openlijke confrontaties. Dat alleen al had haar tot openbare figuur gebombardeerd.

In de beginjaren moest ze met ieder baantje dat ze maar kon vinden genoegen nemen, enkel om het hoofd boven water te houden. Tegelijkertijd was ze begaan met de berooide gezinnen van andere politieke gevangenen en ze voelde zich geroepen steun voor hen te organiseren. In de jaren zestig en het begin van de jaren zeventig werden de gezinnen van politieke gevangenen door vrijwel alle erkende organisaties gemeden en de Kerk moest haar sociale geweten nog krijgen. Toen haar moeilijkheden later wereldwijde aandacht kregen en haar financiële positie daardoor verbeterde, gebruikte ze het merendeel van haar geld om politieke vluchtelingen bij te staan, meestal jongeren en mensen die onder een *banning order* waren geplaatst. Een balling met een *banning order* heeft weinig behoeften: er zijn geen feesten waar je heen kunt gaan, in het openbaar verschijnen is er niet bij behalve voor de rechtbank wanneer je gearresteerd bent, en een echt huis om in te richten heb je niet. De Mandela's hebben allebei gevangengezeten, maar terwijl hij in volledige afzondering zat opgesloten, zat zij midden in de *township* gevangen, voortdurend in contact met de nood van de bewoners en ondanks haar *banning order* en haar verbanning beschikbaar om die nood te lenigen. Ze kwam in de schimmige wereld van het jongerenverzet terecht, jongeren van wie velen zonder toekomst zouden zijn, de meesten niet-erkende aanhangers zouden blijven en weer anderen het gevoel zouden hebben in de steek gelaten te zijn. Zelf was ze van de verbannen en daardoor onbereikbare ANC-hiërarchie geïsoleerd geraakt, en ze stond eigenlijk alleen nog in verbinding met Oliver Tambo. Toen ze naar Brandfort werd verbannen en ondergronds moest gaan, had ze erg weinig contact met het UDF en de MDM, die haar nauwelijks steunden. En nu ze op het punt stonden de vruchten van hun opoffering te plukken, kwamen de uiteenlopende gevolgen van hun gevangenschap die in hun ziel stonden geëtst, naar de oppervlakte. Charisma hadden de Mandela's allebei, maar terwijl het zijne dat van de onoverwinnelijke held was, was het hare dat van een vrouw die, hoe heldhaftig ze ook was, blootstond aan iedere gril van een patriarchale samenleving die vrouwen anders beoordeelde dan mannen.

Winnie had een riskant en gevaarlijk leven geleid. Terwijl ze als privé-persoon uitermate ordelijk, netjes en overdreven kieskeurig was, was ze als openbare figuur in de onzekerheid van de illegaliteit beland en voorzichtig geworden door de geheimhouding en de risico's die daaraan vastzaten. Ze was er toevallig terechtgekomen, ze was er niet voor getraind en het ANC had haar, zo bleek later, geen afdoende bescherming geboden. Ze liet Umkhonto-kaderleden bij haar onderduiken en verborg hun wapens maar kon hen niet onder controle houden en de verklikkers en informanten die het op hen en op haar hadden gemunt en die zij in haar onwetendheid vertrouwde alsof het haar zoons waren, nog veel minder.

Toen Nelson voorbereidingen trof voor de onderhandelingen in de vaste overtuiging dat dat de enige weg naar de democratie was, bleven Winnie en degenen die met haar aangeklaagd werden, onder wie

Umkhonto-kaderleden en -officieren, hun wapens trouw en verzetten zich tegen Nelsons oproep om hun wapens overboord te gooien. Ze accepteerden niet dat de strijd voorbij was. Winnie werd steeds vaker in MK-uniform gesignaleerd en in gezelschap van Chris Hani. Tot ontmanteling van de MK ging het ANC zelf niet over, wat een twistappel tussen hen en de regering werd. De MK werd uiteindelijk in het beroepsleger geïntegreerd. Nelson, die de MK had opgericht, vertoonde zich in het openbaar nooit in uniform. Totdat hij later sportieve hemden ging dragen, ging hij bijna altijd in een klassiek kostuum gekleed. Op den duur onderscheidde men twee verschillende ANC-gezichten, waarvan er duidelijk een met Winnie werd geïdentificeerd en het andere met Nelson.

Nelson had gemerkt dat het huishouden waarvan hij deel uitmaakte veel weghad van een station. Veiligheid was een ernstig probleem geworden, vooral in de aanwezigheid van sommige contactpersonen van Winnie die, zonder dat de pas thuisgekomen balling daarvan op de hoogte was, tot het NEC behoorden. Er was achterdocht en iedereen, inclusief Nelson, voelde zich slecht op zijn gemak. Winnie hield open huis, er waren altijd mensen. Nelson had na al die jaren van isolement echter behoefte aan privacy en er waren veiligheidsmaatregelen nodig. Door haar roekeloosheid was Winnie een paar keer in situaties beland waaruit ze op het nippertje had weten te ontsnappen; het had tot infiltraties geleid die haar haar reputatie hadden gekost. Mandela, de nieuwgekozen president, kon zich zulke risico's niet veroorloven.

Het meest ernstige probleem was dat de media Winnie belasterden. Hoe kon de goddelijke held leven met een heks als vrouw? Terwijl de regering zich in de handen wreef over het negatieve effect van die publiciteit op het Mandela-aureool, keerden bewegingen binnen de SACP en het ANC zich tegen Winnie.

Nelson was ervan overtuigd dat Winnie onschuldig was. Hij begreep waarom ze het onderwerp van al dat venijn was geworden – door haar dwaasheid, haar roekeloosheid, haar neiging te goed van vertrouwen te zijn, die haar ertoe brachten mensen kritiekloos te accepteren en hen bescherming te bieden; door haar koppigheid en haar arrogantie, die haar doof maakten voor goede raad. Het leek wel alsof ze het erom deed. Ze was grootmoedig op het overdrevene af, ze beschermde, deelde, zorgde; haar kwaliteiten deden haar de das om. Toen hij nog gevangenzat, had hij haar herhaaldelijk gewaarschuwd zich niet met mensen in te laten zonder hem of goede vrienden te raadplegen. De keren dat hij had ontdekt dat ze zijn raad in de wind had geslagen, was hij bijna buiten zichzelf geweest van woede, maar had geredeneerd dat de situatie heel anders zou zijn geweest als hij er was geweest om haar te leiden, te steunen en te beschermen. Hij gaf zichzelf de schuld van veel van haar problemen en was vastbesloten haar tegen elk verder misbruik in bescherming te nemen.

Hij beschuldigde de regering ervan 'willens en wetens mevrouw Mandela niet in staat van beschuldiging te stellen', waardoor zij 'de pers haar vonnis laat vellen over mijn vrouw nog voordat ze schuldig bevonden is'. 'Het is', zo klaagde hij, 'zeer ongepast om zo met een rechtszaak om te gaan. Men doet dit om de reputatie van mijn vrouw door het slijk te halen. Als mijn vrouw niet in staat van beschuldiging wordt gesteld en zij het middelpunt van de hele zaak is geworden, kan zij zich op geen enkele manier verdedigen en haar onschuld bewijzen.' (*Weekly Mail*, 15 februari 1991.)

De regering, zo kwam aan het licht, was wel degelijk van plan zijn vrouw aan te klagen. Men wachtte alleen maar op het meest geschikte moment en vond dat dat gekomen was toen het ANC Winnie benoemde tot hoofd van zijn departement van Welzijn. Plotseling werden haar vier gevallen van ontvoering en bedreiging ten laste gelegd, delicten die meer dan drie jaar ervoor zouden hebben plaatsgevonden. De aanklacht was erop gericht om zowel de capaciteiten van Mandela als die van het ANC om het land onpartijdig en doeltreffend te kunnen regeren ernstig in twijfel te trekken, omdat ze hun macht aan een 'gewoon misdadiger' delegeerden. De secretaris-generaal van het ANC, Alfred Nzo, bracht dit naar voren toen hij zei dat 'het niet toevallig was dat de aanklacht samenviel met belangrijke politieke discussies over de voortgang van de onderhandelingen en kwam op het moment dat de reputatie van het ANC veel bijval oogstte'. Hij zei verder dat de aantijgingen onderdeel waren van 'een patroon van pesterij en vervolging waarvan kameraad Winnie de afgelopen dertig jaar het onderwerp is geweest, als zelfstandig vrijheidsstrijdster en als echtgenote van kameraad Nelson Mandela.'

De pers publiceerde anonieme brieven waarin tegen Winnie's benoeming tot hoofd Welzijn bezwaar werd gemaakt en suggereerde dat ze af moest treden. Nelsons verdediging luidde: '...als u of wie dan ook zegt dat mevrouw Mandela terug moet treden voordat er uitspraak is gedaan, betekent dat dat ze schuldig is bevonden voordat ze terechtstaat. (...) Wij aarzelen niet te verklaren dat ze onschuldig is.' Tegelijkertijd bestreed hij dat haar benoeming impopulair zou zijn: 'Als u het dossier van die benoeming zou lezen, zou u die vraag niet eens durven stellen. (...) De waarheid is dat degenen die bezwaar aantekenden tegen die benoeming op de vingers van één hand te tellen zijn. Slechts drie afdelingen maakten bezwaar.' De benoeming, zo zei hij, had de steun van het NEC en van de National Association of Black Social Workers. Hij voegde eraan toe dat volgens de mensen 'mevrouw Mandela die benoeming verdient, na gekozen te zijn in het bestuur van het regionale comité van het ANC en in de ANC-Woman's League van de PWV, de machtigste regio van het land, en na haar verkiezing tot voorzitter van haar plaatselijke ANC-afdeling in Soweto.'

Maar in plaats van Winnie's rehabilitatie leverde zijn bezielde pleidooi voor zijn vrouw hem en het ANC een slechte pers op. Een commentator beschreef Nelson als 'net als Samson door liefde verblind, net als Macbeth in verleiding gebracht om zijn betere aard te verraden.' (John Carlin, *Independent*, Londen, 17 februari 1991.) Een ander beschuldigde hem van intolerantie en zette vraagtekens bij zijn leidinggevende capaciteiten: 'Nu blijkt dat de pers hem niet eens vragen mag stellen over haar.' (Brian Pottinger, *Sunday Times*, 2 oktober 1991.)

Winnie's rechtzaak duurde maanden en kreeg overvloedige aandacht van de meeste media. Nelson bleef loyaal en vergezelde haar van het avocatenkantoor naar de rechtzaal waar hij op de publieke tribune de langdurige, eentonige zittingen bijwoonde, vaak in gezelschap van leden van zijn Executive. Aankomst en vertrek van het echtpaar veroorzaakten telkens verkeersopstoppingen omdat grote mensenmenigten hen toe kwamen juichen. De pers zette vraagtekens bij Nelsons aanwezigheid en insinueerde dat dat een intimiderend effect had op de getuigen, maar Nelson gedroeg zich discreet en onopvallend en de mensen in de rechtzaal waren zijn aanwezigheid snel vergeten.

Winnie werd schuldig bevonden aan ontvoering en

werd grievend gevonnist. Direct was Nelson bij haar en liet merken dat hij haar steunde en in haar onschuld geloofde. De pers was opgetogen over het vonnis maar insinueerde dat ze ongestraft een moord had kunnen plegen en bekritiseerde het ANC. 'Wat voor rechtspraak en wat voor democratie staat ons in de post-apartheidsnatie te wachten?' stond in een redactioneel artikel te lezen, dat het ANC beschreef als een organisatie 'wier geloofwaardigheid als waardige regering in spe in de 97 jaar van haar geschiedenis nog nooit zo'n klap kreeg toebedeeld.' Nelson zelf kreeg afkeurend commentaar in de trant van dat hij er 'nog nooit zo vleugellam en onzeker had uitgezien', dat hij 'moest worstelen om het krachtige image van De Klerk bij te kunnen houden' en dat hij 'iets tirannieks had dat leden van de Executive angst aanjoeg', leden die 'graag de lastige vrouw van de heer Mandela kwijt wilden maar dat niet hardop durfden zeggen omdat ze bang waren voor hem en voor de schade die hij aan hun politieke carrière kon toebrengen.'

Tijdens de rechtzaak was Nelsons steun voor Winnie geen moment verzwakt maar nu begon haar belangstelling voor de jonge Dali Mpofu inbreuk op hun relatie te maken. De pers roddelde over een verhouding tussen het tweetal. Nelson hechtte daar geen geloof aan maar gaf Winnie toch de raad voorzichtig te zijn. Hij liet toe dat Dali Mpofu werd benoemd als haar plaatsvervanger maar toen de roddel toenam, verzocht hij om diens ontslag. Winnie was ertegen, wat de spanning die toch al tussen hen bestond opvoerde. Het was echter Xoliswa Falati die de genadeklap toediende.

Falati, die Winnie had betrokken bij de reddingspoging van de jongen die weer tot haar veroordeling voor ontvoering had geleid, bleef veel langer dan ze welkom was in het huis van de Mandela's in Orlando logeren. Toen Winnie na een jaar het huis nodig had voor familie en haar vroeg te vertrekken, haalde ze de pers erbij en dreigde 'alles te vertellen', met inbegrip, zo zei ze, van de betrokkenheid van mevrouw Mandela bij de dood van dr. Asvat. Nelson kwam tussenbeide om Falati te kalmeren maar het kwaad was al geschied en de pers maakte zich op voor een nieuwe ronde van Winnie-bekladden. Twee Canadese kranten namen Falati's beschuldigingen op en gaven ze daardoor de geloofwaardigheid die aan drukwerk hecht. De *Monitor* beweerde dat een van de twee voor de moord op dr. Asvat veroordeelde mannen aan de ander had toevertrouwd dat Winnie hem voor de moord op dr. Asvat zou betalen. In het bericht werd geïnsinueerd dat deze getuigenis niet voor de rechter was gebracht vanwege het gebrek aan samenwerking tussen de rechercheur en de openbare aanklager. (*Sowetan*, 7 april 1992.) Het waren oppervlakkige, derdehands aantijgingen die bovendien van een dubieuze bron afkomstig waren, wat de pers stilhield om zo bij heel wat mensen, met name bij niet-Afrikanen, het vermoeden te doen rijzen dat Winnie iets met de moord op dr. Asvat te maken had. Het ANC protesteerde en secretaris-generaal Cyril Ramaphosa verklaarde dat het ANC het doelwit van deze nieuwe campagne was en dat 'de vijanden van het ANC onophoudelijk op zoek waren naar manieren om de organisatie in diskrediet te brengen, te verzwakken en indien mogelijk te vernietigen'. (*Star*, 9 april 1992.) Bepalend was echter de invloed van de leden van de NEC die Winnie als een risicofactor zagen. Hun argumenten overtuigden des te meer toen de National Party in het referendum van maart 1992 de overwinning behaalde. Het vuur werd het ANC nauw aan de schenen gelegd om in te gaan tegen de eis van de NP dat het huidige parlement nog vijf tot tien jaar een tandem zou vormen met de interimregering. Het ANC moest zijn positie versterken en de voortdurende belastering van Winnie had een averechts effect. Er stond meer dan een persoonlijke relatie op het spel, maar die persoonlijke relatie verkeerde zelf ook in grote moeilijkheden, vooral vanwege de kwestie-Dali Mpofu.

Nelson ging weg uit het huis dat Winnie had gebouwd en onbewoond had gelaten tot de dag dat ze er samen in konden trekken en ging in Houghton wonen. De verhuizing wees erop dat hun officiële scheiding onvermijdelijk was maar een tijdlang zei men dat hij om veiligheidsredenen was weggegaan. In die periode waren de mensen in zijn nabijheid gesloten en gespannen.

Rolihlahla Nelson Mandela moest een keuze maken en de wereld was er niet alleen getuige van hoe pijnlijk die voor hem was, maar ook hoe hij hem maakte met woorden van liefde en lof voor de echtgenote die hem in zijn beproevingen zo trouw terzijde had gestaan, die onverdraaglijk had geleden toen hij gevangenzat en die door haar moed in aanzienlijke mate tot zijn roem had bijgedragen. Hij zei dat door Winnie's 'vasthoudendheid mijn persoonlijke respect en liefde aan kracht won. Het heeft haar ook wereldwijde bewondering opgeleverd. Mijn liefde voor haar duurt onverminderd voort.' Hij prees haar omdat ze voor hem en de andere veroordeelden van de Rivoniagroep steun organiseerde terwijl zij op Robbeneiland zaten. 'Met haar campagnes', zei hij, 'haalde ze zich de woede van de regering op de hals, die haar treiterde, vervolgde, arresteerde, in hechtenis nam, in staat van beschuldiging stelde en ten slotte naar Brandfort verbande.'

Hij zei dat zijn daad 'hem niet ingegeven was door de beschuldigingen die momenteel in de media tegen haar worden geuit' en beloofde haar plechtig zijn onbeperkte steun. 'Ik omarm haar met alle liefde en toewijding die ik voor haar gekoesterd heb, in de gevangenis en erbuiten, vanaf het ogenblik dat ik haar voor het eerst ontmoette.' Hij leed zichtbaar en verborg dat niet.

De scheiding was moeilijk. Er waren kinderen en kleinkinderen en dan was er nog de politieke rol die ieder van hen had binnen het ANC en in de Zuidafrikaanse politiek in het algemeen. Ze moesten zowel familieaangelegenheden als politieke gebeurtenissen delen. Toen de verkiezingen kwamen, was Winnie de op een na belangrijkste campagnevoerder – na Nelson. Haar populariteit is nooit verminderd. Voor hen geldt nu een soort samenzijn, ook in hun scheiding. En toch gaat ieder voor zich gebukt onder een gevoel van eenzaamheid dat verzacht wordt door zich helemaal op het werk te richten.

Boipatong

Op 15 mei 1992 kwam CODESA weer bijeen. De nationalisten, opgepept door de steun van blanke aanhangers, gingen vol zelfvertrouwen aan de onderhandelingstafel zitten en waren ervan overtuigd dat hun voorwaarden zouden worden doorgevoerd. Ze presenteerden zichzelf als de enige partij met een democratisch verkregen mandaat, die daardoor het meeste recht had om de toon te zetten. Dit werd weerspiegeld in de tegengestelde stemming van de twee leiders toen zij de vergadering toespraken: De Klerk was uitbundig en concentreerde zich op wat al bereikt was; Mandela klonk wat neerslachtig en legde de nadruk op het gebrek aan voortgang in de richting van het nieuwe Zuid-Afrika. De twee partijen raakten in een impasse over het percentage stemmen dat nodig was voor de besluitvorming van de grondwetgevende vergadering. Het ANC was bereid tot een tweederde meerderheid te gaan, de regering, met de steun van de IFP, eiste een meerderheid van tachtig procent. Lager dan zeventig procent wilde het ANC niet gaan maar dat werd verworpen, zogenaamd op basis van berekeningen dat het de NP niet voldoende 'minderheidsmacht' zou geven tegenover het ANC. De onderhandelingen kwamen erdoor in gevaar en het voortbestaan van CODESA zelf leek onzeker. Het ANC trok zijn compromisvoorstel weer in en kondigde aan dat er een nieuw mandaat van het volk moest komen. De bijeengeroepen ANC-beleidsconferentie vaardigde een aan de regering gericht ultimatum uit, waarin gesteld werd dat als aan de ANC-eisen – uiterlijk eind juni een interimregering en verkiezingen voor de grondwetgevende vergadering voor het einde van het jaar – niet werd tegemoet gekomen, er massaal actiegevoerd zou worden in een campagne die zijn weerga niet kende.

De regering negeerde het ultimatum en de ANC-campagne ging op 16 juni van start. Op de avond van de 17e juni werden de weerloze bewoners van de krottenbuurt van Boipatong overvallen door gewapende mannen uit het KwaMadala-hostel van de ISCOR (Iron and Steel Corporation) die in het donker in het wilde weg erop loshakten en schoten, waarbij 45 mensen werden gedood en talloze gewonden vielen. Er werden ernstige beschuldigingen geuit dat de politie aan het moorden had deelgenomen.

De dag na het bloedbad ging De Klerk er met militaire begeleiding heen, om begroet te worden door boze demonstranten die hem tot een haastig vertrek dwongen. Terwijl hij de aftocht blies, schoten zijn mannen op de menigte en deden zo, waar mediamensen uit de hele wereld bij stonden, het toch al schokkende aantal slachtoffers nog stijgen. De Klerk verklaarde later: 'Ik probeerde zelf Boipatong een bezoek te brengen om met de familie van de slachtoffers te kunnen praten en hun verdriet te kunnen delen. Maar dat werd mij belet, niet spontaan door de mensen van Boipatong maar door georganiseerd protest vanuit de politiek.' (*Star*, 3 juli 1992.)

Het was Nelson tot wie de getroffen gemeenschap zich richtte. Hij hoorde hen in geschokt stilzwijgen aan. Wat kon hij zeggen, oog in oog met zo'n verdriet? Voor hem stond vast dat de regering verantwoordelijk was en in het bijzonder De Klerk, als regeringsleider. 'Ik zei de mensen altijd dat we met een eerlijk man te maken hadden', zei hij. 'De Klerk had geen p.r.-man nodig, ik deed het. Zijn grootste vergissing is dat hij bang is voor de democratie en voor het meerderheidsbewind.' (*Business Day*, 6 juli 1992.) Het ANC trok zich uit alle besprekingen terug. Eind juni waren nog acht partijen uit CODESA gestapt.

In juli legden de onderhandelaars de kwestie voor aan de VN-Veiligheidsraad, waarbij Nelson het ANC vertegenwoordigde. Bij zijn terugkeer voerde hij een demonstratieve mars aan van zeventigduizend man naar de Uniegebouwen in Pretoria; in Ciskei hielden dertigduizend ANC-aanhangers een mars naar de hoofdstad Bisho. De Ciskeian Defence Force opende het vuur en vierentwintig demonstranten werden doodgeschoten. Chris Hani gaf de schuld van de slachting aan 'die misdadigers in Pretoria' die, zo zei hij, 'een strategische operatie' hadden uitgevoerd 'om het ANC en zijn alliantie een lesje te leren (...) we mogen geen ogenblik vergeten dat de veiligheidsdiensten van Ciskei onder bevel staan van blanke officieren die gedetacheerd zijn vanuit de SADF.'

Het ANC kondigde aan dat tot in KwaZulu en Boputhatswana protestmarsen zouden worden gehouden om het volk te bevrijden dat door de thuislandleiders gegijzeld werd en van deelname aan het democratiseringsproces werd afgehouden. De regering waarschuwde dat KwaZulu een historisch koninkrijk was en dat elk protest tegen het gebied tot een totale burgeroorlog zou leiden. De marsen werden afgelast.

Nelsons bezorgdheid over de voorgestelde marsen en zijn bereidheid om te onderhandelen kregen de nadruk in een persconferentie die halverwege september 1992 plaatsvond en waaraan de media zeer veel aandacht besteedden. Om de besprekingen te hervatten verlangde het ANC, aldus Nelson, niet meer dan een paar onmiskenbare tekens dat de regering naar een democratie toewerkte: 'Maak de beloften die u ons gedaan hebt waar. Wij dagen niet uit, stellen geen eisen (...) het onderhandelingsproces heeft geloofwaardigheid verloren. (...) Mijn mensen vragen me nu: "Wat was de waarde ervan? Laten we ophouden met onderhandelen, dat brengt ons geen stap dichter bij ons doel." (...) Het is absoluut noodzakelijk dat de regering een zichtbare procedurele stap zet om de geloofwaardigheid van het onderhandelen te herstellen.' Wat Nelson het meest vreesde, was 'dat degenen die hervatting van de gewapende strijd eisen, hun zin zullen krijgen.' Hij zag dat niet als een oplossing voor de problemen van Zuid-Afrika. De stichter van Umkhonto en aanhanger van de militaire optie was ervan overtuigd dat woorden en niet kogels naar een niet-raciale democratie voerden. Hij was bang dat door de onbuigzaamheid van de nationalisten de kogels zouden terugkeren. Hij kon zich helemaal in de woede van het volk verplaatsen maar dat nam niet weg dat hij voorstander was en bleef van het onderhandelingsakkoord. Hij geloofde dat het geweld zou ophouden zodra er een interimregering van nationale eenheid zou zijn. 'Wij zullen in de regering zitten, het ANC zal volledig vertegenwoordigd zijn net als alle andere politieke partijen. Van massale actie zal geen sprake zijn.' (Persconferentie, midden september 1992.)

Eind september 1992 ondertekenden Nelson en De Klerk de beginselverklaring waarin werd bepaald dat de regering tot installatie van een interimregering zou overgaan en bepaalde stappen zou ondernemen tegen het escalerende geweld. Het ANC schortte zijn massale mobilisatiecampagne op en stemde erin toe in het nieuwe jaar de multi-partijenbesprekingen te hervatten. Na twee jaar praten en confrontaties hadden de belangrijkste onderhandelaars in het Zuidafrikaanse scenario de standpunten waarmee ze de besprekingen waren begonnen zodanig gewijzigd dat er een voor beide partijen aanvaardbare compromissituatie was ontstaan. Het meeste overleg had in privé-sfeer plaatsgevonden, buiten de media en het kabaal van CODESA om. Beide onderhandelaars leken te hebben geleerd met de angst van de ander te leven en het zag ernaar uit dat ze het geen van beiden nodig vonden om naar andere middelen te grijpen dan de onderhandelingen.

In november 1992 kwam het ANC met het idee van een nationale eenheidsregering, gebaseerd op het besef dat het ANC niet over de capaciteit beschikte om de macht te grijpen en al evenmin om door onderhandeling de overgave te bewerkstelligen van het regime dat de strijdkrachten beheerste, door machtige economische bolwerken werd gesteund en in staat was om het contrarevolutionair geweld te mobiliseren en de overgang naar de democratie te ondermijnen. Het machtsevenwicht, zo werd verklaard, vereiste de samenwerking tussen het ANC en de National Party om de democratie veilig te stellen. Het was een compromisoplossing die van Joe Slovo afkomstig was en door Nelson volledig werd onderschreven, al was niet iedereen binnen de partij het ermee eens. Er werd zelfs van verraad gesproken.

De nationalisten juichten het voorstel toe, want het betekende dat zij ongeacht de verkiezingsresultaten gedurende een gegarandeerde periode in de macht zouden delen en, wat misschien wel belangrijker was, dat de economische privileges van een groot deel van hun aanhang niet zouden worden aangetast en dat de banen van hun enorme, grotendeels uit Afrikaners bestaande civiele dienst veilig gesteld waren. Door dit compromis tussen de twee grootste partijen verminderde het belang van de thuislanden als machtsbasis. De nationalisten hoefden nu via hen geen manipulatieve spelletjes meer te spelen. De regering begon de thuislanden te benaderen op een manier die dicht bij die van het ANC kwam, namelijk door hen als risicofactoren te beschouwen. Omdat de regering hen niet meer in dezelfde mate nodig had als voorheen, hoefde van de regering ook niet langer verwacht te worden dat zij hen zou verdedigen of hen zou assisteren bij clandestiene acties tegen het ANC. Dit droeg zeker bij tot een daling van het geweld. Toen de twee grote partijen zich echter uit de openbare arena terugtrokken voor besprekingen met gesloten deuren, werden de beschuldigingen feller dat zij het in het geheim op een akkoordje gooiden en andere bona fide politici buitenspel zetten terwijl ze de toekomstige democratie vastlegden. Dus toen de multi-partijenbe-sprekingen in maart 1993 werden hervat en de onder-handelaars, inmiddels inclusief het PAC en de ultra-rechtse Afrikaner vleugel (de CP en de AVU), een ontwerp kregen gepresenteerd waarover de grote twee het al eens geworden waren, leidde dat tot consterna-tie: er werd verlangd dat ze hun stempel zetten op een reeds beklonken overeenkomst.

Chief Buthelezi, die zichzelf zag en over het alge-meen gezien werd als een onmisbare factor bij de vreedzame oplossing, protesteerde het felst. Hij voel-de zich door de NP in de kou gezet en vreesde dat die partij, nu ze een bondgenootschap met 'de vijand' was aangegaan, haar vrienden zou gaan dumpen. Alles draaide om het federalisme en zijn standpunt was dat zodra de regering daarover compromissen af ging slui-ten, zij de thuislandautoriteiten zou compromitteren of verraden. Hij bracht de besprekingen opnieuw in gevaar door aan te kondigen dat hij zich terugtrok, wat hij deed samen met de regeringsleiders van Bo-puthatswana en Ciskei, *chief* Mangope en brigadier Gqozo, en blank rechts (CP en AVU). Ze richtten de Concerned South African Group (COSAG) op, die een federatie nastreeft met daarin een Afrikaner staat voor Afrikaanssprekende mensen, niet per se blanken.

Buiten het onderhandelingsforum, in de *townships*, was de stemming er een van ongeduld. Drie jaar waren verstreken sinds Mandela's vrijlating en de mensen waren nog steeds rechteloos. Het ongeduld sloeg om in razernij toen op 10 april 1993 Chris Hani werd vermoord in een samenzwering van de extreem rechtse Afrikaner vleugel. Nelson, die een uitbarsting van interraciaal geweld vreesde, maande tot kalmte. 'Er mogen nu geen levens meer verloren gaan. Het land heeft mensen nodig die hun verstand gebruiken.

Een blanke kwam vol vooroordelen en haat ons land binnen en deed iets zo afschuwelijks dat onze hele natie nu op de rand van de afgrond wankelt. Een blanke vrouw van Afrikaner origine zette haar leven op het spel opdat wij zouden weten wie de moordenaar is en hem kunnen berechten. We worden door verdriet en woede verscheurd. Nu is de tijd gekomen voor onze blanke landgenoten, wier condoléances in groten getale binnenkomen, om ons de hand te reiken in het besef dat onze natie een verschrikkelijk verlies is toegebracht.' Maar in de *townships* overheerste de woede en verzoenende woorden werden niet getolereerd. Op Hani's begrafenis deed Nelson een beroep op de jongeren om eropuit te gaan en vriendschap te sluiten met hun vroegere vijanden: 'Ik begrijp jullie woede. Er is geen partij meer verantwoordelijk voor jullie verdriet dan de National Party. Maar aan het verleden moeten we niet denken. We moeten aan het heden en aan de toekomst denken. We moeten samenwerken met mensen die we niet mogen. We moeten niets hebben van de National Party maar ik ben bereid om met De Klerk samen te werken om een nieuw Zuid-Afrika op te bouwen.' Deze oproep werd echter ontvangen met boe-geroep en tegenoproepen om het bloed van De Klerk te laten vloeien om dat van Hani te wreken, en toen PAC-leider Clarence Makhwetu halverwege de toespraak binnenkwam, werd hij op gejuich, geweerschoten en vuurwerk onthaald.

Nelson liet zich niet ontmoedigen en bleef oproepen tot vrede en verzoening terwijl tienduizenden jongeren in de grotere steden tekeergingen en aan het plunderen sloegen. Net zoals hij bereid was geweest zijn leven te geven voor recht en vrijheid, was hij nu bereid zijn leven te geven voor vrede, zonder aandacht te schenken aan de spotternij en de impopulariteit die dat met zich meebracht.

In juni stierf Oliver Tambo en hij liet een grote leegte in Nelsons leven achter. Olivers gezondheid had te wensen overgelaten en erg actief had hij niet kunnen zijn maar het was bemoedigend geweest om te weten dat hij er was. Ze scheelden niet veel in leeftijd en Nelson voelde zich nederig gestemd, dankbaar dat hij gespaard was gebleven om het werk voort te zetten dat ze samen waren begonnen en dat zijn gezondheid tegen die zware taak was opgewassen.

Het jaar 1993 zou er een van besluiten geworden zijn. Nelson had er hoopvol naar uitgezien. Zijn relatie met zijn familieleden was er een van prettig wederzijds begrip geworden. Met zijn dochters en zijn kleindochters, de kinderen van zijn overleden zoon Thembi, ging het goed en hij hielp hen graag door te zorgen dat ze de dingen kregen die ze nodig hadden, plus de extraatjes die buiten hun bereik lagen. Zijn zoon Makgatho was met zijn rechtstudie bezig en diens zonen, Ndaba en Mandhla, waren bij hem in Houghton komen wonen en werden goed verzorgd door zijn huishoudster, een vriendelijke en efficiënte vrouw.

Om vier uur 's morgens op donderdag 18 november 1993, na een op het laatste ogenblik belegd topberaad met De Klerk over een aantal onvolkomenheden, betrad Nelson het grauwe binnenterrein van het Trade Centre met het akkoord dat de eerste democratische landsverkiezingen mogelijk zou maken. 'Jullie zijn allemaal gelijke burgers van een nieuw Zuid-Afrika', verkondigde hij en de Afrikaner dissenters reikte hij de olijftak met de woorden: 'Jullie hebben het volste recht op je eigen taal', waarop hij uit respect even op het Afrikaans overschakelde. Vervolgens zei hij: 'Toekomstige generaties zullen zich herinneren dat wij op deze dag de grondslagen hebben gelegd voor een nieuwe Zuidafrikaanse natie. Ja, vandaag hebben we de hoop een basis gegeven, voor deze generatie en voor die van de toekomst. De historische overeenkomsten die door onderhandeling tot stand gekomen zijn, vormen de constructieve basis voor de overgang naar de democratie.'

Zijn kleindochter Nandi zag hem op televisie en was net zo blij als ieder ander maar maakte zich tegelijkertijd zorgen over de gezondheid van haar grootvader. Hij hoort in zijn bed te liggen, dacht ze en belde mij: 'Heb je Tata op t.v. gezien, om twee uur vannacht?'

'Ja, en om half vijf was hij met een privé-vliegtuig onderweg naar Richard's Bay, zeshonderd mijl verderop, en daarna reed hij honderd mijl om op een rally in KwaZulu te spreken.'

'Iemand moet met hem praten', pleitte ze. 'Hij valt er nog bij neer als hij zo doorgaat.'

Maar Nelson is veel sterker dan zijn kleindochter denkt. 'Je werkt te hard', wordt hem gezegd. 'Je maakt dezelfde vergissing die iedereen maakt', antwoordt hij dan. 'Je beseft niet hoe fantastisch ik gesteund word. Het gaat goed met me, je hoeft je nergens druk om te maken', en weg is hij weer om *chief* Buthelezi te overtuigen dat hij zich bij de interimgrondwet moet neerleggen.

Ze ontmoeten elkaar in Skukuza in het Kruger National Park. De besprekingen worden gecompliceerd wanneer de koning zich erin mengt en het herstel van het prekoloniale Zulurijk verlangt. Er wordt een soort compromis bereikt en Buthelezi stemt erin toe aan de verkiezingen deel te nemen. Een zucht van verlichting gaat door het land want de angst was groot dat er een bloedbad zou komen als Inkatha niet aan de verkiezingen zou deelnemen.

Nelsons verkiezingstoernee ging van start.

De verkiezingstoernee

De verkiezingen bestonden hoofdzakelijk uit een krachtmeting tussen het ANC en de National Party, verpersoonlijkt in De Klerk en Mandela. Hun betrekkingen, in het begin hartelijk, stonden na verloop van tijd onder druk vanwege hun tegengestelde posities. Toen De Klerk Mandela voor het eerst ontmoette, had hij over hem gesproken als 'deze opmerkelijke man die uit de gevangenis naar mijn werkvertrek kwam zonder een spoor van bitterheid.' Mandela beantwoordde het compliment door De Klerk 'een integer man' te noemen.

Mandela had na zevenentwintig jaar gevangenschap de politieke arena betreden. Hij was opgeleid als guerrilla, niet als onderhandelaar, en had zijn mannetje gestaan in de confrontatiepolitiek, niet in die van de regering. De rol van staatsman en diplomaat maakte hij zich snel eigen en hij toonde zich moeiteloos de gelijke van zijn doorgewinterde tegenstander. Zijn grootste voordeel was zijn messiaans aureool, dat nooit verbleekte; een aureool dat voor De Klerk ook de grootste uitdaging vormde. Hoe kon hij winnen met die profetische gloed tegen zich? Maar toch was op de vooravond van de eerste democratische landsverkiezingen de reputatie van De Klerk zelf veranderd van stuwende kracht achter apartheid naar vernieuwend hervormer, die de vooruitziendheid en moed had gehad om zijn Samsonachtige prooi vrij te laten en met hem te onderhandelen.

Mandela was in het eerste jaar van zijn vrijlating consequent geweest in zijn lof voor De Klerk maar werd koeler tegenover hem toen het geweld tegen ANC-aanhangers escaleerde en de bewijzen zich opstapelden dat de politie daarbij betrokken was. Al beschouwde hij De Klerk aanvankelijk niet als rechtstreeks betrokken, toch groeide zijn twijfel toen hij zag hoe diens partij er voordeel mee behaalde.

Toen hem in Oslo werd gevraagd naar zijn betrekkingen met De Klerk, zei Mandela: 'Het gaat niet om de aard van de betrekkingen die iemand heeft. Waar het om gaat, is dat De Klerk en ik ons in Zuid-Afrika bevinden en er voor ons geen alternatief is dan samen te werken om een democratisch Zuid-Afrika tot stand te brengen.' Een columnist formuleerde het zo: dat het tweetal met de heupen aan elkaar vastzat en de een niet zonder de ander kon regeren. Er had dan wel een soort amputatie plaatsgevonden maar toch hadden ze elkaar nog steeds nodig om hun doelen te bereiken omwille van hun eigen volkeren, die nog een natie moesten worden en die in een compromisvrede twee volksliederen zongen.

In Philadelphia en Oslo werden ze te zamen gedecoreerd met respectievelijk de Liberty Medal en de Nobelprijs voor Vrede. In hun officiële aanvaardingsredes hadden beiden de bijdrage van de ander beleefd erkend. In Oslo zei De Klerk dat 'het voor de aanhang van de heer Mandela noch voor de mijne eenvoudig was om de ideeën die zij vele tientallen jaren hebben gekoesterd, op te geven. Maar we hebben het gedaan en omdat we het deden, is er hoop.' Mandela complimenteerde De Klerk: 'Hij had de moed om toe te geven dat ons land en ons volk een verschrikkelijk kwaad was toegebracht door de invoering van het apartheidssysteem. Hij had de vooruitziendheid om te begrijpen en te accepteren dat alle volkeren van Zuid-Afrika door middel van onderhandeling als gelijkwaardige partners, samen moeten beslissen hoe zij hun toekomst willen inrichten.'

De media berichtten echter ook over spanningen achter de schermen, waar de mensen achter Mandela en die achter De Klerk in een concurrentiestrijd waren gewikkeld om hun eigen leider naar voren te schuiven. Degenen achter Mandela werden omschreven als buitengewoon beschermend voor het Mandela-aureool, ervoor zorgend dat De Klerk niets van die uitstraling meekreeg. Mandela, zo werd in Philadelphia bericht, zei over De Klerk: 'Wij beschouwen hem niet als de president van Zuid-Afrika maar als een leider die door niet meer dan vijftien procent van de bevolking in die positie is gebracht.'

Het antwoord van De Klerk hierop was, volgens de berichten: 'Ik ben niet naar Oslo gekomen om met de heer Mandela te redetwisten. Als onze gezondheid het toelaat, twijfel ik er niet aan dat de heer Mandela en ik samen onze post zullen innemen in de nationale eenheidsregering.' Weer terug in Zuid-Afrika, op verkiezingstoernee, beschuldigde hij het ANC echter van het blijk geven van slechte manieren in Oslo en Mandela van het afleggen van onverantwoordelijke verklaringen, waarbij hij hem omschreef als een politiek misdadiger, die het aantal kinderen dat gevangenzat overdreef.

Er was de uitbrander geweest die Mandela De Klerk had gegeven bij de opening van CODESA en er zou nog een steviger komen, in het parlement nadat hij president en De Klerk vice-president geworden was, waar hij hem zou beschuldigen van gebrek aan integriteit en openheid, hem misleidend zou noemen en erop zou wijzen dat hij in het parlement nog steeds sprak op de manier waarop 'blanken vroeger tegen zwarten spraken'. Wanneer De Klerk daarop zijn papieren wil oppakken om te verdwijnen, zou hij zeggen dat 'als u weggaat, uw vertrek nog geen rimpeling zal veroorzaken', terwijl hij met een handgebaar die rimpeling zou uitbeelden.

Maar wanneer Mandela zoiets zegt, neemt Mandela het ook weer terug omdat hij De Klerk nodig heeft in de nationale eenheidsregering, net zoals hij hem nodig had bij de onderhandelingen. Ze hebben overeenkomsten ontworpen, verjaarswensen uitgewisseld en na bittere debatten elkaar de hand geschud. En dus had Nelson, tijdens hun voorverkiezingscampagne waarover zoveel geschreven werd, na wederzijdse aanvallen zijn hand naar De Klerk uitgestoken met de woorden: 'Ik denk dat wij voor de hele wereld het voorbeeld bij uitstek zijn van mensen uit verschillende raciale groeperingen die een gezamenlijke loyaliteit hebben, een gezamenlijke liefde voor hun gezamenlijke land. Meneer, u bent een van degenen op wie ik reken. We zullen de problemen van ons land samen het hoofd bieden.'

Nelsons toernee, onverschrokken in een al even onverschrokken tijdperk, voerde hem dwars door een land waar in verschillende delen tegelijkertijd bittere koude en verzengende hitte heersen. Zijn gezondheid was over het algemeen tegen die afstraffing opgewassen, al was hij zo verstandig om zich van tijd tot tijd terug te trekken in de stilte van de wildernis om weer op krachten te komen en zijn enthousiasme nieuw leven in te blazen.

Verslaggevers vertelden: 'Vegen van handafdrukken op zijn autoruiten, aanhangers die op daken en in bomen klimmen en borden met VIVA, KONING DER

KONINGEN erop' en gaven als commentaar: 'Hij wordt bijna als de Messias binnengehaald. Hij komt aan in zijn op bestelling gebouwde, kogelvrije Mercedes. Een paar gelukkigen lukt het de held aan te raken of zijn hand te schudden, anderen verdringen zich alleen maar rondom zijn auto en drukken hun handen tegen de ruiten in de hoop dat dan iets van de kracht en het charisma op hen zal overgaan. De liefde die zijn aanhangers voor hem voelen, is echt en devoot, en omgekeerd gaat het respect dat de heer Mandela voor zijn aanhang heeft veel verder dan dat van een politicus die enkel probeert stemmen te winnen. Vragen beantwoordt hij geduldig en kundig; als hij het antwoord schuldig moet blijven, zegt hij dat ook en als hij het antwoord wel weet, spant hij zich in om de vragensteller tevreden te stellen.' (Bryan Pearson, *Daily News*, 10 maart 1994.)

'Mandela boezemt ontzag en eerbied in, geen angst. Gewone mensen omringen en gebruiken hem (niet de politici, niet de strebers) en zijn als verdoofd wanneer hij hun zijn sterke hand reikt. Knieën knikken en ogen staren, heel even staat de tijd stil terwijl ze zich koesteren in zijn aureool van zachtaardige edelmoedigheid. Hij buigt zich voorover om nog een paar woorden te wisselen. Dan is hij weer weg, voortgejaagd door de druk van onmogelijke tijdschema's.' (Peter de Ionno, *Sunday Times*, 23 november 1993.)

Terwijl er bijna overal sprake was van applaus en bewieroking, kwamen er ook incidenten voor die aangaven hoe sommige kieskringen zouden stemmen. In Mannenberg in Kaapstad werd zijn auto door boze aanhangers van de Coloured National Party met stenen bekogeld. In KwaZulu-Natal moest tot tweemaal toe zijn bijeenkomst worden afgelast vanwege de oppositie van de IFP en de zwakke opstelling van het ANC, in Dukuduku Forest en in Taylor's Halt.

In het land van de Regenkoningin werd hij heel anders ontvangen. Eerst kwamen haar onderdanen welkomstkreten slakend de heuvel opgeklommen toen zijn colonne auto's in wolken stof over de onverharde weg kwam aanrijden. Naast zijn auto renden ze mee de steile heuvel af naar de ceremoniële hut van Modjaji. Met zijn gevolg ging hij de hut binnen maar daar was niemand om hen te ontvangen. Ze wachtten geduldig een minuut of twintig totdat de koningin tevoorschijn kwam, op blote voeten, en humeurig informeerde 'wat al die mensen bij hem deden? Wisten die dan niet dat wanneer belangrijke mensen bijeenkwamen het voor het gewone volk heel onbeleefd is zich te willen indringen?' De 'indringers' trokken zich terug om de belangrijke mensen te laten praten. Ze weigerde fotografen toe te laten in de hut en weigerde naar buiten te komen om met Mandela te poseren; waarschijnlijk als enige ter wereld wees ze die eer van de hand. Nelson was absoluut niet van zijn stuk gebracht door het merkwaardige gedrag van de koningin. Ze was koningin en had recht op haar stemmingen, die allemaal op hun plaats waren, ook al waren ze dan sterk door haar eigenaardige persoonlijkheid gekleurd.

De verkiezingsdag kwam, in de meeste delen van het land zonovergoten, en alleen de vreugde van de mensen, die met miljoenen kwamen opdagen, verjoeg het geweld dat het land jarenlang in zijn greep had gehad. Ze wachtten in rijen die mijlenlang waren; in sommige centra wachtten ze dagenlang toen de stembiljetten op waren en herdrukt moesten worden: het was gewoonweg het wonder van de vervulling dat, na al die jaren van strijd, ieder gevoel van ontbering en ongemak overwon.

Het ANC kwam in zeven van de negen regio's als daverend overwinnaar uit de bus: KwaZulu-Natal verloren ze aan Inkatha en Westkaap aan de National Party. Toch werd, de belofte getrouw, een kabinet van nationale eenheid geïnstalleerd met Nelson als eerste president van de pasuitgeroepen niet-racistische, niet-seksistische democratie, Thabo Mbeki als eerste vicepresident en De Klerk als tweede.

Nelson werd als president geïnstalleerd in een van de mooiste plechtigheden die de wereld heeft gezien, in aanwezigheid van schitterende namen zoals Julius Nyerere, Robert Mugabe, Hillary Clinton, Sonia Gandhi, Yasser Arafat, Fidel Castro, prins Philip, Benazir Bhutto en vele, vele anderen.

Regeren is nooit een eenmanszaak maar één man kan wel alle touwtjes in handen hebben en alle macht naar zich toe trekken. Zo gaan despoten en dictators te werk. Niet Mandela. Hij kan goed luisteren en vraagt om advies; hij weet hoe waardevol deskundigen zijn en wendt zich tot hen om hulp bij het nemen van de juiste beslissingen. Maar hij heeft ook alle vertrouwen in zijn eigen politieke instinct en is zich goed bewust van de unieke invloed die hij uitoefent. Hij aarzelt niet om beide voordelen te gebruiken als de situatie dat voorschrijft, soms heel spontaan, golfjes veroorzakend als dat tegen het heersende beleid in lijkt te gaan. Terwijl hij van zijn ministeries en teams van deskundigen afhankelijk is voor de verwezenlijking van het Reconstructie- en Ontwikkelingsprogramma (de taak die de nationale eenheidsregering zich heeft gesteld), neemt hij de persoonlijke verantwoording op zich om de uiteenlopende politieke partijen tot elkaar te brengen, en via hen hun aanhang. Dit heeft tot resultaat gehad dat hij naar de gunst dingt van hen die door zijn aanhang zo volhardend geboycot werden en als onaanraakbaren werden behandeld. Zijn activiteiten in dit opzicht zijn niet altijd even populair geweest maar wel noodzakelijk om de verzoening te verwezenlijken die bovenaan op zijn agenda staat.

Het leiden van de nationale eenheidsregering is geen eenvoudige taak. Nelson presideert over een kabinet waarin hij het evenwicht tussen uiteenlopende politieke houdingen en ambities moet bewaren. Het gebrek aan ervaring van een groot deel van de parlementariërs en de grote mate waarin men op de omvangrijke civiele dienst steunt, een erfenis van het verleden, staat het Reconstructie- en Ontwikkelingsprogramma in de weg.

Het ongedaan maken van de sinds honderden jaren geldende ongelijke verdeling van arbeidsplaatsen is een op zich al riskante uitdaging, wat nog verergerd wordt doordat het een nationale eenheidsregering is die dit nastreeft, terwijl zij zichzelf alleen kan handhaven als de bestaande wanverhoudingen worden gerespecteerd. De nieuwe regering ging van start met een begroting die nog door de oude regering was opgesteld en al wordt geprobeerd de budgetten minder onrechtvaardig te verdelen, de vrees dat dat onrust zal veroorzaken omdat het bestaande structuren in gevaar brengt, werkt afremmend.

Het succes van Mandela schuilt in zijn talent om de Zuidafrikanen, blank en zwart, vriend en vijand, bijeen te brengen. In dat opzicht waren de verkiezingen, zijn installatie en de eerste honderd dagen na zijn ambtsaanvaarding in het door geweld verscheurde Zuid-Afrika wonderen. Voor de nieuwe president is het handhaven van de interraciale vrede zijn belangrijkste taak en hij lijkt daarin bewonderenswaardig te slagen, al wordt er gefluisterd dat hij te toegeeflijk is tegenover de blanken.

In de meeste gevallen waarin Mandela zijn eigen politieke drijfveren trouw blijft, blijken die drijfveren de juiste te zijn en krijgen zijn plannen de steun van hen die er aanvankelijk tegen waren. Als het hem gelukt was zijn partij over te halen om in de beginfase tot een vergelijk met Buthelezi te komen, dan waren die duizenden levens misschien wel gespaard gebleven, al is het moeilijk te peilen wat de invloed ervan zou zijn geweest op de eenheid binnen de partij.

De Afrikaners die gisteren nog zo luidkeels om een eigen 'volksstaat' riepen en die te horen kregen dat een uitvoerbaar plan hieromtrent in overweging genomen zou worden, lijken vandaag tot bedaren gebracht. Mandela spreekt Afrikaans als de situatie dat vereist en spoort zijn Afrikaanse publiek aan om het Afrikaner volkslied 'Die Stem' naast 'Nkosi Sikelela Afrika' te zingen als de nationale volksliederen. Leuk vinden ze het niet maar hij heeft genoeg vertrouwen in zijn leiderschap om zulke eisen te stellen. Hij is zich van het gefluister bewust dat hij te toegeeflijk is voor de blanken en hij is zich er ook van bewust dat dat gefluister in luid gegrom kan ontaarden als het RDP niet in voldoende mate wordt geïmplementeerd. Bovendien weet hij dat hij de tijd, die tijdens zijn zevenentwintig jaar gevangenschap aan zijn zijde was, nu niet meer aan zijn zijde heeft maar hij is vastbesloten om van de waardevolle jaren die hem nog resten het uiterste te vergen door zijn gezondheid zorgvuldig in acht te nemen en een strikt maar gezond werkschema aan te houden.

Waarschijnlijk is hij de hardst werkende man van heel het land, die voor dag en dauw opstaat omdat zijn dagindeling begint lang voordat zijn assistenten er zijn en nog geruime tijd doorgaat nadat zij 's avonds weer naar huis zijn gegaan. In de uren voordat hij met zijn ambtszaken begint, waarover zijn secretariële staf de leiding heeft, voert hij telefoongesprekken om op persoonlijke titel invloed uit te oefenen op het versnellen van het veranderingsproces, waarbij hij zijn vrienden en politieke functionarissen verrast met een gezellig praatje voordat hij ter zake komt.

Na zeven maanden regeren is de raciale wanverhouding in vrijwel alle regeringsinstellingen en semi-overheidsbedrijven nog onveranderd. De werkloosheid blijft hoog, de financiële middelen laag. Hiertegenover staat dat, grotendeels door Mandela's persoonlijke inspanningen, gratis medische voorzieningen voor moeders en kinderen vrijwel onmiddellijk beschikbaar kwamen en dat het met ingang van dit jaar verboden is kinderen toegang tot scholen te weigeren. Er is sprake van een waarneembaar integratieproces, al wordt dat ernstig beperkt door de gevolgen van de gecombineerde rassen- en klassesegregatie die de apartheidsregering had ingesteld. Er is een krachtig huisvestingsprogramma in werking getreden, al wordt nog gezocht naar een huisvestingsmodel dat voldoende tegemoet komt aan de draagkracht van de miljoenen mensen die in geïmproviseerde onderkomens huizen.

Op de honderdste dag na zijn ambtsaanvaarding betrad Nelson, onberispelijk gekleed en met een feestelijke corsage op, het parlementsgebouw, toegejuicht door de parlementariërs die als één man opstonden voor een staande ovatie, inclusief fluitconcert en kreten als 'viva, lang leve Mandela'. Hij had net een operatie achter de rug waardoor zijn ogen traanden en waarschuwde zijn publiek dat hij de gewoonte had zijn ogen telkens droog te betten. 'Maakt u zich niet ongerust, er is niets aan de hand. Het is mijn unieke manier om uw aandacht te trekken.' Daarop evalueerde hij de honderd dagen en zei tot besluit: 'Als de dag ten einde loopt, is de maat waarmee wij allemaal gemeten zullen worden een en dezelfde: leggen wij, door onze inspanningen hier, de basis voor een beter leven voor alle Zuidafrikanen?' Hij beantwoordde de vraag bevestigend. Hij geloofde dat het land in die richting ging. 'Ons onderhandelingsproces', zei hij, 'heeft voor een uniek overgangsmechanisme gezorgd dat aan de grote oppositiepartijen plaats biedt in een nationale eenheidsregering. Het is van cruciaal belang dat we een blijvende nationale consensus geschapen hebben voor wat betreft de interimgrondwet en de brede reconstructie- en ontwikkelingsdoelstellingen.'

Het land dat eeuwenlang onder de zweren van de raciale onrechtvaardigheid zat, was tijdelijk genezen. De ongelijkheden duren voort maar de mensen zijn ervan overtuigd dat de nieuwe regering, hun regering, ze uit de weg zal ruimen. Daar is tijd voor nodig en zij zijn bereid haar die tijd te geven. De nieuwe vrede die in het hele land heerst, trekt buitenlandse investeerders aan en landen die de apartheidsstaat geboycot hadden, vestigen er nu hun ambassades en bieden hulp aan.

Mandela staat aan het roer van de nationale eenheid met een doortastendheid die vrijwel uitsluitend aan zijn charismatische persoonlijke uitstraling te danken is. Maar wat als Mandela daar niet meer staat?

Woordenlijst

abantu	mensen
abazukulu	kleinkinderen
abekhwenyana	feest van de bruidegom
abelungu	blanke mensen
acting paramount chief	het op dat moment in functie zijnde paramount, een soort primus inter pares onder de traditionele gezagsdragers
amadelakufa	zij die de dood trotseren
amandla!	macht aan het volk!
amasi	karnemelk
asinamali	wij hebben geen geld
azikwela	wij rijden niet mee
banishment order	uitwijzing
banning order	huisarrest
Bantustan	thuisland
baya khala abazali	jouw familieleden huilen
boy	denigrerende aanspreking van een zwarte
bwana	meester
chief	traditionele Afrikaanse hoofden van een familiegroep of dan, of de hoofden van de door de Europese autoriteiten (Engelsen in Natal) aangestelde (lagere) overheden
de jure	volgens het recht
doeks	hoofddoeken
ibhayi	omslagdoek
imbongi	lofzanger
imfecane	de vermorzeling

impi	leger
impimpi	spion
impundulu	behekste vogel
in loco	ter plekke
indaba	bespreking
indali	markten
indlalifa	mannelijk erfgenaam
indlunkulu	eerste huis
induna	wijze man, chief
infba	traditionele Zulu-dans
inkosana's	dochter van de chief
inkundla	het erf
intaba	de revolutionairen uit de bergen
intshula	speer
inyanga ya komkhulu	de kruidkundige van de clan
isidwebe	leren schort
isiswe	natie
ivuthiwe buti	het is gaar, broeder
ixakatho	borstdoek
ixhiba	kleiner, Linker Huis
izinyanya	geesten der voorouders
kaffer	1. naam voor de Bantu-neger
	2. scheldwoord voor zwarte
kaross	omslag van huid met haar
laager	(leger)kamp
lobola	bruidschat
mabhatane,	leerling-klerk
makhulu	grootmoeder
makoti's	getrouwde vrouwen
mamomncinci	klein moedertje
mampara	domkop
marshal	lid van de ANC-ordedienst
mayibuy'i Afrika!	kom terug, Afrika
mdala	oude man

mdlezana	zogende moeder
mealie	kolven
mini mbaco	lendedoekje
mthakathi	medicijnman
mthi	medicijn
muti	toverkruiden
nangamso	eeuwigheid
necklacing	vorm van marteling waarbij autoband om de nek van het slachtoffer in brand wordt gestoken
ngawethu! *Nkosi Sikelela Afrika*	wij zullen winnen! God zegene Afrika
ntombi	meisje
rondavels	ronde kafferhut
rookies	kraaien
sakubona, mama	gegroet zij u, mama
samp	grofgemalen maïsmeel
shebeen	kroeg waar alleen zwarten komen
squatters	mensen die zonder officiële toestemming op braakliggend terrein wonen in provisorische onderkomens van plastic, golfplaat, hout en leem
takathi	tovenarij
tata	papa
tatomkhulu	grootvader
thina silulutsha	wij zijn de jeugd, jullie zullen ons niet doden
thwala	ontvoeren
tickeys	drie penny-munten
township	zwarte wijk
toyitoying	typerende, half-militaire manier van dansen van de Afrikaanse jeugd bij bijeenkomsten
tshotsholoza	voorwaarts

ubuntu	menselijkheid
ubuthi	zwarte magie
uhuru	vrijheid
ukuhlo	hoofddoek
Umkhonto we Sizwe	Speer van de Natie, militaire vleugel van het ANC
umnggusho	maïspap met bonen
umphokoqo	Pondo-pap
umuzi	hofstede
Vaal Triangle	Potchefstroom, Witwatersrand, Vereeniging (PWV) in Transvaal, tegenwoordig Gauteng genoemd
witdoeke	witte hoofdbanden
yase	eigenzinnig, zelfstandig

Afkortingen

Deze lijst biedt een overzicht van in het boek vaak voorkomende afkortingen.

ANC	African National Congress
AVU	Afrikaner Volksunie
AZAPO	Azanian African People's Organization
BCM	Black Consciousness Movement (Zwarte Bewustzijnsbeweging)
CCB	Civil Cooperation Bureau
COD	Congress of Democrats
CODESA	Convention for a Democratic South Africa
COP	Congress of the People
COSAG	Concerned South African Group
COSATU	Congress of South African Trade Unions
CP	Conservative Party
DP	Democratic Party
FOFATUSA	Federation of Free African Trade Unions
IFP	Inkatha Freedom Party
LP	Labour Party
MDC	Movement for Democracy of Content
MDM	Mass Democratic Movement
MK	Umkhonto we Siswe
NEC	National Executive Committee (Nationaal Uitvoerend Comité van het ANC)
NEUM	Non-European Unity Movement
NP	National Party (Nasionale Party)

OAU	Organization for African Unity (Organisatie voor Afrikaanse Eenheid)
PAC	Pan Africanist Congress (Pan-Afrikaans Congres)
PAFMECA	Pan African Freedom Movement for East and Central Africa, later PAFMESCA (S = South)
PF	Patriottic Front (Patriottisch Front)
PWV	Potchefstroom, Witwatersrand, Vereeniging: de Vaal-Driehoek in Transvaal, tegenwoordig Gauteng genaamd
SACP	South African Communist Party
SACTU	South African Congress of Trade Unions
SADF	South African Defence Force
SAIC	South African Indian Congress
SWAPO	South West African People's Organization
UDF	United Democratic Front

In de **GEUZENPOCKET-reeks** verschenen: